W, van der March
Nijmegen, 10-15-1968
TvT

ACADEMIA ALFONSIANA

INSTITUTUM THEOLOGIAE MORALIS

STUDIA MORALIA

I

EDITRICE ANCORA ROMA

Imprimi potest

G. GAUDREAU, Sup. Gen. C.ss.R.

In festo B.M.V. de Perpetuo Succursu

27 Iunii 1962

INDEX

INTRODUCTIO

Academia Alfonsiana primitus erecta decreto S.C. Religio-
sorum, die 25 Martii 1957, in institutum superius pro studio et
magisterio theologiae moralis et pastoralis promovendo, inde,
rebus prospere procedentibus, a S.C. de Seminariis et studiorum
Universitatibus die 2 Augusti 1960 approbata fuit atque Pontifi-
ciae Universitati Lateranensi tamquam pars integrans adnexa, ita
ut in futurum facultatem obtinuerit alumnos suos, qui cum fructu
studia ibi absolverint, laurea d,ctorali insigniendi. Per hanc Aca-
demiam, quae nomen defert S. Alfonsi, Doctoris Ecclesiae atque
coelestis Patroni omnium qui studio theologiae moralis incumbunt,
sodales Instituti religiosi ab eo erecti fideliter et efficaciter opus,
quod ipse suo tempore in theologia morali et pastorali incoepit
quodque abundantes fructus, etiam saeculis supervenientibus, in
Ecclesia produxit, continuare intendunt: scilicet in adaptatione ad
tempora actualia, ad eorum problemata atque modum cogitandi,
attamen fideliter sequendo vestigia sanae traditionis populi chri-
stiani et magisterii Ecclesiae, sicentifice explorare normas mora-
les, quas Deus humanitati lege sua naturali ac revelata proponit,
atque explorata pastoraliter contemporaneis communicare.

Postquam autem Academia per primum lustrum suae existen-
tiae orali magis magisterio incubuerit, quo alumnos suos ad do-
cendum et scientifice laborandum educare sategit, nunc scriptis
quoque scientiae catholicae promovendae in campo morali et pa-
storali modestum tributum in futurum afferre desiderat. Ad quem
tamen finem attingendum utile visum est, non quidem novum
periodicum fundare, quippe quod mundus theologicus hodie foliis
periodicis revera superabundare videatur; sed publicationibus,
datis temporibus tamquam serie continuata, edendis prout occa-
siones se praebebunt, ideas circa principia fundamentalia necnon

discussiones practicas expertis praesertim theologis proponere. Itaque praeter seriem monographiarum « Studia theologiae moralis et pastoralis, edita a professoribus Academiae Alfonsionae in Urbe » cuius hucusque 7 volumina prodierunt lingua germanica (quaedam etiam in alias linguas traducta) initium dare intendimus seriei « Studia moralia », cuius heic primum volumen humiliter offertur. Omnes articuli, qui in eo continentur scripti sunt a professoribus Academiae, qui ad Congregationem Ss. Redemptoris pertinent; libenter tamen in posterum contributa accipientur aliorum theologorum, qui fraterne nobis collaborare desiderant.

**
* **

Dissertationes huius voluminis titulo comprehendi possunt: « lineamenta fundamentalia »: maxima enim ex parte proponere vel dilucidare intendunt themata, quae tamquam fundamentalia considerari debent pro recte instituendo studio theologiae moralis et pastoralis. Tres autem partes in hac collectione apte distingui poterunt:

1. Prima pars quaedam themata proponit, quae programmatica considerari oportet pro suscipiendo studio scientifico *theologiae moralis sive in sua generali extensione, sive in quibusdam eius partibus integrantibus vel subsidiariis. Ita* B. HÄRING *ideas suas generales exponit circa proprietates, quae hodie exiguntur vel desiderantur ad hoc, ut doctrina moralis modo nostris temporis magis adaptato redigatur et proponatur. Quoad investigationem scientificam circa fontes et historiam idearum, formularum et redactionis technicae in theologia morali elaborantur quaedam elementa praeliminaria, necessario prae oculis habenda in studio doctrinae moralis temporis patristici* (MURPHY) *ac periodi modernae: scilicet illius temporis quo composita sunt praecipua opera specifice moralia, quae structurae et methodo plurimorum tractatuum moralium nostri temporis subiacent* (VEREECKE). *Recta quippe methodus investigandi doctrinam Patrum et auctorum omnino procedere debet a cognitione conditionum spiritualium et materialium, in quibus opera eorum scripta sunt.*

Tamquam specimen, quomodo tractatui omnis materiae moralis praecedere debeat positio fundamenti theologici, offertur consideratio circa instituendam theologiam vitae economicae (HORTELANO); *hac enim consideratione omne studium de habitudine et operatione hominis in campo oeconomico dirigi debet in ordinanda ea ad finem ultimum; quin, sicut saepe observari poterit, in hoc studio nimis a spiritu christiano erga bona temporalia abstrahatur.*

Sequitur in fine huius partis conatus adumbrandi expositionem philosophicam phoenomeni et scientiae moralis, quae hodiernae menti existentialiter cogitanti magis correspondet, quin ad hoc principia philosophiae christianae derelinquantur (FORNOVILLE).

2. *In secunda parte quidam articuli offeruntur, qui magis se referunt ad principia quae* practicam vitam moralem *dominare debent. Primo* A. HUMBERT *exponit, quomodo observantia mandatorum iuxta mentem Novi Testamenti et in specie S. Ioannis accipienda est non sensu legalistico sed tamquam medium et expressio communionis cum Deo Patre et Iesu Christo. Duo deinde articuli tractant de parte quam habet virtus prudentiae in ordinanda vita morali: in genere scilicet in cognoscendo veritatem moralem et volendo verum bonum, per virtutes morales exsequandum* (ENDRES); *in specie denique in efformanda conscientia recta: quomodo S. Alfonsus, in elaborando suo systemate morali de certitudine conscientiae requisita ad recte agendum, processit non modo iuridico sed appellando ad principia prudentiae christianae* (CAPONE). *Patet ex hoc articulo, quam intricato labore et reflexione — a quibusdam historicis theologiae moralis obfuscato vel male interpretato — S. Alfonsus pervenerit ad defensionem libertatis christianae, a rigidiori systemate nimis coarctatae.*

3. *Tertia pars proponere et elaborare satagit quaedam themata ad* Theologiam pastoralem *pertinentia.* S. O'RIORDAN *conamen praesentat delineandi schema Psychologiae pastoralis tamquam scientiae* theologicae, *quae scilicet describit actus psychologicos requisitos in communicando et recipiendo nuntio revelato, adhibendo ad hoc omnia inventa psychologiae modernae.* A. REGAN *in fine theologiam delineat praedicationis verbi Dei, qua Verbum divinum hominibus communicatur et fides excitatur ad illud recipiendum.*

*
* *

Articulis supra descriptis non complecti intenditur aliquod schema definitum aut unitarium; offerunt tantummodo quaedam themata vel specimina hinc illinc arrepta, prout cuique auctori videbatur. Notatum in fine vellemus, quod quidem dissertationes hic collectae tamquam programmaticae Academiae Alfonsianae considerari possunt, in concreta tamen elaboratione responsabilitatem de materia, quae in illis continetur, soli auctores individuales portant.

J. VISSER

BERNHARD HÄRING

HEUTIGE BESTREBUNGEN ZUR VERTIEFUNG UND ERNEUERUNG DER MORALTHEOLOGIE

SUMMARIUM

Theologia quoquo tempore aliquo sensu renovanda est, quia functionem particularem habet in vita ecclesiae semper se renovante, in concursu cum motibus spiritualibus saeculi respectivi. Sed theologia nunquam progreditur neque ullo modo veram actualitatem assequitur nisi *uberius hauriendo ex fontibus traditionis totalis.* Forsitan theologia moralis tribus saeculis elapsis minus fructuosa erat, quia non satis studebat traditioni anteriori integrali. Attamen iudicium nostrum iniustum esset, si omitteremus considerare necessitates, quae illo tempore urgebant.

Theologia moralis — sic putant hodie auctores gravis ponderis — sequi debet *systema magis christo-centricum,* etiam in modo componendi materiam. Cum homo modernus ubique et constanter imbuatur ethica sic dicta laicali (non-religiosa), theologus ad hoc imprimis incumbere debet, ut elementa specifica moralitatis christianae in lucem ponat. Praesertim post encyclicam « *Mystici Corporis Christi* » tamquam idea centralis theologiae moralis proponitur « *esse in Christo* ». Ipsa gratia Spiritus Sancti, quae nobis dat et auget vitam in Christo, est nobis lex qua liberati sumus a peccato.

Donum gratiae vivendi in Christo et cum Christo maxime nobis contingit per *sacramenta.* Propterea sacramenta in systemate theologiae moralis non sunt tractanda principaliter sub respectu obligationum quarundam specialium, quae urgent occasione receptionis, sed potius tamquam *forma totius vitae christianae.*

« Esse in Christo per sacramenta » non significat solam vitam absconditam cum Christo sed simul etiam functionem activam *in regno Christi.* A sacramentis et specialiter a sacrificio eucharistico continuo impulsum vitalem accipimus, ut omnes tamquam membra viventia Christi adlaboremus pro « mundo meliori ».

Theologia moralis, quae semper aliquo modo « kerygmatica » esse debet, speciali studio excolit *doctrinam de conversione,* ita ut tota vita christiana subiecta sit *legi crescendi,* i.e. conversioni continuae.

Personalismo moderno sat periculoso opponimus *personalismum biblicum,* qui exprimitur per caritatem tamquam formam internam existentiae christianae. Existentialismum paganum oppugnamus et aliquo modo redimimus per *existentialismum christianum,* qui libertatem filiorum Dei non quaerit in anomismo titanico, sed in plena disponibilitate erga gratiam Spiritus Sancti cum animo semper parato erga necessitates proximi.

Kann es in Raum der Kirche, der treuen Bewahrerin der Offenbarungswahrheit überhaupt eine wesentliche Erneuerung der Theologie geben? Ist die katholische Theologie nicht ihrer innersten Bestimmung nach die treue Weitergabe der einen, unveränderlichen Wahrheit des Glaubens und ihrer Forderungen an den Menschen? Dieser Frage müssen wir uns zuerst stellen, wenn wir von Erneuerung der Moraltheologie von heute sprechen, um von vorneherein Mißverständnisse abzuweisen und die wahre Tragweite unserer Bemühungen abzugrenzen.

Der Mut zur Treue

Im himmlischen Jerusalem werden wir der Theologie nicht mehr bedürfen; denn wir werden von Angesicht zu Angesicht schauen, was wir hier nur wie im Spiegel betrachten. Ob wir der Anschauung Gottes einmal für würdig erfunden werden, darüber entscheidet — soweit es von uns abhängt — nicht zuletzt unser ehrlicher und entschlossener Wille zur Treue gegenüber dem überkommenen Erbe, der treue Gehorsam gegenüber Christus und Seiner Braut, der Kirche. Von eben diesem Willen zur Treue hängt es auch ab, ob die Umrisse des Spiegelbildes — unserer bruchstückartigen Erkenntnis — wahr bleiben, mögen sie auch noch so undeutlich sein.

Der Mut zur Treue schließt jedoch wesentlich die *Demut* in sich. Die Theologen insgesamt und jeder für sich müssen sich vollkommen bewußt bleiben und immer noch mehr bewußt werden, daß sie die Erkenntnis noch nicht auf himmlische Weise besitzen, sondern nach der Art dieser irdischen Pilgerschaft. Wir umgreifen die Wahrheit nicht mit einem einfachen durchdringenden Blick. Wir können sie nur umkreisen und umschreiben und uns ihr auf vielfältige Weise annähern. Der Theologe kann seinen Standort mit einem Turm vergleichen mit zahlreichen

Lichtschlitzen. Von jedem aus sieht er nur einen bescheidenen Ausschnitt des herrlichen Panoramas. Er muß versuchen, auch an die andern Fenster heranzukommen, um mehrere Ausschnitte zu sehen. Und — soweit ihm die Fenster nicht selbst zugänglich sind, muß er im Gespräch bleiben mit jenen, die von dort in die Welt Gottes hinausschauen. - Treue verlangt also, um das Bild zu übersetzen, daß man sich bewußt bleibt, daß alles Erreichte Bruchstück ist, und vor allem auch, daß man sich nie in seiner Privatmeinung oder in einer Schulmeinung verschanzen darf. Die Theologen und die Theologenschulen müssen im Gespräch miteinander bleiben. Es genügt noch nicht, daß sie im gleichen Turm, im Hause der einen Kirche, wohnen.

Der Mut zur Treue ist jedoch kein bloß irdischer Mut. Er hat sein Fundament in der Verheißung des Herrn an seine Kirche, daß die Pforten der Hölle sie als Grundfeste der Wahrheit nicht überwältigen werden. Treue gibt es in der Theologie letztlich nur, weil der Auferstandene seiner Kirche und allen Gläubigen den Heiligen Geist gesandt hat. Mut zur Treue heißt so Mut zum Gehorsam gegenüber der Kirche, auch wenn der «alte Mensch» mit seinem Räsonnieren sich noch so sehr auflehnen möchte. Treue bedeutet einen ständigen Kampf gegen die «sarx», die ichhafte Existenz- und Denkweise, die «Weisheit dieser Welt». Treue in der Theologie heißt genau so wie Treue im christlichen Leben überhaupt «sich vom Geiste leiten lassen» (vgl. Röm 8, 14; Gal 5, 18). Solange wir uns jedoch auf der Pilgerschaft zum himmlischen Jerusalem befinden, müssen wir den Mut haben, uns einzugestehen, daß wir immer erst auf dem Weg zum vollkommenen Gehorsam gegenüber dem Heiligen Geist sind.

Die Theologie und die Theologen sind nie unangefochten. Sie sind immer erst auf dem Weg. Je klarer sie sich dessen bewußt sind, um so mehr werden sie sich um stets vollkommenere Treue bemühen.

Kein Theologe braucht sich zu schmeicheln, er sei ein für alle mal der Versuchung entronnen, den Menschen gefallen zu wollen. Der Theologe muß kraft seiner Berufung dem Heil der Menschen dienen. Er darf nicht müßigen Spekulationen nachgehen, sondern muß die *Heilsbotschaft* für seine Zeit treu darstellen, ob sie gefalle oder nicht gefalle. Dienen kann er jedoch nur, venn

14

er treu ist. Treue aber bedeutet sowohl achtsames Bewahren des Erbes als auch wache Hellhörigkeit gegenüber dem Ruf der Stunde; denn auch er kommt von Gott und verlangt darum treues Dienen.

Treue zur Heiligen Schrift

Der reinste Quell, aus dem alle wahre theologische Erneuerung entspringt ist das Wort Gottes, das uns in der Heiligen Schrift geschenkt ist. Sie stellt uns die bleibenden Themen. Sie lehrt uns die Verbindung von überzeitlicher Wahrheitsaussage und dem konkreten Anspruch an den bestimmten Menschen, an die bestimmte Gemeinschaft in ihrer Zeit und Situation.

Es genügt nicht, die Heilige Schrift zum Beweis der Aussagen heranzuziehen, und geschähe dies auch in der allergrößten Bereitschaft, nichts zu behaupten, was sich nicht mit der gesunden Auslegung der Heiligen Schrift vereinbaren ließe. Man darf eben nicht damit zufrieden sein, den Maßstab der Heiligen Schrift gewissermaßen *nachträglich* an sein theologisches Denken anzulegen. Sie muß vielmehr von Grund auf unser ganzes theologisches Denken formen. Von ihr müssen wir uns die Gesamtschau der christlichen Sittlichkeit lehren lassen. Man muß es einer katholischen Moraltheologie auf den ersten Blick ansehen, daß sie nach Inhalt und Form, nach den Denkstrukturen und Aussagen mehr von der Heiligen Schrift geprägt ist als von irgendeinem Gesetzbuch oder von einem philosophischen System, sei es die Zeitphilosophie oder die des Aristoteles.

Man würde zum Beispiel dem heiligen Augustinus oder dem heiligen Thomas von Aquin schweres Unrecht antun, wenn man glaubte, ihnen treu zu sein, indem man bloß ihr platonisches oder aristotelisches Rüstzeug übernimmt. Das sie zu tiefst Kennzeichnende ist vielmehr ihr biblisches Denken, ihr inniges Vertrautsein mit der Heiligen Schrift, das sich auch dort zeigt, wo sie dieselbe nicht ausdrücklich zitieren. Aber noch grundsätzlicher ist zu sagen: Für einen katholischen Theologen muß selbst vor der Frage, ob er Thomas oder Augustinus gegenüber treu sei, die viel entscheidendere Gewissenserforschung stehen, ob er der Heiligen Schrift gegenüber treu sei.

Die Heilige Schrift selbst gibt uns deutliche Fingerzeige

dafür, daß sich die sittliche Botschaft unter verschiedenen, wenn auch inhaltlich verwandten und zusammengehörenden Leitideen darbieten läßt. Die Bergpredigt zeigt einen anderen Aufbau als die Abschiedsrede Jesu bei Johannes. Aber jedem ist klar, daß sie sich nicht widersprechen, sondern sich ergänzen. Bei den Synoptikern spielt der Grundbegriff des «Reiches Gottes» eine deutlicher feststellbare Rolle für die Begründung der christlichen Sittlichkeit mit der ihr eigenen endzeitlichen Entschlossenheit, während bei Johannes und Paulus die gleiche Wahrheit nur der Sache, nicht aber dem Begriff nach wiederkehrt.

Gewisse Systematisierungsversuche sind jedoch von der Heiligen Schrift her einfachhin als verfehlt oder bedenklich anzusprechen. Jede Darbietung der christlichen Moral, die zum Beispiel die Verbindung von Heilsgeheimnis und sittlichem Tun nicht oder nur am Rande erwähnt, ist schriftfremd. Ähnliches ist zu sagen von einem Aufbau der Moral, in dem die bloße Festlegung der Mindestverpflichtungen die Hauptrolle spielt, während die besonderen Gnadengaben Gottes mehr oder weniger als eine unverbindliche Zutat behandelt werden; denn nach der Schrift ist es die «Gnade Gottes, die uns lehrt» (vgl. Tit 2, 11 f.). Ebenso ist eine Moral, die nur die Erreichung der individuellen Seligkeit und die Individualpflichten darstellt, weit vom Geist der Heiligen Schrift entfernt, für die eine wunderbare Synthese zwischen individuellem Heil und der sozialen Heilsfülle absolut kennzeichnend ist. In allem geht es darum, «die Heiligen für das Werk des Dienstes zu bereiten: zum Aufbau des Leibes Christi — bis wir alle zur Einheit des Glaubens und der Erkenntnis des Sohnes Gottes gelangen, zur vollen Mannesreife, zum Vollmaß der Lebenshöhe Christi» (Eph 4, 12 f.).

Das herrliche Aufblühen der Bibelstudien, vor allem seit der Encyclica «*Divino afflante Spiritu*», bietet heute für eine biblische Vertiefung der Moraltheologie gute Voraussetzungen. Von besonderer Bedeutung ist dabei jene Bibeltheologie, die nicht von einer späteren theologischen Systematik, sondern von der Heiligen Schrift selber ausgehend die Leitideen der einzelnen Bücher und des Alten und Neuen Testamentes insgesamt herausstellt.

Wir dürfen wohl die Bitte an die Exegeten stellen, daß sie uns noch mehr als bisher die Ursprünglichkeit der sittlichen

Botschaft des Alten und Neuen Testamentes auf dem Hintergrund der ethischen Theorien und Strömungen der Umwelt des Offenbarungsvolkes sichtbar machen helfen. Die Funde am Toten Meer sind hiebei von großem Wert.

Von unschätzbarer Bedeutung für die Erneuerung der Moraltheologie ist der Umstand, daß kompetente Exegeten mit ganzer Liebe und ganzer Kraft zur Moraltheologie stoßen. *Fritz Tillmann*, der ursprünglich Exeget war und auch als moraltheologischer Lehrer Exeget blieb, wurde diesbezüglich wegweisend. [1] Er hat allerdings weniger eine Synthese oder Gesamtsystematik der Moraltheologie für unsere Zeit als vielmehr die Leitidee der einzelnen inspirierten Schriftsteller dargestellt. Hoffentlich findet das Beispiel eines unserer besten Exegeten Nachahmung, der sich bewußt ist, daß es nicht genügt, wenn die Exegeten von Zeit zu Zeit einige heftige Worte gegen eine schriftfremde moraltheologische Systematik sagen, und infolgedessen in seinen exegetischen Studien positive Hilfe bietet. Ich meine Rudolf Schnackenburg [2].

Die Tatsache, daß die Academia Alfonsiana, an der ein Großteil der künftigen Moraltheologen aller Länder herangebildet wird, zwei eigene Lehrstühle errichtet hat für die Darstellung der sittlichen Botschaft des Alten und des Neuen Testamentes durch Fachexegeten [3] berechtigt zu großen Hoffnungen. So wird keiner, der an diesem Institut promoviert hat, jemals auf den Gedanken kommen, es genüge, wenn man beiläufig auch einmal die Heilige Schrift zitiere.

---

[1] F. TILLMANN, *Handbuch der katholischen Sittenlehre*, unter Mitarbeit von THEODOR STEINBÜCHEL und THEODOR MÜNCKER. Vier Bände. 4. Auflage Düsseldorf 1950. - TILLMANN, *Der Meister ruft. Die katholische Sittenlehre gemeinverständlich dargestellt*. Düsseldorf 1949.

[2] R. SCHNACKENBURG, *Die sittliche Botschaft des Neuen Testamentes*. München 1954. - *Gottes Herrschaft und Reich*. 2. Auflage Freiburg 1961.

[3] Von den Veröffentlichungen der beiden Professoren nennen wir: A. HUMBERT, *Essai d'une théologie du scandale dans les synoptiques*, in: *Biblica* 35 (1954) pp. 1-28; - *La morale de S. Paul: Morale du plan du salut. Essai d'une théologie morale dans les épitres pauliniennes adressées à des communautés*, in: *Mélanges Sc. Rel.* 15 (1958) pp. 5-44. - R. KOCH, *Geist und Messias. Ein Beitrag zur Theologie des Alten Testamentes*. Wien 1950. - *Die Wertung des Besitzes im*

Treue zur ganzen Tradition

Eine der dringendsten Aufgaben der heutigen Moraltheologie ist die gründliche Erforschung der *ganzen* Tradition; denn gerade weil wir in unserer Epoche eines unerhört schnellen Wandels aller Strukturen und Lebensverhältnisse eine mutige Begegnung mit dieser neuen Welt wagen müssen, bedarf es aus der Tradition einer klaren *Unterscheidung zwischen dem Wandelbaren und Unwandelbaren*. Dies ist kaum möglich, wenn man nur die Gestalt der Moraltheologie von gestern kennt. Die Überzeugung, daß nicht jener der traditionstreueste Moraltheologie ist, der den Einheitstyp der « Institutiones theologiae moralis », wie er sich seit dem siebzehnten Jahrhundert herausgebildet hat, unverändert und unkritisch weiterpflegt, fängt an, zum Allgemeingut zu werden[4].

Die Erneuerung der Moraltheologie muß aus dem gangen reichen Strom der Überlieferung schöpfen von den Vätern bis auf unsere Zeit. Dabei ist die Väterzeit wohl aus einem zweifachen Grund von besonderer Bedeutung: Wir können und müssen von den großen Seelsorger-Theologen der alten Kirche lernen, die Ursprünglichkeit und Neuheit der sittlichen Botschaft in einer weithin nicht-christlichen Welt mit ganz andersartigen Ethiken wirksam herauszustellen. Dabei kommt den griechischen Vätern, die der neutestamentlichen Offenbarung zeitlich und sprachlich am nächsten standen, vor allem im Hinblick auf die Heimholung der östlichen Christenheit zur einen Kirche besondere Bedeutung zu. Die Orientalen werden sich um so wirksamer zur Wiedervereinigung eingeladen fühlen, je mehr sie ihr reiches Erbe bei uns lebendig finden[5]. Als vorbildlich kann in dieser Hinsicht gelten die umfassende Studie von Teichtweier über die Moraltheologie des Origenes[6].

Lukasevangelium, in: *Biblica* 38 (1957) pp. 151-169; - *Témoignage d'après les Actes*, in: *Masses Ouvrière* n. 129 (1957) pp. 16-33; n. 131 (1957) pp. 4-25.

[4] Vgl. Msgr. GABRIEL-MARIE GARRONE in seinem Vorwort zu *La loi du Christ* I, p. VIII.

[5] Als ein großes Hindernis erweist sich immer wieder die geringe Kenntnis der griechischen Sprache auch bei den Nachwuchs-Theologen.

[6] G. TEICHTWEIER, *Die Sündenlehre des Origenes*. Regensburg 1958. Als Beispiel

Die Erforschung der mittelalterlichen und neuzeitlichen Moraltheologie ist in letzter Zeit erfreulich gepflegt worden[7]. Es bleibt freilich auch hier noch vieles zu tun. Nach einer gewissen Neigung, die Moraltheologie der letzten Jahrhunderte en bloc als unfruchtbar abzuurteilen, führen gerade die moralgeschichtlichen Studien, die die Funktion dieser Theologie für ihre Zeit erforschen[8], zu einem gerechteren Urteil: Auch sie hat in vielfacher Hinsicht einen bleibenden Ertrag geliefert.

Gerade auch eine unbefangene Betrachtung der Gesamttradition verbietet es der heutigen Moraltheologie, einfach unbesehen das System irgendeines großen Theologen der Vergangenheit zu übernehmen, und sei es auch das eines Geistesriesen wie Thomas von Aquin. Die Lehren der Großen haben einen unvergänglichen Wert; aber ihre vorbildliche Größe besteht nicht zuletzt darin, daß sie bewußt mitten in der geistigen Auseinandersetzung ihrer Zeit standen. Ihre Sprache (die sprachliche Fassung der Begriffe), trägt unübersehbar eine «Zeitmarke» (Werner Schöllgen), das heißt sie sind in ihrem exakten Sinn nur verstehbar, wenn man den geschichtlichen Standort des Sprechenden und seine Gesprächspartner berücksichtigt. Ihre Systembildungen sind Ausdruck einer Zeit-Aufgabe: der Aufgabe nämlich, die überzeitliche Heilswahrheit ihrer Zeit in einer sie ansprechenden, ihre Anliegen erlösenden Weise nahezubringen. Wir sind demnach Augustinus, Thomas oder Alfons von Liguori nur wahrhaft treu, wenn wir wie sie nichts von der ewigen Wahrheit preisgeben, aber zugleich auch wie sie die aktuellen Fragen unserer Zeit mutig in Angriff nehmen[9] und sie auch in der Sprache unserer Zeit, das heißt in

---

für die Fruchtbarkeit moralgeschichtlicher Studien für die systematische Moraltheologie verdient genannt zu werden die ausgezeichnete Untersuchung von H. HUBER, *Geist und Buchstabe der Sonntagsruhe. Eine historisch-theologische Untersuchung über das Verbot der knechtlichen Arbeit von der Urkirche bis auf Thomas von Aquin.* Salzburg 1958.

[7] Unter anderem seien genannt die zahlreichen Einzelstudien von PH. DELHAYE und L. VEREECKE (eingehende Bibliographie in meinem Buch *Das Gesetz Christi* 6. Auflage. Freiburg 1961, I, S. 33-75).

[8] Vgl. dazu meine Beiträge *La teologia morale cattolica in rapporto allo spirito dei tempi.* in: *Humanitas* (Brescia) 13 (1958) pp. 338-348. - *Moraltheologie gestern und heute,* in: *Stimmen der Zeit* 167 (1960) S. 99-110.

[9] Zu nennen ist in dieser Hinsicht vor allem WERNER SCHÖLLGEN, *Aktuelle Moralprobleme.* Düsseldorf 1955; *Konkrete Ethik.* Düsseldorf 1961.

einem ganz ernsten Dialog mit den Menschen und den Geistes-
strömungen unserer Zeit, behandeln.

Man kann den großen Lehrern der Vergangenheit in doppelter
Weise Unrecht tun: erstens wenn man ihre Leistungen von unserer Zeit, statt von ihrer Zeit aus beurteilt, zweitens wenn man
sich einem einzigen Schulsystem verschreibt, das sich genauestens
an die Formulierungen und fertigen kasuistischen Lösungen eines
einzigen Lehrers hält, und glaubt, alle anderen Schulen oder
neue Versuche mit Berufung darauf verachten oder gar bekämp-
fen zu dürfen. Hier wird geistige Trägheit und Enge mit Treue
verwechselt, gar mit Treue gegen jene Großen, deren ganzes
Schaffen von der Wachheit gegenüber dem *kairós* geprägt war.
Echte Treue zum Evangelium und gegenüber dem Geist der großen
Kirchenlehrer ist überhaupt nur möglich *in echt katholischer
Weite* und bei demütigem Mute zur Selbständigkeit, beim bewußten
Willen, der jetzt gestellten Aufgabe gerecht zu werden.

Eine im guten Sinne « alfonsianische » Moraltheologie — um
dieses uns naheliegende Beispiel zu nennen — wird sich also
hüten, die dem heiligen Alfonsus verhaßten Schulstreitigkeiten
des 18. Jahrhunderts in irgendeiner Form zu verewigen oder sich
auf die vordringlichen Fragestellungen des 18. Jahrhunderts fest-
zulegen oder gar die kasuistischen Lösungen, die Alfons mit ausge-
zeichnetem Wirklichkeitssinn für das regalistisch beherrschte
Königreich Neapel, für dessen Bürgerschicht und das vernachläs-
sigte Hirtenvolk, vortrug, mechanisch als fertige Rezepte auf unsere so ganz anderen Verhältnisse anzuwenden. Alfonsus hat sich
der, auch seelsorglich gesehen, brennenden Auseinandersetzung
mit Rigorismus (Jansenismus, Tutiorismus) und Laxismus in der
Frage von Gesetz und Freiheit in einer zeitnahen Weise gestellt.
Es wäre jedoch töricht, ihn geringschätzig abtun zu wollen, weil
wir bei ihm nicht die gleiche Nähe zu *unserer* Zeit und ihren
Problemen finden wie zu *seiner* Zeit. Dies wäre ein ähnliches
Mißverständnis der Tradition wie der Versuch, sich mit Berufung
auf irgendeinen Großen der Vergangenheit von neuer theologischer
Anstrengung zu dispensieren und sogar jede Neuformulierung
der sittlichen Botschaft der Kirche von vorneherein zu verdäch-
tigen.

Die theologische Tradition der Kirche ist keine Grabesruhe

mit Wächtern vor bloßen Formeln in toter Sprache[10], sondern Lebenskontinuität durch den Geist des Auferstandenen. Über die Lebendigkeit der Tradtion entscheidet das Maß der Treue und Folgsamkeit gegenüber dem Geiste, den uns der auferstandene Christus gesandt hat.

Moraltheologie und Zeitgeist

Gegenüber dem « Weltgeist » hat die Moraltheologie nicht nur unablässig die Christen zu warnen : « Gleichet euch nicht dieser Welt an » (Röm 12, 12), sondern sie muß auch selbst unablässig das Gewissen erforschen, ob wirklich alle ihre Thesen, Meinungen und Methoden dem Geist des Evangeliums entsprechen. Aber dabei käme es zu einem Kurzschluß gegenüber der aktuellen Aufgabe der Moraltheologie, wenn wir nicht klar unterschieden zwischen « Weltgeist » und « Zeitgeist ».

Der « Weltgeist » ist das Sinnen und Denken des unerlösten Menschen oder noch genauer die ichhafte und hochmütige Existenzweise der Welt, insofern sie sich vor dem erlösenden Lichte Christi in ihre Finsternis verkrampft, die Erlösung verschmäht hat.

« Unter 'Zeitgeist' versteht man seit J.G. Herder († 1803) den überall vorhandenen Meinungs-, Willens- und Gefühlsausdruck einer geschichtlichen Periode, der Denken und Leben der Menschen formt. Er ist von den soziologischen Wirkgrößen eine der mächtigsten »[11]. Der Zeitgeist ist — so verstanden — weder reines Licht noch reine Finsternis. Es stecken in ihm nicht nur Gefahren, sondern auch positive Chancen. Glauben wir an den Herrn der Geschichte und an die Bezogenheit aller Geschichte auf die Heilsgeschichte, so muß die Moraltheologie mit allem Eifer und mit verstehender Liebe zu den Zeitgenossen versuchen, *auch*

---

[10] Für THOMAS von Aquin und die mittelalterlichen Scholastiker war das Latein keine tote Sprache. Es ist das Mißverdienst der Humanisten, durch ihre rigorose Normierung an den alten Klassikern das Latein zur toten Sprache gemacht zu haben. In der Hand eines sprachgewaltigen Meisters kann es auch heute noch lebendig werden, aber eben doch nur für den Kreis jener, die es vollkommen berherrschen.

[11] V. SCHURR, *Religion und Zeitgeist*, in: B. HÄRING, *Macht und Ohnmacht der Religion*. 2. Auflage Salzburg 1957, S. 317.

im Zeitgeist die echten Anliegen herauszuspüren. Kommen sie in Theologie und Seelsorge positiv zur Geltung, so heißt das: an der Erlösung des Zeitgeistes mitwirken.

Es gibt legitime Wechselbeziehungen zwischen der Moraltheologie und dem Zeitgeist. Das Wort Gottes ist durch den Dienst der Kirche — und zu diesem Dienst zählt auch die Moraltheologie — jeder Zeit gleich nahe. Es ist durch das Wirken des Gottesgeistes immer aktuell. Das bedeutet eine Absage an jeden naiven Biblizismus, der meint, es genüge das wörtliche Wiederholen der Aussagen der Heiligen Schrift, und darum sei jeder neue Versuch einer theologischen Systematisierung überflüssig. Noch selbstverständlicher bedeutet das dann die Ablehnung jener Einstellung, die zwar nicht die Heilige Schrift, wohl aber das Werk irgendeines großen Kirchenlehrers als die endgültige Darbietung der Heilsbotschaft für alle Zeiten und Kulturen betrachtet.

Die Wahrheit ist überzeitlich. Daran kann kein Zweifel bestehen. Aber der Ausdruck der Wahrheit und die Erkenntnismittel der Wahrheit sind für den Menschen, solange er nicht den jenseitigen Endzustand erreicht hat, notwendig zeitlich und bis zu einem gewissen Grade auch zeitbedingt. Geht die Theologie in ihren Formulierungen an der Zeit, ihren Anliegen und ihrer Sprache souverän vorbei, so wird vermutlich die Seelsorge ähnliches tun. Die Folge wird sein: Der Zeitgeist bleibt unerlöst und verfällt den düsteren Mächten des « Weltgeistes ». Eine rein negative pauschale « apologetische » Zurückweisung des Zeitgeistes mit teilweise verholzten Formeln einer vorgestern oder vor-vorgestern aktuellen, mit ihrer Zeit dialogisierenden Theologie bedeutet ein heilsgefährliches Ärgernis, eine Provozierung des Zeitgeistes zu unguter Reaktion, fast gar seine Verdammung zur Entartung.

Je mehr die Moraltheologen aus fruchtbaren Tiefen lebendigen Glaubens und stets geleitet vom kirchlichen Lehramt dem in Gärung befindlichen und nach Klärung rufenden Zeitgeist helfend und verstehend begegnen, um so geringer ist für sie selbst die Gefahr ihm *unbewußt und unbesehen* zu verfallen. Je demütiger wir uns angesichts lebensmächtiger geistiger Bewegungen unserer Zeit fragen, ob wir nicht an manchen Fehlentwicklungen mitschuldig sind und warum diese Bewegungen nicht gereinigt im Raum der kirchentreuen Christen auftreten, um so leichter entdecken wir gerade jene Wahrheiten aus dem Schatz unseres Glaubens, die unserer Zeit am meisten nottun und sie am wirksamsten anzusprechen vermögen.

Eine konstruktive Begegnung mit dem Zeitgeist verlangt nach meiner Meinung einen engeren Anschluß der Moraltheologie an die Dogmatik, eine klarere Grenzziehung gegenüber dem Kirchenrecht, stärkere Anleihen bei der Soziologie, eine Integrierung der hauptsächlichen Themen und Gesichtspunkte der aszetischen und mystischen Theologie.

Moraltheologie und Dogmatik

Die schwerste Krisis der Moraltheologie hängt zusammen mit ihrer Konstituierung als eigene Disziplin, das heißt mit ihrer wissenschaftsmethodischen Herauslösung aus der einen ungeteilten Theologie. Indem sie sich zunächst als « praktische Disziplin » dem positiven Recht allzu sehr an die Brust warf, verlor sie teilweise die nötige Verbindung nicht nur zur Heiligen Schrift, sondern auch zur systematischen Theologie, die sich nun nach dem Aussscheiden der Moral dogmatische Theologie nannte. Es ist eines der bedeutsamsten Ereignisse in der gegenwärtigen Geschichte der Theologie, daß sich beide Zweige, Dogmatik und Moral, wieder aufeinanderzubewegen [12], wobei noch nicht völlig klar abzusehen ist, wie sie sich endgültig gegeneinander abgrenzen oder zu einer neuen Synthese verbinden werden.

Von der liturgischen und biblischen Erneuerung her kommend steht wieder mehr als in den unmittelbar vergangenen Zeiten das Heilsmysterium in der Mitte der Dogmatik. Sie denkt wieder bewußter heilsgeschichtlich. So wird die gewaltige Dynamik der Heilswahrheit auf das religiös sittliche Leben hin wieder deutlicher.

Aber ebenso klar wird sich die heutige Moraltheologie — unter den gleichen Voraussetzngen biblischer und liturgischer Erneuerung — bewußt, daß das Grundlegende nicht der moralische Imperativ als solcher sein kann, sondern das Heilsmysterium, von dem alle Antriebe ausgehen. So wird vor allem in den letzten

[12] Unter den Dogmatikern sind diesbezüglich vor allen zu nennen KARL RAHNER und MICHAEL SCHMAUS.

zwanzig Jahren unablässig eine ausdrücklichere und überzeugen-
dere Verankerung der gesamten Moraltheologie im Dogma gefordert [13]. Christliches Leben läßt sich in seiner Eigenart nur darstellen als das « Tun der Wahrheit in Liebe, um so in jeder Hinsicht
mehr und mehr in Christus, das Haupt, hineinzuwachsen »
(Eph 4, 15).

Die Moraltheologie schöpft aus den gleichen Quellen wie die
Dogmatik. Ihre Methode ist im Grund die gleiche. Solange jedoch
die Moraltheologie neben der Dogmatik ein eigenes Fach ist, kann
sie den dogmatischen Nachweis für die Gegebenheit all jener
Wahrheiten, die nicht unmittelbar moraltheologischer Natur sind,
der Dogmatik überlassen. Sie selbst hat dagegen *ausdrücklich*
den dynamischen Charakter der Heilswahrheiten zu erschließen
und auf dem Dogma aufbauend *die auf das Leben gerichtete Synthese* der Theologie zu erarbeiten.

Moraltheologie und positives Recht

Es gibt wichtige innere Zusammenhänge zwischen Moral und
Recht. Aber keineswegs entspringt die Moral aus dem Recht als aus
ihrer eigentlichen Quelle. Dies zu behaupten, hieße sich auf den
Boden des krassesten Rechtspositivismus stellen. Konsequenter-
weise kann auch das positive Recht, weder das Zivilrecht noch
das Kirchenrecht, die Quelle oder die Hauptquelle der Moraltheologie sein, wenngleich gültiges Recht eine sittliche Verpflichtung
mit sich bringt und auch die vielen unnötigen und ungerechten
Gesetze unserer rechtspositivistischen Ära eine sittliche Auseinandersetzung verlangen.

Nachdem sich das Zivilrecht und auch das Kirchenrecht als
eigene Wissenschaften konstituiert haben, kann es sicher heute
nicht Sache der katholischen Moraltheologie sein, eine inhaltliche
Darstellung der kirchlichen und weltlichen Gesetze zu bieten.
Das ginge gewöhnlich auch über die Kompetenz des Moraltheologen hinaus, der so vieles andere wissen muß. Hingegen hat die

---

[13] Vgl. PH. DELAYE, *Dogme et Morale. Autonomie et assistance mutuelle*, in:
Mélanges Sc. Rel. 11 (1954) pp. 49-62; *La théologie morale d'hier et d'aujourd'hui*,
in: *Mélanges Sc. Rel.* 1953, pp. 112-130. Ausgiebige Bibliographie in *Das Gesetz
Christi.* 6. Auflage I, S. 93-95.

Moraltheologie die sittliche Verpflichtung der menschlichen Gesetze und die Einordnung des Gehorsams gegen die kirchliche und weltliche Autorität in das neutestamentliche «Gesetz der Gnade und Liebe» grundsätzlich zu behandeln und an typischen Beispielen eingehend zu beleuchten. Es ist zu zeigen, in welcher Gesinnung und nach welchen Maßstäben der Klugheit der Christ dem menschlichen Gesetz zu begegnen hat. Es geht der Moraltheologie demnach vor allem um die «*Versittlichung des Rechtes*».

Oft und wohl nicht ganz zu unrecht wird geklagt, die wissenschaftliche Moraltheologie der letzten drei Jahrunderte sei der Gefahr der *Verrechtlichung* nicht immer entgangen. - Was bedeutet Verrechtlichung der Moral? Verrechtlicht ist eine Moraltheologie, wenn in ihrer Darstellung und Stoffeinteilung «das Geistgesetz des Lebens in Christus Jesus» (Röm 8, 2) mit seinen Wesensgesetzen gegenüber einer Vielzahl rechtlicher Normen zurücktritt, ganz besonders aber, wenn das Verhältnis des Menschen zu Gott nach der Art des menschlichen Rechtes mißverstanden wird.

Einige Beispiele sollen unsere Problematik illustrieren: Eine Moral behandelt auf zwanzig und mehr Seiten alle denkbare Kasuistik bezüglich des kirchlichen Gebotes der eucharistischen Nüchternheit, erwähnt jedoch nur nebenbei, in welcher Gesinnung man die heilige Messe mitfeiern — «die Sonntagspflicht erfüllen» — und den Leib des Herrn empfangen soll. Daß und wie das gesamte christliche Leben von der Mitfeier der Eucharistie seine innere, gnadenhafte Dynamik und sein Richtmaß erhält, kommt überhaupt nicht zur Sprache. - Eine Moral behandelt minutiös und mit haarscharfen Unterscheidungen zwischen dem streng verbotenen Stricken und dem ohne weiteres erlaubten Sticken das kirchliche Gebot der Sonntagsruhe; sie unterscheidet dabei kaum, was göttliches und was bloß kirchliches Gebot und was schließlich bloße kasuistische Zutat der Moralisten ist; und was schlimmer ist, man hält es gar nicht für die Aufgabe der Moral, den tieferen theologischen Sinn des Herrentages, seine kultische Bedeutung, seine Beziehung zur Auferstehung des Herrn zu behandeln. Ob Sünde — im Sinn einer mehr als tausendjährigen Tradition das eigentliche «opus servile» id est peccatum — am Werktag oder Sonntag verübt werde, erklärt dieser Typus von

Moral für völlig belanglos: Dem Sonntag scheint nur die gesetzlich verbotene knechtliche Arbeit Eintrag zu tun. - Oder: Man behandelt in bezug auf das Bußsakrament hauptsächlich die Art und Weise, wie die materielle Vollständigkeit des Bekenntnisses sicherzustellen ist und welche Strafen sich der Priester anläßlich seines Dienstes zuziehen kann, während kaum etwas gesagt wird über das Wesen der Bekehrung und ihre Beziehung zum Reiche Gottes oder über den kultischen Lobpreis der Gerechtigkeit und Barmherzigkeit bei der Feier des Bußsakramentes. Diese Aspekte überläßt man der «aszetischen Literatur», weil es sich nicht um gesetzlich genau abgrenzbare Dinge handelt.

Dies ist das greifbarste Zeichen der Verrechtlichung, wenn man in der Moral nur das behandelt, was man in Analogie zur Rechtswissenschaft nach unten gesetzlich abgrenzen kann, dabei jedoch die entscheidende Frage ausläßt, ob der Christ als solcher sein Leben nur nach den Mindestgrenzen des allgemeinen Gesetzes zu orientieren hat, oder aber nach dem Maß der empfangenen Talente Frucht bringen muß. Es ist schon ein Abweichen vom Geist des Evangeliums, wenn der Hauptton auf der von außen auferlegten Mindestverpflichtung liegt und die Zielgebote und entsprechend die aus der Gnadengabe kommende Verpflichtung als etwas Zweitrangiges behandelt werden. Wir sehen also die Verrechtlichung der Moraltheologie nicht in erster Linie in der Überladung der Handbücher der Moral mit rechtlichen Fragen, sondern vor allem in der Verwechslung oder Verwischung rein rechtlicher und ursprünglich moraltheologischer Fragestellung. Wir sind jedoch der Überzeugung, daß sich die Moraltheologie viel leichter von einer juristischen Verfälschung ihrer Sichtweise freihält, wenn sie grundsätzlich die *materiale* Behandlung aller rechtlichen Stoffe dem Kirchenrecht überläßt. Seitdem wir den Codex Juris Canonici haben, zeigt sich auch tatsächlich eine Entwicklung in diesem Sinne. Überlassen wir die rein juristische Kasuistik, die in manchen Lehrbüchern der letzten Epoche bis zu neun Zehnteln der Stoffülle ausmachte, dem kompetenteren Kanonisten, so wird die Moraltheologie frei für die meistens allzu kurz ausgefallene *moraltheologische Kasuistik*. Diese muß sich deutlich spürbar von den Wesensgesetzen der christlichen Sittlichkeit — zumal vom

26

Gesetz der Heilssolidarität — inspirieren lassen und anderseits dauernd am Puls des flutenden Lebens bleiben.

Der sogenannte « germanische Typ » der katholischen Moraltheologie hat seit der Zeit der Aufklärung, vor allem aber seit Johann Michael Sailer und Johann Baptist Hirscher (im Unterschied zu den lateinischen Morallehrbüchern des « romanischen Typs ») die rechtlichen Stoffe immer schon ausgeschieden. Am radikalsten ging diesbezüglich Tillmann in seinem großen Werk vor. Die heftigsten und vielfach allzusehr vereinfachenden Kritiken gegen die Verrechtlichung der Moral kamen in den letzten Jahrzehnten vor allem aus dem romanischen Sprachraum[14]. Meines Erachtens muß man sich bei einer allzu plötzlichen Ruptur einer nicht geringen Gefahr bewußt bleiben: So wenig das Kirchenrecht die Moral in sein Schleppnetz nehmen darf, so sehr muß in der katholischen Kirche die innere Zusammengehörigkeit von dem « Geistgesetz des Lebens in Christus Jesus » und der vom Hirtenamt der Kirche ausgehenden Leitung gesehen werden. Wenn die Moraltheologie nicht dem Verhältnis von Moral und Recht eine liebevolle Sorgfalt zuwendet, kann es zu einer bedenklichen Zweigleisigkeit kommen, so daß schließlich die Kirchenrechtler und dann auch die Seelsorger nicht mehr klar sehen, in welchem echt christlichem Geist das kirchliche Gesetz angewendet werden muß. Das Kirchenrecht bedarf aus dem innersten Wesen der Kirche heraus der bewußten Eingliederung in das « Geistgesetz des Lebens in Christus Jesus ».

Moraltheologie und Sozialwissenschaften

In einer relativ statischen Epoche fängt das positive Recht einen Großteil der gesellschaftlichen Wirklichkeit ein. Der große Wandel der gesellschaftlichen Verhältnisse im siebzehnten und achtzehnten Jahrhundert hat die Moraltheologie auf die Proble-

[14] Z.B. J.J. LECLERCQ, *L'enseignement de la morale chrétienne.* Paris 1950 (Deutsch: *Christliche Moral in der Krise der Zeit.* Einsiedeln 1954). Seine bisweilen verallgemeinernde Kritik trifft nur einem bestimmten Typ der Moralhandbücher. Gut informierend sind die beiden Beiträge: J. LECLERCQ, *Die neuen Gesichtspunkte unserer Zeit in der Erforschung der Moral,* und PH. DELHAYE, *Die gegenwärtigen Bestrebungen der Moralwissenschaft in Frankreich,* in: V. REDLICH (herausg.), *Moralprobleme im Umbruch der Zeit.* München 1957, S. 1-39.

matik der sogenannten Moralsysteme festgelegt. Im Mittelpunkt stand die Frage: « Wie weit verpflichten zweifelhaft gültige positive Gesetze der Kirche und des Staates »? Dabei handelte es sich vor allem um veraltete Gesetze, die der neuen Situation nicht mehr recht angepaßt waren und anfingen, das Leben zu blockieren. Stand zwar im Vordergrund die formale Frage der Prinzipien zur Lösung der Schwierigkeiten, so war doch das eigentliche Treibende die Tugend der Klugheit, die die gewandelte Wirklichkeit ernst zur Kenntnis nahm. - Heute erleben wir einen viel tiefgreifenderen und noch viel rascheren Wandel. Die Probleme, die er heraufbeschwört, lassen sich mit dem Probabilismus allein nicht mehr lösen. Wir können die Wirklichkeit selbst nicht mehr mit einem einfachen aufmerksamen Blick durchschauen. Es bedarf der Hilfe der modernen *empirischen Soziologie*. Sie ist die Wissenschaft von den sozialen Gebilden, ihrer Wandlungen und ihrer Wechselbeziehungen. Sie macht deutlich, wie weit die formale Struktur (das ist: die formalrechtliche Ordnung) von der « informalen Struktur » (das ist von der wirklichen Verfaßtheit des Lebens) verschieden ist. Da bei der Langsamkeit der bürokratischen Apparate und nicht selten bei einer übergroßen Beharrungskraft der alten Generation die Anpassung des Rechtes vielfach erst dann nachhinkt, wenn das Leben schon wieder daran ist, zu enteilen, darf sich der Moraltheologe zumal in der *Kasuistik* nicht allein am positiven Recht orientieren. Das wäre eine Sünde gegen eben jene Tugend der Klugheit, der die Kasuistik zu dienen hat.

Eine kühne Benützung der Soziologie und der Sozialpsychologie — ein unbedingtes Erfordernis der Moraltheologie von heute — verlangt selbstverständlich auch eine klare Scheidung zwischen Rechtsgrundsätzen und ewigen Grundsätzen der Moral, die es der veränderten Wirklichkeit einzugestalten gilt.

Von besonderer Bedeutung sind zweifellos heute die empirische *Soziologie der Familie* und die *Pastoralsoziologie* [15]. Sie zeigen der Moraltheologie, welchen Einfluß die sozialen Strukturen und insbesondere die öffentliche Meinung auf das religiös-sittliche

---

[15] Vgl. B. HÄRING, *Soziologie der Familie*. Salzburg 1954; *Ehe in dieser Zeit*. Salzburg 1960; *Macht und Ohnmacht der Religion. Religions-soziologie als Anruf*. 2. Auflage Salzburg 1957. (Nähere Bibliographie zu diesem ganzen Fragekomplex daselbst).

Verhalten der Einzelnen und der Gemeinschaften ausüben und umgekehrt, wie letzte Leitmotive über den Wandel der Strukturen und der öffentlichen Meinung entscheiden. Von hier aus ergeben sich wichtige Erkenntnisse sowohl für die Kasuistik wie für die wirksame Darbietung der sittlichen Botschaft der Kirche für die Menschen unserer Zeit.

Angesichts der ungeheueren Formkraft der sozialen Mächte unserer Zeit — aber mehr noch aus der dem Christentum wesenseigenen Solidarität — muß die Moraltheologie von heute sehr viel stärker als in den letzten Jahrhunderten die *gesamten Sozialwissenschaften* heranziehen. In der Kasuistik muß das soziale Gewissen mehr gschult werden.

Das Verhältnis der Moraltheologie zu Aszetik und Mystik

Über die Grenzziehung zwischen Moral und Aszetik und mystischer Theologie mag man in vielem getrennter Meinung sein. Über zwei Grundsätze ist man sich jedoch in letzter Zeit fast allgemein einig geworden: Erstens darf man nicht den leisesten Anschein erwecken, als ob es zweierlei Moralen gäbe: eine « Hochmoral » der « Werke der Übergebühr » für Mönche und kleine Laieneliten und eine gesetzliche Mindestmoral für die große Masse. Wenngleich eine solche Aufteilung von der katholischen Moral nie beabsichtigt war, so hat doch die Methode der « Institutiones theologiae moralis » der letzten Jahrhunderte und die Abgrenzung gegenüber der Aszetik zusammen mit manchen unglücklichen Thesen oder wenigstens unglücklichen Formulierungen nicht wenig dazu beigetragen, bei den getrennten Brüdern einen solchen Verdacht zu erzeugen. Der Vorwurf wird heute noch oft genug erhoben, insbesondere auch deshalb, weil man die begrenzte Funktion der « Beichtstuhlmoral » dort nicht kennt. Zweitens geht es von der Sache her unmöglich an, der Aszetik als einer Tugendlehre die Moraltheologie als eine bloße Pflichtenlehre gegenüberzustellen; denn in der neutestamentlichen Sittlichkeit gibt es die nackte und bloße Kategorie der Pflicht überhaupt nicht, wenngleich es ein wichtiges Anliegen bleibt, klar zu unterscheiden zwischen dem, was auch von außen durch die irdische Autorität als Pflicht ur-

giert werden kann, und dem, was aus dem innersten Sein —
aus dem Begnadetsein heraus bindet. Grundsätzlich kann Pflicht
und Sollen in ihrer christlichen Eigenart nur von der Schöpfungs-
wirklichkeit und der Gnade her gesehen und dargestellt werden.
Man nimmt der christlichen Sittlichkeit ihre innere Dynamik
und das Beglückende ihres Drängens, wenn man sie lehrmäßig
als bloße Pflicht- oder Grenzmoral darstellt [16]

Mit dem Völkerapostel hat die junge Generation der Moraltheologen wieder das ausgesprochene Vertrauen, daß wir das
sittliche Sollen durch das «Gesetz des Glaubens» (vgl. Röm 3,
31), das «Gesetz der Gnade», nicht nur nicht schwächen, sondern ihm seinen wahren Ort und seine unerhört machtvolle Dynamik lassen.

Der Moraltheologe — zum Unterschied zu dem Moralisten
der Aufklärunszeit — muß sich gedemütigt fühlen, wenn man
ihn zu einem bloßen Grenzwächter erniedrigen, einer Nebendis-
ziplin — eben der Aszetik und Mystik — dagegen alles Erheben-
de und typisch Christliche zuteilen möchte. Die Moraltheologie
hat, wenn sie wirklich Theologie sein will, das ganze «Gesetz der
Vollkommenheit» (Jak 1, 25) darzustellen, so wie es der Endzeit
entspricht. Ihr Bogen spannt sich notwendig von der «Todesgren-
ze», die keiner nach unten übertreten darf, bis zur vollendeten
Verwirklichung der christlichen Existenz, der alle zustreben müssen. Sie hat nicht zuletzt ganz grundsätzlich zu zeigen und in
allen ihren Traktaten spürbar zu machen, wie christliches Leben
ein ständiges *Wachstum*, ein Ringen und stetes Auslangen nach
der Vollkommenheit ist.

Was hat dann noch die Aszetik zu tun? Sie ist als notwendige
Ergänzung auf den Plan getreten, als die Moral sich im wesentlichen auf die Aufgaben des Beichtvaters als «Richters» be-
schränkte. Wenn die Moraltheologie wieder ihre eigenen Funktio-
nen voll erfüllt, könnte die Aszetik an sich wieder in ihr aufgehen.
Will diese jedoch als eigenes Fach weiterbestehen, so kann sie mit
Nutzen die verschiedenen Stile der christlichen Verwirklichung
samt deren geschichtlichen und soziologischen Hintergründen

---

[16] Der Einteilung in drei Pflichtenkreise folgten leider auch die bedeutenden
Tübinger LINSENMANN und SCHILLING und in ihren Spuren noch F. TILLMANN.

darstellen; sie wird sich außerdem und vor allem als eine praktische Anleitung (als eine *ars*) zu dem Gebrauch der verschiedenen
Hilfsmittel nach Stand, seelischer Anlage und Vollkommenheitsstu-
fe verstehen.

Ein flüchtiger Blick auf die Geschichte der Moraltheologie
läßt erkennen, wie verschieden ihre Methoden und Fragestellungen sein können. Die Bedürfnisse der Zeit und Umwelt und die
besondere Begabung eines jeden Theologen werden dabei eine
wichtige Rolle spielen. Als Ideal erscheint uns jedoch nicht und
nie eine bloßes Nebeneinander einer rein aszetisch-mystischen,
einer psychologisch-pädagogischen, einer spekulativen und
schließlich einer rein kasuistischen Behandlungsweise, sondern
eine organische Einheit dieser Methoden, eine *Synthese*.

Für die Schule ist gewiß Übersichtlichkeit und begriffliche
Klarheit ein unbedingtes Erfordernis. Das heißt jedoch nicht, man
dürfe sich hier auf eine bloße Begriffstheologie, auf die bloße
Darreichung eines Denk- und Lernstoffes beschränken. Was die
aszetisch-mystische Theologie nie vergessen hat, wird der Moraltheologie von heute wieder völlig klar: Theologie ist ihrem Wesen
nach etwas Existentielles: Sie ist wesentlich Engagement des
Glaubens. Sie muß auch in der theologischen Vorlesung Zeugnis
des Glaubens sein, das den Glauben der Studierenden anzusprechen und zu vertiefen vermag. Anders ausgedrückt: Theologie
muß auch ihrer Methode nach *Kerygma*, Verkündigung der Heilsgeheimnisse sein. Jegliche wahre Theologie ist *Herzenstheologie*.
Die intellektuelle Einsicht — die *fides quaerens intellectum* —
verlangt, daß das Herz dabei sei.

Damit kommen wir zu den inhaltlichen Fragen und vor allem
zum Problem der Systematik der Moraltheologie.

« *Gesetz Christi* » (Gal 6, 2)

Das erste, was man von einer katholischen Moraltheologie
verlangen muß, ist ihre *christozentrische Gestalt*.

Die Exegeten sind sich alle darüber einig, daß die neutestamentliche Moral, ebenso wie die Verkündigung der Heilswahrheit,
durch und durch christozentrisch ist. In der Mitte der Botschaft
Christi steht nicht ein abstraktes Prinzip, sondern seine Person.

In Ihm wird die Liebe des himmlischen Vaters schaubar und er-
fahrbar. « Wer Mich sieht, sieht den Vater » (Jo 14, 9). « In Ihm
haben wir die Erlösung, die Vergebung der Sünden. Das Bild
des unsichtbaren Gottes ist Er, der Erstgeborene vor aller Schöpfung... Alles ist durch Ihn und auf Ihn hin erschaffen » (Kol 1,
14 ff.).

*Christus ist der Erlöser vom unheilbringenden Anthropozen-
trismus.* Der erste Adam wollte aus sich selbst ein wenig Weisheit
haben; er wollte sich wenigstens einen kleinen Bezirk des Eigenwillens reservieren. Die Straffolge war der Tod. Christus aber ist
« vom Vater her » (Jo 1, 14) und Seinem ganzen Wesen wie Seiner
heilsgeschichtlichen Funktion nach « auf den Vater hin », « zur
Verherrlichung des Vaters » (Jo 1, 1; Phil 2, 11). Christus wird
nicht müde, zu betonen, daß er nicht seinen Willen und nicht seine
Ehre sucht, sondern den Willen und die Ehre des Vaters, der ihn
gesandt hat. All sein gottmenschliches Tun offenbart sein ewiges
Wesen als das Wort des Vaters, das sich dem Vater mit gleicher
Ungeteiltheit zurückschenkt, wie der Vater all seine Herrlichkeit,
Weisheit und Liebe in diesem seinem wesensgleichen Worte aus-
spricht.

Es gibt nach den klaren Aussagen der Schrift und nach ihrer
ganzen Struktur keinen Weg zum Mysterium Gottes, des Dreiei-
nigen, außer in Christus. Eine « Theologie », die behauptet, man
dürfe um der Wissenschaftlichkeit willen die Theologie nicht auf
Christus aufbauen, da dies notwendig zu einer « anthropozentrischen Theologie » führe, hat ganz andere Denkkategorien als die
der Heiligen Schrift [17].

---

[17] Andrerer Meinung ist B. OLIVIER OP. *Pour une théologie morale renouvelée,*
in: *Morale chrétienne et requêtes contemporaines.* Tournai-Paris 1954, p. 250: « Vouloir construire une théologie exclusivement basée sur le fait du Christ, c'est détruire
la notion même de théologie, c'est prétendre faire, en réalité, une théologie anthropo-
centrique — deux termes contradictoires. Sans doute, une théologie christo-centrique,
et donc centrée, en fait, sur l'histoire humaine, répond bien aux perspectives de
nos contemporains. Elle semble même se situer plus exactement dans la ligne de
l'Évangile. Mais ce n'est là qu'une apparence... Au-delà et indépendamment de la
décision de Dieu concernant la création et l'histoire de la créature, il y a Dieu
en lui-même, dans son éternel mystère Trinitaire. Et c'est là le point de départ
véritable de toute théologie authentique ». - Hier scheint vergessen zu sein, daß
Christus nicht nur wahrer Mensch, sondern auch wahrer Gott ist, und zwar in hypo-
statischer, unauflöslicher Union. Ohne Christus gibt es für die im eigenen erbsünd-

Die ältesten Väter der Kirche [18] werden nicht müde, zu betonen, daß Christus selbst in Person « das Gesetz und der Bund ist »; Er ist unser Lebensgesetz durch den Heiligen Geist, den Er uns sendet und der in uns Sein Leben abbildet.

Klemens von Alexandrien († vor 216), dem wir den ersten großartigen Ansatz zu einer systematischen Sicht der Moraltheologie verdanken, liegt sehr viel daran, die Moral ganz radikal von Christus her zu sehen. Paulus folgend betrachtet er das alttestamentliche Gesetz als « Pädagogen zu Christus hin ». Darüber hinaus betont er, daß alle wahren sittlichen Erkenntnisse auch der Heiden letzlich « vom Lógos ausgestreute Samenkörner » sind. Die ethischen Erkenntnisse der Philosophen, und ganz generell die *ratio* und das Naturrecht (*lex naturae*), haben in der christlichen Sittenlehre Heimatrecht, weil und insofern alles im personhaften Wort des Vaters erschaffen, alles auf Christus hingeordnet ist.

Die Väter haben noch gar nicht an die Konstituierung der Moraltheologie als eigene Disziplin gedacht. Ihre Theologie war innigst mit dem Hirtenamt der eigentlichen Theologen, der Bischöfe, verbunden. Darin aber bildete die Verkündigung der sittlichen Botschaft eine vollkommene Einheit mit der Heilsbotschaft, diese wiederum mit der Feier der Heilsgeheimnisse. So war es ihnen durchwegs eine Selbstverständlichkeit, daß Christus selbst die Norm, die Mitte und das Ziel des christlichen Lebens ist, Er, der der Weg zum Vater, die Wahrheit in Person und das Leben und der Lebenspender ist (vgl. Jo 14, 6). Dabei denken sie keineswegs nur an den der vergangenen Geschichte angehörenden

---

lichen Anthropozentrismus gefangenen Kinder Adams keine Möglichkeit der Rückkehr zum Theozentrismus. Christozentrische, *heilsgeschichtliche* Theologie baut nicht auf bloße Menschengeschichte, sondern auf die *Geschichte Gottes mit dem Menschen.* In Christus und durch Christus hat nicht nur das Wort Gottes an die Menschheit göttliche Hoheit, sondern auch die Antwort aus der Mitte der Menschengeschichte, die Antwort des Hauptes der Menschheit ist die des Sohnes Gottes. Der Gegenstand der Theologie ist nicht der Dreieinige Gott, insofern er, absolut geprochen, sich auch hätte nicht offenbaren können; denn hätte er es nicht getan, dann gäbe es keinen Menschen und keine Theologie. Theologie *des Menschen* hat es ganz wesentlich und von der Wurzel her mit der *Heilswahrheit*, mit Gott, dem Vater unseres Herrn Jesus Christus, mit dem sich uns offenbarenden Gott tun.

[18] Eine Reihe von Belegen für diese Tatsache zum Beispiel bei J. Daniélou, *Théologie du Judéo-Christianisme.* Tournai 1958, pp. 216-219.

Christus, wie er sich in seinem Erdenleben in seinem Wort und
Beispiel gezeigt hat: Er ist der eingeborene Sohn, der vor aller
Zeit aus dem Schoß des Vaters gezeugt, in der Mitte der Zeiten
aus Maria, der Jungfrau, geboren ist, gelitten hat und gestor-
ben ist, vom Grabe wieder auferstanden und zum Himmel gefahren ist, von wo ihn die Christenheit mit grenzenloser Sehnsucht
zur Vollendung seines Werkes erwartet; es steht vor ihnen vor
allem der lebendige Christus, der in seiner Kirche und in ihren
heiligen Geheimnissen weiterlebt und wirkt und so den Seinen
gnadenhaft mit seinem Leben auch sein Gesetz mitteilt.

Manche meinen, daß der erste große systematische Entwurf
einer Moraltheologie, nämlich der zweite Teil der theologischen
Summa des heiligen Thomas, das Ende der christozentrischen Sittenlehre der « vorwissenschaftlichen » Epoche bedeute. Darauf wäre sehr vieles zu erwidern. Der heilige Thomas dachte selbst gar
nicht daran, eine in sich geschlossene Darstellung der Sittenlehre
zu bieten: Er kennt wie alle seine großen Vorgänger nur die eine,
ungeteilte Theologie, deren Herzstück auch nach ihm die Lehre
von Christus ist. - Nicht die in etwa aristotelisch ausgerichtete
Idee der Glückseligkeit, die die I.II. der Summa theologica einlei-
tet, ist für Thomas der letzte und alles zusammenhaltende theologische Gesichtspunkt, sondern vielmehr die Lehre von Gott, dem
Schöpfer und Vollender aller Dinge, der sich geoffenbart in Jesus
Christus, unserem Erlöser, in dem unsere Gottebenbildlichkeit
ihren Bestand hat und in dem uns die Liebe des Vaters zugespro-
chen ist. Der große Aufbau der Summa ist folgender: Der Mensch
im Worte Gottes, nach dem Bilde Gottes geschaffen (Pars Prima),
berufen, kraft der Gnade frei die Gottebenbildlichkeit zum Leuchten zu bringen (Pars Secunda), hat in Jesus Christus den einzigen
Weg zu seinem Ziele (Pars Tertia). Wir möchten unterstreichen,
daß die Theologie des heiligen Thomas durchaus christozentrisch
ist. Die Christologie mit der Sakramentenlehre ist das große Finale dieser grandiosen Summe. Dennoch ist nicht zu leugnen, daß
es sich im Fortgang der späteren Differenzierung der Moraltheologie nicht immer günstig ausgewirkt hat, daß Thomas die Masse
der moraltheologischen Materie in der Secunda Pars, also vor der
Christologie und vor der Sakramententheologie behandelt hat.
Was Thomas noch absolut klar ist, daß man nämlich nicht vom

3.

wirklichen Menschen reden kann, ohne von Christus zu reden, wird so von andern übersehen.

Die wesenhaft christozentrische Sicht der katholischen Moraltheologie wurde bei ihrer Verselbständigung zeitweise verdunkelt, wenn auch kaum geleugnet. Der Grund liegt vor allem in der begrenzten methodologischen Zielsetzung: Wie es im frühen Mittelalter die *libri paenitentiales* als praktische Handreichung für die Bemessung der Beichtbußen gab, so kursierten vom 13. Jahrhundert an die Beichtsummen (*summae confessariorum*) als eine Art Lexikon für die bei der Spendung des Bußsakramentes auftauchenden Fragen. Als nach dem Konzil von Trient im Zuge der Gegenreformation das Bußsakrament eine erhöhte praktische Bedeutung gewann, nahmen sich vor allem die Jesuiten um eine gründlichere Schulung der meist ungebildeten Beichtväter an. In der « Ratio Studiorum » der Gesellschaft Jesu wurde die Kasuistik als eigenes Fach ausgebaut und mit dem unbedingten Minimum an Prinzipienlehre für die sachgerechte Lösung der Gewissensfälle versehen, während die eigentliche theologische Sicht des christlichen Lebens der theologischen Hauptdisziplin vorbehalten blieb. Als die Kasuistik sich in ihrer begrenzten Sichtweise mehr und mehr vervollständigt hatte, legte sie sich den anspruchsvollen Namen « Moraltheologie » (« *Institutiones theologiae moralis* ») bei, die Dogmatik aber dispensierte sich mehr und mehr von der Behandlung der sittlichen Dynamik der Glaubenslehre. Der antireformatorische Glaubensbegriff der bloßen « fides credenda » spielte dabei wohl keine geringe Rolle.

Die Konstituierung der Moraltheologie als eigener Disziplin ging demnach unter sehr zeitbedingten Vorzeichen vor sich, wobei die unmittelbar praktischen Bedürfnisse den Ausschlag gaben. Das Ergebnis war eine für jene Zeit brauchbare Anweisung zur Lösung von Gewissensfragen — man denke an die Bedeutung des Seelenführers — und näherhin zur Beurteilung des Pönitenten. Es ging also nur um einen Teilaspekt der Pastoral, um den sich dann freilich eine Reihe von Prinzipien allgemeiner Art gruppierten.

Die eigentliche Moraltheologie — die Lehre von der Wesensart christlichen Lebens — hatte sich mehr und mehr in die aszetisch-mystische Literatur und in die Predigt geflüchtet. Dort blieb denn auch die christozentrische Ausrichtung irgendwie erhalten[19].

Der Typ der « Moraltheologie », der sich im siebzehnten Jahrhundert herausgebildet hat und bis ins zwanzigste Jahrhundert wenigstens in den romanischen Ländern fast unbestritten den Platz behauptete, wird heute vielfach gerade wegen der mangelnden Christozentrik verurteilt. Um jedoch zu einem gerechten Urteil zu kommen, muß man neben der begrenzten Zielsetzung auch den geschichtlichen Hintergrund berücksichtigen: In einer Zeit, in der bei der gesamten Umwelt Christus noch lebendig als Weg, Wahrheit und Leben im Bewußtsein stand und in der — zumal im Anschluß an den heiligen Thomas — die Gesamttheologie noch in ihrer Einheit gewahrt blieb, waren die Institutiones theologiae moralis wohl noch verantwortbar, solange sie sich der Bescheidenheit ihrer Funktion bewußt blieben. Sie sind es heute jedoch nicht mehr, da es in dem drängenden Kampf gegen den Laizismus vor allem auf die *Unterscheidung des Christlichen,* in einer pluralistischen Gesellschaft und gegenüber so vielen anderen ethischen Systemen vor allem um die entscheidenden christlichen Leitmotive und das strahlende Zeugnis des wahrhaft christlichen Lebens ankommt.

Weil die Moraltheologie nicht rechtzeitig die ihr zufallende Aufgabe der Vertiefung erfüllte — trotz so vieler ungestümer Rufer —, ist auch die aszetische Literatur und die Predigt der letzten hundert Jahre immer mehr einem flachen Moralismus verfallen, der angesichts der laizistischen Moral doppelt bedenklich erscheinen muß. Ansätze zu einer christozentrischen Gestaltung der Moraltheologie haben jedoch nie gefehlt. Sie wurden angefangen von Johann Michael Sailer und Johann Baptist Hirscher über Magnus Jocham bis zu Fritz Tillmann immer durchgreifender[20].

---

[19] Man denke zum Beispiel an die Lehre vom wahrhaft christlichen Leben in der Schule des heiligen IGNATIUS von Loyola, beim heiligen FRANZ von Sales und ganz besonders an die « französische Schule des 17. Jahrunderts » (Kardinal BÉRULLE, CONDREN, JEAN EUDES, BOSSUET), die das Christenleben entscheidend von der inneren Angleichung an Christus, sacerdos et victima, aus betrachteten. Vgl. JEAN GAUTIER, *La spiritualité catholique.* Paris 1953, pp. 228ss.

[20] Zur Geschichte der neuen Moraltheologie vgl. mein Buch *Das Gesetz Christi.* 6. Auflage I, S. 62-74.

Christozentrische Moraltheologie versteht sich im Zeitalter des Weltrundschreibens « *Mystici Corporis Christi* » vor allem vom paulinischen « *Sein in Christus* » her. « Das Gesetz Christi » (Gal 6, 2) ist « das Geistgesetz des Lebens in Christus Jesus » (Röm 8, 2), kraft dessen wir durch den Geist Christi mit Christi eigener Liebe den himmlischen Vater und alle Glieder des Leibes Christi, ja die ganze erlösungsbedürftige Menschheit *mitlieben* können.

Nicht äußere Nachahmung, die zudem an der absoluten Einmaligkeit Christi und vieler seiner Handlungen ihre Grenze hat, sondern das Gnadengeschenk des Lebens in Christus Jesus, woraus die Nachfolge als freie Liebes- und Gehorsamsbindung an die Person Christi, an sein Wort und sein Beispiel folgt. Das Gesetz, das uns in allem an Christus bindet, ist im letzten und tiefsten *die Gnade des Heiligen Geistes,* die in unseren Herzen ausgegossen ist und unser Leben christförmig gestalten will. Diese Sicht geht von der Lehre des heiligen Thomas, des treuen Zeugen der Tradition, aus: « Das Eigentliche im Gesetz des Neuen Bundes, das, worin seine ganze Kraft ruht, ist die Gnade des Heiligen Geistes, die durch den Glauben an Christus gegeben wird. Und so ist das Neue Gesetz grundsätzlich (principaliter) die Gnade des Heiligen Geistes... ». Das äußere Gesetz aber, das uns in Wort und Schrift übermittelt ist, kommt erst an zweiter Stelle, was jedoch wahrhaftig nicht heißt, daß es etwas Nebensächliches würde, wenn es an der Lebenskraft des inneren Gesetzes teilnimmt. « Es gehört zur Vorbereitung auf die Gnade des Heiligen Geistes und zum rechten Gebrauch dieser Gnade » (S. th. I. II. q 106 a 1).

Demnach sehen wir eine der grundlegenden Aufgaben der heutigen Moraltheologie darin, zu zeigen, wie alle religiös-sittlichen Forderungen — auch jene des Naturgesetzes und der positiven Gesetze — von der lebenspendenden Liebe Christi her zu verstehen sind und zu einem ganz persönlichen Verhältnis zu Christus und zu einer weit über das gesetzlich Formulierte oder Formulierbare hinausgehenden Gelehrigkeit gegenüber dem Heiligen Geist anleiten soll, der uns vom erhöhten Christus verliehen ist [21].

---

[21] Vgl. *Das Gesetz Christi* I, S. 286-306.

Sakramentale Moraltheologie

Das Gnadenwirken des Heiligen Geistes, das uns Anteil am Lebensgesetz Christi verleiht, hat seine Mitte in den heiligen Sakramenten. In ihnen umfangen uns die Heilsgeheimnisse des menschgewordenen Wortes auf wirkmächtige Weise. Eine christozentrische vom österlichen Geheimnis des Todes und der Auferstehung Christi gezeichnete Moraltheologie ist in allen ihren Teilen eine « sakramentale » Moraltheologie.

Die Theologie und Verkündigung der Väter war durch und durch Kerygma des Heilsgeheimnisses. Die Unterweisung über das christliche Leben erfolgte hauptsächlich im Anschluß an den sakramentalen Unterricht und innerhalb der heiligen Feier, stets im Blick auf das Heilsgeheimnis des Todes und der Auferstehung Christi. So ergab sich das Neuheitserlebnis der christlichen Sittenlehre unmittelbar aus der Neuheit des im Sakrament empfangenen Lebens.

Ein klassisches Beispiel sind die mystagogischen Katechesen des heiligen Cyrill von Jerusalem (oder wie heute viele Patrologen meinen: des Johannes von Jerusalem). Von dieser Sicht war auch die mittelalterliche Scholastik noch mehr oder weniger geprägt. Die moraltheologischen Traktate der einen ungeteilten Theologie schließen sich gewöhnlich an die heilsgeschichtlichen Wahrheiten der Schöpfung und Menschwerdung und insbesondere an die Lehre von den Sakramenten an. Auch Thomas von Aquin, der in manchem neue Wege ging, behandelt in der Tertia Pars, innerhalb der Lehre von den Sakramenten, einen Gutteil der Sittenlehre.

Erst in den modernen Institutiones theologiae moralis wurden die Sakramente nach den Geboten des Sinaigesetzes als ein hinzukommender neuer « Pflichtenkreis » behandelt, wobei die juristischen Verordnungen durchaus den Ton angeben. Es wird kaum mehr erwähnt, daß uns die Sakramente mit dem neuen Leben in Christus auch den ins Herz geschriebenen Heilsauftrag zu einem Leben im Geiste Christi erteilen. Etwas überspitzt kann man wohl sagen: In dem Maße als die Moralisten die Sakramente nur mehr unter der Rücksicht der ihre Spendung und ihren Empfang regelnden gesetzlichen Bestimmungen behandeln, nähert sich die Beschreibung der sittlichen Gebote und Pflichten der Form nach bedenklich der allmählich hochkommenden laizistischen Pflichtethik.

Die *liturgische Erneuerung* hat das Mysterium wieder in den Mittelpunkt christlichen Lebens gerückt. Die seit dem großen heiligen Papst Pius X. überall mächtig aufbrechende eucharistisch-liturgische Bewegung ist nicht, wie manche moralistische Kritiker prophezeit oder behauptet haben, zu einer ästhetischen oder formalistischen Sache ausgeartet. Gewiß, sie hat ihre Zeit gebraucht, bis ihr Elan sich auch in sittliche Antriebe umgesetzt hat. Aber man sieht heute schon ganz klar, daß sie wieder zur Mitte und zum Kraftquell eines wahrhaft übernatürlichen Lebens und eines vom Altar ausgehenden Apostolates des ganzen Gottesvolkes geworden ist[22]. Der vom anthropozentrischen Humanismus und von der Aufklärung genährte moderne Moralismus empfängt von hier aus den Todesstoß, wenngleich zunächst nur bei jener Elite, die freudig den pfingstlichen Frühling einer erneuerten und verlebendigten Liturgie begrüßt.

Die wissenschaftliche Moraltheologie kann an diesem offensichtlichen Wirken des Heiligen Geistes in der Kirche von heute nicht achtlos vorbeigehen. Die neu heranwachsende Generation von Moraltheologen ist von Jugend auf in diesem Geist geformt. Während ein sonst um die Erneuerung der Moraltheologie so verdienter Theologe wie Fritz Tillmann noch die ganze Darstellung der Sakramente unter der Überschrift « Pflichten gegen sich selbst im Bereich des Religiösen »[23] einreihen konnte, setzt sich heute offensichtlich eine sakramentale Gesamtstruktur der Moraltheologie durch: Man sieht die Sakramente als entscheidende heilsgeschichtliche Wirkmächte zur Auferbauung des Gottesvolkes, das ganz dem Lobpreis Gottes, dem Apostolat der Liebe und der Heiligung der Welt hingegeben ist. Der gewaltige Aufbruch der Laien zur aktiven Teilnahme am Apostolat der Kirche erhält

---

[22] Diese Aussagen beruhen auf empirischen Untersuchungen. Vgl. dazu B. HÄRING, *Die gemeinschaftstiftende Kraft der Liturgie*, in: *Liturgisches Jahrbuch* 7(1957) S. 205-214; *L'importance communautaire des sacraments dans l'Église*, in: *Lumen Vitae* 13 (1958) pp. 446-454.

[23] Nicht nur in diesem Punkt, aber hier doch ganz besonders, unterscheidet sich meine eigene Auffassung von der Tillmanns wesentlich.

starke Impulse aus einem vertieften heilssozialen Verständnis von
Taufe, Firmung, Ehe und Priestertum, insbesondere aber vom Er-
lebnis der Gemeinschaft aller in Christus, das in der Eucharistie-
feier geschenkt und bezeugt wird. Der vielberufenen « Krise des
Bußsakramentes » wird unter anderem begegnet, indem nicht so
sehr die Eigenleistung des Beichtenden als vielmehr die persönliche Begegnung mit dem gekreuzigten, auferstandenen und zum
Gericht wiederkommenden Christus in den Vordergrund des Be-
wußtseins gerückt und von dort die Bedeutung der menschlichen
Mitwirkung gesehen wird. Dazu kommt die heilssoziale Sicht.

Die Moraltheologen müssen sich ehrlich eingestehen, daß
diese Sicht des christlichen Lebens in unserem Zeitalter nicht
von ihrer, eigentlich dafür zuständigen Disziplin vorbereitet und
verbreitet worden ist. Die systematische Moraltheologie ist vielmehr durch dieses uralte und spontan überall neu aufgebrochene
Verständnis gezwungen, ihre eigene Gestalt damit zu vergleichen
und schließlich Versäumtes aufzuholen. Durch einen organischen
Einbau dieser vertieften Schau gemäß den Strukturen des apostolischen Kerygmas und der Vätertheologie hilft sie dem Neuen
zum Durchbruch, bewahrt die liturgische Bewegung von einem
einseitigen Liturgismus und überwindet den Moralismus.

Die katholische Sittenlehre bleibt selbstverständlich Nor-
menlehre; aber über allen Einzelnormen steht wieder deutlicher
das Bewußtsein, daß uns das Wirken des Heiligen Geistes in den
Sakramenten und in Hinsicht auf die Heilsgeheimnisse des menschgewordenen Wortes mit dem Leben in Christus auch die in-
nerste Norm und das Ziel eben dieses Lebens schenkt.

Die sittliche Botschaft vom Reiche Gottes

In der sakramentalen Frömmigkeit und Lebensgestaltung
kommt ein doppelter Aspekt der biblischen Botschaft vom Reiche
und der Herrschaft Gottes deutlich zum Ausdruck: erstens, daß
die Herrschaft, die Gott durch Christus Jesus aufgerichtet hat,
eine *Gnadenherrschaft* ist, zweitens, daß die Herrschaft der göttlichen Liebe aus ihrem innersten Wesen ein Reich der Liebe
gründet und verlangt. Die Sakramente sind der Ort der Kirche
dieser Zwischenzeit zwischen der Geistsendung und Seiner Wie-

40

derkunft, wo uns Christus ganz persönlich begegnet, unter die
rettende Herrschaft seiner Liebe stellt und auf sein Kommen
vorbereitet. So sind die Sakramente durch ihre Gnadenfülle eine
ständige Verkündigung des Reich-Gottes-Imperativs dieser «letzten Stunde». Das ganz persönliche Beschenktwerden ordnet uns
fühlbar dem Mysterium des Leibes Christi zu. Das Ja zur Gnade
als der eigentlichen Norm wird so notwendig zu einem Ja zum
gemeinsamen Apostolat, zur Erfüllung der je besonderen Funktion
in der Heilsgemeinschaft.

Der eucharistischen Bewegung unter Pius X. folgte das Er-
wachen des Laienapostolates unter Pius XI. und Pius XII. Wenn
die Sakramente als die heilsgeschichtlich fortwirkenden Kräfte
des Gottes-Reiches erlebt werden, wenn ferner ihre heilssoziale
Funktion auch in der Art der Feier erlebbar zum Ausdruck
kommt, muß sich notwendig auch ein neues Kirchenbewußtsein
bilden: Sah die Moraltheologie der abgelaufenen Epoche im einzelnen Christen vor allem einen gehorsamen Untertan der hierar-
chisch regierten Kirche, so steht heute im Vordergrund des Be-
wußtseins, daß er ein solidarisch mitverantwortliches Glied des
Gottesvolkes ist. Auch der Gehorsam erhält von hier ein neues
Motiv. Es schien zeitweise, als ob die liturgische Frömmigkeit
und der Apostolatsgedanke in feindlicher Konkurrenz zueinander
stünden. Das war jedoch eine Verkennung beider Wirklichkeiten
und ihres wahren Verhältnisses. Es erweist sich auch in der
Kirche von heute tatsächlich, daß die Mysterien des Neuen Gesetzes die dynamischen Kräfte zur Auferbauung des Reiches Gottes sind und daß von ihrer beseelten Feier ein mächtiger An-
sporn zum Apostolat ausgeht: Apostolat des Priesters und der
Laien vom Altar aus, aus den erfahrenen Kräften und Gesetzen
der Heilsgeheimnisse.

Eine Weitung der Perspektiven der Moraltheologie kam auch
durch die seit Leo XIII erneut ins Bewußtsein rückende *Sozial-
theologie* und *Sozialethik.*

So macht sich die Moraltheologie heute daran, die Grund-
prinzipien für eine *Umweltseelsorge* [24] vom Heilsgeheimnis her

---

[24] Vgl. V. SCHURR, *Seelsorge in einer neuen Welt.* 3. Auflage Salzburg 1959;
Konstruktive Seelsorge. Freiburg 1961.

und von der wesenhaft sozialen Natur des Menschen her darzustellen: Wie der Christ wesenhaft in der vom Altar her sich
aufbauenden Heilsgemeinschaft steht, so verwirklicht sich sein
Ja zum Reiche Gottes und sein sittliches Leben nicht in der Vereinzelung und Absonderung, sondern vielmehr in personaler und
solidarischer Bewältigung der vielgestaltigen Wechselbeziehungen mit seiner Umwelt. Die Theologie des Milieus[25] im Rahmen
der Reich-Gottes-Lehre stellt sehr viele neue Aufgaben an die
systematische Moraltheologie. Diese Aufgaben wurden energisch
in Angriff genommen in vielen Einzelstudien vor allem zu einer
Theologie des Laikates und der irdischen Wirklichkeiten[26].

Zielsinn des sittlichen Strebens ist nicht nur und allein das
individuelle Heil. Der Gesamtaufbau der Moraltheologie muß
deutlich machen, wie Verherrlichung Gottes, die soziale Heilsfülle
und Heilssolidarität und individuelles Heil ein Ganzes bilden. Der
ganze Kosmos ist erlöst: Es gilt die ganze Welt für Christus
heimzuholen. Damit weitet sich das Feld, die Norm und die Mo-
tivierung des Sittlichen gegenüber einer doch teilweise dem
Heilsindividualismus verhafteten Moral gewaltig.

Die Lehre von den letzten Dingen wird nicht mehr bloß
eingesetzt, um den Sünder aufzuschrecken: Die Erwartung des
Herrn und der Vollendung aller Dinge ist ein Motiv der Hoffnung
für die christliche Gemeinde und zugleich ein drängender Auftrag,
geduldig an der Verchristlichung aller Bereiche des Daseins
mitzuwirken.

Dynamischer Wesenszug der Moraltheologie

Die katholische Moraltheologie darf nicht versuchen, das
sittliche Leben vom bloßen Zaun der Mindestgebote und Verbote
her darzustellen; denn das neutestamentliche Gesetz des Lebens
ist seinem innersten Wesen nach nicht ein im Buchstaben und
von außen auferlegtes Gesetz und darum auch kein bloßes Grenz-
gesetz. Es ist vielmehr ein von innen drängendes Gnadengesetz,

---

25 Vgl. P. SCHURR, *Theologie der Umwelt*, in: *Theologie in Geschichte und Gegenwart* (Michael Schmaus zum 60. Geburtstag) München 1956, pp. 145-180; mein Buch: *Ehe in dieser Zeit*. Salzburg 1960.

26 Zu nennen sind vor allem CONGAR, THILS, PHILIPS.

dem das äußere Gesetz in seiner weisenden und anklagenden Funktion dient. Paulus versteht das sittlich religiöse Leben der Christen vom Tun Gottes her als eine « *dynamis* », ein « *krátos* », als eine machtvoll drängende Kraft der « dóxa », der sich kundtuenden Liebesherrlichkeit Gottes. « Die Liebe Christi drängt uns » (2 Kor 5, 14). In der « Kraft des Heiligen Geistes » (Apg 1, 8) wirken die Geheimnisse des Todes und der Auferstehung Christi, um uns dem Bilde Christi immer ähnlicher zu gestalten.

Der christlichen Moral entspricht weder ein rein statisches Gesetz an der unteren Grenze — wie es bisweilen in den Institutiones theologiae moralis den Anschein haben mochte — noch auch ein Tugendideal nach Art der Stoa, wo es hieß: « Die Tugend hat man entweder vollkommen oder gar nicht ». Der Christ muß sich hier im Pilgerstand stets bewußt sein, daß er noch nicht vollendet, sondern ein *Werdender* ist. Das Leben unter dem Gesetz der Gnade steht wesenhaft auch unter dem *Gesetz des Wachstums*. Wer sein Talent gut ausnützt und damit wuchert, « dem wird noch dazugegeben werden » (Mk 13, 12; Lk 19, 26). Wer jedoch nicht nach dem Maß der ihm verliehenen Gnade fortschreiten will, dem wird auch das eine Talent noch genommen werden. Klassisch kommt diese Wahrheit beim heiligen Paulus zum Ausdruck: « Nicht daß ich es schon ergriffen hätte oder schon vollendet wäre, aber ich strecke mich darnach aus, es zu ergreifen, nachdem ich doch schon von Christus ergriffen bin. Meine Brüder, ich für meine Person denke nicht, es schon ergriffen zu haben ». Und dann folgt eine ausdrückliche Anrede an die « téleioi » — die endzeitlichen Menschen, die auf die Vollkommenheit verpflichtet sind, sich aber nicht nach stoischer Weise schon für vollkommen halten sollen: « Wohlan denn, ihr Vollkommenen alle, richten wir darauf unser Sinnen und Trachten! » (Phil 3, 12 ff.).

Dieser Gesichtspunkt muß im Anschluß an biblisches und patristisches Denken heute wieder stärker herausgearbeitet werden. Im letzten Jahrhundert haben vor allem Sailer, Hirscher, Deutinger, Werner, Fuchs, Jocham und Linsenmann in ihren Lehrbüchern der Moraltheologie diese psychologisch-dynamische Sicht gepflegt und dementsprechend der Lehre vom Gesetz der Gnade (der Talente), vom Wirken des Heiligen Geistes, von der Freiheit der Kinder Gottes in der Gelehrigkeit gegenüber jeder Gnade besonders herausgestellt.

Gesetz des Wachstums bedeutet in der Zeit der endzeitlichen Scheidung und Entscheidung für den Christen, weil er zugleich die Last Adams zu tragen hat, *fortwährende Bekehrung*, fortwährenden Kampf und Selbstverleugnung. Es genügt nicht, die Lehre von der Bekehrung in einem eigenen Traktat zu behandeln, die Gesamtdarstellung der katholischen Moraltheologie muß davon geprägt sein. Um nur ein Beispiel zu nennen: Die Abgrenzung zwischen Todsünde und läßlicher Sünde darf nicht rein statisch von der Sache her versucht werden; der personale Faktor ist unter Berücksichtigung des Gesetzes des Wachstums und der ständigen Bekehrung entscheidend in Anschlag zu bringen. Die Unterscheidung der Sünden « ex genere » (schwer oder läßlich sündhaft) und « ex toto genere » darf demnach nur als eine hinweisende Charakerisierung angesehen werden [27]. Die sittliche Erkenntnis, die sittliche Freiheit und sogar die Iebendigkeit und Wahrhaftigkeit des Gewissens ist im Lichte der werdehaften Struktur des Menschen und der endzeitlichen Vollkommenheitsverpflichtung darzustellen.

Biblischer Personalismus

Wenn wir betonen, daß der Jünger Christi wesenhaft, auf Grund der ihm zuteil gewordenen Gnade, wachsen muß « bis zum Vollalter Christi » (Eph 4, 13), so ist das etwas ganz anderes, als die aristotelische Idee der Selbstvervollkommnung zum Leitmotiv der Moraltheologie erklären. Das christlich verstandene Wachstumsgesetz bezieht seine eigentliche und letzte Dynamik und seine Gestalt nicht aus dem Eros, nicht aus dem ich-bezogenen Streben des Menschen nach Vollkommenheit und Glückseligkeit. Die entscheidende « *dynamis* », die den Menschen auf die größere Ehre Gottes und seine eigene Vollendung hin ausrichtet, ist « die Liebe Gottes, die durch den Heiligen Geist in unsere Herzen ausgegossen ist », die Heilsfülle der Endzeit [28]. Die uns « drängende Liebe

---

[27] Vgl. dazu FR. BÖCKLE, *Bestrebungen in der Moraltheologie*, in: *Fragen der Theologie heute* (Hrsg. von J. Feiner etc.). Einsiedeln 1957, S. 434 f.

[28] Der Anruf, vollkommen (*téleios*) zu sein, kommt von der drängenden

Christi» findet freilich im natürlichen Sehnen des Menschenher-
zens, das durch die Tugend der Hoffnung emporgerissen wird,
ihren Widerhall. Während jedoch der humanistische Perfektio-
nismus — dieser falsche Personalismus — allzu sehr der anthropozentrischen Linie des ersten Adam folgt, ist der biblische Personalismus nur von Christus her zu vestehen, der uns zur *Theozentrik*
erlöst hat.

Das Herzstück des christlichen Personalismus ist die *agápe,*
jene Liebe, die das Zu-einander der göttlichen Personen verkündet
und Anteil an dem gleichen Lebensgesetz verleiht[29]. Was uns
als *Person* konstituiert, ist grundlegend der schöpferische Anruf
Gottes, der uns mit Namen nennt und uns der Antwort mächtig
macht. Unsere Personalität wird auf eine höhere Stufe gehoben
durch unser Sein in Christus, der das personhafte Wort des
Vaters und die gültige Antwort im Namen der ganzen Menschheit ist. In Christus haben wir vom Vater durch das Wirken
des Heiligen Geistes einen neuen Namen empfangen, so daß wir
nun kindlich antworten können: «Abba, Vater».

Wir werden reife *Persönlichkeiten* dadurch, daß wir für
das innere Drängen und den Anruf der Liebe Gottes offen sind
und nach Art Christi antworten durch die dienende Liebe zu unserem Nächsten. Der christliche Personalismus sieht in der Liebe
nicht ein bloßes Gebot, noch weniger bloß ein von außen an die
menschliche Person herantretendes Gebot: Die Liebe, die wir
von Gott empfangen und deren wir so mächtig sind, ist die in-
nerste Grundstruktur der christlichen Persönlichkeit, des christlichen Daseins. Was wir als Christen sind, sind wir durch die Liebe
Gottes. Der große Auftrag der Liebe ist der entscheidende
Ausdruck unseres erneuerten Daseins.

Das Hauptgebot der Gottes- und Nächstenliebe verweist uns
auf Grund seines Wesens und auf Grund unseres Seins in Christus
auf den Heiligen Geist, das Pfingstgeschenk des zur Rechten des
Vaters thronenden Christus. Sich vom Pfingst-Geist leiten lassen

---

Gnadenfülle der Endzeit (*télos*), die zur Entscheidung zwingt und auf das
Wiederkommen Christi ausschaut Vgl. H. Preisker, *Das Ethos des Urchristentums.*
2. Auflage Gütersloh 1949.

[29] Vgl. dazu das Kapitel «Liebe zu Dreien» in meinem Buch *Das Gesetz
Christi.* 6, Auflage II, S. 329 ff.

ist die Summe des neutestamentlichen Gesetzes und der wahre Ausdruck des christlichen Personalismus. Gesetz der Gnade, Gesetz der Liebe und biblischer Personalismus sind also nicht voneinander zu trennen. Damit ist auch gesagt, welche Rolle in einer Moraltheologie, die von der göttlichen Tugend der Liebe her denkt, die Gaben des Heiligen Geistes spielen. Es genügt nicht, jeder Tugend irgendwie eine Gabe des Heiligen Geistes zuzuordnen, was künstlich wirken würde. Es muß vielmehr in allen Teilen der Moraltheologie sichtbar werden, daß die Gelehrigkeit gegenüber der Gnade des Heiligen Geistes, die uns der liebenden Hingabe Christi angleicht, den wahren Jünger Christi ausmacht.

Heidnischer und christlicher Existentialismus

Der neuheidnische Existentialismus eines Sartre sieht die Würde und Freiheit des Menschen durch die Lehre von einem unverbrüchlich gültigen Sittengesetz gefährdet. Er will sich als Demiurg seines eigenen Daseins und Desainssinnes selbst eine Wertordnung nach seinem eigenen Plan aufstellen [30], oder noch mehr: er will sich ohne jede Festlegung auf eine bestimmte Wertordnung jeweils aufs neue seine eigene Freiheit (besser gesagt: seine Selbstherrlichkeit) bezeugen.

Gegenüber einem solchen Existentialismus und einer ihm entspringenden gesetzesfeindlichen Situationsethik muß heute die katholische Moraltheologie vor allem die Unverbrüchlichkeit der sittlichen Wesensgesetze mit allem Nachdruck unterstreichen und sich auch klar absetzen von antinomistischen Strömungen im heutigen Protestantismus, die durch die moderne Situationsethik eine neue Gefährlichkeit zu erhalten drohen [31]. Aber ebenso gilt es, sich von jenen hartnäckigen Verwandten der Situationsethik

---

[30] Für diese Einstellung ist typisch die Ethik NIKOLAI HARTMANN'S, der allerdings noch kein Existentialist im Sinne SARTRE's ist.

[31] Typisch für eine antinomistische protestantische Situationsethik ist zum Beispiel KARL BARTH, *Die kirchliche Dogmatik* Band III, 4 Zollikon--Zürich 1951. Nach jeweils tiefgründigen Darlegungen über die Wesensordnungen, die Ehebruch, Wiederverheiratung nach Scheidung, Selbstmord, Abtreibung und vieles andere als Sünde kennzeichnen, wiederholt er stereotyp, dies könne jedoch nicht im Sinne katholischer Gesetzlichkeit verstanden werden. Demnach könne der Christ in der besonderen Situation im Glaubensgehorsam — unter strenger Prüfung seiner Motive — berechtigt

46

im katholischen Raum zu trennen, die als späte Nachfahren des Nominalismus und Rechtspositivismus zu meinen scheinen, man dürfe, ja müsse sogar auch dann positive Gesetze wörtlich erfüllen, wenn man dadurch gegen das natürliche Sittengesetz oder gegen die Gnadenordnung des Evangeliums verstößt[32]. Man wird keinen Existentialisten davon überzeugen können, daß selbst die lebensvollste und bedrängendste Situation kein Abgehen von der Wesensordnung gestattet, wenn man paktisch mit Berufung auf eine « gesetzliche », vom positiven Recht geschaffene « Situation » das Gleiche guten Gewissens tut oder billigt oder gar verlangt.

Neben der klaren und sorgfältigen Abweisung des Irrigen gilt es jedoch auch das verborgene und vielfach verfälschte Anliegen des modernen Existentialismus, der ja nicht nur in Sartre-scher Form auftritt, zu erlösen. Das verzerrte Anliegen findet deshalb so viele Anhänger, weit es in unserer Theologie und im christlichen Leben nicht immer seinen Platz erhalten hat. Wir meinen den leidenschaftlichen Kampf des heiligen Paulus gegen den geistlosen und anthropozentrischen Nomismus und positiv seine Lehre von der Freiheit der Kinder Gottes unter dem überreichen Lebensgesetz des Heiligen Geistes.

Die verkehrte Situationsethik will das alle bindende Gesetz des Schöpfers und Erlösers *nach unten,* in Richtung der « Werke der *sárx,* aufbrechen und sprengen. Sie will praktisch an Stelle des von Gott und rechtmäßiger menschlicher Autorität verordneten Gesetzes die situationsbedingten Einfälle des Eigenwillens setzen. Dabei ist aber auch ein ernster Wille, der Vielgestalt des Lebens gerecht zu werden, mit im Spiel. All dem gegenüber wird die katholische Moraltheologie von heute zu zeigen haben, wie der Christ, der unter dem « Gesetz der Gnade » steht, nicht unpersönlichen und lebensfeindlichen Gesetzesmächten, sondern dem *Spiritus vivificans et rector,* dem durch seine Liebe ihn anrufenden Meister folgt. Dabei ist die gegenseitige Bezogenheit von « Geistgesetz des Lebens in Christus Jesus » und Weisung durch

---

oder verpflichtet sein, ausnahmsweise auch einmal das Gegenteil zu tun. Zu einem Teil ist jedoch diese Situationsethik auf einen Mangel an Unterscheidung zurückzuführen.

[32] Näheres in meinem Aufsatz: *Hartnäckige Verwandte der Situationsethik,* in: *Theologie der Gegenwart* 4 (1961) S. 1-7.

das geschriebene Gesetz deutlicher zu zeigen als dies in den Institutiones theologiae moralis der letzten Jahrhunderte geschehen ist.

So ergibt sich aus dem rechten Verständnis des dynamischen Gesetzes der Gnade und Liebe Christi ein Personalismus und Existentialismus, der die Armseligkeit des humanistisch-anthropozentrischen « Personalismus » und die Eitelkeit eines gesetzesfeindlichen « Existentialismus » entlarvt und das lebendige Sehnen des modernen Menschen nach Würde und Echtheit anzusprechen vermag.

Die Synthese

Eine wissenschaftliche Moraltheologie kann und darf keine bloße Zusammenstellung von Einzelgesetzen, Einzelpflichten oder Einzelnormen sein, etwa nach Art eines Gesetzbuches; denn so würde die Moraltheologie nicht nur ihre vornehmste Aufgabe verraten, sondern auch das Grundwesen der christlichen Sittlichkeit verdecken und ihre innere Dynamik zerstören. Die wichtigste Aufgabe der Moraltheologie ist heute gegenüber dem « Verlust der Mitte » so vieler Disziplinen die klare Herausarbeitung der großen Leitideen.

Die einzelnen Gesichtspunkte, die wir im Vorausgehenden als kennzeichnend für die Aufgaben heutiger Moraltheologie herausgestellt haben, dürfen nicht bloß aneinandergereith werden. Sie bilden ein Ganzes. Die Art und Weise der Zusammenschau und die besondere Akzentuierung des einen oder andern Gesichtspunktes werden freilich nach dem spirituellen Temperament und nach dem besonderen Standort des einzelnen Moraltheologen wechseln. Der Reichtum des Geheimnisses der christlichen Moral ist so groß, daß nur eine Vielzahl verschiedener Versuche einer Systematik seine Unergründlichkeit einigermaßen erahnen läßt. Immer aber muß die *Person Christi* die entscheidende Mitte bilden. Als unser Grund-verhältnis zu Christus muß sichtbar werden die sakramentale Angleichung an Ihn und unsere anbetende und gehorsame Liebe zu Ihm und in Ihm zum himmlischen Vater.

Mit anderen Worten: Das christliche Leben muß auf alle Fälle als *Nachfolge Christi* verstanden werden, mag man nun den Begriff Nachfolge oder einen andern gedanklichen Ansatz-

48

punkt wählen. Denn selbstverständlich kann es sich nicht darum handeln, alle Wahrheiten und Gesichtspunkte von der *Idee* der Nachfolge abzuleiten. Es geht in Theologie nie zuerst um Deduktion von einem Begriff, sondern um das demütige Hinhören auf jede Wahrheit und dann freilich entscheidend auch um *Zusammenschau* der uns geschenkten Wahrheitsfülle, soweit dies Menschen möglich ist.

Francis X. Murphy

THE BACKGROUND TO A HISTORY OF
PATRISTIC MORAL THOUGHT

SUMMARIUM

Historia disciplinae moralis patrum hodie valde desideratur; sed actuatio hujuscemodi operis non fit sine difficultatibus. Paraenesis patristica est catechesis moralis quae oriebatur ex sensu dynamico Sapientiae Dei allicientis hominem ad sanctificationem personalem in imitatione Christi et ad reparandam imaginem Dei. Documenta sicut Didache, Ps.-Barnabas, etc., sunt tractatus paraenetici doctrinam a duobus Testamentis trahentes et praxim ad coetum judaico-christianum et grecoromanum accomodantes. In litteratura apocrypha inventa sunt tentamina ad originem concupiscientiae et peccati explanandam, et in apologistis initium concurrentiae catecheseos judaico-christianae cum ethica hellenica. Irenaeus fundamentum dat theoreticum theologiae morali per anthropologiam in Christi Incarnatione et paedagogiam in Christi imitatione fundatam, ut in ecclesia homo ad recapitulationem Dei imaginis perducatur.

In the preface to his French edition of S. Puffendorf's *Of the Law of Nature and of Nations* (Paris, 1706), the eighteenth century Protestant jurist, Jean Barbeyrac, suggested that « almost all the fathers of the first six centuries had fallen into the grossest errors on the subject of morals.» Barbeyrac was but reflecting what had become a commonplace of anti-Catholic polemic. Hence he was considerably surprised, some ten years later, to find himself the primary target of the Benedictine, Dom Rémy Ceillier's *Apologie de la morale des Pères* (Paris, 1718). Eventually, Barbeyrac produced his own *Traité de la morale des Pères de l'Eglise* (Amsterdam, 1728), in the preface of which he supplies a brisk counter-attack on what he terms Dom Ceillier's «fanatical defense» of the Catholic position on tradition.[1] He then documents his original charge with citations of numerous patristic moral opinions

4.

which he considers gravely erroneous, or in extremely poor taste [2] The difficulty with such a critical approach to patristic moral thought is that it reflects a reading of the fathers that is at once out of context, and usually out of humor. It takes little notice of the social, philosophic, and religious milieu in which the patristic moral had been produced. [3] In actual fact, five centuries earlier St. Thomas Aquinas had supplied a nuanced criticism of many moral opinions of the early churchmen; but he did so with the purpose of correcting and improving upon what they had accomplished. [4] In as far as the historical milieu of the patristic period was concerned, Thomas suffered from even a greater disadvantage than that of the eighteenth century scholars. Yet despite his rigid, scholastic approach, he considered the fathers neither beyond criticism with Ceillier, nor largely unreasonable with Barbeyrac. For he did have some idea of the difficulties that had been encountered by the early Christian churchmen in fusing the Judeo-Christian faith and ethical values with the accomplishments of the hellenistic and oriental cultures of their day. Recognizing the effort made by the patristic moralists to

---

[1] Torn by the thought of dispensing himself from responding, «for my aggressor fully betrays himself by his party spirit and prejudice... as well as by arguments which appeared to me as visibly false, feeble, and forced » (Praef. iii), Barbeyrac nevertheless takes occasion to attack the Catholic position on the Eucharist, Mariology, tolerance, etc., before attempting to document his charges against the Fathers. On Barbeyrac, see J. DEDUN in DHGE 6 (1932) 649-50.

[2] B. charges Clement of Alexandria, for example, with a vain display of learning; with offending against propriety in the frankness with which he discusses the sexual aspects of marriage; and of offering false, even ridiculous, reasons for many of his moral judgments (op. cit. xvi-xix and 44-72); he alleges similar faults in Athanagoras (ib. 25-44), Tertullian (ib. 72-94) Origen (94-104), Basil (154-160), Jerome (239-281), and Augustine (281-319), etc.

[3] Called to order on this matter by the Protestant professor of theology at Jena, J.F. Buddaeus in the Preface to his *Isagoge historico-theologica ad theologiam universam* (Leipzig, 1727), B. contends that he had no other design « que de dire historiquement les choses comme elles sont; bien loin de manquer d'indulgence envers les Pères, j'ai assez témoigné qu'on devoit excuser et leurs erreurs, et leurs fautes, en consideration des défauts de leur Siécle, et des tentations des circonstances, ou ils se sont trouvez » (*op. cit.* p. xx). Essentially of course, it is Barbeyrac's rationalist temperament that caused his annoyance, and misjudgment of the spiritual alignment of the moral teaching of the Fathers.

[4] Cf. C. DUBLANCHY, *Morale, histoire sommaire,* I in DThC 10 (1929) 2435-2441.

discuss human nature on the basis of reason employed within a supernatural context, Thomas found in the patristic elaboration of Christ's moral teaching an authentic if at times incomplete expression of the Christian tradition.

Contemporary interest in a renewal of the Church's moral teaching both as regards its modern orientation and its re-integration in a wider theological perspective is calling for a history of moral theology. For excellent reasons, no such comprehensive study — even of only the moral doctrines of the fathers — has been attempted thus far. This was due in part to the fact that until the turn of the present century little attention had been focused on the history of specifically ethical doctrines, or on the development of schools of moral thought. It likewise reflects the fact that it is only in recent centuries that moral theology has been treated as a discipline distinct from other phases of theology.[5]

That moral theology is a separate discipline today has its justification and advantages, not least in the pastoral and pedagogic spheres. Its disadvantages in a tendency toward rigid legalism, stereotyped casuistry, and an almost Pelagian rationalism have been sufficiently aired by contemporary critics.[6] It is generally conceded that what is needed now is a re-integration of the Christian ethical teaching within its doctrinal framework, while preserving the advantages achieved during the years of separation of the two theological disciplines. Strangely enough, the task is much more difficult than the first proponents of this reform realized.[7] Hence new directions and renewed assurances are being

---

[5] Ibid., 2401-02. Dublanchy's failure to mention a single History of Moral Theology in his bibliography is significant. For a survey of the patristic approach to morality, see F. WAGNER, *Der Sittlichkeitsbegriff in der hl. Schrift und in der altchristlichen Ethik* (Münster, 1931); TH. DEMAN, *Aux origines de la théologie morale* (Paris, 1951); B. HÄRING, *The Law of Christ* (Eng. tr., E. Kaiser, Westminster, Md. 1961), I, 5-10; A. JANSSENS, *Pour l'histoire de la théologie morale*, ETL 33 (1957) 736-44.

[6] Cf. J. LECLERQ, *L'enseignement de la morale chrétienne* (Paris, 1944); G. ERMECKE, *Die kath. Moraltheologie heute* in ThGl 41 (1950) 127-142; F. TILLMANN, *Handbuck d. kath. Sittenlehre*, III: *Die Idee der Nachfolge Christi* (4 ed. Düsseldorf, 1953).

[7] For a nineteenth century essay in this direction see J. ZIEGLER, *Erwägungen zu J.B. Hirschers 'Christlicher Moral'* ZKTh 84 (1962) 85-100. With regard to recent endeavors, see J.B. GILLON, *La théologie morale et l'éthique de l'exemplarité personelle* in *Angelicum* 34 (1957) 241-259; 361-378, who protests against « un exposé

52

sought for. It is in this context that a history of moral theology is a current desideratum. That such an enterprise now seems possible is due to the large number of monographs being devoted to different aspects of the patristic moral accomplishment, as well as to studies depicting the evolution of ethical notions and paraenetic problems in the early Church.[8] There are still a number of unexplored areas in this field; and several organic difficulties. It is, for example, difficult to separate moral from ascetical, and even from mystical, theology in the writings of most of the fathers. Nor are the social and economic conditions under which the earlier Christians lived completely understood. We do not possess an adequate knowledge of the categories within which they formulated many obligations of an ethical nature. Nevertheless, it is in the pursuit of information in these very areas that a history of the moral teaching of the fathers should prove most useful.

While ascetical theology has its historians from Pourrat and Viller-Rahner to L. Bouyer, H. Graef, and the *Dictionnaire de Spiritualité*,[9] moral theology is still in search of such a comprehensive effort, though a number of scholars are working in that direction, particularly under the inspiration of Fr. Tillmann, O. Lottin, J. Leclerq, Ph. Delhaye, and M. Mueller.[10] It will be

hybride, cherchant a combiner les deux ou même les tres formes de théologie, qui ont existé dans l'église depuis le Moyen Age. On y retrouverait, dans très mauvais ménage, des fragments de s. Thomas, la substance de la morale classique, tout cela assaisonné de termes empruntés à Scheler ou à l'existentialisme. Mieux vaudrait conserver le distinction des 'genres littéraires'» (p. 378).

[8] Cf. the pilot-articles in the *Reallexikon f. Antike u. Christentum* (RAC) such as «*Acedia*» (I, 62), «*Apatheia*» (I, 484f) , «*Arbeit*» (I, 585f.), «*Armut* I & II*» (I, 698f.), «*Bekehrung*» (II, 105f.) «*Begierde*» (II, 62f.), «*Beruf*» (II, 141f), «*Christianisierung* I & II*» (II, 1228f.), «*Contactus*» (III, 404f.), «*Demut*» (III, 735f.), «*Dirne*» (III, 1149f.), «*Ebenbildlichkeit*» (IV, 459f.), «*Ehe* I, II, III, IV*» (IV, 650-730), etc., for both patristic opinions and doctrine, as well as the most recent literature. See also articles on similar subjects in the *Dictionnaire de Spiritualité*.

[9] P. POURRAT, *La spiritualité chrétienne* I: *Des origines de l'Église au Moyen Âge* (9 ed. Paris, 1926); M. VILLER, K. RAHNER, *Aszese und Mystik der Väterzeit* (Freiburg/B. 1940); L. BOUYER, *La spiritualité du Nouveau Testament et des Pères* (Paris, 1960); H. GRAEF, *The Light and the Rainbow* (Westminster, Md., 1959).

[10] Cf. F. TILLMANN, op. cit.; O. LOTTIN, *Morale fondamentale* (Paris-Tournai,

the endeavor of this essay to indicate some of the factors that should enter into such an enterprise, at least in its earlier stages.

It would be unrealistic to seek a truly organic development in the moral thinking of the early churchmen, or to impose on the patristic moral endeavor generally, or on the thinking of a particular father, the categories or systematic schematization of a later age, particularly that of the scholastic period, or of contemporary manuals of moral theology. Nevertheless, there is a discernible pattern that runs through their exhortatory and exegetical works and that gives substance and direction to their paraenetic preaching. Actually there is to be met with a considerable evolution and a progressive refining of ethical teaching from the first post-apostolic moral catechesis in the *Didache* and the *Letter of the Pseudo-Barnabas* to the specifically moral treatises of a St. Ambrose and St. Augustine in the west, and the homiletic exhortations of a St. John Chrysostom and a St. Maximus the Confessor in the east. Essentially, this consists in the fusing of the Judaic concept of divine Wisdom (*hokmah*) and the Holiness Code of Leviticus and Deuteronomy into a Christo-centric moral way of life. The detailed elaboration of this Christian moral pattern was further stimulated by the incorporation of philosophic and anthropological categories current in the hellenistic world in which the Christian message was announced, and in which the Christian way of life was gradually brought to completion. This evolution of the Christian moral thought is a complicated subject, neglected for the most part by the majority of pre-twentieth century theologians who had little interest in doctrinal development generally.[11] What is more, until recently, the primitive, non-Scriptural documents, such as the *Didache*, the *Letter of Clement of Rome*, and the *Ignatian*

1954); PH. DELHAYE, *La théologie d'hier et d'aujourd'hui*, RevSR 27 (1953) 112-130; id., *Die gegenwaertigen Bestrebungen der Moral-Wissenschaft in Frankreich in Moral-probleme im Umbruch der Zeit* (Munich, 1957); M. MUELLER, *Die Lehre des hl. Augustinus von der Paradiesehe* (Regensburg, 1956) and the series in which this volume appears: *Studien zur Geschichte der kath. Moraltheologie*.

[11] Cf. the excellent remarks on this subject by J. Galtier in his article on «*Petau*» in DThC 12 (1933) 1323-24; also A. STEPHENSON, *The Development and Immutability of Christian Doctrine* in *Theol. Stud.* 19 (1958) 481-532.

Epistles, whose scope and nature are specifically moral, had been analyzed and picked over primarily for testimony to dogmatic facts or ecclesiastical developments, for the most part in support of polemical positions.

I

Studies dealing with the moral teaching of the Old and New Testaments are comparatively plentiful.[12] Their end result, generally speaking, is the conclusion that the moral teaching of Christ, as recorded in the Gospels and diffused through the oral teaching and other documents of the New Testament, was a re-animation of the basic Jewish moral wisdom, which had been impregnated to some degree by contact with outside elements several centuries earlier, and colored to a certain extent by the paraenetic tendencies of such sects as the Essenes or the devotees of Qumram.[13] What was truly original in Christ's moral teaching was the unequivocally supernatural orientation, and the absolute authority with which He invested His ethical doctrines. Thus the substance of the Sermon on the Mount and the two commandments of charity can be found literally in the Old Testament documents.[14] But by His claim to be the Son of God, by His insistence on the fact that He was the 'Way, the Truth, and the Life' (Jo 14, 6), by His invitation to penance and the imitation of His humility and patience, and by His enunciation of His ethical requirements in an eschatological perspective, Christ gave His doctrines a revolutionary impulse. It was in this guise that the

---

[12] Cf. J. HEMPEL, *Das Ethos des Alten Testamentes* (Berlin, 1938); W. EICHRODT, *Theologie des Alten Testaments*, t. 2/3 (Göttingen, 1961). For the NT, R. SCHNACKENBURG, *La théologie du Nouveau Testament* (Bruges, 1961) 53-55; 107-110 for the bibliography.

[13] Cf. C. TRESMONTANT, *La métaphysique du christianisme et la naissance de la philosophie chrétienne* (Paris, 1961) 27-59; T. FINAN, *Hellenistic Humanism in the Book of Wisdom* in ITQ 27 (1960) 30-48; G. COUTURIER, *Sagesse babylonienne et sagesse israélite* in Sc Eccl 14 (1962) 293-309; J. DANIÉLOU, *La communauté à Qumram et l'organisation de l'Église ancienne,* in *Bible et l'Orient* (1955) 104-115.

[14] Deut 6, 5; Lev 19, 18; cf. P. WINTER, *Sadocite fragments* IV, 20-21 in ZNtW 68 (1956) 71; J. DANIÉLOU, *Théologie du judéo-christianisme* (Paris, 1958) 373-74.

Christian moral teaching was handed on to the primitive communities of the first century.[15]

Between the death of Christ and that of the last apostle, there is a gap of some fifty or sixty years. During this period the Church spread from Jerusalem and Palestine to Syria and Egypt, to Greece and Rome. In the course of this divulgation, the Christian moral teaching was subjected to a number of religious, social, and philosophic influences from the orthodox Judaism of the Jerusalem community itself, through the Qumram-dominated Judeo-Christian theologising, and the machinations of several heretical movements, to the syncretistic and stoic doctrines of the hellenistic world. What is truly remarkable is the directness and purity of this moral message as it is recorded in the Epistles and Gospels. It contrasts with the complexity and extravagance of much of the contemporary apocryphal and pseudoepigraphical literature emanating from the numerous heretical sects that took inspiration from the new Christian endeavor. The NT documents witness to the apostolic preaching in the second half of the first century. What is unmistakable in them is the modification, not of Christ's teaching as such, but of its manner of presentation, in meeting the competition and the proselytic efforts of Judaism and, indirectly at least, the ethical teaching of itinerant stoic and Pythagorean propagandists.[16]

What modern investigation has ascertained is the fact that the earliest exponents of the Christian religion had worked out a distinctive way of presenting the fundamental convictions of their faith in a formula which they called the « proclamation » or kerygma. The Christian preacher thought of himself as an announcer or herald of very important news. He recounted the life and work of Jesus Christ in brief form, demonstrating that in Christ's conflict, sufferings, death and resurection, the divinely guided history of Israel had reached its climax. God Himself

---

15 Cf. C. TRESMONTANT, op. cit. 62-85. On the purity of Christ's message see J. KONZELMANN, *Jesus-Christus* in RGG III (1960) 648.

16 Cf. G. DIX, *Jew and Greek* (London, 1953); L. GOPPELT, *Christentum und Judentum* (Gütersloh, 1954); B. REICKE, *Diakonie, Festfreude und Zelos* (Upsala, 1951); H.-J. SCHOEPS, *Urgemeinde, Judenchristentum, Gnosis* (Tübingen, 1956); J. DANIÉLOU, *Théologie du judéo-christianisme* (Paris-Tournai, 1958).

had now personally intervened in the history of mankind to inaugurate His kingdom upon earth.[17] The preacher then sought to convince his hearers that they were now confronted by God Himself as represented in His kingdom which was the new Christian community or church; that they stood liable to His judgment, which was immediate and inescapable. They had only to accept His invitation to embark on a new life, wherein, through God's mercy, they would be unburdened of past delinquencies, and have the opportunity of enjoying a new and close relationship with God, in Christ Jesus, dead and risen from the dead. The names of those who accepted this message were inscribed in the new community or Church. They were given instruction in moral principles and sanctifying conduct that were essential to the Christian way of life. This course in moral behavior was distinct from the proclamation of the Gospel as such. It was an immediate preparation for the reception of Baptism, and included prayer and fasting by way of driving out the evil spirits. This order of presenting the new Christian fact — first the kerygma, then the didache or moral teaching on an eschatological background — seems to have been characteristic of all the primitive preaching. As such it was a direct outgrowth of the Jewish tradition within which Christianity arose. For both the Decalogue and the grand structure of the Law or Torah begin with a statement of divine fact: «I am the Lord thy God, Who brought thee out of the land of Egypt...» (Ex 20, 2), which is supported by an intertwining of historical events portraying God's providence and care for His people. On this background, the ethical requirements or commandments of the Law are imposed.[18]

The Christian moral teaching thus inherited a dynamic sense of God's Wisdom which permeates creation, and sanctifies the man who devotes himself to the cultivation of God's Law or the Torah. In the Law was embodied the *Derek tebunot*, or divine insight, which led a man to identify the way of wisdom (*hokmah*)

---

[17] C.H. DODD, *Gospel and Law* (Cambridge, 1951) 8-11; id. *The Apostolic Preaching and its Development* (London, 1936); J. DANIÉLOU, op. cit. 374-376; A. BENOIT, *Le baptême chrétien au second siècle* (Paris, 1953) 13-14; 145-146.

[18] Cf. E. SELWYN, *The First Epistle of St. Peter* (2 ed. London, 1947) 369-419.

with the right conduct of life. The Rabbis had developed this doctrine in a moral and spiritual sense, insisting that the *Shekinah* or divine presence only inhabits the hearts of the humble, giving them Wisdom. Thus evil inclinations could be overcome by the contemplation of the Torah, which makes the wise man gentle, kind and pious.[19]

St. Paul applies this rabbinic way of wisdom to Christ, Who is the « Power of God, the Wisdom of God » (1 Cor 1, 24). Since the Church is the body of Christ, it is likewise the way of wisdom, hence of salvation, because it is the final realization of God's plan in creation.[20] As H. Jaeger has pointed out, this Pauline quasi-identification of Christ and Wisdom, giving rise to the NT interpretation of wisdom as the way of salvation in Christ, is revealed in two differing but mutually dependent traditions among the earlier churchmen.[21] In the later NT documents and among the post-apostolic fathers, it is the rabbinic, homiletic tradition that prevails, in which wisdom is the result of the acceptance of Christ. In the apologists of the second century, an identification is made between Christ and Wisdom, in the attempt to prove His divinity and eternity. It is here likewise that the hellenist concept of wisdom or *sophia* formally enters into the Christian theological development. The Septuagint translation of the hebraic *hokmah* by *sophia* had been no tour-de-force. For in the older Greek tradtion, *sophia* is more a virtue than a philosophical concept. It is used of one who « practiced what he preached;» and in later usage, it retained the notion of both superior knowledge and right conduct.[22] Plato speaks of the wise man who « becomes like god... by being just and holy » (*Theaitetos* 176D); and Plotinus speaks of wisdom as « the life of the soul illumined from within »

---

[19] Cf. A. SCHECHTER, *Some Aspects of Rabbinical Theology* (New York, 1936) 264-291; H. JAEGER. *The Patristic Conception of Wisdom in the Light of Biblical and Rabbinical Research, Studia Patristica* 4 (Berlin, 1961: TU 69) 93-98.

[20] Cf. L. CERFAUX, *Le Christ dans la théologie de S. Paul* (Lectio Divina 6, Paris, 1951) 189-208.

[21] H. JAEGER, op. cit. 101-103; cf. J. LEBRETON, *Histoire du dogme de la Trinité* (7 ed. Paris, 1926) 567f.

[22] Cf. L. BOUYER, *Le Trône de la Sagesse* (Paris. 1957) 72; J. DUPONT, *Gnosis* (Paris-Louvain, 1949) 347-367; H. JAEGER, op. cit. 98-106.

(*Enneads* V, 8, 4). In both Virgil (*Georg.* 2, 490) and Cicero (*Tusc.* V, 36, 103) *sapientia* is used in this virtue-implied context.

It was but natural that the primitive Christian catechesis should have developed within the framework of the Jewish manner of indoctrinating proselytes. Basic to this latter procedure were the rules laid down for baptism, circumcision and sacrifice to be followed in the initiation of the pagan convert to Judaism. When, then, the crisis caused by the dispute over the manner of inducting pagan converts into the Christian community was settled by the meeting at Jerusalem (Acts 15, 29), it was decided that the new convert to Christianity should be baptised; but then, in place of circumcision and sacrifice, he should be constrained to forswear idolatry, murder and fornication. This basic procedure can be seen as the substratum of 1 and 2 Thessalonians and 1 Peter.[23] What is more, it is located in an eschatological context, wherein the newly baptized are urged to be steadfast in persecution, awaiting the second coming of Christ. Meanwhile, they are assured that as members of the Church, the body of Christ, they are the « children of light », employing our Lord's own expression (Lk 16, 8; Mt 5, 14; Jn 12, 36); that therefore they are to avoid the doings of darkness: evil conduct, drunkenness and excess, as defined by Christ (Lk 12, 45; 21, 34). In 1 Thess. (5, 6-8), St. Paul contrasts night as the time for revelry and sleep, with the day which calls for wakefulness and sobriety, advising his Christians that as « children of the light and of the day » they have a new status, they are living in a new order in which a purposeful approach to life and self-discipline are required. 1 Peter echoes this teaching, singling out among the « lusts » to be avoided, drunkenness as particularly characteristic of the life of death led before their conversion (4, 1-4). This passage follows on what has been described as Peter's « baptismal teaching ».[24] There is a similar passage in Romans (13, 13-14). Finally, an absolute

---

[23] Cf. E. MOLLAND, *La circoncision, le baptême et l'autorité du décret apostolique* in ST 9 (1955) 25-33; E. SELWYN, op. cit. 369-375.

[24] Cf. E. SELWYN, ibid. 375-384; M.F. BOISMARD, *Une liturgie baptismale dans la Prima Petri* RB 63 (1956) 182-208; 64 (1957) 161-183; F. CROSS, *I Peter - A Paschal Liturgy* (London, 1954); T. THORNTON, *I Peter, A Paschal Liturgy?* in JTS 12 (1961) 14-26.

emphasis was placed on the practice of humility and mutual charity as required for the proper ordering of the Christian way of life within the community.[25]

This concept of the moral way of life differed considerably from that of the contemporary hellenistic moralists who endeavored to construct a self-contained, non-religious, but logically coherent system of ethics based on the nature of man, and on the rational analysis of his reactions to daily experience.[26] Man, recognizing his inner being as reasonable, desires to direct all his doings in a rational manner. It is only thus that he can achieve well-being, by mastering his passions and freeing himself from baser preoccupations for the Platonic ideal of contemplation or the Stoic achievement of the good or *honestum*. The Stoics further developed this rational approach in relation to man's worldly interests: his family, his friends, and country.[27]

The Jewish and Christian ethic on the other hand was not self-contained or self-justifying. It had as its basis the Word of God as revealed in the Scriptures, and as its end obedience to, and union with, a completely transcendant Being. What is more, particularly in the Pauline paraenesis, it is evident that the apostle is laying down the law of Christ with authority.[28] When he appeals to the traditions of the community, it is to insist upon four characteristic notions of the new Christian ethic: 1) it is a law of love or charity; 2) it has its foundation in the « body of Christ» which is the Church; 3) it calls for the imitation of Christ as its exemplaric guide; and 4) it is imposed within an eschatological framework.[29]

Characteristic of the primitive Christian moral teaching is the employment of codes of social conduct that have parallels in both the Jewish and hellenistic societies surrounding the early Church. It is clear that in this matter the NT writers are drawing upon common source materials. Widespread likewise as a pedagogic

---

[25] Cf. A. DIHLE, *Demut* in RAC III (1957) 748-752; E. SELWYN, op. cit. 417-19.

[26] C.H. DODD, op. cit., 10-11.

[27] Cf. M. SPANNEUT, *Le stoïcisme des Pères de l'Église* (Paris, 1957) 95-105.

[28] C.H. DODD, op. cit., 13-15.

[29] Ibid., 25-45.

device was the discussion of the « Two Ways » such as it is
registered in the *Didache* and in the *Letter of Barnabas*, and
which has its roots in both Deuteronomy and many parts of the
Psalter, and in the Qumram documents, as well as in the Greek
literature from the *Antithesis* of Heraclitus to Hesiod, Theognis,
and Xenophon.[30] Finally both the Jews and Greeks employed
catalogues of virtues. The Pythagoreans and the writers of comedy
utilized clichés of virtues and vices; Aristotle in the *Nicomachean
Ethics* (bk. 2, 7) describes the good life as a pursuit of virtues;
and Plutarch accuses Chrysippus the Stoic of creating a camouflage
of good living behind a « veil of virtues » (*Mor.* 2). Christ himself
uses this method of instruction (e.g., Mt 5, 1-12; Lc 6, 20-23);
and it pervades the paraenetic passages in Paul's epistles, as well
as those of James, Peter and John.[31]

Throughout the NT documents, there is thus an emphasis on
the positive, practical ordinances of moral conduct in reference
to faith and love of God, in the Christian's personal obligations
in the Church, in family life, in the relations of masters and
slaves, as well as in the loyalty and obedience owed to civil
authorities.[32] What is clear in all this is the fact that in these
adaptations of the Law of Christ to the exigencies of daily life
in the Roman Empire of the first century AD, the Christian
catechists were conscious of the presence within their community
and selves of a higher, supernatural reality whence sprang these
obligations. At the same time it was in this development of the
Christian message as a dynamic force in contact with the world
about it that the so-called hellenistic elements eventually forced
themselves into the Christian scheme of things without, however,
causing any essential modification of the original message of

[30] E. Selwyn, op. cit. 419-39.

[31] Cf. A. Vögtle, *Die Tugend-und Lasterkatologe im NT* (Münster, 1936); E.
Dinkler, *Zum Problem der Ethik bei Paulus: Rechtsnahme und Rechtsverzicht* (I Cor.
6, 1-11), ZThK (1952) 167-200; S. Wibbing, *Die Tugend- und Lasterkataloge im
Neuen Testament* (Berlin, 1959).

[32] Selwyn finally insists upon a « persecution form » that underliees most
of the Christian moral teaching whereby, in imitation of Christ, his followers are
to welcome patiently suffering for His Name's sake, and be prepared to extend the
edification of their Christian way of life to the final testimony of martyrdom (op.
cit. 439-458).

Christ. In actual fact, between the NT writings and the appearance of the post-apostolic documents, the development of doctrinal and moral thought in the various communities of the primitive Church was brought about by what has been designated as the « theology of Judeo-Christianity ».[33] What the hellenic culture eventually contributed to orthodox Christian theology was for the most part a new vocabulary and a new mode of expressing notions that had long formed part of the later Judaic tradition. In the sphere of ethics, the Stoic and Platonic ideas did help to clarify the anthropology and the rational basis upon which the Christian moral teaching was explained. But this explicit influence is comparatively late; it comes in with the Apologists and fathers of the late second century. By that time the Judeo-Christian theology was in possession. And while the hellenistic ideas gave an at once more rational and more mystical turn to Christian thought, they did not supply any of the fundamental tenets of that belief.[34]

II

The NT moral teaching enriched by the Judeo-Christian theology is reflected immediately in the so-called post-apostolic documents. These are in fact ethical treatises whose substance is the moral catechesis. They include the *Didache*, the *Letter of the Pseudo-Barnabas*, the *Letter of Clement of Rome*, the *Pastor Hermas*, the *Ignatian Epistles* and the *Letter of Polycarp*.[35] Though it is impossible to date these documents with precision, from the final redaction of the *Didache* to the *Pastor Hermas*,

---

[33] Cf. J. DANIÉLOU, *Théologie du judéo-christianisme* (Paris-Tournai, 1958); id. *Message évangelique et culture hellénistique aux IIe et IIIe siécles* (Paris-Tournai, 1961).

[34] Cf. J. STELZENBERGER, *Die Beziehungen der frühchristlichen Sittenlehre zur Ethik der Stoa* (Munich, 1933); M. SPANNEUT, *Le Stoïcisme des Pères de l'Église* (Paris, 1957), 133-236; H. TURNER, *The Pattern of Christian Thought* (London, 1954) 389-469; J.H. WASZINK, *Der Platonismus und die altchristliche Gedankenwelt* in *Recherches sur l'Antiquité classique* III (Geneva, 1955); J. PEPIN, *Mythe et allégorie: Les origines grecques et les contestations judéo-chrétiennes* (Paris, 1958).

[35] Cf. K. HÖRMANN, *Leben in Christus: Zusammenhänge zwischen Dogma und Sitte bei den Apostolischen Vätern* (Vienna, 1952).

they cover a period of fifty or more years — roughly from 95 to 140 or so.[36] Of these documents the *Letter of Clement* reflects the moral and doctrinal situation in two stabilized communities, Rome and Corinth, immediately before the end of the first century.[37] It is certain that the *Didache,* at least in its final form, represents a moral treatise handed down, probably in the Church of Syria (Antioch), in the decade before the end of the first century.[38] The *Letter of Barnabas* can with some reason be considered of Egyptian provenance — probably therefore the product of the Alexandrian community toward 115.[39] The *Letters of Ignatius* and of *Polycarp* are the product of the communities of Asia Minor in the second decade of the second century,[40] while *Pastor Hermas* returns us to the Roman atmosphere circa 140.[41] Despite great etiological uncertainities, these texts do allow for an approximation of the state of moral thinking in three main centers of the primitive post-apostolic Church. Hence they represent the first steps of the early Christian ethical development whereon the searcher may base an approach toward a history of moral theology.

Accepting the *Didache* as witness for the type of moral exhortation offered to a Syrian community about 90 AD, we find that the author states authoritatively what is to be done and what is to be avoided in moral conduct. Giving classic expression to the doctrine of the « Two Ways » — that of Life and that of Death — he repeats the fundamental principle of Judeo-Christian morality: the love of God and the love of one's neighbor, adding

---

[36] Cf. K. ALAND, *The Problem of Anonymity and Pseudonymity in Christian Literature of the First Two Centuries* in JTS 12 (1961) 39-49.

[37] C. SCHAEFER, *S. Clementis Romani Epistula ad Corinthios quae vocatur prima graece et latine* (Bonn, 1941) 1-3; G. BARDY, DHGE 12 (1953) 1090-93; A. STUIBER, RAC III (1957) 188-197; H. v. CAMPENHAUSEN, *Kirchliches Amt und geistliche Vollmacht in den ersten drei Jahrhunderten* (Tübingen, 1953).

[38] J.-P. AUDET, *La Didachè, Instructions des Apôtres* (Paris, 1958).

[39] T. KLAUSER, *Barnabae Epistula* (Florilegium Patristicum I, 2 ed. Bonn, 1940) 5-13 and 31-69; P. PRIGENT, *L'Épitre de Barnabé I-XVI et ses sources* (Paris, 1961).

[40] P. CAMELOT, *Ignace d'Antioche, Polycarp de Smyrne, Lettres, Martyre de Polycarpe* (Sources chrétiennes 10, Paris, 1958).

[41] R. JOLY, *Hermas, Le Pasteur* (Sources chrétiennes 53, Paris, 1958).

the axiom of the golden rule. Then he specifiies the concrete moral behavior that follows from these two principles, interweaving within the first six chapters both Christian and Jewish elements together with the precepts of the Decalogue: an enemy is to be blessed and prayed for; carnal impulses are to be contained; the giving of alms is strongly urged as a sharing in God's bounty; murder, adultery, stealing, lying and envy, together with their particular specifications, are condemned; and the causes of these evils are exposed in the light of such current pagan vices as the practice of magic, the pursuit of idolatry, and the exposure of infants. On the positive side, the virtues of guilelessness and gentleness in the peaceful company of those close to God are encouraged.[42] This is fundamentally a Jewish approach; and indicates close affinities with the Manual of Discipline of the Qumram communities. But it is also a Christian, NT concept, made the more specific by the Didachist's immediate discussion of Baptism (c. 7) and the Eucharist (9, 1-5).[43]

The *Letter of the Pseudo-Barnabas* employs the same device of the « Two Ways » (chapters 18-20), changing the metaphor from Life and Death to Light and Darkness, thus indicating a greater influence of the Qumram-centered documents by speaking of the « one as presided over by the light-bringing angels of God » and the other « by the angels of satan ».[44] Barnabas insists on the knowledge (*gnosis*) possessed by the Christian which should bring him to:

Love your Maker, reverence your Creator; glorify Him who ranso-med your from death; be single of heart and exuberant of spirit. Do not associate with such as walk in the Way of Death; abhor

---

[42] I, 1-6, 3; cf. the commentary of J.-P. AUDET, op. cit. 254-357; A. STUIBER, *Das ganze Joch des Herrn* (Did 6, 2-3) *Stud. Pat.* 4, 323-29.

[43] 7-10; ibid., 357-433, cf. H. KÖSTER, *Synopstische Ueberlieferung bei den Apostolischen Vätern* (Berlin, 1957), 150f.

[44] Cf. J.-P. AUDET, *Affinités littéraires et doctrinales du Manuel de Discipline*, RB 59 (1952) 219-238; id., *La Didachè*, 158-59, where he maintains that the *Didachè* and *Barnabas* are independently utilizing a common Jewish source for the doctrine of the « Two Ways ». See also, J. DANIÉLOU, *Judéo-christianisme*, 43-46: and his review of Audet's *La Didachè* in RechSR 47 (1959) 68-73.

everything not pleasing to God; detest every form of hypocrisy; do not by any means neglect the commandments of the Lord 19, 2).[45]

What brings Barnabas in close relation to the *Didache* are the precise and clear-cut moral precepts that embody Christ's paradoxical commands to be humble under provocation, not to seek revenge or recompense, etc., as well as the warnings, apparently addressed more to pagan converts, regarding murder, the practice of magic, pederasty, idolatry and abortion (19, 3-5). The new Christian is exhorted to be long-suffering and merciful, guileless and peaceful in conformity with the requirements of a series of virtues springing from his faith in Christ which is the foundation for his hope, the source of justice and charity, the well-spring of joyfulness (1, 6-2, 3). The Christian way of life is to be pursued in imitation of Christ's passion which was revealed by the prophets of old (cc. 5 and 11-12). The father is not to neglect the instruction of his son or daughter (19, 5); nor is the master to correct his slave, male or female, in anger, « for they hope in the same God » (19, 7). The new Christian is to treasure the instruction he has received and remember the one who preaches the word of God to him (21,1 and 7-9). The whole instruction is portrayed in an atmosphere of the immediacy of Christ's second coming, when « whoever complies with [the just demands of the Lord] will reap glory in the kingdom of God; whoever chooses the opposite course with all its works must perish. That is why there is a resurrection, why there is a retribution » (21, 1).

In the *Didache* there is further counsel on the problems presented by the itinerant apostles, preachers and charismatically endowed teachers (11, 1-12), as well as an admonition to hospitality.[47] The *Didache* likewise gives specific instruction regarding the selection of elders or bishops (15, 1-2), while *Barnabas* launches onto a discussion of the meaning of the Old

---

[45] Cf. J. DUPONT, *Gnosis*, 400-07.

[46] Cf. the parallel of passages in the *Didachè* and *Barnabas* in T. Klauser, FlP 1 (Bonn, 1940) 8.

[47] Cf. J.-P. AUDET, 433-53.

Law, which the author maintains the Jews misinterpreted from the beginning, being misled by their sinfulness (4, 6-8, 14; and cc. 13-16).[48]

On the background of a strong, clear ecclesiastical organization, whose line of authority is depicted as descending from God through Christ and the apostles to the elders of the fraternally united community (42, 1-5; 44, 1-2),[49] the *Letter of Clement of Rome* portrays the Roman community's tradition of the Christian moral teaching. What is significant here is the fact that the import of the Letter represents a truly integrated theology, developed from the earliest days of the Church.[50] It imposes a Christo-centric scheme of the « Holiness Code » of the synagogue teaching, as adapted to the hellenico-judaic milieu in which that moral teaching was operative. Clement depicts the ideal of Christian moral behavior in the reputation he ascribes to the Corinthian community before the outbreak of the schism (1, 2-2, 8). He commences with a theology of virtues whereby Christians are to mirror the holiness of the one, true God. Thus he describes the faith of the Corinthians as « all virtuous and steadfast » (1, 2). It is the result of a « prudent and reasonable piety » in Christ, which generates a magnificent hospitality,[51] and a perfect and secure knowledge of the things of God (1, 2). In a form modelled on the Jewish *haggadah,* Clement depicts these virtues, as well as their opposing vices, by the traditional OT types. Thus the effects of jealousy are shown in the examples of Cain, Esau, the brothers of Joseph, Aaron and Mary, Dathan and Abiron, the enemies of David (4, 1-12), while the saints of the OT are used to demonstrate individual virtues — Henoch, a model of obedience (9, 3), Noah

---

[48] Cf. K. THIEME, *Kirche und Synagoge* (Olten, 1945); J. SCHMID, RAC I (1950), 1207-17.

[49] C. SCHAEFER, *S. Clementis Romani Epistula* (FlP 44, 2 ed., Bonn. 1941); A. STUIBER, RAC III, 194; J. DANIÉLOU, *Théologie,* 53-55 who sums up the evidence against an exaggeration of Stoic influence (e.g. in A. SANDERS, *L'hellénisme de Clément de Rome et le paulinisme,* Louvain, 1943, 199-240) in favor of a Judeo-Christian milieu and influence; see also W.C. VAN UNNIK, *Is I Clement, 20, purely Stoic* in VC 4 (1950) 181-190.

[50] Cf. J. DUPONT, *Gnosis,* 398-400.

[51] Cf. H. CHADWICK, *Justification by Faith and Hospitality,* Stud. Pat. 4 (1961) 281-285.

66

of fidelity (9, 4), Abraham of faith (10, 1-7), Lot (11, 1-3) and
Rahab (12, 1-7) of hospitality.[52] The author's immediate objective
is to insist on the practical application of a virtuous faith to
the main task of the Christian: obeying God's commandments
in consideration of Christ's passion and, as a consequence, without
respect for personalities, thus submitting to the direction of the
elders of the community (1, 3). He further reflects the NT codes
of conduct in close connection with the laws of holiness (cc. 29-
30).[53] He insists upon the necessity of penance in imitation of
Christ's shedding His blood for us, even for those who « live in
prayer under the fulness of the Holy Spirit » (8, 1-5). With
conscious literary art, he turns to the problem that occasioned
his letter, and describes the source of the evil rebellion as « envy
and jealousy, contention and contumacy, persecution and incon-
stancy, war and captivity » (3, 2-6, 4), all of which lead to the
abandonment of the fear of God, the loss of faith, and the rebellion
of disobedience — in strictly Jewish ideology, all products of an
« evil heart » (3, 4).

What is basic to Clement's thought is the divine will as the
source of man's moral life (cc. 13-14). God desires man's
sanctification and justification, penance, conversion, and good
works, which will lead to peace and order among men, as it is
to be seen in God's creation of the cosmos (20, 1-12). It is Christ
as God and man who is our mediator and model (16, 1-17), Who
teaches us gentleness, patience and long-suffering (13, 2-4). He is
to be imitated, His passion and blood reverenced (7, 4; 21, 6), for
his resurrection is a guarantee of our future rising (cc. 24-26).

---

[52] Cf. H. THYEN, *Der Stil der jüdisch-hellenistischen Homilie* (Goettingen, 1955) 11-39.

[53] Here, 11-39 and in 21, 5-8, the author reflects the codes of conduct of the NT paraenesis: e.g., « magis hominibus dementibus... offendamus quam Deum; 6. aut Dom. Iesum Christum, cuius sanguis pro nobis datus est. Vereamur eos, qui pro nobis sunt; verecundemur seniores honorem illis tribuentes; iuniores doctrinam doceamus timoris Dei, et uxores nostras ad bona corrigamus, 7. ut dignos (amore) mores castitatis approbent et sinceram mansuetudinis suae voluntatem palam faciant et quietam linguam... caritatem suam non favorabiles in quosdam, sed omnibus timentibus Deum... 8. Nati nostri doceantur in Christo, ut discant, quid potest humiliatio apud deum ». Cf. E. SELWYN, op. cit. 336-37; A.W. ZIEGLER, « *Frauen* » in *Neue Studien zum ersten Klemensbrief* (Munich, 1958) 74-95.

Finally it is the love of God in Christ that enables the Christian to observe the commandments of Christ (cc. 48-49).

With St. Ignatius of Antioch we are given an insight into the moral thinking of a vigorous-minded apostle, who reflects the teaching of the churches of Syria and Asia Minor during the first decades of the second century. In the Ignatian epistles it is obvious that a first step has been taken in the conversion of the Christian gospel to the needs of the hellenic world. It is not alone the absence of quotations from the OT which distinguishes his theology from that of the Pauline epistles,[54] but instead of the hebraisms or aramaisms of the NT, Ignatius uses a stock of images and metaphors that are current in the hellenistic world, and which O. Perler has recently described as peculiar to the very region and century in which Ignatius appears.[55] What is more, in giving an immediate and absolute Christo-centric substratum to his moral thought, Ignatius is not guilty of a falling away or a decline from the depths of the NT theologising, as has been suggested. As H. Riesenfeld has demonstrated, a comparison between the Pauline endeavor and that of Ignatius must take the historical and philosophical milieu into account. Paul was strugging with problems of the Judaic religion, particularly with the realities of the Law and righteousness in the Jewish conscience. Ignatius, on the other hand, was concerned with the crucial problems weighing on the Greek mind of his day: the experience of destruction and death, and the longing for an imperishable life.[56] It is the superstitious and false belief of his pagan fellow-citizens that cause Ignatius to focus on the « newness of eternal life » in Christ, and the abolition of death, whereas St. Paul deals more with the disastrous affliction caused by the consciousness of sin and the difficulties of the Law that lay upon the hebrew conscience.

In approaching the problem of the Christian ethic for converts

[54] Cf. H. RIESENFELD, *Reflections on the Style and Theology of St. Ignatius of Antioch, Stud Pat* 4 (1961) 312-322; cf. also, V. CORWIN, *St. Ignatius and Christianity in Antioch* (New Haven, 1960).

[55] O. PERLER, *Das vierte Makkabäerbuch, Ignatius von Antiochen und die ältesten Martyrberichte,* in *Riv. Arch. Cristiana* 25 (1949), 47-72.

[56] H. RIESENFELD, op. cit. 318-321.

68

unaware of the standards of the Jewish Law, Ignatius states
unequivocally that Christ is both flesh and spirit, body and soul,
while being at once both God and man. Hence in His death is our
true life (Eph 3, 2; 8, 2; Smyr 4, 1). Ignatius understands
thoroughly the change in the meaning of the word « life » as it
is employed in the NT, in contrast with the Greek notion of
animal and human existence.[57] Hence he insists upon the « supernatural » essence behind the complete transformation of
mentality that is brought about by the regeneration in Christ
and God through baptism. The Christian is one who imitates
Christ in his passion; this is the motivation of his daily life.[58]
Death in and with Christ will be the consummation of the union
with God that he strives for in the practice of virtue, particularly
of charity (agape) which is the gift of himself in and to the
community (Eph 10, 1-3; 14, 1-2; Smyr 6, 2-7). In the Church,
Ignatius finds the concrete working out of this unity in charity
that proceeds from and leads back to the Trinity. Not only must
the Christian avoid the perilous opinions of heretics, but he must
demonstrate his love through care for « the widow and orphan,
the oppressed, the prisoner as well as the freeman, the hungry and
the thirsty » (Smyr 6, 2). Ignatius further describes the organization of the Church with the bishop, who is the « living image
of the invisible God (tupos theou: Magn 6, 1; Trl 3, 1); the
priests «like the college of apostles surrounding Christ» (Phil 4,
1); and its deacons, widows and virgins (Smyr 13, 1)[59]. Finally it
is in the Eucharist — the bread that is the remedy of immortality,
the antidote against death (Eph 20, 2) — that Ignatius sees the
visible instrument of unity, not only between the Christians within
a community, but of all the Christian communities within the
Church[60].

---

[57] Cf. A. SIMPSON, The Good Christian in the Second Century AD in L'Antiquité Classique 16 (1947) 59-68; P. CAMELOT, Ignace d'Antioche, 99, n. 6.

[58] Cf. E. TINSLEY, The 'Imitatio Christi' in the Mysticism of St. Ignatius of
Antioch, in Stud Pat 2 (Berlin, 1957) 533-60; K. HÖRMANN, Das Geistreden des hl.
Ignatius von Antioch in MystTh 2 (1956) 39-53.

[59] Cf. K. HÖRMANN, Leben in Christus 52-55; H. CHADWICK, The Silence of
Bishops in Ignatius HThR 43 (1950) 169-72.

[60] P. CAMELOT, op. cit. 52-55.

In the sphere of practical moral life, Ignatius prescribes that the Christian should pursue « God's ways » in union with the bishop who will guarantee his faith against strange doctrine, doing away with the useless fables of the Judaizers and gnostics (Smyr 6, 1; Magn 8, 1). Christians are to observe not the sabbath, but the « day of the Lord » (Magn 9, 1). He speaks of the practice of humility and kindness (Trl 3, 2), of patience (Trl 4, 2) and charity (Eph 14, 1; Smyr 6, 1-2), of the necessity of grace in warding off the attacks of the demons, for the new Christian is still a child in God's ways.[61]

It is with Polycarp's *Letter to the Philippians* that, as St. Irenaeus remarks, we have a « vigorous letter... in which those seeking salvation can apprehend the nature of the faith and the teaching of the truth », thus indicating his consciousness of the continuance of the catechetical method (Adv. Haer. 3, 3, 4).[62] Polycarp, following Ignatius, bases his moral teaching on the imitation of Christ in His patience (8, 2; 9, 1), a theme that will be developed more specifically by Tertullian, Cyprian and Origen in the next century. Exhorting his readers to remain faithful to the Gospel and the teachings of St. Paul (cc. 2-3), he reflects more clearly than his master the prevalence of the catechetical method and the paraenetic approach through the virtues, whose practice leads to holiness (9, 1-2). Christians must flee from avarice and the love of money (2, 2; II, 2); each in his station — husbands and wives, widows, deacons and priests — must practice patience through the forgiveness of injuries, kindness and moderation towards the culpable, prayer for all, particularly rulers and magistrates (cc. 4-6).[63] He changes the presbyters to be:

> Tenderhearted and merciful toward all, turning back [the sheep] that have gone astray, visiting all the sick, not neglecting widow or orphan or poor man, but always taking thought for that which is honorable in the sight of God and of man; abstaining from all anger, respect of persons, and unrighteous judgment; being far from

[61] Cf. V. CORWIN, op. cit. 156-60.

[62] P. CAMELOT, op. cit. 185-240 for Text, introduction and commentary.

[63] Cf. J. KLEIST, *The Didache, Epistle of St. Polycarp* (ACW 6, London 1948) 191 who speaks of this as a « chapter of pastoral theology ».

all love of money, not hastily believing [what is said] against another, nor stern in condemnation, knowing that we are all debtors because of sin (6, 1-3).

At the same time, almsgiving is a certain way of achieving deliverance from harm (10, 2). Finally the Christian is to pray for kings and powers and rulers (12, 3), for those who persecute him, for the enemies of Christ's cross, that giving good example to all they may achieve perfection in Christ (13, 3).

In the *Pastor Hermas*, which begins in the form of a Greek romantic novel, the early Church produced a treatise on penance and conversion to the Christian moral way of life which is anchored on the Law of God as it is represented by His Son.[64] Despite the apparently confused metaphors and allegorical representations, this is a formal moral tract. It is enshrouded in a theology whose overtones are those of the orthodox apocryphal literature in which the Judeo-Christian thought evolved.[65] For Hermas, it is moral perfection that leads to perfect knowledge (*gnosis*); whence, faith without works is vain (14, 4-5; 40, 4; 90, 2-3).[66] The Christian is to keep the spirit (*pneuma*) of God intact within him, striving to become an angel, by basing his way of life on that of the Son of God who is the supreme Archangel.[67] While insisting on continence, on chastity in married life (29, 1-11), on justice and humility, the *Pastor* likewise stresses the value of works of supererogation (56, 6-7).[68] Recent commentators have pointed to an affinity between the Qumram thought and the dualism and demonology of Hermas's description of the virtues and vices, which he allegorises under the form of maidens.[69] He stresses

---

[64] Cf. R. JOLY, *Hermas, Le Pasteur* (SC 53, Paris, 1958) for text with introduction and commentary; also new critical text by M. WHITTAKER, *Der Hirt des Hermas* (GCS 48, Berlin, 1956). On the literary genre of the introduction, see JOLY op. cit. 17-21.

[65] Cf. J. DANIÉLOU, *Théologie du judéo-christianisme*, 46-49; R. JOLY, 46-54.

[66] Hermas however does not cite the decisive formula in Jas. 2, 17. Citations from the *Pastor* will be made hereafter according to Joly's edition.

[67] Angel is one of the names used for Christ down to the fourth century. Cf. J. BARBEL, *Christos Angelos* (Bonn, 1941) 47-50; J. DANIÉLOU, op. cit. 167-69.

[68] R. JOLY, op. cit. 43-44.

[69] Ibid. 44; cf. J. AUDET, *Affinités littéraires et doctrinales du Manuel de Discipline* in RB 60 (1953) 64 ff.

in particular faith, fear and continence — a Jewish trilogy which he christianizes. The *Pastor* also employs the technique of the « Two Ways » — « man has two angels, one of justice, the other of evil » (36, 1).[70] What seems strange, however, is that Hermas speaks little of the love of God as such, though he frequently describes the divine mercy; and while he personifies the love of neighbor (*agape*) and commands the cultivation of fraternal friendship, he gives no commentary on that subject.[71]

It is in describing the Church as a transcendent entity, created before and for all things, that Hermas reveals his concept of the reality fundamental to the Christian's true moral development. On three occasions the Church appears to him in visions: at first as an old woman, symbolizing the low moral alignment of many Christians at that early date; then gradually rejuvenating, in accordance with the renewed efforts toward sanctification on the part of the Church's members. The Church is finally represented as a tower under construction, whose completion will signal the *parousia*, but whose present situation constitutes a time of special mercy in which pardon is offered even to baptised Christians who have relapsed into sin, but who are willing to accept penance.[72]

In this treatise on penance, the *Pastor* is obviously describing the situation of the Church of Rome towards the middle of the first half of the second century. It is a fairly populous assembly, containing a segment of the rich, as well as numerous poor. Among both classes are many who have relapsed into pagan ways, become blasphemers, heretics, propagandists of a false *gnosis*.[73] Hermas thus portrays hypocrites, ambitious clergymen, dishonest deacons, along with hospitable bishops, honest priests, martyrs and the innocent.[74] The Church he depicts is well organized with its

---

[70] Cf. also 27, 4-6; J. AUDET, *Didaché*, 163-166.

[71] R. JOLY, op. cit. 45.

[72] Ibid. 34-36. Concerning the nature and duration of the « penance » announced by Hermas, no general agreement has been reached by contemporary scholars. Not to be excluded is the simple solution that the so-called « Jubilee » might co-exist with the duration of the Church on this earth.

[73] Ibid. 36-37.

[74] Ibid. 37 where R. Joly parallels this situation in the early, second century

hierarchy of bishops, priests and deacons. Mention is made of the charismatically gifted, of itinerant apostles or teachers; but they are obviously beginning to disappear. Though clothed in literary devices, the *Pastor* is evidently a moral tract that attempts to cover the whole expanse of the Christian ethical obligation and endeavor, with theological motivation and actual, every-day conduct closely intertwined. It is an integrated amalgam of Christian, Jewish and pagan themes, and had considerable influence on the fathers of the next century.[75]

III

In all these post-apostolic documents, little attention is paid to the psychological problems dealing with the nature and source of man's sinfulness. It is rather in the apocryphal literature outside the canonically-received Scriptures that an attempt is made to pierce this mystery, primarily on theological grounds.[76]

In the philosophic literature from Plato to the Neo-Platonists, considerable attention was given to the psychological elements involved in man's evil tendencies. In this preoccupation, there is a whole current dealing with the world of good and evil spirits who have an intimate effect on human thought and conduct.[77] In the earlier Jewish thought, little attempt was made to trace the source of man's sinfulness, other than to ascribe it to the results of an « evil heart » which rebelled against obedience to God's will.[78] In later Jewish belief, current in our Lord's lifetime, and continued in the rabbinic literature, two movements — *jeser* — within

Roman Church with the disedifying situations revealed by the Seven Letters to the Churches of the *Apocalypse*, and the disagreement in the Church at Corinth as depicted in the *Letter of Clement*.

[75] R. JOLY, op. cit. 46-54.

[76] For an account of this literature, see. J. QUASTEN, *Patrology* I (Westminster, Md., 1950) 106-171; J. DANIÉLOU, *Théologie* 21-32.

[77] Cf. P. BOYANCÉ, *Les deux démons personnels* in *Rev. Philol.* 59 (1935) 8ff; J. DANIÉLOU, « *Démon* » in DSp. 3 (1958) 169-170.

[78] Cf. J. WILPERT, « *Begierde* » RAC II (1954) 66; C. BAUMGARTNER, « *Concupiscence* in DSP 2 (1955) 1134ff.

the heart of man are considered as impelling him either to good or to evil doing.[79] Thus in the *Testaments of the Twelve Patriarchs*, which J. Daniélou considers as the document immediately bridging Jewish and Christian theological development,[80] God is described as giving man: « two tendencies, two ways of life, two final ends ».[81] This explanation of the source of man's good and evil behavior was early connected with the doctrine of the good and evil spirits, and is characteristic of the Qumram teaching, whereby an Angel of Light is opposed to the Prince of Perversity within the heart of man.[82] In the *Testaments*, individual demons are credited with cultivating particular vices. Thus there is a spirit of fornication and of avarice, of jealousy and of anger, a demon of boasting and of luxury.[83] In the *Testament of Ruben*, reference is made to seven principal vices presided over by seven demons under the control of the demon of lying.[84]

It is principally from these Jewish sources that the *Pastor*

---

[79] Cf. G.F. Moore, *Judaism in the First Centuries of Christianity* I (Cambridge, 1927) 479-92. This doctrine is given classic Jewish expression in the apocryphal *IV Esdras* written after AD 135. Adam is there depicted as having been afflicted from the very beginning by an inclination to evil (*yeser*). It is clear that this inclination is merely a temptation or a propensity to sin. It is not sin itself. But as Adam succumbed to temptation, the propensity took domination over him and the whole human race. Cf. J. Daniélou, « *Démon* » in DSp. 3, 162-63.

[80] Cf. R. de Jonge, *The Testaments of the XII Patriarchs* (Assen, 1953) 117-28; J. Daniélou, *Théologie*, 23-25.

[81] Test. of Aser, I, 3-4; Daniélou, op. cit. 414-15.

[82] The *Manual of Discipline* 4, 2-7 (Cf. A. Dupont-Sommer, *Nouveaux aperçus sur les manuscrits de la Mer Morte*, Paris, 1953, 161-68); J. Daniélou, « Démon » DSp. 3, 161-162.

[83] Cf. J. Daniélou, *Démons et vices*, in *Démon*, op. cit. 168-74.

[84] Daniélou concludes his study of demonology in the primitive Church: « De la Didachè à Athénagore, c'est-à-dire durant les trois premiers quarts du second siècle, nous voyons se constituer une doctrine du rôle des démons dans la vie humaine. Cette doctrine apparait déjà constituée dans ses éléments essentiels dans le judaisme et en particulier chez les esséniens. Elle est reprise dans le Nouveau Testament où elle est rattachée à une conception nouvelle de la sotériologie. Elle se continue dans les écrits des premiers Pères, avec une dépendance directe des écrivains juifs. Elle se poursuit dans l'hermétisme et le gnosticisme avec des éléments empruntés à la philosophie grecque, à la magie et à l'astrologie orientales. Mais ce syncrétisme affecte peu la grande Église. C'est du judaisme que celle-ci hérite directement d'une démonologie que les grands théologiens du début du troisième siècle, Tertullien et Origène, vont incorporer définitivement à l'héritage chrétien » op. cit. 174.

74

Hermas seems to have drawn his description of such demoniacal
vices as mistrust, presumption, arrogance, anger, and two-faced-
ness; as well as the schematization of the twelve virgins who
represents the spirits of virtues, and the twelve women in black
who stand for the demons of the vices, though this type of
allegorization is not unknown in the contemporary hellenistic
literature.[85] In the *Testaments,* too, there is a further description
of the soul being inhabited by evil spirits, a notion frequently
expressed in the Gospels, but which, in its appearance in the
Pseudo-Barnabas and in the *Pastor,* is developed into an opposition between the inhabitation of the Spirit through patience
and the machinations of the demon of anger in trying to take
possession of a man's heart.[86]. This is finally the background for
the norms concerning the « discernment of spirits » that is also
a considerable preoccupation of this early Christian literature.[87]

Of great importance likewise in the development of the
Christian moral teaching was the fundamental Jewish notion of
single-minded attachment to the will of God. In the *Testaments,*
for example, it is referred to as « simplicity of heart » — *haplotes
tes kardias* — and is associated with both the fear (Sim. 4, 5)
and the love of God (Lev. 13, 1). It is opposed to duplicity of all
kinds, which is the work of Beliar or Satan (Benj. 6, 7).[88] In
almost all the post-apostolic documents simplicity, in the sense of a
direct and uncomplicated devotion to the will of God, is considered
a primary necessity.[89] In *Barnabas* (19, 2) and the *Didache* (2, 4),
it is a basic concept in the doctrine of the « Two Ways »; and in
Clement, simplicity is the object of a special chapter (c. 23) which
assures the reader that God « bestows His graces on such as
approach Him single-mindedly ». In *Hermas,* simplicity is associa-

[85] Cf. R. JOLY, op. cit. 44f; F. GOKEY, *The Terminology for the Devil and
Evil Spirits in the Apostolic Fathers* (Washington, 1961) 121-74.

[86] Cf. J. DANIÉLOU, *Théologie,* 415-417, who likewise points out the development of this doctrine among the heterodox sects. For the Ps.-Clementine literature,
see H.J. SCHOEPS, *Aus frühchristlicher Zeit* (Tübingen, 1950) 56-58.

[87] Cf. J. DANIÉLOU, op. cit. 417; G. BARDY, « *Discernement des esprits: II chez
les Péres* » DSp 3 (Paris, 1957) 1247-54.

[88] Cf. C. ELUND, *Das Auge der Einfalt* (Upsala, 1952); O.J. SEITZ, *Antecedents
and Signification of the Term dipsuchos,* in JBL 66 (1947) 211-19.

[89] Cf. J. DANIÉLOU, *Théologie,* 418-21.

ted with innocence in the practice of charity (27, 4), as well as with the the child-like devotion to God that is ignorant of evil (27, 1). Finally, it forms one of the seven principal virtues, combining with innocence and continence as an ingredient of holiness (16, 5-6).

A final and all-compresensive factor in the psychological constitution of the early Christian ethical doctrine is the concept of *gnosis* or superior knowledge which, in St. Paul, as J. Dupont has demonstrated [90], is concentrated on the eschatological mysteries revealed by Christ. This is a development of a strictly Jewish preoccupation on the part of the rabbinic thologians contemporary with Christ. Qumram theology had been mainly concerned with the « marvelous and true mysteries » that the sole God « reveals to the hearts of his servants » (DSD 11, 3; 15-16).[91] It is communicated to those who choose the right « way » of life, assuring them of the imminence of the eschatological events announced by the prophets (DSH 7, 1-7). In the *Testaments*, this *gnosis* is communicated by the Messiah, who is to illuminate all nations with the secrets of the life to come (Levi 4, 3; 18, 3; Benj 11, 2).[92] In both the *Didache* (9, 3; 10, 2) and the *Letter of Clement* (36, 2; 41, 4; 48, 4; 59, 2-3), *gnosis* is a guarantee of immortality, and is intimately connected with the perception of the mysteries contained in the Eucharist and Baptism.[93]

It implies an obligation on the part of the Christian « to know » the God Who has opened the « eyes of our hearts ».[94] In *Barnabas*, this gnosis signifies the foundation of the Church by

---

[90] J. DUPONT, *Gnosis, La connaissance religieuse d'après les Epîtres de Saint Paul* (Louvain, 1949) 39f.

[91] Cf. W.D. DAVIES, *Knowledge in the DDS and Mt. 11, 25-30*, in HThR 46 (1953) 113-141.

[92] Cf. J. DANIÉLOU, *Théologie*, 422.

[93] Cf. J. DUPONT, *Gnosis*, 38-39, who sums up thus: « L'action de grâces pour l'obtention de la connaissance est un thème que l'euchologie chrétienne doit à l'euchologie juive; cette remarque permet de saisir sur un point prècis la continuité qui a existé entre la prière de l'Église et la prière de la Synagogue ».

[94] Cf. The *Letter of Clement*, 49, 4. J. DUPONT, op. cit. 39. In the final, great prayer that concludes the Letter, reference is made to the knowledge « of the Glory of His Name (59, 2)... Who has opened the eyes of our heart that we may know Thee » (59, 3). Cf. J. DANIÉLOU, op. cit. 423-24.

Christ, who accomplishes the ancient prophecies, and gives rise to a way of life based upon « true faith and knowledge ». In this sense, it establishes the true interpretation of the OT which had been hidden from the Jews.[95]

With the Apologists of the second century the atmosphere of early Christianity begins to change. A certain sophistication or maturity, both in ideas and in the literary forms employed to further the Christian message, is to be expected of these educated converts who set out to utilize their cultured ways in the elucidation and defense of Christianity. The Apologists thus give witness to the moral revolution postulated by the spread of the new religion. Their function is to defend their fellow-Christians by rebutting the calumnious allegations of criminality brought against them by their pagan and Jewish enemies. At the same time they begin to assess the philosophical and moral thought of their hellenistic contemporaries, attacking the idolatry and superstition of their religious ideas. In so doing they utilize the literary fashions of the day, claiming a hearing for the divine truth to which they bear witness. Only comparatively few of their writings have survived — apologetic treatises by Aristides, Tatian, Athenagoras, Theophilus, Hermias, Justin Martyr, and the *Epistle to Diognetus*.[96]

It is immediately obvious that these writers have in mind combining the catechetical approach with methods employed by the philosophers and moralists of their age, They announce the truths revealed in the Scriptures about God, Christ, the world, salvation and judgment. Then, on the moral plane, they address an appeal to their pagan contemporaries by demonstrating that Christianity alone is conformable to what is noble and valuable in the human soul; that there is a true rapprochement between the Christian ethical message and human reason. In each of these apologetic documents the charge of « Christian atheism » is countered by a massive attack on the pagan gods, primarily by

---

[95] Cf. J. DANIÉLOU, *Théologie*, 43-46.

[96] On the Apologists, see J. QUASTEN, *Patrology* I (Westminster, Md. 1950) 186-253; A. CASAMASSA, *Gli apologisti greci* (Roma, 1954); J. DANIÉLOU, *Message évangélique et culture hellénistique aux IIe et IIIe siècle* (Paris, 1961) 11-40.

pointing out the gross immorality depicted in the legends and
stories of these false dieties. The purity and holiness of the
Christian morality is described as a direct consequence of the
holiness of the one, true God whose existence can be demonstrated
even by human reason, Whose triune nature is revealed in the
Scripture, and Whose interest in mankind is proven by the life,
death and resurrection of Jesus Christ, the Logos, the Son of
God.[97]

Justin Martyr (ca. 100-160), the most representative of the
Apologists, supplies his pagan and Jewish audience with an
elucidation of the « rule of faith », a description of the rites of
baptism and the eucharist; and a recounting of the way of
conversion from the immoralities of the pagan to the purity of
the Christian way of life.[98]. He demonstrates the excellence of the
Christian moral teaching by means of a commentary on the words
of Christ, in which he shows the Savior giving a supernatural
foundation for such natural virtues as continence and chastity in
marriage, fraternal charity and patience in suffering, honesty
and constancy under the goad of persecution and injustice.[99]
With considerable ingenuity he even warns the pagans against
being made slaves of the demons who have been rebuffed by the
Christians upon their adherence to the Logos (Christ).[100]

---

[97] Cf. V. MONACHINO, *Intento pratico e propagandistico dell'Apologetica greca
del II secolo*, in *Gregorianum* 32 (1951) 5-49; 187-222.

[98] On Justin, see J. QUASTEN, *Patrology* I, 196-219; for the texts: G. RAUS-
CHEN, *S. Justini Apologiae duae* (FlP, 2 ed., Bonn, 1911); G. ARCHAMBAULT, *Justin,
Dialogue avec Tryphon*, 2 vols., (Paris, 1909). Cf. R. HOLTE, *Logos Spermatikos,
Christianity and Ancient Philosophy according to St Justin's Apologies* in ST 12
(1958) 109-68; J. DANIÉLOU, *Message*, 31-49

[99] Apol I, 14, 4-17, 4; cf. E. MASSAUX, *Influence de l'Evangile selon saint
Matthieu sur la littérature chrétienne avant saint Irénée* (Louvain, 1950) 466-505.

[100] Apol I, 14, 1: « Praenuntiamus enim vobis cavendum esse, ne daemones a
nobis antea insimulati vos dicipiant et a legendis intellegendisque omnino iis, quae
dicimus, deflectant (contendunt enim vos habere servos et ministros et modo som-
niorum visis modo magicis praestigiis domant, quotquot nullo modo ad salutem
suam contendunt), quemadmodum et nos, postquam et logo obtemperavimus, ab istis
defecimus, deum vero solum ingenitum per filium sequimur; 2. olim impudicitiis
gavisi, nunc castimoniam solam amplectentes; magicis artibus usi, nunc bono ingeni-
toque deo consecrati; pecuniarum et fundorum prae omnibus rebus amantes, nunc
et ea quae habemus, in commune conferentes et cum egentissimo quoque communi-
cantes; mutuis odiis caedibusque nos persecuti et cum iis, qui contribules non

In the *Letter to Diognetus*, the author develops an exposition
of the Christian moral doctrine that again seems to be modelled
on the original catechesis.[101] He describes the divine « economy »
wherein an all powerful Creator, the invisible God, has revealed
His divine Truth to mankind through the sacred Scriptures, in the
form of his Son, Jesus Christ.[102] Man, he explains, had become
corrupt, evil, sinful, incapable of achieving the kingdom of God.
Hence with divine mercy God sent His Son, the Savior, into
the world Who took upon Himself our sins, and gave Himself up
in ransom for the human race. In return He demands of us faith
in His existence and His goodness, and a complete conversion of
our way of life into His, so that He may be for us father, teacher,
counsellor, doctor and life.[103] The author asserts further that
because of His love for man God created the world for him,
endowed him with intelligence and reason, making him in His
own image and likeness.[104] He has submitted all things to man's
dominion, allowing him alone of all creatures to walk erect,
looking upwards towards the kingdom of heaven which is his
final end.[105] Man must then imitate God's goodness, which he can
do with God's aid. He is not to tyrannize over his neighbor, nor
do injustice to the weak. He is not to seek riches, or indulge his
passions. Rather he should help his neighbor, by giving freely of
his talents to the less fortunate. Thus will he exercise a true
imitation of God, by acting as a god for the ones he benefits.[106]

---

erant, propter vitae instituta etiam communes focos adspernati, nunc post adventum
Christi convictores facti et pro inimicis orantes et, qui nos immerito oderunt iis
persuadere conantes, ut secundum praeclara Christi praescripta viventes magna sint
in spe, eadem se ac nos a dominatore omnium deo consecuturos esse ».

[101] For the text, introduction and notes, see H.I. MARROU, *A Diognète* (SC
33, Paris, 1951); cf. also J. KLEIST, *The Didache... The Epistle to Diognetus* (ACW
6, London, 1957) 135-47.

[102] 8, 5-11; cf. H.-I. MARROU, op. cit. 198-207. In 10, 1-6 the author discusses
the problem raised in the introduction (1, I) by the objection that God seemed to
have waited too long a time before sending His Truth into the world to enlighten
mankind: MARROU, op. cit. 202-07.

[103] 9, 5-6.

[104] 10, 2.

[105] Ibid.; cf. M. PELLEGRINO, *Studi su l'antica apologetica* (Rome, 1947) 22
for the history of this idea among both pagans and Christians.

[106] 10, 5-6.

The author states that he is enunciating nothing new in all this; that he is faithfully transmitting the Christian tradition for those who become disciples of the Word.[107] Describing the life of the Christian in the world, he points out that in marriage and family life, in language and dress, in civic custom and the observance of the law, Christians are in no way different from their contemporaries; yet that while they live in the world, they do not live according to the ways of the flesh; while poor, they still enrich a great number; while despised and calumniated, they are themselves blameless, even praying for their enemies.[108]

In pursuing the latter topic, which is echoed in all the Apologists, the author establishes the title of moral excellence as proper to the Christian. As a consequence, he asserts, « what the soul is to the body, the Christians are to the world ».[109] It is then because of the Christians that God created the world in the first place; for their sakes, that He now restrains His wrath at man's evil doing, and continues to shower His favor even on an unbelieving generation, and a persecuting Roman Empire.

The objective of the Apologists generally is an exposition of the Christian way of life with the hope of convincing their readers to consider its claims more objectively. Only occasionally do they enter into the deeper philosophy behind human behavior patterns. However, both Tatian and Theophilus of Antioch attempt to supply a theory for the inner workings of the soul engaged in the struggle for salvation. Tatian speaks of the two spirits within man, the one called the soul (*psyche*) and the other, something superior to the soul (the biblical *ruah* or divine spirit). It is a participation in the divine, whereby man reflects the image and likeness of God (Discourse 12).[110] Unfortunately, the fall of Adam was due to man's rejection of this higher spirit. His disobedience consequently had a cosmic result, including his exclusion from a celestial paradise and

---

[107] 11, 1.

[108] 5, 1-17.

[109] 6, 1-10; cf. H.-I. MARROU, op. cit. 137-76.

[110] Cf. M. ELZE, *Tatian und seine Theologie* (Göttingen, 1960); J. DANIÉLOU, *Message*, 358-65.

descent upon the earth. While not innately immortal, man's soul, even after having rejected the divine spirit, retains a spark of that divine power (Disc. 13). Hence in his fallen state, under the inspiration of the demons, man creates false gods and idols for himself. Salvation, through God's kind indulgence, has once again become possible. It consists in the rejection and destruction of the false allurements through the search for and the acceptation of divine Truth, and thus the restoration of the divine spirit within man (Disc. 15-16).[111]

Theophilus on the other hand, takes as his point of departure the text of Genesis (1, 26) which explains man's dignity in the essentially spiritual quality of the soul (2, 18).[112] Created and placed in a terrestial paradise, man was instructed not to eat of the fruit of one certain tree, until such time as he had achieved a relative perfection by the intelligent use of his liberty (2, 19-24). Adam is thus represented as an infant (*nepios*) placed in a situation intermediate between the world and his destiny in heaven (2, 24). By his disobedience he brought upon himself exclusion from the earthly paradise, pain and suffering, and finally death. But the latter is a merciful benefit which will allow him to be finally reconstituted in the Resurrection.[113] Meanwhile, following the perspective opened by St. Paul (Gal 3, 24), salvation consists in man's chastisement and re-education under the guidance of Christ's life, death and resurrection.[114]

V

It is with Irenaeus of Lyons (d. ca. 200) that these various themes are brought together in a logically coherent consideration of man as a moral being. Irenaeus begins his theologising by a

[111] Cf. F. BOLGIANI, *La tradizione ereseologica sull'encratismo, Atti della Academia delle Scienze di Torino* 91 (1956-57) 1-77; R.M. GRANT, *The Heresy of Tatian*, JTS 5 (1954) 62-68.

[112] Cf. R.M. GRANT, *Theophilus of Antioch to Autolycus*, HThR 40 (1947) 238-41; R.M. WILSON, *The Early Exegesis of Gen. 1, 26*, in *Stud. Pat.* 1 (1957) 420-22.

[113] Cf. J. DANIÉLOU, *Message*, 357.

[114] Ibid., 357-58.

refutation of gnostic doctrine which, with its pessimistic evaluation of evil as a positive reality, idolized the « pneumatic » or spiritual man, and despised the « sarkic » or sensual man. He retains the semitic trichotomy of flesh-soul-spirit, that is proper to Pauline thinking, and insists, against the gnostics, on the essential unity of the human composite. In so doing he elaborates a Christian anthropology that has its roots in the Pauline conception of the Incarnation.[115] It is in Christ that we have the perfect man Who has a true earthly body and soul, yet is a spirit, because he is also God. In creating man according to His image and likeness, therefore, God was creating him on the model of Christ. As Christ entered creation, became a man, and endured the same struggle with evil that man undergoes — only, instead of suffering defeat in temptation, actually triumphing over sin and death in the resurrection — so man is destined for final victory, and a return to deathlessness with Christ. This transformation of man into the likeness of Christ is to be worked out within the Church, which is the body of Christ. It will be fully accomplished only in the final resurrection when all things will be perfected in the kingdom of the Son. It is in this « recapitualtion » in Christ that creation is to receive its fulfilment, which was given its start by God's decision to « make man in our image ».[116]

Combining a traditional Christian notion which he found in the NT, Ignatius, and Theophilus with the hellenic pedagogical ideal, Irenaeus describes man as a child (*nepios, infans*) who was meant to develop his moral life under God's guidance.[117] Adam had been created sinless and childlike. Although he was made in God's image, he was immeasurably inferior to God, since he was a creature subject to God's commandments, under the divine tutelage. Had he lived docilely under the divine law, he would have retained his innocence and thus have proved immortal.

---

[115] Cf. G. WINGREN, *Man and the Incarnation: a Study in the Biblical Theology of Irenaeus* (Eng. transl; by R. Mackenzie, London, 1959); A. BENOIT, *Saint Irénée. Introduction à l'étude de sa théologie* (Paris, 1960), who complains (p. 201, n. 2) of the inavailability of Wingren's study, seems to have missed almost completely the significance of the Incarnation in the moral thought of Irenaeus.

[116] Cf. G. WINGREN, op. cit. 14-26; Cf. J. DANIÉLOU, *Message*, 156-170.

[117] G. WINGREN, 26-36.

6.

82

It was by yielding to the blandishments of the evil one, that he lost both innocence and immortality. Hence he is now subject to sinfulness and death. Nevertheless man retains his freedom, for he is created by the power of God to be free. In fact, the intent of God's law given at the beginning of creation was to enable man to exercise true freedom. In the fall, then, man lost not only his innocence, but also the garment of holiness which he had received from the Spirit.[118] In regeneration through baptism, into the death and resurrection of Christ, he begins once more his growth into Christlikeness, through striving for holiness. Unfortunately he is now caught in the eternal struggle that God allows the devil to wage against His goodness. The fall of the angels had been due to their envy of man who, though created as a child, was destined for a higher life than that granted to the angels. Hence the devil had deceived man by placing before him the temptation to anticipate the end which God had set up as man's objective. He induced an impatience in man, a desire « to become like God » immediately, instead of gradually achieving his destiny in « the image of his Maker ».[119]

Irenaeus holds that the « natural laws » are the heart of all morality; that they were in existence before the « law of bondage » introduced by Moses which was intended to force man temporarily at least to conform to God's will. With Christ's entrance into the world, the revelation of the « New Law » brought with it a renewal of man's true freedom; for once more man has a sure guide Who is the original image of God, Christ, the head of the Church.[120] It is only in the Church that man can work out his salvation, for there alone can he be assured of the divine truth on which to base his beliefs, and divine grace that will lead him to the achievement of his true destiny.[121]

In the treatises of Irenaeus preserved for posterity, there is little application of the practical norms of moral conduct to the problems of everyday life. But his elaboration of a theology of

[118] *Adv. Haer.* 5, 12, 2-3; Cf. G. WINGREN, 55, n. 37.
[119] Cf. G. WINGREN, *The Corruption of Man*, op. cit. 50-63.
[120] Ibid., 63-69; 176-180.
[121] Ibid. 147-81.

man's moral destiny is both priceless and most influential on immediately succeeding ages. It is with Irenaeus that moral theology receives its preliminary elaboration as a science; from him that the first theologians of both the east and the west, in the next century, take initiative and direction in pursuing the study of human behavior under the aspect of man's true, supernatural destiny.

The theological break-through thus accomplished by Irenaeus allows the Christian moral as well as doctrinal speculation to reach a point of maturity in both the Latin and Greek-speaking fathers of the third century. With Clement of Alexandria,[122] Hippolytus,[123] and Origen,[124] with Tertullian [125] and Cyprian,[126] we find a detailed elucidation of such great themes of Christian spirituality as the Image of God,[127] the imitation of Christ,[128] the return to a paradisial innocence or perfection,[129] as well as a preoccupation with the immediate, daily activities of the Christian who is subject of a supernatural, moral way of life. It is at this point that specific obligations and counsels such as virginity and

---

[122] For the moral thought of Clement of Alexandria, see H.I. MARROU, *Clément d'Alexandrie* (SC 70, Paris, 1960) 43-91.

[123] On Hippolytus, see A. D'ALÉS, *La théologie de Saint Hippolyte* (2 ed., Paris, 1929); A. HAMEL, *Kirche bei Hippolyt von Rom* (Boon, 1951); J.M. HANSENS, *La Liturgie d'Hippolyte* (Rome, 1959); J. DANIÉLOU, *Message*, 173-74.

[124] Cf. P. NEMESHEGYI, *La morale d'Origène* in RAM 37 (1961) 409-28; H. CROUZEL, *Théologie de l'image de Dieu chez Origène* (Paris, 1956); id., *Origène et la connaissance mystique* (Paris, 1961); id. *Recherches sur Origène et son influence* BLE 62 (1961) 3-15; 105-13.

[125] Cf. TH. BRANDT, *Tertullians Ethik* (Gütersloh, 1929); F. MURPHY, *The Foundations of Tertullian's Moral Teaching, Thomistica Morum Principia* II (Rome, 1961) 95-104.

[126] A. D'ALÉS, *La théologie de saint Cyprien* (Paris, 1922); E.L. HUMMEL, *The Concept of Martyrdom according to St. Cyprian* (Washington, 1946); G. BARDY, *La théologie de l'Église de saint Irénée au concile de Nicée* (Paris, 1947) 171-251.

[127] Cf. P.T. CAMELOT, *La théologie de l'Image de Dieu* RSPhTh 40 (1956) 443-71; H. MERKI, *HOMOIOSIS THEOU: Von der platonischen Angleichung an Gott zur Gottähnlichkeit bei Gregor von Nyssa* (Freiburg/Schweiz, 1952).

[128] A. HEITMANN, *Imitatio Dei: Die ethische Nachahmung Gottes nach der Väterlehre der zwei ersten Jahrhunderte* (Rome, 1940); I. HAUSHERR, *L'imitation de Jésus-Christ dans la spiritualité byzantine, Mélanges Cavallera* (Toulouse, 1948) 231ff.

[129] Cf. G.B. LADNER, *The Idea of Reform* (Cambridge, Mass, 1959).

marriage, continence, prayer, fasting, almsgiving, patience and steadfastness in faith under persecution, justice, and the Christian attitude toward the state begin to receive extended treatment.

*
* *

Thus for the historian of patristic moral thought, several problems arise with the turn of the third century. It is obvious that the Church has made great headway in the Roman Empire and beyond. Persecution had but served to strengthen and spread the faith. The conversion of philosophers, advocates, and professional propagandists leads to a consideration in depth of the Christian religion as it is contained in both the Scriptures and in the written and oral tradition that enter into the liturgical life of the Church. Moral problems faced by both the élite and the vast multitudes of every-day Christians present themselves with increasing frequency and difficulty. All these elements of the Church's development are being subjected to a new evaluation today; and require the historian of moral thought to take a long and closer look at the evidence in order to achieve a true picture of the ethical achievement of primitive Christianity. In the footsteps of Irenaeus, succeeding generations of patristic theologians turned their attention to a Christian anthropology as the foundation for all of man's moral and spiritual development. But in dealing with the concepts of man's make-up they consciously or unconsciously embodied ideas from the Platonic, Stoic, and Pythagorean philosophies in which they themselves had been indoctrinated. In dealing with man's duty to imitate Christ as the means of fulfilling his destiny as one made in the image and likeness of God, Christian writers were influenced by Platonic concepts of apotheosis as reelaborated by Plotinus and the neo-platonists. In dealing with the practical problems of human behavior, they utilized the current, mainly Stoic, teachings in regard to the nature and interplay of the passions and man's rational faculties, the practice of virtue, and even the demoniac influences tempting man to misbehavior.[130] But it is obvious from

---

[130] Cf. J. DANIÉLOU, *Homère chez les Pères de l'Église, Platon dans le Moyen-Platonisme, Aristote et l'Apologétique chrétienne*, in *Message*, 73-145.

even the skeletal evidence presented in the course of this paper that the fundamental ideas with which they were concerned, were all present in the original Judeo-Christian tradition which they inherited from the Scriptures, and in the various documents and writings that embodied both the authentic and the heterodox teachings of the primitive Church. It is only with a clear realization of this fact in mind as a background to further research, that the historian can properly depict and evaluate the fusion of Christian, hellenic and oriental ideas that make up the history of Christian moral thought in the succeeding centuries.

Louis Vereecke

PREFACE
à
l'HISTOIRE de la THEOLOGIE
MORALE MODERNE

SUMMARIUM

In hac dissertatione, Auctor, ex una parte, terminos chronologicos historiae theologiae moralis modernae assignare intendit; ex altera autem parte, brevissimam analysim evolutionis, aetate moderna, in variis campis peractae praebere conatus est.

Exaratio *Institutionum Theologiae Moralis,* initio saeculi decimi septimi, centrum signat aetatis modernae in campo theologiae moralis. Terminus ad quem circa finem saeculi duodevigesimi situs est, etenim sanctus *Alfonsus* mortuus est eo tempore quo incipit magna *eversio Gallica* (1789), quae mutationes perquam maximas affert in historia. Difficilius stabilitur terminus a quo. Videtur auctori quod origo evolutionis theologiae moralis quae ad Institutiones exarandas ducit, iam initio saeculi decimi quarti quaerenda est apud *Venerabilem Inceptorem* Nominalismi. Etenim synthesis theologiae moralis a magnis theologis saeculi decimi tertii aedificata frangitur et negatur a Gulielmo de Ockham.

Altera autem dissertationis parte, auctor, breviter et summarie, facta principaliora, tum *geografiae,* tum *rei politicae* vel *oeconomicae,* tum *vitae intellectualis,* tum *historiae ecclesiasticae* aetatis modernae, quae cum evolutione theologiae moralis sunt connexa, recordatur. Inde eruitur necessitas profundioris cognitionis historiae aetatis modernae in diversis suis aspectibus ad intellectum historiae theologiae moralis modernae assequendum.

Tandem datur ratio generalis historiae theologiae moralis modernae.

La théologie morale, endormie depuis quelques décades dans le confort factice des manuels et de la casuistique, se réveille lentement de sa léthargie. En un monde nouveau, elle s'essaie à retrouver chemins et sentiers, où passera la foule des chrétiens en marche vers le Royaume. Pour cela il ne lui suffit pas de connaître le monde d'aujourd'hui, il lui faut aussi remonter, à travers le temps, à la recherche de ses souvenirs ensevelis sous la poussière de l'oubli. La théologie morale ne peut, en effet, choisir sa route sans référence aux chemins parcourus, aux expériences vécues ; elle ne peut se permettre les changements « hâtifs, conçus sous le coup de l'inquiétude et à la lumière équivoque de circonstances critiques ». Il lui faut tout d'abord resaisir le fil de l'histoire « pour permettre un nouvel et nécessaire élan dans le seul sens valable, celui de la tradition » [1].

Comme ces vieillards qui racontent avec force détails les frasques de leurs jeunes années mais ne se souviennent plus des événements de la veille, la théologie morale s'est surtout penchée sur ses origines les plus lointaines. Les études de théologie morale biblique, patristique et même du moyen-âge se multiplient. Chaque année nous apporte sa gerbe d'articles de valeur qui formeront bientôt la moisson de l'histoire [2].

Une importante portion du passé de la morale demeure encore en friches : l'immense période qui sépare les grandes synthèses médiévales de nos manuels contemporains. Peu d'historiens se sont aventurés dans ce dédale où la végétation luxuriante cache les chemins et brouille les pistes. L'abondance même du travail peut faire hésiter les chercheurs. Mais ne sommes-nous pas les « fils » de cette période et comme de jeunes garçons en réaction contre leurs parents, ne prétendons-nous pas chercher notre route en dehors des chemins foulés par nos pères. Cette manoeuvre nous serait funeste. L'homme n'a pas le droit de rayer de l'histoire de sa vie une période quelconque, si désagréable qu'en soit de souvenir, il se doit d'assumer son passé tout entier avec ses triomphes et ses grandeurs, mais aussi avec ses échecs et ses fautes, ceux-ci comme ceux-là ont marqué son visage et dessiné son image intérieure. Sous peine de ne prendre d'elle-même qu'une connaissance

---

[1] G. GARRONE, dans la Préface de B. HÄRING, *La loi du Christ*, t. I, 3ª éd., Paris, 1957.

[2] Cf. surtout pour l'histoire de la théologie morale au moyen âge les études de Dom Lottin, *Psychologie et Morale aux XIIᵉ et XIIIᵉ siècles*, 6 vol. Gembloux, 1942-1960.

imparfaite, la théologie morale se doit de jeter la faux dans ce champ immense qui s'étend de la fin du moyen-âge à l'époque contemporaine. - Ces quelques pages voudraient délimiter les coordonnées spatiales et temporelles de cette entreprise, mais aussi en marquer les conditions essentielles.

*
* *

Les historiens du XIXᵉ siècle ont abondamment discuté de la division de l'histoire en grandes périodes. Comment faut-il les délimiter? Quels faits majeurs en marqueront les frontières? Où placera-t-on les époques de transition, étroitement liées au passé mais lourdes déjà des évolutions futures. L'historien moderne ne voit dans ces divisions qu'une « question d'étiquettes, toujours provisoires, relatives au point de vue momentanément adopté » [3]. Il nous faut cependant justifier le cadre chronologique de notre travail. Nous en chercherons les points de repère dans le mouvement même qui anime la théologie morale, dans ses flux et ses reflux. Au sein de la pensée théologique nous verrons se dessiner les lignes de rupture et les faisceaux convergents.

S'il n'y a pas, dans l'évolution de l'humanité, des coupures brusques, des commencements absolus, de temps à autre cependant quelqu'événement important surgissant dans le long glissement des siècles, comme ces robustes colonnes milliaires au bord des voies romaines, vous avertit brusquement du chemin parcouru. L'apparition à l'aube du XVIIᵉ siècle, exactement en 1600, des *Institutiones Morales* du jésuite espagnol Juan Azor marque l'avènement en théologie morale d'un genre littéraire nouveau. Coupée désormais de la philosophie vivante, du dogme et même d'une théologie morale spéculative, étrangère à la spiritualité et à la mystique, cette *Theologia moralis practica*, modeste servante du confesseur, s'intitulera fièrement: *Theologia Moralis*.

Depuis lors, remplissant à l'égard du droit canon maint service de suppléance, la théologie morale demeure fidèle au plan et à la méthode définis au *Collegio Romano* par les inspirateurs de la *Ratio studiorum*. Nos manuels contemporains les plus novateurs n'ont pas ressenti le courage de rejeter cette allégeance. Est-ce

---

[3] H.I. MARROU, *De la vérité historique*, Paris, 1954, p. 168.

à dire que depuis le XVIIᵉ siècle, il ne s'est rien passé dans le domaine de la théologie morale? Certes non, mais les changements se sont inscrits dans le cadre d'un même genre littéraire; sauf les ouvrages de controverses ou les traités spéciaux, toutes les grandes œuvres, dont le frontispice s'orne du titre significatif: *Theologia moralis,* se réfèrent aux *Institutiones Morales.*

L'événement, certes, était d'importance. Pour la première fois dans l'histoire de la théologie, la morale avait conquis son autonomie. Désormais elle ne dépendrait plus du bon vouloir des autres disciplines. L'étude des vertus théologales, de la foi, par exemple, ne se raccrocherait plus, vaille que vaille, comme chez Pierre Lombard, à l'étrange question posée par les vieux scolastiques: « Le Christ Jésus avait-il la foi? [4]. Les problèmes proprement moraux n'attendraient plus la seconde partie des prolixes commentaires de la *Summa Theologiae* de saint Thomas pour recevoir une solution. Déjà, à l'orée du XVIᵉ siècle, le moraliste dominicain, Pierre Crockaert réclame pour la *Secunda-Secundae* le premier rang: « *Liber nomine Secunda-Secundae, at meritis facile primus* » [5]. Désormais, quoi qu'en dise G. Vazquez, la morale ne dépendra plus de l'humeur changeante des philosophes.

L'avènement et l'évolution des *Institutiones Morales* se trouvent donc, à juste titre, au centre de l'histoire de la théologie morale moderne. Pour assigner des limites plus précises à notre enquête, déterminons en d'abord le point d'arrivée, puis le point de départ.

Les *Institutiones Morales* prennent naissance au début du XVIIᵉ siècle, et durant plus de cent ans, elle amassent les résultats des études de morale; suscitant de nombreuses polémiques, elles remettent en question bien des vérités fondamentales de la morale chrétienne. Dans la seconde moitié du XVIIIᵉ siècle seulement, saint Alphonse de Liguori donnera une solution pratique équilibrée à l'irritant problème du probabilisme. L'ère des manuels commence. Or, saint Alphonse mourait en 1787, deux ans

---

[4] PH. DELHAYE, *Pierre Lombard, sa vie, ses œuvres, sa morale,* Montréal-Paris, 1961.

[5] R.G. VILLOSLADA, *La Universidad de Paris durante los estudios de Francisco de Vitoria,* Roma, 1938, p. 262.

plus tard se déchainait la Révolution Française, qui emportait, comme en un tourbillon, les institutions civiles et religieuses de l'Ancien Régime: couvents, écoles, universités, églises, tout fut balayé, non seulement en France, mais encore dans une grande partie de l'Europe. Le Concordat de 1802 conclu entre le Pape Pie VII et Napoléon Bonaparte consacre l'avènement d'un monde nouveau. La restauration subit encore très fortement l'influence des *Institutiones*, mais déjà des forces nouvelles sont à l'œuvre qui donneront au XIXe siècle un visage original. Laissons aux historiens de l'époque contemporaine le soin de nous dire comment la théologie morale a répondu ou n'a pas répondu aux besoins du peuple chrétien au cours du XIXe siècle, nous arrêterons notre étude à la mort de saint Alphonse, qui coïncide à peu près avec le commencement de la Révolution française.

Notre point de départ nous causera plus de soucis. Nées au début du XVIIe siècle, les *Institutiones Morales* marquent l'aboutissement d'une évolution de la morale qui s'étale sur plusieurs siècles. Saint Thomas lui-même en groupant dans la *Secunda* de sa Somme les questions spécifiquement morales préparait, sans le vouloir et à lointaine échéance, la mise en question de l'unité du savoir théologique [6]. Où situer le point de rupture? A partir de quelle date devons-nous suivre l'élaboration progressive des *Institutiones*? Pour nous conformer et sacrifier à certaines traditions pédagogiques, adopterons-nous simplement l'année de la chute de Constantinople, ou celle de l'affichage des thèses luthériennes? Ce serait alors sacrifier aussi à la scolastique. Est-il bien sûr que ces événements aient eu sur l'évolution de la théologie morale une influence décisive? question insoluble, sans doute? Cherchons plutôt un point de repère à l'intérieur même de la morale.

Deux forces ont interféré, au cours du XVIe siècle, dans l'élaboration des *Institutiones*. D'une part, le thomisme renaissant, mais un thomisme ouvert à divers courants de pensée et axé spécialement sur l'étude de la morale; d'autre part, en corrélation avec la réforme post-tridentine, la mise en place par les jésuites, d'un cycle court de théologie morale pratique, dont nos *Insti-*

---

[6] TH. DEMAN, *Aux origines de la théologie morale*, Paris, 1951, p. 119.

92

tutiones seront les manuels[7]. Il est hors de doute que la morale du XVIᵉ siècle, soit spéculative, soit pratique, diffère profondément de celle du XIIIᵉ siècle, soit de la théologie spéculative de saint Thomas, soit de la morale pratique de saint Raymond de Peñafort. Quelles en sont les raisons?

D'une histoire, encore fragmentaire de l'évolution des idées au cours des XIVᵉ et XVᵉ siècles, nous voyons se détacher un mouvement intellectuel extrêmement puissant et original: le nominalisme. L'influence de cette école ne doit pas être sous-estimée. Si la théologie de Martin Luther ne peut se comprendre qu'à partir des positions nominalistes[8], il semble aussi que la morale du XVIᵉ siècle ne peut s'analyser qu'à la lumière des principes de Guillaume d'Ockham. La pensée de ce dernier comporte non seulement une méthodologie nouvelle, un système de logique très serré, une théologie dogmatique en réaction contre le thomisme, mais aussi une morale nouvelle qui marquera l'évolution des théologiens et des moralistes bien au-delà des premières années du XVIᵉ siècle.

Or, la date communément admise de la mort de Guillaume d'Ockham est 1349-1350[9]. Son grand *Commentaire des Sentences* a été composé vers 1318-1320. Allons-nous annexer tout le XIVᵉ siècle à l'histoire de la théologie morale moderne? Monsieur E. Gilson voudrait nous en dissuader, il écrit en effet, dans *La philosophie au Moyen Age*: «Les siècles sont des points de repère commodes pour situer dans l'histoire les événements et les hommes, mais les faits ne se règlent pas sur le système décimal ni sur nos divisions du temps. L'âge d'or de la théologie et de la philosophie dite «scolastique», qui fleurissent, en effet, alors dans les écoles coïncidèrent plutôt avec la période qui s'étend d'environ 1228, début de l'enseignement d'Albert le Grand, à Cologne, jusque vers 1350, date de la mort de Guillaume d'Ockham... La fin du XIIIᵉ siècle et le début du XIVᵉ siècle ont vu paraître des synthèses

---

[7] U. LOPEZ, *Il metodo e la dottrina morale nei classici della Compagnia di Gesù*, in *La compagnia di Gesù e le scienze sacre*, Rome, 1942, p. 83-115.

[8] E. ISERLOH, *Gnade und Eucharistie in der philosophischen theologie des Wilhelm von Ockham.Ihre Bedeutung für die Ursachen der Reformation*, Einleitung, J. LORTZ, Wiesbaden, 1956, p. I-XL.

[9] E. ISERLOH, *op. cit.*

doctrinales de grand style, comme celles de Duns Scot et de Guillaume d'Ockham ou des œuvres comme celles de Maître Eckhart, dont la qualité philosophique s'impose dès qu'on en commence la lecture... [10]. Dans une recension du volume cité d'Etienne Gilson, L. Febvre interroge: « Oui, certes, Mais ces synthèses doctrinales de grand style, sont-elles du même style que les synthèses immédiatement antérieures? « N'y-a-t-il pas dans l'œuvre de Scot, mais surtout d'Ockham un point de rupture avec la tradition? [11]. E. Gilson semble d'ailleurs le concéder: « Leur propre pensée (des auteurs susnommés) dépend moins de celle de leurs prédécesseurs qu'il ne pourrait d'abord le sembler ». Et plus loin, il conclut: « C'est pourquoi le XIVe siècle est, dans une large mesure, un siècle de critique » [12]. Tout au long de son Commentaire sur les Sentences, Guillaume d'Ockham entreprend une critique pesante et appliquée des synthèses antérieures. Il y a manifestement quelque chose de changé dans la théologie morale. Comme l'écrit encore L. Febvre: « Le XIVe siècle diffère tout de même profondément, à mes yeux d'historien, comme aux yeux de l'artiste qui, du premier coup d'oeil, identifie, en entrant dans une église, une nef du XIVe siècle — qui la sent, si j'ose dire, comme nef du XIVe, avant même d'avoir regardé dans le détail le profil des moulures... — parce que le XIVe diffère radicalement du XIIIe » [13]. Cette nouveauté radicale du XIVe siècle, « ce vrai départ vers la modernité » se manifeste non seulement par la curiosité des hommes de ce siècle, mais aussi « par sa volonté de secouer le joug des vieilles traditions qui lui semblent périmées », ainsi que « des vieilles formules politiques ». Le XIVe siècle est un « siècle de révoltés » (L. Febvre). Cet effort de nouveauté se manifeste aussi dans le domaine de la morale. « L'apparition, au cours du XIVe siècle, d'un capitalisme marchand, principalement dans les cités trafiquantes de l'Italie, s'accompagne de l'apparition d'une morale nouvelle — d'une morale de profit qui dresse (dans les milieux capitalistes du moins, encore restreints, mais d'autant plus in-

---

[10] E. GILSON, *La philosophie au Moyen Age*, Paris, 3^a éd., 1947, p. 591.

[11] L. FEBVRE, *Combats pour l'histoire*, Paris, 1953, p. 285.

[12] E. GILSON, *op. cit.*, p. 638.

[13] L. FEBVRE, *op. cit.*, p. 285.

fluents qu'ils sont urbains) le profiteur ou l'apprenti profiteur contre ses semblables, considérés par lui comme autant de rivaux, de concurrents, d'ennemis. Morale qui rompt l'unité dans l'ordre social et dans l'ordre individuel. Morale qui doit engendrer, et qui engendre, une conception profondément pessimiste de l'humanité, dont les instincts mauvais s'écartent si résolument des normes d'une saine moralité. Morale qui réagit sur les conceptions politiques de la société : d'une société qui n'est plus formée, comme la société médiévale, de groupes hierarchisés coopérant humainement entre eux, mais d'individus luttant un à un, et tous contre tous pour leur profit » [14].

Nous tenons là, je crois, le point de départ de notre étude. En synchronisme avec les ébranlements politiques, sociaux, économiques du XIVe siècle, Guillaume d'Ockham introduit dans l'évolution de la théologie morale un point de rupture et de recommencement. Si nous voulons saisir dans toute leur profondeur les transformations de la morale au cours de l'époque moderne nous devons étudier la pensée de Guillaume d'Ockham et de ses disciples. Hypothèse de travail, me direz-vous. Certes, mais que nous avons tout intérêt à vérifier. D'ailleurs notre propos de commencer l'histoire de la théologie morale moderne par l'examen du système d'Ockham n'a rien d'exclusif. Il n'y a pas de discontinuité absolue en histoire. Nous pouvons appliquer ici les idées de L. Febvre sur les « noman's land historiques » qui s'étendent entre deux périodes « Déja les structures du passé paraissent vieillies, les cadres nouveaux n'ont pas encore acquis leur structure définitive » [15]. Durant la première moitié du XIVe siècle, le moyen-âge continue, mais déja Ockham pose les bases d'une nouvelle conception du monde, de l'homme et de ses rapports avec Dieu. Nous assistons à la naissance de la morale moderne.

Nous voilà fixés sur les limites de notre enquête, l'apparition des *Institutiones Morales*, au début du XVIIe siècle en marque le centre, notre point de départ se situe aux environs de 1300-1320, avec l'œuvre de Guillaume d'Ockham ; notre point d'arrivée coïn-

---

[14] L. FEBVRE, *op. cit.* p. 286-287.

[15] L. FEBVRE, *Observations sur le problème des divisions en histoire*, in *Bulletin du Centre International de Synthèse*, 2 (1926), p. 22-26.

cide avec la mort de saint Alphonse de Liguori (1787), qui recueille dans sa *Theologia Moralis* l'essentiel du travail des théologiens des XVIIᵉ et XVIIIᵉ siècles, et avec la Révolution Française (1789) qui balaiera formes et cadres de l'Ancien Régime. Période immense de cinq siècles, toute chargée d'une histoire complexe et riche, qui nous donnerait le vertige si notre propos était d'en inventorier dans le détail les productions de théologie morale, notre dessein est plus modeste, nous nous contenterons de percer dans cette forêt de larges avenues, où s'engageront les chercheurs de demain.

*
* *

Cinq siècles d'Histoire! Toute l'évolution de l'Occident, depuis la guerre de cent ans jusqu'aux premiers grondements des guerres révolutionnaires, depuis les Papes d'Avignon jusqu'aux grands états centralisés de la fin du XVIIIᵉ siècle. Siècles de luttes politiques toujours renaissantes, mais aussi d'une extraordinaire vie artistique qui nous conduit des primitifs flamands aux petits maîtres du XVIIIᵉ, de la cathédrale gothique à l'église néo-classique. Siècles de l'humanisme, de la Réforme, du classicisme français, de l'encyclopédie et de l'Aufklärung. Siècles enfin de la découverte de l'Amérique et d'un étonnant essor économique, l'Occident passant d'une économie encore rudimentaire au mercantilisme et au capitalisme industriel. Que dire des découvertes médicales et scientifiques? Que dire aussi des transformations de la mentalité individuelle et collective? Ces hommes qui voient ainsi changer leurs conditions de vie sont les mêmes qui dans les livres de morale affrontent les problèmes de leur temps. L'historien ne le peut ignorer. Et nos moralistes eux-mêmes, « moines dans leur cellules, même docteurs dans leurs studia ont bien été contraints à la longue de s'apercevoir de leur puissance et de leur prise sur les concitoyens » [16].

Embrasser d'un seul coup d'œil cinq siècles d'histoire! Gageure! Et pourquoi? grands dieux! Contentons-nous d'inventorier dans les archives, les répertoires bibliographiques, il y en a d'excellents, les noms des théologiens moralistes, surtout des professeurs

---

[16] L. FEBVRE, *Combats pour l'histoire*, Paris, 1953, p. 287.

96

« habitués selon H.I. Marrou, à parcourir d'un pas égal et méthodique l'encyclopédie du dogme (et de la morale), traité par traité et question par question »[17]. Cataloguons leurs œuvres, toutes leurs œuvres et leurs différentes éditions, distribuons leurs idées et surtout leurs solutions casuistiques selon un plan qui depuis trois cents ans a fait ses preuves. Appliquons à la morale les données d'une saine critique, mais surtout n'empiétons pas sur d'autres terrains, le champ qui nous revient est assez vaste. Un génie encyclopédique rétablira, peut-être, un jour l'unité, nous n'en sommes pas là !

Serait-il possible d'écrire une histoire de la théologie dogmatique basée uniquement sur l'analyse des œuvres techniques, sans tenir compte de l'environnement historique, je ne sais. En théologie morale, c'est impossible. Saint Thomas nous enseigne que le sujet de la science morale est l'acte moral particulier, nous dirions l'acte posé par l'homme-en-situation[18]. Plus la science morale descend dans le détail de l'application des principes, plus elle est fidèle à sa nature. Bien sûr, l'acte moral concret comme tel dans sa singularité n'est pas science, mais parce que « action en situation », unique, il importe de le considérer dans son conditionnement historique, cette connaissance commandera le jugement à porter. Il est donc nécessaire que l'historien connaisse non seulement les œuvres et les théories des théologiens, mais aussi l'histoire du milieu où sont éclos les traités de morale. Nous ne réclamons pas de lui qu'il soit médecin, économiste, homme politique, mais qu'il puisse, du moins, lancer entre ces différentes disciplines les ponts qui lui donneront accès à une connaissance plus complète de la pensée morale. Les exemples seraient innombrables. François de Vitoria et Dominique Soto dans une période d'expansion économique jugeront licites des pratiques commerciales que Dominique Bañez et Barthélemy Salòn condamneront dans une conjoncture défavorable. Certes le traité « De Justitia » est plus propice à l'illustration de notre thèse ; il nous faudrait pourtant citer aussi la médecine, la démographie, l'art... Sans l'aide

[17] H.I. MARROU, *Un Ange déchu, un Ange pourtant!* in *Satan, Études Carmélitaines*, Paris, 1948, p. 28.

[18] S. THOMAS, *Summa Theologiae*, II^a II^ae, *Prologus*: « Sermones enim morales universales, minus sunt utiles, eo quod actiones in particularibus sunt ».

de ces sciences, nous ne pouvons saisir dans une vision concrète unifiée le champ de la théologie morale.

Et que dire de l'homme, sujet de l'action morale? Quel est son milieu intellectuel, affectif, quels sont ses schèmes mentaux? Tous éléments soumis au changement, rapide ou lent, mais dont la connaissance est indispensable elle-aussi. Juger dans son comportement moral un homme de notre génération peut sembler bien difficile, que sera-ce s'il s'agit d'un homme séparé de nous par trois ou quatre siècles? Il nous faudra reconstruire son univers mental par le dedans et dans son environnement. Ici plus que partout ailleurs, c'est de l'homme qu'il s'agit, dans ce qu'il a de plus intime, dans la réponse qu'il formule dans le temps à l'appel éternel de Dieu. Telle est notre ambition, trop haute peut-être! Notre récompense serait d'ajouter seulement quelques traits à cette image de l'homme que des milliers d'historiens, depuis Thucydide et Tacite, s'efforcent de tracer.

L'histoire humaine s'inscrit dans le temps, mais aussi dans l'espace, elle ne peut faire abstraction de la scène sur laquelle se meuvent ses acteurs. Le cadre physique modèle en l'homme non seulement sa façon de vivre, mais encore son mode de penser. La fin même des études géographiques n'est-elle pas d'établir entre l'homme et la terre ces correspondances profondes, ces relations, qui nous introduisent à une connaissance plus intime de l'âme humaine. Montagnes, plaines, vallées, coteaux, habitat, alimentation, hygrométrie, etc... ont formé, sans exclure l'intervention d'autres facteurs, n'en déplaise au matérialisme historique, de multiples types d'hommes. L'âpre paysage de la Castille a fait naître au coeur de ses habitants le sens de l'absolu et de l'honneur, les lentes ondulations des coteaux de la Loire invitent à la modération et à l'équilibre, la montagne, de l'Oberland bernois aux Pyrénées, des Apennins aux monts de Bohême, apprend la fidélité, l'austérité. Le désert voit fleurir la mystique, les terres opulentes étalent leur laisser aller, leur goût du plaisir et de la vie facile. Terres au sol ingrat et partant solitaires; points de passage obligés des migrations ou des invasions, accueillants aux idées nouvelles, à une morale plus facile. L'éthique du paysan de l'open-field ne sera pas celle des pays clos. Les traits distinctifs des paysages géographiques se reflèteront dans la physionomie morale.

Est-ce un hasard si le mot de Lombard ou de Cahorsin est devenu, au moyen-âge, le synonyme de l'usurier, ou serait-il étonnant que les Papes Limousins — âpres au gain — aient, au temps de leur séjour en Avignon, admirablement organisé les finances pontificales? Saint Antonin de Florence incriminait, devant ses ouailles, la lascivité des femmes de la Rhénanie... La géographie humaine nous présente ainsi l'homme, non comme une abstraction dévitalisée, mais dans la charnelle réalité de ses passions, de ses vices aussi bien que de ses vertus. Durant des siècles en contact direct avec les populations, les théologiens se sont efforcés d'affermir leurs vertus, mais surtout de corriger leurs défauts. Nous ne pourrons nous étonner d'entendre les moralistes espagnols parler longuement du point d'honneur, les italiens du mensonge et de la vérité, tandis que les allemands et les flamands exhortent leurs fidèles au détachement des biens de ce monde.

Les théologiens eux-aussi ne sont pas sans subir l'influence du paysage physique. Ils partagent qualités et défauts de leurs concitoyens. Et s'ils dénoncent et stigmatisent les vices de leur pays, ne sont-ils pas marqués tous les premiers par la tendance vitale, quasi physiologique de leur race? Est-il sans intérêt de constater que parmi les théologiens laxistes on compte un certain nombre de Siciliens et que les Français fournissent le gros de l'armée des rigoristes — Calvinisme, Jansénisme, Rigorisme — trois traductions différentes de ce même idéal d'austérité et de rigidité morale qui habitait les Français du XVIe et du XVIIe siècle. Que l'initiateur du nominalisme légaliste soit un Anglais Guillaume d'Ockham, serait-ce pur hasard? Ainsi toute une géographie morale se dessine sur la carte de l'Europe.

Dans la théologie spéculative de la fin du moyen-âge les caractères nationaux se détachent assez peu. Les étudiants de tous pays se retrouvent dans les universités internationales, où ils se groupent en nation qui souvent sont un défi à la géographie. Parmi les universités européennes Paris tient encore le premier rang, creuset où se fondent, dans la stricte méthode scolastique, Castillan et Souabe, Flamand et Anglais, Lombard et Autrichien.

Au cours des XIVe et XVe siècles, les événements politiques: guerre de cent ans, avènement des nations; ou religieux: grand schisme d'Occident, accentuent le caractère national de l'Université de Paris. Les universités anciennes, telles Oxford, Cambridge, Salamanque, Padoue, Naples, retiennent davantage leurs nationaux. De nouvelles universités s'organisent, principalement en terre germanique. Les maîtres formés à Paris y transporteront le nominalisme. Prague, fondé en 1347, fait figure de grand centre théologique pour les pays slaves. Coup sur coup se fondent les universités de Vienne (1384), Heidelberg (1386), Erfurt (1389) et surtout Cologne (1388) où se développera une école albertiste extrêmement brillante à laquelle s'opposera une autre école promise à un grand avenir: le thomisme. Durant ces deux siècles la théologie morale fut en grande partie l'œuvre des universitaires[19]. En Italie, ce sont à la fois des juristes et des pasteurs d'âmes qui composent les *Sommes des Confesseurs.*

Le renouveau thomiste du XVIᵉ siècle prend le départ dans la vallée du Rhin, à Cologne, il se propage en Italie avec Cajetan, puis à Paris ou se forment les théologiens espagnols. De retour en Espagne, ceux-ci animeront les grandes universités de Salamanque et d'Alcala. Au XVIᵉ siècle, la théologie morale est espagnole. A l'intérieur même de la péninsule d'ailleurs, on observera des caractères bien déterminés et divers: castillan grave, fier et mystique, valencien, ami du mouvement et de la gaîté, léonais enfin à l'esprit géométrique et méticuleux; chacun des professeurs des universités espagnoles garde des traits de caractère de son royaume natal, rien de monotone, mais une richesse partout présente en des formes variées.

Si, à la fin du XVIᵉ siècle, l'Europe catholique étend ses ramifications jusqu'aux Indes occidentales et aux Philippines, elle a perdu, par la Réforme, une importante portion de ses anciens points d'appuis. Angleterre, Ecosse, Pays Scandinaves, Suisse, Pays-Bas, une grande partie de l'Allemagne adhèrent au protestantisme. Pratiquement le mouvement théologique aux XVIIᵉ et XVIIIᵉ siècles se concentre dans les pays latins, dans les terres allemandes restées catholiques, dans les Pays-Bas espagnols, où Louvain fait figure de capitale intellectuelle. Les ordres religieux, anciens, tels les Dominicains, ou nouveaux, jésuites, prennent le relais des universités. Les jésuites espagnols répandent

---

[19] S. d'IRSAY, *Histoire des Universités,* t. I, Paris, 1933.

partout, en France comme en Espagne, en Autriche comme dans les Pays-Bas, les *Institutiones Morales* élaborées au Collège Romain. Bientôt sévit, en liaison avec le jansénisme, la lutte entre laxistes et rigoristes. Aucun pays ne fut plus troublé par ces querelles théologiques que la France, qui rêve, dans la gloire du siècle louisquatorzien, d'instaurer en morale, comme dans les lettres et les arts, la rigueur classique.

Le XVIIIe siècle, siècle de transition, voit émigrer sous d'autres cieux les centres actifs de la théologie morale. Certes, en France et en Espagne, les Jésuites continuent d'enseigner les *Institutiones* du siècle précédent, cependant les manuels rigoristes se multiplient. C'est en Italie désormais qu'il faut chercher, non parmi les universitaires, mais parmi les pasteurs d'âmes, un Concina, un Benoit XIV, un saint Alphonse de Liguori, les grands noms de la théologie morale. Dans l'Allemagne et l'Autriche de l'*Aufklärung* se prépare, en ces années tourmentées, une nouvelle forme de théologie morale qui ne portera ses fruits qu'au cours du XIXe siècle.

Ainsi se précise la géographie de la théologie morale. Internationale et parisienne au début de l'âge moderne, elle se nationalise au cours du XVe siècle. Le *Siglo de Oro* est aussi le siècle d'or de la théologie espagnole. Successivement, aux XVIIe et XVIIIe siècles, la France et l'Italie donnent le ton à la théologie morale. Mais les caractères nationaux tendent à disparaître, absorbés par la discipline des écoles théologiques et les tendances centralisatrices des grands ordres.

Mais il est difficile d'isoler la géographie de l'histoire, et dans notre esquisse des coordonnées géographiques, nous avons dû faire appel à cette dernière. Il est bien évident que le cadre naturel ne détermine pas à lui seul la conduite humaine et l'histoire des idées. D'autres éléments entrent en jeu, les événements politiques, dépendants directement, semble-t-il, de la volonté des hommes, sont les plus apparents.

Durant les XIVe et XVe siècles l'occident chrétien est troublé par une série de crises politiques extrêmement graves. « L'automne du moyen-âge » selon le titre du beau livre de Huizinga, est surtout un « temps de troubles ». Le monde ancien est partout mis en question, à travers des luttes dynastiques, nationales ou religieuses, un monde nouveau s'élabore, le monde des nations qui marquera le XVIe siècle.

Entre la France et l'Angleterre, nous assistons, durant près de cent ans, à une guerre dynastique. Avec ses longues accalmies et ses bourrasques violentes elle ruinera la constitution féodale des deux états. En France, nous assistons à la mise en place de l'appareil administratif d'une nation moderne centralisée. En Angleterre, le pays prend conscience de lui-même, le parlement se constitue, une institution politique solide forme l'armature de la nation. Cependant les défaites sur le continent, les insurrections populaires, la guerre des « Deux Roses », les querelles dynastiques enfin, troublent l'Angleterre jusqu' à l'avènement d'Henri Tudor à la fin du XVe siècle.

L'empereur Charles IV de Bohême († 1378) en regroupant sous son sceptre une grande partie de l'Europe centrale avait réussi à constituer un ensemble de territoires économiquement et politiquement très puissants, ce qui permettra dans ses états la naissance d'une vie intellectuelle très évoluée et la fondation d'universités. Une révolution religieuse, causée par le Grand Schisme et l'hérésie hussite, démontre la faiblesse du pouvoir impérial et entraîne des guerres inexpiables. Le « Regnum Teutonicum » est en pleine désagrégation, sur toutes les frontières, nous assistons à un recul du germanisme ; à l'est, recul de l'Ordre Teutonique devant l'union de la Pologne et de la Lithuanie, difficultés en Bohême, écrasement de la Hongrie par les Turcs, les cantons suisses arrachent leur indépendance par une série de guerres. A la fin du XVe siècle cependant, la maison de Habsbourg rassemble les terres allemandes les plus riches, recueille l'héritage de Charles le Téméraire, perdu par une politique fébrile et démesurée, avant de prendre pied en Espagne et aux Indes.

L'Italie et sa mosaïque d'états vit dans un climat de guerre perpétuelle. Les grandes Compagnies la ravagent sans merci. Pendant cinquante ans, Naples et la Sicile sont livrées aux compétitions étrangères, avant de devenir colonies espagnoles. L'Italie pontificale, disputée entre les Papes concurrents, leurs légats, leurs voisins, les Communes, est bien près de la ruine. Les Seigneuries du nord de l'Italie, consolidées en principautés, Venise, Milan et les Sforza, Florence et les Médicis luttent pour l'hégémonie. La

Sainte Ligue donnera à l'Italie vingt huit ans de paix (1455) jusqu'à la guerre de Ferrare et aux troubles sur lesquels se terminera le XVᵉ siècle. L'Italie, divisée, ensanglantée par les compétitions des princes rivaux, voit cependant s'épanouir une culture extraordinaire qui fait d'elle « l'institutrice de l'Europe ».

Promise à un grand destin, l'Espagne s'éveille plus lentement que le Portugal, à sa vocation maritime. Ce dernier, sous la dynastie d'Avis, après avoir reconquis son indépendance (1385), se lance dans une politique de découvertes maritimes. De 1415 à 1471 ses caravelles rapides descendent le long des côtes d'Afrique jusqu'au Cap de Bonne Espérance, qu'elles atteignent en 1486, la remontée dans l'Océan Indien assurera pour longtemps au Portugal un monopole de fait des épices et la possession d'un Empire colonial tourné vers le commerce. L'Espagne n'a pas encore recouvré son unité, la Castille sombre dans l'anarchie, l'Aragon doit se défendre contre l'oligarchie bourgeoise des villes catalanes. Une crise de succession met en péril la monarchie aragonaise (1458), autre crise de succession en Castille. Le mariage de Ferdinand d'Aragon avec Isabelle de Castille assure l'unité espagnole. La prise de Grenade (1492) achèvement de la « reconquista », coincide avec la découverte du Nouveau Monde par Christophe Colomb.

Le XVIᵉ siècle s'ouvre par les guerres d'Italie. Pris aux mirages de la péninsule, les Français s'efforcent de soumettre l'Italie toute entière à leur domination. L'entreprise se solde par un échec. Mais à la faveur de ces contacts entre gens du nord et du midi, la culture italienne, l'humanisme de la renaissance se diffusent très largement dans les pays d'au-delà des Alpes.

Le grand fait politique du XVIᵉ siècle n'est pourtant pas là. La Réforme luthérienne bouleverse la carte de l'Europe et engage son destin pour de longues années. Inutile de revenir sur les causes de la réforme, qu'il nous suffise d'en marquer les conséquences politiques.

L'affirmation des états nationaux, tels la France, l'Angleterre, l'Espagne, l'établissement dans l'Italie du nord des principautés, la constitution, au gré des héritages, d'un ensemble complexe de nations et de territoires qui forment l'Empire, tels sont les faits majeurs en ce début du XVIᵉ. Les Pays-Bas, l'Allemagne, l'Austriche, l'Italie du nord et du sud, l'Espagne ainsi que les vastes territoires de l'Amérique centrale et méridionale sont unis sous le sceptre de Charles-Quint, ensemble disparate certes, aux formes diverses de gouvernement, dont la foi catholique est le seul dénominateur commun. La réforme devait briser, à la fois, l'unité de l'Empire et de la chrétienté. L'Empereur s'épuisera à maintenir l'idéal unitaire, mais l'intervention des états nationaux, les alliances militaires avec les Turcs ou les protestants, au gré des avantages politiques, consommeront l'échec de la chrétienté médiévale. A l'intérieur même des divers pays, l'écrasement des derniers féodaux ou des mouvements communaux prépare l'absolutisme.

La Réforme affecte gravement l'équilibre de l'Europe toute entière, mais surtout celui des pays situés au nord des Alpes et des Pyrénées. Les guerres de religion dévastent la France et l'Allemagne réduisant pratiquement à néant le travail théologique. L'Angleterre, l'Ecosse, les pays scandinaves passent à la réforme, mais avec des modalités diverses dans la théologie ou l'expression spirituelle. L'Italie, occupée en grande partie par les troupes espagnoles, voit se tenir le *Concile de la Réforme*. L'Espagne, elle, est épargnée par les troubles religieux, le règne de Philippe II marque son apogée. C'est le « *Siglo de Oro* », siècle d'or aussi de la théologie et de la vie chrétienne.

Par sa somptuosité et son éclat, le XVIe siècle espagnol s'accorde aux richesses nouvelles ramenées d'une Amérique fraîchement découverte. Les exigences les plus hautes de l'esprit, le sentiment de la caducité des possessions terrestres, la crise même qui se prépare se traduisent dans le mysticisme d'une sainte Thérèse d'Avila, d'un saint Jean de la Croix et d'une grande partie du clergé espagnol à la suite du Bienheureux Jean d'Avila. Ni la musique, ni la peinture ne sont d'ailleurs en reste sur la grandeur matérielle ou l'exaltation spirituelle. Les conditions idéales pour le développement d'une puissante école théologique étaient créées.

Les théologiens espagnols ne furent pas inférieurs à leur tâche. L'Université de Salamanque, et, à un degré moindre, celle d'Alcala s'efforcent de donner aux problèmes politiques une solution chrétienne. Plusieurs générations de juristes et de théologiens élaborent la charte des droits de l'homme mais aussi le code des droits des peuples ; ils esquissent, devant les nationalismes et les absolu-

104

tismes triomphants, les lignes de force d'une communauté internationale. L'Université est consultée sur tous les problèmes majeurs de la politique espagnole, que ce soit la conquête des Indes ou l'annexion du Portugal (1580). L'apogée de l'Espagne marque aussi le commencement de son déclin. Philippe II a repris à son compte le songe impérial de l'unité de la chrétienté, qui lui fera entreprendre des guerres incessantes sur plusieurs fronts, dans les Pays-Bas, en Angleterre, en France... Les trésors du Nouveau-Monde suffisent à peine à financer ces campagnes, qui se solderont, partiellement, du moins, par un échec.

Le XVIIe siècle marque une nouvelle étape dans l'évolution des états nationaux. Désormais la chrétienté a vécu, d'incessants conflits de force s'exerceront entre les royaumes. La raison d'état fait son apparition, la politique se soustrait à la direction de l'idéologie religieuse et de la morale. Chaque pays entend s'assurer le plus d'avantages possible et par tous les moyens. La France, qui succède à l'Espagne dans la prépondérance politique, tend à l'hégémonie européenne, d'où ces nombreuses guerres de successions dynastiques. Par ailleurs la croissance même des états engendre l'absolutisme qui se manifeste surtout par la théorie du droit divin des rois. A peu près tous les états d'Europe sont atteints de l'absolutisme, mais surtout l'Espagne et la France, les résultats s'en feront sentir aussi chez les moralistes, ceux-ci doivent se contenter désormais de juger des actes des individus; la régulation de la politique leur échappe.

Le XVIIIe siècle verra la liquidation des conflits du XVIIe siècle. La prééminence française laisse la place, sauf pour la culture, à la prédominance anglaise. Les guerres se suivent à un rythme accéléré, guerres de succession dynastique d'abord: succession d'Espagne, de Pologne, d'Autriche... Mais une profonde évolution des conditions sociales et économiques amènera de grands changements dans la politique elle-même, aux guerres dynastiques succèdent les guerres des peuples luttant pour assurer la victoire de leurs intérêts économiques. Déja se profilent les grands conflits d'intérêt et les luttes pour la suprématie mondiale des XIXe et XXe siècles.

L'absolutisme se transforme en despotisme éclairé. Les souverains, persuadés de leur omnipotence, ne s'entendent que sur un point, spécialement ceux qu'unit le « Pacte de Famille », l'hostilité à Rome et aux jésuites, hostilité aussi aux moralistes qui s'inspirent de la théologie morale des Jésuites. Saint Alphonse de Liguori en saura quelque chose...

Mais déjà l'ancien régime est condamné. La révolution américaine ouvre l'ère des révolutions.

Nous ne nous faisons pas illusion sur le schématisme de ces coordonnées politiques, il sera nécessaire, au niveau de chacun des chapitres de cette histoire, de reprendre l'examen des conditions politiques, elles nous fourniront une clé indispensable à l'intelligence de l'évolution de la théologie morale.

Malgré les apparences, les événements politiques ne sont souvent que des signes révélateurs de mutations plus profondes. Plus que les guerres ou les régimes de gouvernement, les conditions économiques et sociales influent directement sur notre mode de vivre et de penser. Durant les cinq siècles de notre histoire, nous assistons à de nombreux bouleversements des structures économiques de l'Occident. Cette évolution nous conduit du stade artisanal, par delà le capitalisme financier et commercial du XVIe siècle et le mercantilisme étatique du XVIIe, au capitalisme industriel de la fin du XVIIIe siècle.

« On peut considérer, écrit H. Pirenne, la commencement du XIVe siècle comme la fin de la période d'expansion de l'économie médiévale, désormais l'Europe vit sur ses positions acquises » [20]. Cet arrêt de l'expansion s'accompagne d'une évolution sociale et technique qui donne au XIVe siècle son caractère spécial. Les hommes d'affaires seront, dans leur grande majorité, des sédentaires. S'ils voyagent et ils le font encore beaucoup, ce ne sera plus pour convoyer à travers l'Europe les objets dont ils trafiquent, mais pour se rendre dans les grandes villes où se trouvent leurs associés, leurs commis, les filiales de compagnies commerciales qu'ils dirigent. Cette sédentarisation correspond à la fois à des découvertes techniques et à l'essor des grandes villes, qui, par l'augmentation de leur population et les facilités de transactions qu'elles présentent, constituent un marché important de

---

[20] H. PIRENNE, *Histoire économique de l'Occident médiéval*, Paris, 1951, p. 331.

consommateurs et de producteurs et des centres où se fixent de plus en plus les échanges internationaux.

Deux grandes régions commandent le commerce : l'Italie avec ses grandes cités, Venise, porte de l'Orient, Gênes, Florence, Milan ; les Pays-Bas avec Bruges la grande métropole, plaque tournante du commerce de l'Occident médiéval. Une des caractéristiques du commerce italien fut la création des compagnies à filiales multiples, présentes dans toutes les places commerciales du Bassin méditerranéen, des Flandres et de l'Angleterre. Une activité extrêmement étendue caractérise ces compagnies. L'homme d'affaires est, en même temps, un industriel qui fait fabriquer dans des ateliers les produits qu'il désire écouler, un commerçant et enfin un banquier. Un marché de l'argent actif permettra, en dépit de l'attitude négative de l'Eglise sur la question du prêt à intérêt, l'extension du crédit.

L'évolution du commerce et de l'industrie donne naissance, d'une part, au regroupement des artisans et à un début de prolétariat, d'autre part, à l'ascension sociale de la bourgeoisie, formée des riches négociants. L'éthique commerciale se fonde sur des valeurs nouvelles. A une économie de besoins succède une économie de profits.

Selon la doctrine médiévale, inspirée de la foi catholique, l'artisan ou le commerçant se devait de rechercher sa subsistance et celle des siens en assurant la satisfaction des besoins de ses concitoyens. Il s'agit de gagner pour vivre et non de vivre pour gagner. Le marchand ne devait pas tant rechercher le profit qu'une juste et honnête rémunération de son travail. Le profit n'est toléré que dans cette perspective. Les règlements corporatifs tendent à la réalisation d'un bien-être collectif assurant aux consommateurs un produit de qualité et aux producteurs un écoulement assuré à des prix permettant de vivre honnêtement de leur travail.

A la mentalité collective du moyen âge, se substitue une mentalité individualiste, qui utilise les moyens les plus efficaces d'acquérir les richesses pour en jouir sans autre limite que la satisfaction. La poursuite du profit devient la loi fondamentale des hommes d'affaires. Certes les moyens techniques nouveaux doivent être appliqués avec audace, mais surtout il ne faut pas se laisser arrêter par des considérations religieuses, morales ou sentimentales. Cette nouvelle mentalité conditionne l'apparition d'une éthique opposée à la morale chrétienne. Les effets ne s'en feront pas sentir de suite sur le plan religieux, les mutations spirituelles ne s'opèrent pas instantanément. L'idéal économique du moyen âge coexistera encore longtemps, du moins en quelques-uns de ses éléments, avec celui de la bourgeoisie capitaliste.

L'histoire devra juger de l'influence de ces idées sur la théologie morale, elle devra dire dans quelle mesure aussi l'Eglise a freiné ou accéléré l'évolution économique. C'est un fait, en tous cas, que seuls les théologiens moralistes habitant les régions économiquement actives se sont interessés à ces problèmes: saint Antonin à Florence, Summenhardt en Allemagne du sud... La géographie des œuvres de morale économique se calque sur celle des courants commerciaux.

Au XVIᵉ siècle, l'univers des affaires subit une profonde métamorphose. Une route nouvelle s'ouvre à l'Occident en direction des pays producteurs d'épices, route maritime directe par l'Océan. Contrôlée par les Portugais, les Espagnols néanmoins la fréquentent. Mais ces derniers viennent de découvrir l'Amérique, aux explorateurs succèdent les conquistadors, les missionnaires et les commerçants. L'axe du grand commerce international se déplace, l'Italie et la Méditerranée se trouvent à l'écart des voies nouvelles du trafic. Tournés vers l'Atlantique, l'Espagne et le Portugal deviennent les centres majeurs de l'activité commerciales. Evidemment, pour nous modernes, et surtout au début, le volume des transactions ne fut pas très important, mais il se concentre sur deux éléments, presqu'exclusivement: les épices pour le Portugal, les métaux précieux — or et argent — pour l'Espagne. Lisbonne et Séville monopolisent le commerce d'outre-mer, tandis qu'Anvers devient la plaque tournante de la distribution des denrées coloniales à travers l'Europe (exactement à partir de 1508, date de la venue des premiers portugais dans son port).

L'afflux des métaux précieux monnayables, or et argent, dépasse tout ce que l'on avait vu jusqu'alors. Passés les premières razzias des trésors accumulés par les civilisations indiennes, les Espagnols exploitent méthodiquement les ressources du sous-sol américain, selon les techniques les plus perfectionnées de l'époque. L'abondance de l'argent produit le goût du risque et de la spéculation, l'obtention de gains élevés sans travail proprement dit. Mais l'inflation, une inflation chronique au cours du XVIe siècle, surtout en Espagne, fut la rançon de cette situation. Cependant l'inflation elle-même assurait à l'expansion commerciale une conjoncture favorable (crédit monétaire facile, amortissement rapide, hausse des prix plus rapide que celle des salaires). Anvers sera le centre du marché de l'argent, elle possède une bourse célèbre, ouverte aux marchands du monde entier. La création d'un commerce plus étendu nécessite des rassemblements importants de capitaux, que permettent les perfectionnements techniques : lettres de crédit, lettres de change, prêts à long terme. Nous assistons alors à l'épanouissement du capitalisme financier, dont les grandes familles allemandes, les Fugger et les Welser, seront les éclatants symboles [21].

L'expansion économique et commerciale de l'Europe du XVIe siècle s'accomplit parallèlement à la diffusion de la réforme protestante. Il est encore difficile de déterminer exactement l'influence de cette dernière sur l'évolution de l'économie. Nous constatons cependant que les changements amorcés au XVe siècle portent leurs fruits. Au moyen âge, la science économique est encore une branche de l'éthique. Désormais les affaires échappent à la régulation de la morale, tout comme la politique d'ailleurs. Les fins économiques s'isolent et deviennent des absolus dont les seules lois seront le jeu des forces en présence et la concurrence la plus effrénée.

L'histoire économique complète du XVIe siècle n'a pas encore été écrite, le sera-t-elle jamais? Nos connaissances des nouveaux circuits commerciaux, des tractations commerciales et des techniques bancaires ont progressé à grands pas depuis cinquante ans. Il nous faut utiliser ce matériel pour étudier les moralistes du XVIe siècle. Ici, encore, comme dans les périodes précédentes, les traités des moralistes suivent la géographie des échanges commerciaux. Si les théologiens allemands s'intéressent aux affaires, l'essor économique de l'Allemagne du sud n'en est-il pas la cause? L'Espagne et le Portugal ont trouvé dans les professeurs de Salamanque ou de Coïmbre des observateurs attentifs et des

---

[21] R. De Roover, *L'évolution de la lettre de change*, Paris, 1953.

théoriciens perspicaces de la vie économique. Les Pays-Bas ont trouvé en Lessius un moraliste des affaires qui ne le cède en rien aux théologiens d'Espagne. Ici encore, il revient à l'histoire de rétablir les ponts entre des domaines séparés depuis plusieurs siècles.

Le XVII⁰ siècle est une période de dépression. Après le boom du XVI⁰, nous assistons à une stabilisation de la conjoncture. L'inflation, la pénurie des marchandises maintiennent les prix. Les centres économiques se déplacent vers le nord et vers l'ouest, Amsterdam et Londres deviennent les grandes places du commerce international.

Le mouvement du capitalisme industriel et commercial s'accentue. Les commerçants ont tendance à grouper les ouvriers dans des ateliers, des manufactures, où ils leur assurent du travail toute l'année. Les modifications de structures augmentent le rôle des états nationaux, l'économie devient un instrument de puissance. Alors apparaît le mercantilisme, qui est, selon l'expression de E.F. Heckscher, « à la fois, un système d'*unification,* par l'instauration d'une économie nationale, un système de *puissance,* l'économie est une force, qu'il s'agit de mettre au service d'une politique de prestige ; par conséquent, le mercantilisme sera aussi un système *protectionniste,* comportant des barrières douanières pour avantager les productions nationales et affaiblir les économies concurrentes. Le mercantilisme est encore un système *monétaire,* qui voit dans le solde monétaire de la balance commerciale le signe et la réalité de la richesse et de la prospérité. Enfin le mercantilisme est une véritable *conception de la vie,* il comporte d'abord un *sens de la liberté* qui, en Angleterre spécialement, fera évoluer lentement ce mercantilisme vers le libéralisme économique, mais aussi il se distingue par son *immoralisme,* les lois du monde économiques sont en dehors des lois morales, la fin justifie les moyens, la raison d'état l'emporte sur la raison morale » [22]. Le mercantilisme se caractérise enfin par son esprit scientifique, l'ordre économique étant un ordre naturel dont il faut découvrir les lois.

Au XVII⁰ siècle, tous les grands états seront mercantilistes,

[22] R. Grousset - E.G. Leonard, *Histoire universelle,* t. 3, Paris, 1958, p. 137.

l'exemple le plus typique en sera le « colbertisme », qui assurera à la France de Louis XIV sa prépondérance économique.

Le XVIIIᵉ siècle nous fera assister au début de la révolution industrielle, surtout à partir de 1750. L'apogée de ce mouvement se situera vers 1870 et sa chute accélérée se manifestera à partir de 1900, il déborde donc largement le cadre de cette histoire. Cette vague n'est d'ailleurs pas simultanée, si elle touche d'abord l'Angleterre, elle fait sentir ses effets bien plus tard dans d'autres pays, elle en épargne même quelques uns.

La révolution industrielle se manifeste par le changement de sources d'énergie, spécialement le charbon intervient d'une façon prépondérante dans l'industrie, mais surtout par deux phénomènes distincts mais concomitants, la concentration des ouvriers, des ateliers et des capitaux et le début du machinisme.

Le problème d'un prolétariat, mal nourri, mal logé, mal payé, astreint à un véritable travail forcé qui n'a bien souvent pour limite que les forces physiques de l'ouvrier ou le bon vouloir du patron, ne se posera dans toute son acuité qu'au cours du XIXᵉ siècle, nous n'en sommes encore qu'aux premières phases, il importait de le souligner.

Comment les auteurs des « Institutiones Morales » ont-ils jugé le « mercantilisme » ? Il est vrai qu'il a sévi surtout dans des pays protestants, Hollande, Angleterre, mais la France ne fut-elle pas aussi une grande puissance mercantiliste, surtout avec Colbert? Or, les moralistes abondent au pays de Pascal, où se développent à cette époque les interminables controverses sur la morale relâchée. Nos théologiens ne furent -ils pas trop préoccupés par les problèmes de la grâce? Il faut avouer que l'absolutisme royal ne tolérait pas que l'on examinât de trop près la politique économique qui devait servir le prestige du « Grand Roi ».

A-t-on pressenti au XVIIIᵉ siècle le problème posé à la doctrine chrétienne par le capitalisme industriel? Notre enquête devra répondre aussi à cette question, ou du moins susciter sur ce point des travaux spécialisés. Ici encore, répétons le, nous devons considérer le milieu économique dans lequel écrivent nos théologiens. La plupart exercent leur ministère pastoral ou leur enseignement, tel saint Alphonse de Liguori en Italie du sud, dans des zones où

l'évolution industrielle sera fort en retard sur les pays industriali-
sés précocement comme l'Angleterre.

* *
*

Si les auteurs des « *Institutiones Morales* » ou des « *Theologia Moralis* » de la fin du XVIIIe siècle n'accordaient qu'une mé-
diocre attention aux doctrines économiques de leur temps, atta-
chaient-ils plus d'importance aux grands mouvements intellectuels
européens? De par leur formation littéraire et scolastique peut-
être inclinaient-ils davantage à se pencher sur les doctrines philosophiques pour en exploiter les richesses, exprimer les vérités de
l'Evangile dans un langage compris des contemporains ou même
pour combattre l'influence pernicieuses des doctrines opposées à
la théologie chrétienne?

Certes la période qui s'écoule entre le moment où Guillaume
d'Ockham commente à Oxford les *Sentences de Pierre Lombard*
(1320) et celui où Emmanuel Kant compose la *Critique de la Raison Pratique* (1788) ne peut passer pour un noman's land philosophique. Du XIVe siècle à la fin du XVIIIe siècle, un mouvement intellectuel intense anime notre monde occidental, il nous
faut le connaître à fond pour déceler les multiples influences qu'il
ne manqua certes pas d'exercer sur les théologiens et les moralistes.

Inutile de redire ici l'importance de l'imprégnation de la
philosophie, de la théologie, ou même de notre culture occidentale
par les théories nominalistes. Pendant plus d'un siècle, elles ont
constitué le milieu vital de la pensée; dans des domaines aussi
divers que les sciences exactes, la théologie ou la spiritualité, nous
rencontrons, à chacune de nos remontées dans le temps, le nominalisme, soit comme une composante de la pensée, soit comme une
réaction contre son influence prépondérante. Inutile, sans l'intelligence du rôle historique du nominalisme, d'espérer comprendre l'évolution intellectuelle au cours de l'époque moderne.

En théologie, ce terme couvre encore la morale et le dogme,
l'influence du Venerabilis Inceptor fut d'autant plus forte qu'il
était dans la place. L'œuvre centrale de Guillaume d'Ockham
n'est-elle pas son Commentaire sur les Sentences du Lombard? Or,
durant plus de cent cinquante ans, tout écolier appliqué qui tenait

à passer sans trop de mal l'épreuve de l'enseignement des Sentences comme Bachelier Sentenciaire, copiait les explications données en classe par un professeur souvent gagné lui même à la
cause du nominalisme, ou se composait une liste imposante d'*aucto-
ritates* dont Guillaume d'Ockham n'était pas un des moindres
fournisseurs. Seule l'introduction de la Somme de saint Thomas
comme texte à commenter dans les Universités du XVIᵉ siècle
mettra en échec l'influence prépondérante du nominalisme.

Parallèlement au nominalisme, en opposition même avec lui,
se développent au cours des XVᵉ et XVIᵉ siècles, dans toutes les
directions, de nombreux mouvements de pensée. Il serait impossible de vouloir ramener à l'unité les multiples aspects de ce foison-
nement d'idées neuves. L'Humanisme renaissant sera l'un des courants les plus connus et le plus agissant de la pensée du XVIᵉ, le
plus important aussi pour l'évolution de la théologie morale.

Un des caractères particuliers de la renaissance humaniste
est le retour aux « sources » : ce désir de s'abreuver longuement
à l'eau vive qui jaillit de terre et non plus aux canaux plus ou
moins embourbés des commentaires scolastiques. En philosophie,
ce « retour aux sources » est aussi un retour à Platon, dont le
groupe des philosophes de Florence explore avec ardeur la pensée.
Leur étude n'est pas exclusivement philosophique, ils veulent
trouver chez Platon l'« art de bien vivre », une morale et même
une mystique, ainsi ils mettent en évidence le côté religieux, voire
spécifiquement chrétien de Platon, soit qu'ils veulent, comme Pé-
trarque et Ficin, Vivès et Erasme, concilier le platonisme avec
le christianisme, soit même qu'ils entendent comme Pléthon, Guillaume Postel et Jean Bodin, constituer à l'aide d'éléments plato-
niciens une sorte de pure religion rationnelle accessible à tous.

En théologie le « retour aux sources » signifiait un contact
direct avec l'Ecriture et la tradition patristique ; en dehors des
cadres scolaires s'élaborait ainsi une « théologie moderne », une
morale aussi toute centrée sur la « *Philosophia Christi* », sur l'imitation du Christ, morale de l'intériorité, réponse de l'homme à
l'appel de l'Esprit. Erasme représente pour nous cet humanisme
chrétien, il n'est pas le seul. A la fin du XVIᵉ siècle encore, Mon-
taigne s'efforcera de promouvoir une morale correspondant à
l'Evangile. - Il nous faudra évidemment étudier ces mouvements

de pensée, qui se situent en dehors de la scolastique, mais prétendent être à l'intérieur de la théologie. On sait, par ailleurs, l'influence de l'Erasmisme sur François de Vitoria et la spiritualité espagnole.

D'autres courants, tels le naturalisme et le panthéisme formeront les traits marquants de la spéculation philosophique du XVIᵉ siècle, seraient-ils sans action ou réaction sur la morale? Et la tradition stoïcienne n'a-t-elle pu donner naissance à une variété de morale chrétienne?

L'élaboration des «*Institutiones Morales*» allait changer les données du problème des relations entre la morale et la philosophie. Ces livres professionnels destinés au confesseur pour lui permettre d'administrer validement et même avec profit spirituel du pénitent le sacrement de la réconciliation avec Dieu ne comportent guère de principes généraux, mais uniquement des définitions logiques, des éléments de casuistiques ou les principes doctrinaux indispensables à une détermination de la gravité des transgressions. Il s'agit bien là d'une «Grenzmoral» selon l'expression allemande, la marche vers la perfection spirituelle ou morale étant du ressort d'autres disciplines, telles la mystique, l'ascétisme ou... la philosophie morale. Les relations des *Institutiones* avec les mouvements intellectuels ou spirituels seront beaucoup plus restreintes et plus difficiles aussi à déceler.

Quelle fut sur la théologie morale l'influence du plus grand philosophe français R. Descartes, dont les doctrines monnayées par les manuels formèrent à la philosophie de nombreux clercs? Le Père D. Capone nous a magistralement décrit les premières rencontres de saint Alphonse de Liguori avec la philosophie cartésienne [23]. Qu'en est-il resté dans sa «Theologia Moralis»? Nous pourrions poser les mêmes questions au sujet du grand philosophe de la seconde moitié du XVIIᵉ, Leibnitz, au sujet de Malbranche, comme à celui de Spinoza ou de Wolff. Que penser des empiristes anglais, Fr. Bacon, Hobbes, Locke ou Berkeley, et de leur influence sur les théologiens?

Le XVIIIᵉ siècle nous apparaît dans l'histoire sous le nom de

---

23 *Sant'Alfonso de Liguori, Contributi bio-bibliografici*, Brescia, 1940, p. 111-182.

8.

« *Siècle des lumières* ». Les idées nouvelles sont les lumières qui doivent guider l'humanité vers le progrès. En Italie, on parle d'*Illuminismo* », en Angleterre d'*Enlightenment*, l'illumination qui perce les ténèbres dans lesquelles le monde jusqu'alors a vécu. La plupart des auteurs *éclairés* préconisent une morale philosophique rationnelle qui ne manquera pas de modifier la présentation de la morale chrétienne. En Allemagne, surtout, l'*Aufklärung*, qu'il faut d'ailleurs se garder de considérer comme un mouvement de pensée homogène, a contribué, vers la fin du XVIIIᵉ siècle, à l'élaboration d'une théologie morale originale en même temps d'ailleurs qu'Emmanuel Kant formulait sa morale du devoir et de l'impératif catégorique, dont s'inspireraient au XIXᵉ siècle certains moralistes catholiques.

On le voit, le champs d'investigation est immense. Il nous faut cependant considérer comme centre de notre étude les *Institutiones Morales*. La théologie morale acquiert alors une certaine autonomie, ne serait-ce pas un appauvrissement? Mais cette question ne nous regarde pas en ce moment. Il n'appartient plus à l'historien de la morale d'écrire l'histoire des rameaux disjoints de la théologie. Nous songeons ici aux classiques de la spiritualité française, aux maîtres de l'ascèse ou de la mystique, sainte Thérèse d'Avila ou saint Jean de la Croix. Ces doctrines sont la fleur et le couronnement de la morale chrétienne, elle ne sont pas de la *théologie morale*. On peut le regretter, c'est un fait qui s'impose à l'historien. C'est à ce prix seulement que nous pourrons comprendre la situation de la théologie morale dans la période moderne.

*
* *

L'histoire de la théologie morale n'est qu'une province de l'histoire générale de l'Eglise; à ce titre, nous devrions ici tracer les coordonnées de l'évolution historique du catholicisme durant les cinq siècles de l'époque moderne. Mais plus que de coordonnées, c'est d'une trame qu'il s'agit. Chaque moment de la vie de l'Eglise peut avoir un retentissement en théologie morale, élection papale ou décision conciliaire, canonisation ou réforme conventuelle. Nous devrons donc faire appel tout au long de notre exposé aux péripéties de l'histoire de l'Eglise. Nous voudrions signaler ici simplement les axes majeurs de la vie de l'Eglise, réservant aux études de détail l'examen approfondi des influences et des interactions. Les recherches historiques récentes nous ont donné d'importants éléments de solution et des conclusions solidement établies sur les différents problèmes de l'histoire de l'Eglise, mais aussi de l'histoire des différentes disciplines ecclésiastiques, telles le dogme ou la pastorale, la catéchèse, la spiritualité ou le droit canon, il nous appartient de jeter entre ces domaines les *ponts* qui faciliteront la compréhension de l'ensemble.

L'aventure théologique de Guillaume d'Ockham se noue en Avignon, où la papauté s'est transférée (1309-1377). Le théologien d'Oxford a déjà établi les principes qui ruineront les grandes synthèses médiévales, lorsqu'il met sa dialectique au service de l'Empereur Louis de Bavière. Le *Venerabilis Inceptor* entrait ainsi dans le dernier grand conflit de la Papauté et de l'Empire: Jean XXII (1316-1334) contre Louis de Bavière. Conflit politique certes mais aussi spirituel, le Général des Franciscains n'hésitera pas à rallier le camp impérial pour faire triompher ses thèses sur la pauvreté évangélique. La controverse ne se limite pas aux personnes, Ockham pose la question du primat pontifical, Marsile de Padoue et Jean de Jaudin élaborent, dans le *Defensor Pacis,* un programme révolutionnaire en rupture complète avec la pensée médiévale et la tradition de l'Eglise sur le problème des relations entre l'Eglise et l'Etat.

En même temps que, dans la chrétienté, baisse le respect à l'égard du successeur de Pierre, le désordre s'installe en Italie et bientôt avec le *Grand Schisme* dans la chrétienté toute entière (1378-1417). Durant près de quarante ans, l'Eglise fut divisée contre elle-même en deux ou trois factions rivales, sous l'autorité de deux ou trois Papes s'excommuniant mutuellement et excommuniant la chrétienté. Certes des saints vécurent ardemment la perfection chrétienne dans chaque camp, mais le moins qu'on puisse dire c'est que l'Eglise déchirée de la fin du XIVᵉ siècle ne formait pas ce milieu de sainteté où s'épanouissent avec facilité les vertus chrétiennes. Pour résoudre le Grand Schisme, les théologiens dépensèrent des trésors d'ingéniosité, mais par le fait s'introduisirent dans le gouvernement de l'Eglise des principes qui pèseront lourdement sur l'évolution future de la chrétienté. D'une part, le conciliarisme opposera le Clergé, spécialement les docteurs en théologie, au Souverain Pontife en des luttes stériles. La hiérarchie prendra le dessus, mais la juste victoire de l'autorité pontificale entraînera l'ajournement de la réforme morale longuement réclamée par les Conciles de Constance et de Bâle. Par ailleurs, pour surmonter la crise conciliaire, les Papes avaient dû donner des gages aux souverains d'Angleterre ou de France, d'Espagne ou d'Allemagne, réintroduisant ainsi dans l'Eglise l'influence politique d'états nationaux en pleine croissance.

Non content d'abandonner une partie de ses prérogatives, le Souverain Pontife entre dans le jeu politique. L'Etat pontifical se sécularise de plus en plus ; rejetant au second plan les devoirs religieux, les Papes de la Renaissance nous apparaissent plus comme des princes temporels que comme les Vicaires du Christ. L'impulsion spirituelle ne pouvait désormais venir de Rome. De toutes parts montait le cri vers la Réforme. Les humanistes par leur piété personnelle, les théologiens, par le retour à saint Thomas, les pasteurs d'âmes aussi amorcent dans les faits la réalisation d'une réforme catholique, mais l'Eglise avait trop tardé. En novembre 1517, Martin Luther affichait quatre vingt quinze thèses à la porte de l'église du château de Wittemberg.

Le XVᵉ siècle fut l'époque de la désintégration des cadres de l'Eglise, de sa théologie comme de sa discipline. La « réduction à l'individu » ne se manifeste pas simplement dans le nominalisme ockhamiste, mais dans tous les domaines : politique, économie, droit, théologie, liturgie. Au début du XVIᵉ, ce courant atteindra son point culminant, Humanisme et Réforme en soulignent les articulations. La Réforme, en particulier, proclame son affirmation de l'individu dans le domaine religieux et spécialement en éthique. Nous ne pouvons négliger ce grand fait de la réforme protestante. L'historien de la doctrine morale se doit de marquer, d'une part, les préparations lointaines ou prochaines de l'éthique protestante, d'autre part, de déceler les prolongements des options protestantes dans le protestantisme lui-même et dans le catholicisme.

A la Réforme, qui se mue bientôt en « Eglise installée », s'oppose ce qu'on a appelé d'un nom impropre la Contre-Réforme catholique, dont l'expression la plus haute fut le Concile de Trente. Préparé par les efforts des réformateurs catholiques, porté par les aspirations de la meilleure partie de l'Eglise, le Concile constitue le centre et l'axe de l'action de l'Eglise au cours du XVIe siècle (1545-1563). S'il a échoué dans ses tentatives pour ramener les protestants à la foi catholique, il a marqué le point de départ d'une refonte par l'intérieur de la vie et de la pastorale de l'Eglise. Appliqués par des prélats réformateurs, ses décrets aboutissent à la mise en place d'un dispositif pastoral nouveau, où le Sacrement de Pénitence occupera avec l'annonce de la Parole de Dieu une place d'honneur. L'institution des séminaires, l'intervention des nouveaux ordres religieux auront de profondes répercussions dans l'enseignement de la théologie morale. A ce titre, le Concile de Trente jouira dans l'histoire de la théologie morale moderne d'un traitement de faveur.

Tout au cours du XVIe siècle, catholiques et protestants s'affrontent dans des guerres internationales et civiles, l'œuvre de la restauration ne s'en étend pas moins à de larges couches de la société chrétienne provoquant une efflorescence de la vie spirituelle qui s'épanouit en mystique. Il serait contraire à l'intelligence profonde de la vie de l'Eglise au XVIe siècle d'oublier qu'il fut aussi le siècle de la Mystique. Certes la restauration chrétienne s'est plus d'une fois accommodée aux tendances des classes dominantes européennes, noblesse et bourgeoisie, il n'en demeure pas moins vrai que les années tournantes de la fin du XVIe et du début du XVIIe siècle marquent un renouveau religieux qui ne se traduit pas seulement en spiritualité.

L'Eglise du XVIIe siècle est troublée par des controverses sans fin qui prennent leur point d'appui commun dans le Jansénisme et le Gallicanisme. La prépondérance politique de la France de Richelieu ou de Louis XIV pèse lourdement sur la solution des problèmes théologiques. Le Jansénisme comportait lui aussi une morale en réaction contre l'humanisme du siècle précédent. Entre les extrémistes des deux parties, les Souverains Pontifes surent affirmer les requêtes majeures de l'Evangile. Mais les luttes doctri-

nales violentes épuisèrent la vitalité du christianisme. Le XVIIIe
siècle verra l'Eglise attaquée sur tous les fronts.

Le Jansénisme devenu force politique appuie l'action des rois
ou de leurs ministres qui s'efforcent de réduire l'influence de
l'Eglise sur la société, de battre en brèche ses privilèges, de ne
plus considérer en elle qu'une « Maîtresse de moralité ». On pour
rait citer ici plus d'un nom, ceux de Pombal ou de Joseph II
auraient valeur de symbole. L'assaut donné aux ordres religieux,
la suppression des Jésuites portent un coup fatal à l'influence
intellectuelle de l'Eglise, violemment attaquée par les philosophes
et les Encyclopédistes. Tout au long du XVIIIe siècle l'Eglise doit
adopter une attitude de repli devant le régalisme. Parmi les Souverains Pontifes, de bonne volonté mais faibles et indécis, un
seul, Benoit XIV, se manifeste à la fois comme un pasteur d'âmes
et un théologien, c'est autour de cette grande figure que s'ordon-
neront les grandes œuvres de théologie de son siècle. La longue
vie de saint Alphonse de Liguori dans la Naples du Marquis Ta-
nucci nous sera un type parfait du rôle joué par la théologie morale dans l'Eglise et le monde du XVIIIe siècle.

Ces notions d'histoire paraîtront bien fragmentaires. Ici encore et plus que pour les autres coordonnées, il appartiendra à
chaque chapitre particulier d'en préciser les détails variés et
souvent importants. Nous n'avons voulu ici que tracer les grandes
lignes du cadre dans lequel s'inscrit notre histoire.

Il me semble inutile de parler longuement des sources que
nous interrogerons. Si les manuels et traités *ex professo* de théologie morale tiennent le premier rang, si les commentaires des
Sentences de Pierre Lombard ou de la Somme de saint Thomas
sont abondamment consultés, il est clair que nous ne négligerons
aucune source d'ordre littéraire, philosophique, théologique ou
juridique qui nous permette de cerner une réalité toujours mou-
vante. Le schéma des coordonnées que nous venons de proposer
indique clairement le sens de notre recherche.

*
* *

Le lecteur qui nous aura suivi jusqu'ici aura, sans doute,
constaté, dans les différents domaines abordés et malgré des détails particuliers, d'étonnantes convergences. Géographie, histoire

politique, économie, littérature présentent aux mêmes époques les mêmes points de rupture. Sans parler d'un synchronisme absolu, il nous faut bien confesser que la théologie morale s'encadre assez bien dans l'évolution du monde occidental moderne. Nous pouvons ainsi présenter brièvement le plan de nos études.

Nous divisons l'histoire de la théologie morale moderne en deux grandes parties.

Dans la première, nous retraçons les *Origines des Institutiones Theologiae Moralis* (XIVe-XVIe siècle). A travers les préparations lointaines « Sous le signe du Nominalisme » (chap. I) et de « L'Ere des Sommes des Confesseurs » (Chap. II), nous assistons à la mise en place d'éléments importants des *Institutiones*. « La Renaissance thomiste » (Chap. III) fournira les bases doctrinales d'un renouvellement de la morale. « La naissance d'un genre littéraire nouveau : *Les Institutiones Theologiae Moralis* (Chap. IV) se fera sous la pression des nécessités pastorales au lendemain du Concile de Trente.

Dans la seconde partie, nous étudions *La crise de la Morale aux XVIIe et XVIIIe siècles*. Crise amorcée par « Le Laxisme » (Chap. I), exacerbée par « La réaction Janséniste » (Chap. II), qui s'exprime aussi dans des controverses violentes entre « *Probabilistes et Probabiliioristes* » (Chap. III), dénouée enfin par « *Les Interventions du Magistère* » (Chap. IV). Si au XVIIIe des « Controverses mineures » (Chap. V) agitent encore l'Italie, deux grandes figures de moralistes se détachent Daniel Concina O.P., l'auteur de la *Theologia Christiana*, ardent propagateur du probabiliorisme (Chap. VI), et saint Alphonse de Liguori (Chap. VII), dont la *Theologia Moralis* donne une solution de sagesse aux problèmes posés par la morale des Institutiones. Au temps du philosophisme, la morale tente des « Voies nouvelles, en Autriche et en Allemagne » (Chap. VIII), qui ne déboucheront qu'au XIXe siècle.

*
* *

Ecrivant en 1762 à son éditeur Giambattista Remondini, saint Alphonse de Liguori lui disait : « La Morale est un chaos qui ne finit jamais. Pour moi, je lis toujours et toujours je trouve

120

des choses nouvelles » [24]. Nous espérons que dans ce chaos de l'histoire de la morale le lecteur découvrira aussi des choses nouvelles, et que ces cinq siècles de théologie morale parfois « chaotique et désordonnée », présenteront aussi des aspect « féconds et suggestifs », qui serviront la cause de la morale du Royaume de Dieu.

---

[24] S. ALFONSO, *Lettere*, Parte IIª, vol. unico, Roma, s.d. p. 144-145: « 27 gennaio 1762: ... La Morale è un caos che non finisce mai. Io all'incontro sempre leggo e sempre trovo cose nuove... ».

Antonio Hortelano

TEOLOGIA MORAL Y ECONOMIA

SUMMARIUM

Semper sed praesertim nostris diebus res oeconomicae maximi momenti fuerunt. Immo ut videtur magna tensio internationalis hodierna quae causa est praeocupationis quoad futurum politicum, sociale et religiosum humanitatis a solutione problematis oeconomici magna ex parte pendet.

Diversae sunt actitudines hodiernae circa relationem inter Theologiam Moralem et Oeconomiam. Secundum aliquos nulla datur relatio possibilis inter unam et alteram. Ad hanc thesim hi veniunt propter suam inclinationem nimis spiritualisticam (transcendentalismus eschatologista) vel materialisticam (capitalismus liberalis-marxismus). Secundum alios autem ita intima est relatio inter Theologiam Moralem et Oeconomiam ut practice inter unam et alteram nulla continuitatis solutio detur (creationismus evolutivus). Fine finaliter — et haec recta omnino videtur actitudo secundum revelationem biblicam et traditionem ecclesiasticam — Oeconomia potest aliquo modo a Theologia assumi praevia ipsius redemptione et supernaturali christianisatione. Theologia non potest autonomiam scientiae oeconomicae ignorare et hac de causa non potest problemata oeconomica sub aspectu mere technico considerare, sed solum in quantum ordinem dicunt ad hominem dignitate personali ornatum et quidem in perspectiva christiana. Id est Theologia in rebus oeconomicis Mysterium Christi videre debet.

En todas las épocas de la historia humana los problemas económicos han condicionado decisivamente el comportamiento general del hombre. « Poderoso caballero es Don Dinero », decía Quevedo. Pero este fenómeno se acusa en los tiempos modernos de una manera insólita, como consecuencia del desarrollo de la técnica y del materialismo creciente a que estamos sometidos desde la desintegración de la llamada « Cristiandad » medieval.

Los factores económicos condicionan de un modo decisivo toda la vida moderna: la familia, el trabajo, la política, el arte, la ciencia y hasta la misma vida religiosa y el apostolado. El hombre moderno se nos presenta ante todo como un « homo oeconomicus ». Son sobre todo los economistas los que parecen llamados en nuestra época a tomar las riendas de la historia. En la dramática tensión Este-Oeste a que estamos asistiendo con el alma en vilo, porque de ella depende nuestra existencia individual y colectiva, la victoria será probablemente de aquél que ofrezca la mejor solución a los problemas económicos de nuestro tiempo. A no ser que cambien las preocupaciones actuales de la humanidad, el último cuarto de hora pertenecerá probablemente a aquél que consiga alcanzar para sus seguidores un más alto nivel de vida.

Posibilidad de una Teología Moral Económica

Es natural que ante esta perspectiva los católicos se sientan preocupados por el porvenir de la economía mundial. El cristianismo tiene conciencia de su misión salvadora del mundo y por eso no puede desinteresarse de un fenómeno que va a condicionar decisivamente la marcha de la humanidad en el futuro inmediato.

Ante todo se le plantea al cristiano de nuestro tiempo la tarea de juzgar las cuestiones económicas a la luz de una concepción religiosa del mundo y de la historia, es decir, a la luz de la Teología. Pero aquí surge inmediatamente un problema. ¿Es posible una Teología de los problemas económicos? ¿La Teología puede descender de sus trascendentales alturas para encerrarse en el mundo de la economía y de los intereses puramente materiales?

A primera vista una Teología económica es algo contradictorio en su misma formulación. Teología, en efecto, es la « scientia de Deo », la ciencia de Dios, mientras que la Economía es la ciencia o arte reguladora de los bienes materiales. Nada parece más antitético que la ciencia de Dios, espíritu puro, y la ciencia de los bienes materiales.

Sin embargo, hoy más que nunca, parece abrirse camino lo que podríamos llamar una TEOLOGIA ECONOMICA. Respecto a la coordinación entre Teología y Economía caben tres actitudes diferentes posibles:

Primero, la actitud de los que creen que la Teología y la Economía son *dos caminos* diferentes que no llegan nunca a encontrarse. Adoptan esta actitud, en primer lugar, los *espiritualistas exagerados*. «Se sabe muy bien, como dice Spaunent, que existe en el pensamiento cristiano una corriente de menosprecio hacia la materia en beneficio del espíritu. Se divide al hombre y al mundo en puro e impuro ensalzando su parte espiritual y rebajando en cambio la material. El neoplatonismo, radicalmente dualista, ha contribuido de un modo esencial al desarrollo de esta tendencia, que desemboca en una espiritualidad de evasión del mundo, una de cuyas más famosas manifestaciones es el gnosticismo. Los Padres de los primeros siglos hasta el año 23º no manifiestan propiamente hablando un menosprecio hacia la materia... aunque es verdad que aparece en ellos una tendencia discretamente dualista que opone el mundo a Dios. S. Ignacio enfrenta visible e invisible y Atenágoras creado e increado. Tertuliano juzga a la materia indigna de Dios. Pero no hay en esto nada que pueda sorprendernos. La trascendencia divina, dogma fundamental de la fe cristiana, no podía menos de ahondar el abismo que separa a Dios de la creación, frente a un pensamiento griego, siempre tentado por el panteismo»[1].

Sin embargo hay que reconocer que el cristianismo primitivo ha adoptado de hecho una actitud de evasión y huida ante los valores materiales. Han sido necesarios varios siglos para que la mística evangélica influya en las estructuras temporales. En un principio la comunidad cristiana vive autárquicamente, aun incluso desde el punto de vista económico, gracias a la intercomunicación de bienes. La Iglesia primitiva constituye un pequeño mundo religioso enquistado en el mundo a secas. Es verdad que gracias a este aislamiento se crea una mística poderosa y un nuevo tipo de hombre que después, llegado el momento, irrumpirá en el mundo para cristianizar sus estructuras, dando lugar al espectáculo maravilloso de la Cristiandad. Este fenómeno se repite con

[1] M. SPAUNENT, *Le stoïcisme des Pères de l'Église* (París, 1957) 364-365.

124

frecuencia a lo largo de la historia. Siempre que la Iglesia se encuentra frente a la tarea de renovar un mundo en crisis, las minorías cristianas sienten como la necesidad de aislarse del mundo ambiente, desembarazándose de las viejas estructuras caducas y anquilosadas y poniéndose en contacto con el espíritu de la Iglesia primitiva. Se constituye así un tipo de comunidad cristiana reducida, profética, espiritual y poco organizada jurídicamente. El cristianismo se siente de este modo libre y ágil para infundir su espíritu en las nuevas estructuras que surgen[2].

Esta tendencia a alejarse periódicamente del mundo, sobre todo en los momentos de crisis de lo temporal, empalma hasta cierto punto con lo que podríamos llamar «huida al desierto», considerado éste como una escuela de preparación para una posterior acción en el mundo. Moisés, Elías, Juan Bautista, Cristo confirman con su ejemplo esta tendencia. En el fondo este despego por lo material, que aparece tan netamente en los Padres del desierto y en toda la tradición monástica y escatológica de la Iglesia, remonta a la vida seminómada del pueblo hebreo, en los orígenes de la revelación bíblica, aunque se ha complicado después con otros motivos de índole sicológica y teológica.

Los antecesores de los israelitas y los mismos israelitas han llevado al principio de su historia una vida nómada o seminómada. No parece que los hebreos hayan sido grandes nómadas o verdaderos beduinos, palabra que significa «hombre del desierto». El beduino pastorea camellos y puede habitar o por lo menos atravesar regiones propiamente desérticas con menos de 10 cm.[3] de lluvia anual. Tiene pocos contactos con los sedentarios. Los hebreos eran más bien pastores de rebaño menor: cabras y carneros. Eran verdaderos nómadas, pero no podían, dada la fragilidad de sus animales, habitar el desierto propiamente dicho, sino las regiones subdesérticas, y estaban por eso más en contacto con la vida sedentaria. Cuando la Biblia se ocupa de los hebreos éstos estaban ya entrando en el proceso de sedentación. Es el momento en que el pastor empieza también a ocuparse de los bovinos. En-

---

[2] H.C. DESROCHES, *Inspiration Religieuse et structures temporelles* (París, 1948) 8-19.

tonces deja de ser nómada para hacerse sedentario en sentido estricto. Se fija en un lugar y comienza a cultivar la tierra y a construir casas. Este proceso de sedentación del pueblo hebreo culmina con los Reyes. Pero apesar de la sedentación permanecen en el lenguaje y en la mentalidad del pueblo muchos residuos de la vida nómada (Jr 19, 9; 20, 8; 1 Sam 13, 2; 1 Reg 8, 66; 4, 10; 2 Sam 18, 17; Ps 23; Is 40, 11; Jr 23, 1-6; Ez 34). Existe todo a lo largo de la Biblia lo que se ha llamado « ideal nómada », sobre todo en la época de los Profetas. En sus escritos aparece una evidente reacción contra la vida sedentaria de Canán, que tantos riesgos implica de corrupción religiosa y moral para el pueblo hebreo. Hay una especie de nostalgia de los años pasados en el desierto, años de juventud, de desprendimiento de los bienes materiales (maná), de fidelidad a Yavé (Jr 2, 2; Os 13, 5; Am 2, 10). Los Profetas condenan enérgicamente el lujo y la corrupción de la vida urbana (Am 3, 15; 6, 8) y creen que la solución para el futuro será una vuelta espiritual al desierto (Os 2, 16-17; 12, 10). La vida es una marcha a través del desierto hacia la nueva tierra de promisión, la celestial Jerusalén, lo que implica un despego de los bienes de la tierra y una condenación de la acumulación de los mismos [3].

Este desprendimiento de los bienes materiales de origen veterotestamentario se continúa sin interrupción a través del Nuevo Testamento y del primitivo cristianismo incorporando nuevos elementos de carácter ascético y escatológico que vienen a confirmar a los cristianos en una actitud de reserva frente a los valores materiales. En ciertos ambientes de tendencia un tanto exageradamente espiritualista se llega incluso a un verdadero desinterés de las realidades terrestres. Esto explica parcialmente el que la economía moderna, en su gran época de expansión, a partir de los grandes descubrimientos geográficos del siglo XVI, se haya estructurado en gran parte al margen de un catolicismo demasiado influenciado en algunos sectores por el espiritualismo exagerado de ciertas tendencias sobre todo ascéticas.

Es cierto indiscutiblemente, como dice S. Juan Crisóstomo

---

[3] R. DE VAUX, *Les institutions de l'Ancien Testament* I (París, 1957) 15-17; 29-33.

y toda la tradición bíblico-cristiana, que no somos sino administradores de los bienes que Dios nos ha dado (1 Petr 4, 7-11) y es cierto también que los bienes materiales pasan como el humo. En sí nada valen o casi nada y pueden ser un peligro para el hombre al convertirse en objeto de adoración (Mt 6, 24; Lc 16, 13)[4]. Sin embargo los bienes materiales no son en sí intrínsecamente malos. Hay que evitar ciertas exageraciones de un espiritualismo mal entendido. El dinero no es malo en sí mismo. Tener riquezas no es de por sí pecado. El pecado está en emplear mal el dinero, en divinizarlo, haciendo de él un « mammón » de iniquidad, según la original expresión de Jesús. « Bienaventurados, por eso, los pobres de espíritu », o sea, aquellos que ponen a Dios por encima del dinero. La pobreza no es un estado, sino más bien una actitud espiritual. Un rico puede ser « pobre » en el sentido evangélico, aunque en realidad de verdad le resultará difícil, pero no imposible, pues para Dios no hay nada imposible. Y por el contrario puede haber un pobre materialmente que no lo sea de espíritu, pues ambiciona desordenadamente el dinero. Es verdad que Jesús, contando precisamente con la dificultad que hay para todo hombre de subordinar el dinero a Dios, cuando se es rico, pide a los que quiere hacer progresar en la unión con Dios grandes gestos y sobre todo la renuncia al dinero « Vende todo lo que tienes y dáselo a los pobres ». Pero a quien esto hace se la promete el céntuplo de lo que ha dejado, aun en el plano material, lo que indica que el dinero no es en sí malo y que tiene un valor, apesar de su peligrosidad. Jesús no fué un proletario o un vagabundo. Es cierto que no tiene dónde reclinar su cabeza, pero acepta la hospitalidad de sus amigos. Los fariseos llegan incluso a acusarle de llevar una vida regalada y burguesa (Lc 7, 31-35). Un grupo de mujeres se encarga de atender a las necesidades económicas del equipo de Jesús y dentro del mismo equipo existe un administrador o ecónomo, Judas. Jesús no preconiza una ética del desprecio al dinero. Lo único que pretende es quitar al dinero su peligrosidad despojándole de su señoría sobre el corazón de los hombres.

El dinero no es un fin, pero es un medio para llegar al fin.

---

[4] J. ELLUL, *L'argent*: *Études théologiques et religieuses* 27, 4 (1952) 31.

Tiene una misión en el mundo. Puede convertirse en ofrenda a Dios o en tributo a sus representantes en la tierra. «Dad a Dios lo que es de Dios y al César lo que es del César» (Mt 22, 15-22; Mc 12, 13-17; Lc 20, 20-26). El dinero puede servir, en efecto, para pagar el impuesto al templo. Cristo aunque no está obligado a ello personalmente, pues El mismo es Dios, hace nada menos que un milagro (el denario que aparece en el pez cogido por Pedro), para cumplir con ese deber en virtud del cual se reconoce el poder de Dios sobre todas las cosas (Mt 17, 24-27). S. Pablo recomienda por su parte que se pague el tributo debido a los magistrados que hacen las veces de Dios. «Es preciso someterse no sólo por temor del castigo, sino en conciencia. Pagadles, pues, los tributos, porque son ministros de Dios constantemente ocupados en eso. Pagad a todos los que debáis: a quien tributo, tributo; a quien aduana, aduana» (Rom 15, 5-7).

El dinero además puede servir para ayudar a la comunidad (koinonía, collecta) y en este sentido es un símbolo plástico de esa unión, pues pasa fácil y sencillamente de unos a otros, según las necesidades de cada uno.

El dinero es así una bendición de Dios (1 Tim 6, 18-19). En lugar de una actitud negativa y de pura abstención frente al dinero, Cristo quiere que se haga fructificar el dinero durante su ausencia, como aparece en la parábola de los talentos (Mt 25, 14-30). Con ese dinero se podrá atender a las necesidades de los hombres (Mt 24, 45-47). S. Pablo dice a los Efesios que hay que trabajar para poder socorrer a los pobres (Eph 4, 28). Claro está que el hombre no llegará a emplear debidamente el dinero ofreciéndolo a Dios y a los demás después de cubiertas las necesidades de su sustento, si no se ha decidido por la señoría de Cristo frente a la de mammón (1 Cor 3, 22), lo que supone una especie de redención cósmica del mundo material (Rom 8, 19-22), que permita una recapitulación de todas las cosas en Cristo Jesús (Eph 1, 10). Hay que poner el dinero y los bienes materiales en un plano subordinado a Cristo. Por eso hemos de poseerlos como quien no los posee, con una total libertad de espíritu, «porque pasa la apariencia del mundo» (1 Cor 7, 29-31). Hemos de estar en el mundo, como dice S. Juan, pero sin ser del mundo (Io 17, 15-19). S. Pablo en una preciosa autoconfesión nos dice cómo ha llegado él a esta libertad de espíritu. «Sé muy bien contentarme con lo que tengo. Sé pasar necesidad y sé vivir en la abundancia; a todo y por todo estoy enseñado» (Phil 4, 10-20). Para conservar precisamente esta libertad espiritual S. Pablo no quiere vivir a cuenta de la comunidad, aunque para ello tiene derecho, como los demás apóstoles, sino del trabajo de sus manos (1 Cor 9, 1-18; 2 Cor 12, 13-17; 2 Thes 3, 6-18; Act 20, 33-35; cfr. Sant 2, 1-9). A los fieles de Tesalónica les amonesta para que no se dejen llevar de la ociosidad, como si el día del Señor fuera inminente (2 Thes 2, 1-3, 6-12).

Gracias a este trabajo hecho con una total libertad de espíritu, el dinero y los bienes materiales tendrán sentido y contribuirán de un modo misterioso, después de una clamorosa transformación, a la existencia de un nuevo cielo y una nueva tierra, en que tendrá su morada la justicia (1 Petr 3, 3-13; Apoc 21, 1), y sobre la que se asentará la celestial Jerusalén (Apoc 21, 22). «A su luz caminarán las naciones y los reyes de la tierra llevarán a ella su gloria» (Apoc 21, 24). Entonces Cristo entregará «las preciosidades de todas las gentes» al Padre, porque suya es la plata y el oro. Y así «la gloria de esta casa postrera será más grande que la de la primera» (Aggeo 2, 8-10; Cor 3, 22-23).

El espiritualismo exagerado no cabe, pues dentro de una adecuada interpretación del cristianismo y de la Teología. En el extremo opuesto de este espiritualismo a ultranza nos encontramos con el *materialismo puro*, para el que todo se reduce naturalmente a Economía, en cuyos dominios la Teología, por lo demás sin sentido en sí misma, nada tiene que decir. El materialismo, tanto en su forma capitalista-liberal, como en su forma marxista, ha escamoteado lo que podríamos llamar dimensión religiosa de la Economía. El liberalismo capitalista sostiene que la religión es un asunto meramente privado, un problema de conciencia individual, que nada tiene que ver con la estructuración económica del mundo. El capitalismo liberal se muestra «indiferente» hacia los problemas de tipo religioso. No les da importancia, porque en el fondo los desprecia.

---

[5] R. Mehl, *Argent*: *Vocabulaire biblique* (París, 1956) 25-28; Y. Trémel, *Dieu ou Mammon*: *Lumière et Vie* 39 (1958) 9-31; G. Thils, *Théologie des réalités terrestres* (Louvain, 1949).

El marxismo, en cambio, afirma, cayendo en el extremo opuesto, que la religión no es sino un subproducto de la economía y un obstáculo a su desarrollo y evolución científica. Fundamentalmente unos y otros niegan el aspecto divino de la economía para adoptar una concepción puramente materialista de la misma. Si la única finalidad de la economía es producir y ganar dinero, si el hombre no es más que un tubo digestivo con dos agujeros, uno arriba y otro abajo, entonces es natural que en la economía no quede sitio para Dios y para las preocupaciones religiosas. Pero la realidad se ha encargado de comprobar con los hechos que una economía que prescinde del hombre y de Dios tiende automáticamente a desintegrarse. Ya Stuart Mill decía: « un economista que no es más que economista es un mal economista ». El « absurdo económico » de la actual guerra fría es una prueba irrebatible de lo que decimos.

Contra el liberalismo capitalista podemos afirmar que la religión ha influído siempre a lo largo de la historia en la estructuración de la economía. Como dice muy bien Donoso y Cortés, toda civilización es siempre, hasta cierto punto, reflejo de una Teología. Es verdad que a lo largo del fluir histórico hemos asistido a una paulatina división del trabajo, que ha afectado, como no podía ser menos, a la distinción entre lo profano y lo sacro, que aparecen confundidos e involucrados en las sociedades primitivas. La misma Iglesia, particularmente durante la Edad Media, ha ejercido intensamente una especie de derecho de « protectorado económico » en la sociedad, para suplir las limitaciones de un Estado todavía incipiente y de la iniciativa privada. La distinción moderna entre economía y religión supone un progreso y una maduración de la humanidad. Pero esta distinción no debe llevarnos al extremo opuesto de negar la íntima relación y mutua influencia que existe de hecho entre la religión y la economía. Una economía cerrada sobre sí misma y que no se preocupa más que de ganar dinero, no sólo no será buena moralmente, ya que despojará al hombre de sentido y finalidad en la vida, sino que ni siquiera servirá para ganar dinero, porque destruirá por un lado con la guerra militar o económica lo que produce por otro[6].

---

6 A. MUELLER-ARMACK, *Genealogie der Wirtschaftstile* (Stuttgart, 1944); M.

Pasada la euforia de las « especializaciones » y sin negar las ventajas positivas de las mismas y su necesidad desde el punto de vista pedagógico, el hombre de nuestro tiempo siente la necesidad, cada vez más urgente, de una síntesis orgánica de todos los factores humanos, también la economía y la religión. Esto no supone una vuelta, por otra parte imposible, al estadio de confusión primitiva, sino una síntesis a partir de la diversificatión. La economía tiene sus técnicas específicas, pero tiene también una dimensión humana y religiosa que no se puede ignorar impunemente. La indiferencia religiosa del capitalismo liberal se está abriendo poco a poco a la inquietud de Dios.

Contra el socialismo marxista tenemos que afirmar que la religión no es un subproducto de la economía ni un obstáculo a la evolución científica de la misma. Es cierto que los factores económicos han influido históricamente en el desarrollo y difusión de la religión y en lo que podríamos llamar mentalidad religiosa. La riqueza y la pobreza excesiva pueden ser un obstáculo para la religiosidad. No suele ser igual la práctica religiosa en las regiones agrícolas de carácter patriarcal y en las regiones industriales. Existe una correlación histórica indiscutible entre las estructuras económicas del Imperio Romano (ciudadanía romana, medios de transporte, carreteras, comercio) y la difusión del cristianismo. Y lo mismo podemos decir de la migración irlandesa, causada en gran parte por la pobreza endémica de la Isla de los Santos, que ha contribuido sin duda a consolidar el catolicismo en los países anglosajones. Pero el hecho de que la economía influya en la religión, no es motivo para negar la influencia a su vez de la religión en la economía, como acabamos de ver, y, lo que es más, su esencial *originalidad y trascendencia*. El grano de trigo, aunque está condicionado por la tierra para su germinación, lleva en sí mismo el germen vital, y no puede en manera alguna considerarse como un subproducto de la tierra que lo recibió. Esta sin él no podría nunca por sí misma dar lugar a la planta [7].

La actitud de Marx con respecto a la religión puede explicarse

WEBER, *Wirtschaft und Geselschaft* (Tubinga, 1925); B. HAERING, *Fuerza y Flaqueza de la Religión* (Barcelona, 1957) 249-254.

[7] M. WEBER, *Gesammelte Aufsaetze zur Religionssoziologie* (Tubinga, 1921); B. HAERING, *Fuerza y Flaqueza de la Religión* (Barcelona, 1957) 249-254.

en gran parte por motivos de carácter sicológico. « De los economistas clásicos ingleses Adam Smith y Ricardo, heredó como indiscutible la tesis de que la vida económica es perfectamente autónoma, no pudiendo ser juzgada ni ordenada por nada que no sea
ella misma. De la mentalidad burguesa que le rodeaba pudo captar
la impresión de que lo económico es el auténtico motor y el verdadero índice de la vida del hombre; la religión en cambio no es
más que un mero adorno ceremonial o un medio para justificar los
privilegios y exigencias económicas de la propia clase. Karl Marx,
que descendía de una familia judía, escribió sobre la perversión
en el judaísmo moderno estas frases virulentas: « ¿Cuál es la
razón de ser del judaísmo en el mundo? La satisfacción práctica
de toda necesidad, el lucro personal. ¿Cuál es el culto de los judíos
en est mundo? La usura. ¿Cuál es su Dios? El oro » [8]. Del cristianismo tampoco pensó y escribió de un modo distinto. Marx, en su
observación, a todas luces insuficiente, llegó a establecer que la
religión estaba frecuentemente al servicio de la exploración del
pobre y que una considerable parte de los trabajadores no se
adscribían a sus propias consignas revolucionarias, precisamente
por razones religiosas. Generalizó lo que había observado como una
impresión condicionadísima a las circunstancias de tiempo y lugar
y entonces elevó a la categoría de principio científico la teoría de
la superestructura económica a propósito de toda doctrina o movimiento político, jurídico, cultural o religioso » [9]. Exactamente igual
que había hecho Freud hacia el mismo tiempo con su famoso
instinto sexual.

Partiendo de esta observación parcial de la religión, que mejor
podríamos llamar pseudo-religión y no auténtica religión vivida
hasta sus últimas consecuencias, que no es un adorno del « homo
oeconomicus », sino su última raíz existencial, la que da plenamente sentido a su existencia en el mundo, es natural que Marx se
opusiera tenazmente a la religión, sobre todo al cristianismo, que
con su mensaje de amor universal es un obstáculo a la lucha de
clases, gracias a la cual, según el marxismo, se llegará a la socia-
zización definitiva. A la indiferencia religiosa del liberalismo, que
no ve en la religión sino un fósil del pasado, sucede con el marxi-

---

[8] K. MARX, *Zur Judenfrage* I (Frankfurt, 1927) 601.
[9] B. HAERING, l. c. 237-238.

132

smo una lucha sin cuartel a la religión en la que se descubre un poderoso adversario. Esta valoración agresiva del cristianismo ha contribuido sin duda al actual despertar religioso en muchos sectores de la humanidad. Los hechos han demostrado contra todos las predicciones de Marx que la lucha de clases tiende a perder tensión a medida que se eleva el nivel de vida y que la religión, lejos de ser un epifenómeno de la economía que debería ya haber desaparecido en virtud de las leyes de la dialéctica histórica, está afirmándose hoy explícitamente en su trascendente originalidad, incluso en las democracias populares, como Polonia y la misma Rusia. El fracaso de los «Sin-Dios» es la mejor contraprueba de la trascendencia de la religión.

La Iglesia, sobre todo en los últimos tiempos, ha reaccionado enérgicamente contra todos aquellos que quieren relegarla al ámbito de las sacristías, como si no tuviera el derecho inviolable de orientar al hombre de la calle en el arduo problema de dar un sentido humano y religioso a la economía moderna [10].

Hasta ahora hemos estudiado la actitud de los que ven en la la Teología y la Economía dos caminos que no pueden encontrarse, actitud a la que se llega en virtud de un espiritualismo o un materialismo exagerados.

La segunda actitud a propósito de las relaciones entre Teología y Economía es diametralmente opuesta. Trata de ver en los bienes materiales *un medio adecuado para llegar al Dios vivo de la revelación*. En el fondo esta actitud se apoya en una concepción optimista de la creación. El mundo material, sin necesidad de ser corregido ni rectificado, sería de por sí una imagen exacta del Dios de Abraham, Isaac y Jacob y un medio adecuado para la estructuración religiosa de la humanidad. Mientras que el espiritualismo exagerado insiste excesivamente en la trascendencia de Dios y en una visión escatológica del mundo, esta otra actitud insiste más bien en la inmanencia de Dios y en una visión optimista de la realidades terrenas. Unos ven los bienes materiales exclusivamente a la luz del primer día del mundo (creación), otros a la luz del último día (catástrofe final).

---

[10] J. VILAIN, *L'enseignement social de l'Église* (1953-1954); Mgr. GUERRY, *La doctrine sociale de l'Église*; J.Y. CALVEZ y J. PERRIN, *Église et société économique* (París, 1958).

Esta actitud optimista sobre las relaciones entre Teología y Economía trata en efecto de apoyarse en el misterio de la creación. Los bienes materiales, según el Antiguo Testamento, constituyen el esplendor y la gloria de la creación. Y como la creación no puede concebirse independientemente del Creador-ésta es una idea básica en la Biblia-es natural que esta gloria y este esplendor aparezcan como perteneciendo a Dios (Ps. 24, 1). Dios es el verdadero propietario de los bienes materiales. Dispone de ellos como quiere y los da a quienes quiere. Por eso las riquezas son signo de la bendición de Dios que recompensa con ellas la fidelidad de su pueblo (Ps 34, 11; 36, 9; 65, 10-14; Ez 1, 19).

Sin embargo ya el libro de Job nos muestra que no hay que ver una unión esencial entre los bienes materiales y la virtud. Con frecuencia las riquezas son un obstáculo para nuestra vida religiosa. De ahí esa oposición que se ve a través de toda la revelación bíblica contra la *acumulación* de los bienes materiales. Toda la historia de Israel es una preocupación constante por no apropiarse de una manera absoluta los dones de Dios. Dios nos los da para satisfacer nuestras necesidades y no para acumularlos. El Antiguo Testamento subraya menos el derecho de propiedad del hombre que su derecho a usar lo que Dios le da (Eccli 5, 17-19). El hombre tiene el usufructo de la creación, pero no es su propietario en sentido absoluto. Dios castiga la acumulación de los bienes materiales tomándose lo que es suyo (Zach 9, 4). La acumulación pone en tela de juicio el dominio absoluto de Dios Creador. Cuando el hombre adquiere una cosa en propiedad se siente orgulloso de sí mismo y de lo que posee y cree poder prescindir de Dios. Y desde ese momento en que no se ve en las riquezas un don de Dios éstas se hacen diabólicas. Se adora un don de Dios en vez de a Dios mismo. Este fué el pecado del becerro de oro: « Te has posternado delante de la obra de tus manos ». Por otra parte, a medida que divinizamos las riquezas y vemos en ellas un valor absoluto, tendemos a adquirirlas sea como sea, explotando, si es necesario, al pobre. Los Profetas se alzan airados contra este tipo de hombre impostor e injusto (Am 8, 4-8; Mich 6, 9-14; Sophon 1, 10-11), mientras que los Libros Sapienciales insisten en general en el carácter peligroso de la riqueza.

El Nuevo Testamento subraya mucho menos que el Antiguo

el carácter de bendición divina que tienen los bienes materiales. Poco a poco se ha producido en la historia de Israel una profunda «espiritualización» que culmina precisamente con el mensaje evangélico, en que se nos anuncia una religión «en espíritu y verdad». Puede afirmarse que el Evangelio es una gran reacción contra las preocupaciones en exceso materialistas del mesianismo contemporáneo de Jesús. Originariamente el cristianismo aparece como una religión de los pobres. El Señor «a los hambrientos los llenó de bienes y a los ricos los despidió vacíos» (Lc 1, 51-52; cfr. Ps 2, 1-10). «Bienaventurados los pobres de espíritu porque de ellos es el reino de los cielos» (Mt 5, 1-12; Lc 6, 20-23). «¡Ay de vosotros, ricos, porque habéis recibido vuestro consuelo! ¡Ay de vosotros, los que ahora estáis hartos, porque tendréis hambre!» (Lc 6, 24-26). El mismo Jesús se presenta a nosotros como pobre, aunque no proletario, como antes dijimos. «Existiendo en la forma de Dios, no consideró apetecible tesoro mantenerse igual a Dios, antes se anonadó tomando la forma de siervo» (Philip 2, 5-7). Jesús nace en un pesebre, porque no había sitio en el mesón (Lc 2, 1-7). Siente hambre en el desierto (Mt 4, 1-11; Mc 1, 12-13; Lc 4, 1-13). No tiene dónde reclinar su cabeza (Mt 8, 18-22). El Espíritu Santo le ha enviado para evangelizar a los pobres (Lc 4, 18). Esta evangelización de los pobres es precisamente uno de los signos de su misión mesiánica. Así se lo dice Jesús a los discípulos de Juan (Lc 7, 18-23; Mt 11, 2-15). Recibe finalmente sepultura de prestado, pues muere, diríamos, con lo puesto, que se reparten los soldados entre sí.

Para seguir a Jesús hay que renunciar a los bienes terrenos (Mt 16, 24; Mc 8, 34-39; Lc 9, 23-27). El llamamiento de Cristo está por encima de los negocios materiales (Mt 22, 1-14; Lc 14, 16-24). «¿De qué aprovecha, en efecto, ganar todo el mundo, si se pierde el alma?» (Mt 10, 38-39; 16, 25-26; Lc 14, 27; 17, 23; Io 12, 25-26). La riqueza es como la flor del heno, que apenas si dura un día (San 1, 9-11; Mt 6, 19-23). Nuestro tesoro está en los cielos, «donde ni la polilla, ni el orín los corroen y donde los ladrones no roban» (Mt 6, 19-23). No se puede servir al mismo tiempo a dos señores; por eso hay que elegir entre Dios y las riquezas (Mt 6, 24). Los enviados de Cristo, de modo especial, deben renunciar a la riqueza: «No llevéis oro, ni plata, ni cobre en vuestro cinto,

ni alforja para el camino, ni dos túnicas, ni sandalias, ni bastón »
(Mt 10, 9-10; Mc 6, 8-11; Lc 9, 3; 10, 4-13). Los presbíteros, dice
S. Pedro, no deben apacentar el rebaño de Cristo movidos por sór-
dido lucro (1 Petr 5, 1-4). En conclusión, dice a todos S. Juan:
« No améis el mundo, ni lo que hay en el mundo. Si alguno ama
el mundo, no está en él la caridad del Padre. Porque todo lo que
hay en el mundo, concupiscencia de la carne, concupisciencia de los
ojos y orgullo de la vida, no viene del Padre, sino que procede del
mundo. Y el mundo pasa y también sus concupiscencias, pero el
que hace la voluntad del Padre permanece para siempre (1 Io 2,
15-17) [11].

Creemos sinceramente que esta peligrosidad e inconsistencia
de los bienes materiales, tan subrayada todo a lo largo de la
revelación bíblica, no encaja con el excesivo optimismo mundano
a que antes aludíamos [12].

Hay finalmente una tercera actitud posible respecto a la
coordinación entre Teología y Economía, la de aquellos que ven
en los bienes materiales, no un medio adecuado para llegar al
Dios vivo de Abraham, Isaac y Jacob, pero sí una *capacidad abierta pasivamente a la revelación,* que no hubiera llegado a actuarse
si Dios no hubiera irrumpido con su luz y con su fuerza en el
mundo de las realidades terrenas. Esta postura parece la más
acertada y la que está más de acuerdo con las fuentes de la revelación. Existe ciertamente en el hombre, también en el hombre
económico de nuestro tiempo, una capacidad de Dios, una especie
de deseo pasivo de la divinidad [13]. No está hecho el hombre para
la economía, sino al contrario, la economía para el hombre [14].

Ahora bien el hombre no tiene plenamente sentido, sino abier-
to a Dios. De lo contrario se convierte en un objeto, un instru-

[11] R. MEHL, *Argent: Vocabulaire biblique* (París, 1956) 25-28.

[12] A. POSTMANN, *Der Pfeil des Humanen* (Munich, 1960); G. BOSIO, *Il fenomeno umano nell'ipotesi dell'evoluzione integrale: La Civiltà Cattolica* 106, IV (1955) 622-631; H.E. HENGSTENBERG, *Der moderne Evolutionismus bei Teilhard de Chardin: Die Kirche in der Welt* 11 (1960) 24-34.

[13] Eludimos de intento todas las disputas en torno al deseo de Dios y a las relaciones entre lo natural y lo sobrenatural por no creerlas de interés para la marcha general de nuestro estudio.

[14] H. GUITTON, *Personnes et regimes économiques: Semaine Sociale* (Clermont-Ferrand, 1937) 425-426.

mento, como dice Marx, menos caro y menos difícil de manejar que la máquina. De otra parte, en virtud de la creación y sobre todo de la encarnación, Dios irrumpe con una maravillosa condescendencia en el mundo de las realidades terrenas para redimirlas y recapitularlas en torno a sí.

La Teología Económica se sitúa en el fiel de este ascenso del mundo económico hacia Dios y de esta maravillosa condescendencia divina hacia el mundo de las realidades terrestres. De una parte, en efecto, la Economía está tomando *conciencia de su limitación*. La crisis económica actual, sólo comparable quizás a la del siglo XI (desaparición de la economía antigua basada en la esclavitud) y a la del siglo XVI (desaparición de la economía feudal) ha puesto la economía al rojo vivo (industrialización, aumento de la población mundial, promoción de los pueblos subequipados, automación). El economista se siente desbordado por los problemas. Se da cuenta que la economía está al servicio del hombre y no viceversa y que en el fondo de todo hay un problema metafísico y religioso por resolver. «La crisis económica es esencialmente una crisis metafísica. Resolver esta crisis es la gran tarea que incumbe hoy día a todos aquellos que no han perdido la fe en el hombre. A esta misión deben cooperar, en una estrecha comunión, economistas, filósofos y teólogos » [15]. Algunos creen que basta ganar dinero para ser felices. Pero la realidad no es así. Esta economía simplista debe ceder el puesto a una economía más natural que tiene siempre en cuenta las grandes exigencias de la naturaleza del hombre y de su misión en el mundo [16].

Para resolver los angustiosos y dramáticos problemas económicos que hoy se plantean en la humanidad no basta una solución puramente económica. La Economía Política es impotente. Por mucho dinero y por muchas riquezas que haya en el mundo, si estos bienes no se ponen al servicio del hombre, no contribuirán a resolver los problemas económicos en cuestión. Hay, pues, que ordenar la economía al hombre, humanizar la economía. Pero aquí nos volvemos a encontrar con una nueva limitación que hemos de

---

[15] A. DAUPHIN-MEUNIER, *La doctrine économique de l'Église* (París, 1950) 12.

[16] H. RAEBER, *Othmar Spans Universalismus, Darstellung und Kritik* (Jena, 1937).

superar. Está muy bien que humanicemos la economía, que la pongamos al servicio del hombre, pero para hacer esta difícil operación hemos de saber lo que es el hombre, lo que puede hacerle feliz, cuál es, en una palabra, el sentido de su existencia. Es evidente que la humanización de la economía será muy diferente, según que concibamos al hombre como un simple conjunto físico-químico o como un portador de valores trascendentes. La humanización de la economía no tiene el mismo sentido si pensamos que la vida humana es una pasión orgullosa e inútil, como dice Nietzsche, o si es una marcha a través del desierto de esta vida hacia la celestial Jerusalén. Y es evidente que un humanismo puramente sicológico no puede darnos una respuesta adecuada a estas preguntas. Sólo una concepción metafísica y teológica del hombre y del mundo sabrán decirnos lo que es el hombre radicalmente y cuál es el último sentido de su vida. Y entonces sí que podremos orientar la economía a la verdadera y profunda felicidad del hombre y resolver así los problemas angustiosos de tipo económico que nos preocupan. Claro, esto en el supuesto que nuestra Metafísica y nuestra Teología no sean una Metafísica del absurdo (existencialismo ateo) o una Teología de la crisis (K. Barth), porque entonces la vida humana sería un absurdo radical y también la economía y no quedaría quizás otra salida aceptable que la de un suicidio colectivo. Pero, gracias a Dios, nosotros sabemos que la vida humana es algo que vale la pena de vivirse porque el hombre ha sido creado por Dios a su imagen y semejanza y más todavía, porque, si no pone obstáculos de su parte, puede ser hijo de Dios y otro Cristo en la tierra.

La Teología Económica estudia precisamente la orientación de la economía a este hombre concreto que es hijo de Dios, o, lo que es lo mismo, la orientación de la economía a Dios, que vive en el hombre. Esta orientación de la economía a Dios da un sentido profundo a las criaturas y al mundo de las estructuras económicas, a las que hasta cierto punto diviniza. La Teología proporciona a la Economía un suplemento subjetivo y objetivo que amplía sus posibilidades intrínsecas. No es lo mismo ver en el hombre un conglomerado físico-químico o una persona o el hijo de Dios prolongación de Cristo aquí y ahora, ni es lo mismo considerar los problemas económicos simplemente a base de estadísticas o argumentos puramente racionales, que sirviéndose de la revelación divina y del magisterio auténtico de la Iglesia. Pero la ayuda que la Economía recibe en el plano subjetivo y objetivo de la Teología no le hace perder su autonomía científica. La Economía, aunque abierta a la Teología, es una ciencia autónoma [17].

Por otra parte a este movimiento ascendente de la Economía que se abre a la Teología al tomar conciencia de sus limitaciones radicales, responde otro movimiento descendente de la Teología que *se encarna en las realidades terrestres*. Muchos querrían ver la religión y la Teología encerradas en la sacristía de las iglesias. Unos de buena fe, por ejemplo, los ortodoxos y en general los espiritualistas exagerados, que tienen miedo a mancharse las manos con la masa. Otros, de mala fe, porque, como los comunistas, quieren arrinconar a la Iglesia y privarla de todo medio de influencia. Cristo se encarnó también económicamente. Trabajaba, comía, bebía, pagaba tributo. La Iglesia ha tenido siempre una doctrina social y económica [18]. Es la prolongación comunitaria de Cristo, su plenitud en el tiempo y en el espacio. Su misión, pues, es prolongar la misión de Cristo. Esta misión es esencialmente espiritual. La Iglesia no pretende en modo alguno, como afirman repetidamente los últimos Papas, tener derecho a inmiscuirse sin motivo en la gestión de los asuntos temporales. Lo que no quiere decir, como enseñan también los mismos Sumos Pontífices, que la Iglesia no pueda intervenir en los problemas económicos y sociales, en virtud del depósito de verdad que le ha sido confiado a la Iglesia de lo alto y de la gravísima obligación que le incumbe de promulgar, interpretar y predicar, pese a quien pese, la ley moral y el mensaje evangélico [19].

La misión de la Teología económica en nuestra época debe ser, como ha dicho Pío XII en numerosas ocasiones, la de proporcionar a la técnica refinada de nuestro tiempo, caótica por falta de adaptación al hombre, ese *suplemento de alma* sin que el hombre, que estaba destinado a ser hijo de Dios, queda reducido a la ca-

---

[17] R.P. DEMAN, *Sur l'organisation du savoir moral*: *Revue des Sciences Philosophiques et théologiques* (1934) 258; H. DE LUBAC, *Sur la Philosophie Chrétienne*: *Nouvelle Revue Théologique* (1936).

[18] R.P. COULET, *La vie économique regarde-t-elle l'Église?* (París, 1931).

[19] C. VAN GESTEL, *La doctrine sociale de l'Église* (París, 1952) 15-16.

tegoría de conglomerado físico-químico, con lo que la economía terminará por hundirse en un abismo desastroso como lo prueba hasta la saciedad la experiencia histórica de los últimos años. Con el dinero de la reciente guerra internacional se podría haber hecho una casa conveniente para cada habitante de la humanidad. Y ¿cuánto dinero no se está ahora gastando inútilmente en la fabricación de nuevas armas que al poco tiempo quedan pasadas de moda?

Esto no quiere decir sin embargo que hemos de rebajar la Teología a la categoría de Economía pura. Así como por parte de la Economía hay que evitar la exageración de la trascendencia haciendo que la Economía quede absorbida por la Teología, del mismo modo hemos de evitar aquí la exageración de la encarnación que reduciría la Teología a una simple ciencia económica [20].

Definición de la Teología Económica

En griego οἰκονομία se emplea desde Jenofonte y Platón y significa en general la administración de los bienes ajenos. Unas veces se usa para significar el oficio de mayordomo, otras, en cambio, el desempeño de este oficio. En el Nuevo Testamento se emplea a veces en este mismo sentido, por ejemplo, en Lc 16, 2 y siguientes. Pero a veces se usa también en sentido figurado para significar el ministerio apostólico (1 Thes 2, 4; Col 1, 25; Eph 3, 2). Existe indiscutiblemente una cierta analogía entre la economía, según su significación clásica, y el apostolado, que da pie a la metáfora. En la literatura cristiana primitiva (koiné), la palabra « Economía » adquiere una gran importancia y significa el « plan de Dios » o plan de salvación (creación, providencia, encarnación, redención) en contraposición con la « Teología », cuya expresión se reserva para significar el misterio de la vida íntima de Dios [21].

Más tarde, cuando se impone con Sto. Tomás la palabra « Teología » para designar todo el misterio cristiano, como « scien-

---

[20] R.P. Coulet, l. c. 408-409.
[21] Kittel, *Theologisches Woerterbuch* V, 154-155.

tia de Deo et de creaturis prout dicunt ordinem ad Deum », la palabra « Economía » deja poco a poco de emplearse en sentido religioso, hasta que, al hacerse independiente el estudio de los bienes materiales con la profanización de la ciencia sagrada y la desintegración del orden científico en torno a la Teología, reina de las ciencias, la Economía se hace autónoma y se cierra, lo que es muy grave, a la Teología y a Dios. Hoy día parece que se vuelve otra vez a una síntesis entre la Teología y la Economía, dando lugar así a lo que podríamos llamar *Teología Económica*, o quizás mejor, Teología de los Valores Económicos. La Teología respeta la autonomía técnica de la Economía. No en vano ésta ha adquirido su mayoría de edad y gracias a ello una enorme maduración y progreso. La Teología Económica, siguiendo fiel a la definición tomista del saber teológico, trata de estudiar el fenómeno económico, no en sí mismo, sino en cuanto dice orden a Dios, en cuanto hay en él algo de divino.

BIBLIOGRAFIA

ANCEL (A), *La mentalité ouvrière* (St. Etienne, 1949).

ANCEL (A), *Le mouvement ouvrier* (Lyon, 1950).

ANCEL (A), *L'évangélisation du prolétariat* (Lyon, 1950).

ANCEL (A), *Les ouvriers et la religion* (Lyon, 1951).

ARCY (M. d'), *Comunismo y Cristianismo* (Barcelona, 1957).

BAUMGARTEN (Fr), *Psychologie et facteurs humains dans l'entreprise* (París).

BEDNARIK (K), *Der junge Arbeiter von heute* (Stuttgart, 1953).

BIENERT (W), *Die Arbeit nach der Lehre der Bibel* (Stuttgart, 1954).

BLETON (P), *Les hommes des temps qui viennent* (París, 1956).

BRODRICK (J), *The Economic Morals of the Jesuits* (Londres, 1934).

BRAS (G.le), *Introduction à l'histoire de la pratique religieuse en France* (París, 1942-1945).

BRAS (G.le), *Usure* : D.T.C. (1947) 2336-2371.

BRENTANO (W), *Die wirtschaftliche Lehre des christlichen Altertums* (Munich, 1902).

BRUGAROLA (M), *Relaciones humanas y reforma de empresa* (Madrid).

CALVEZ (J.Y.), PERRIN (J), *Église et societé économique* (París, 1958).

CASTRO (J. de), *Géographie de la faim* (París, 1949).

CASTRO (J. de), *Géopolitique de la faim* (París, 1960).

CATTEPOEL (D), *Sozialreise durch Deutschland. Vom Arbeiter zum Mitarbeiter.*

CÉPÈDE (M), LENGELLÉ (M), *Economie alimentaire du globe* (París, 1953).

CESA (C), *Apostolato cattolico e condizione operaia* (Florencia, 1955).

CONINCK (R. de), *La déchristianisation de l'occident* : *Nouvelle Revue Théologique* (1949) 785-806.

COULET (P), *La vie économique regarde-t-elle l'Église?* (París, 1931.

DAUPHIN-MEUNIER (A), *Lo doctrine économique de l'Église* (París, 1950).

DESSAUER (F), HORNSTEIN (Fr. X), *Seele im Bannkreis der Technik* (Friburgo en B., 1952).

DUBIN (R), *Human Relations in administration* (Nueva York, 1954).

DUBOIS (A), *Structures nouvelles dans l'entreprise* (París, 1946).

FANFANI (A), *Le origini dello spirito capitalistico in Italia* (Milán, 1933).

FANFANI (A), *Cattolicismo e Protestantismo nella formazione storica del Capitalismo* (Milán, 1934).

142

FANFANI (A), *Storia delle dottrine economiche* (Milán, 1955).

FERNÁNDEZ DE CASTRO (J), *Del Paternalismo a la justicia social* (Madrid, 1956).

FRIEDMANN (S), *Problèmes humains du maquinisme industriel* (París, 1946).

GESTEL (C. van), *La doctrine sociale de l'Église* (París, 1956).

GODIN (H), *France, pays de mission?* (Lyon, 1943).

GUERRY (Mgr.), *La doctrine sociale de l'Église* (París, 1957).

GUNSTEREN (W.F. van), *Kalvinismus und Kapitalismus* (1934).

HALBWACHS (M), *Les classes sociales* (París, 1948).

HANTEL (E), *Verborgenes Kraeftespiel. Die Pflege des Menschlichen als Aufgabe fuer Industrie und Wirtschaft* (Stuttgart, 1953).

HAERING (B), *Fuerza y Flaqueza de la Religión* (Barcelona, 1952).

HOEFFNER (J), *Der technische Fortschrift und das Heil des Menschen* (Paderborn, 1956).

KOTHEN (R), *Problèmes sociaux actuels* (París, 1946).

LAMBERT (R), *L'organisation scientifique et les relations humaines dans l'entreprise industrielle* (París, 1955).

LEBRET (L.J.), *Suicide ou survie de l'occident* (París, 1958).

LIEBLANG (A), *Die wirtschaftsauffassung der benediktinischen Moenchsregel: Studien und Mitteilungen* (1931) 413-447; (1932) 109-142.

LIGIER (S), *L'adulte des milieux ouvriers* (París, 1950-51).

LOEUW (M.R.), *En mission prolétarienne* (París, 1946).

MADARIAGA (C), *Iniciación al estudio del factor humano en la actividad económica* (Madrid, 1953).

MORCILLO (C), *Cristo en la fábrica* (Madrid).

MOUNIER (E), *L'espoir des désespérés* (París, 1948).

MUELLER (A), *Genealogie des Wirtschaftsstile* (Stuttgart, 1944).

MYRDAL (G), *Une économie internationale* (París, 1958).

OBREGÓN (E), *Las razones del proletariado* (Madrid).

PASCAL (R), *The social basis of german Reformation* (Londres, 1953).

PERPIÑA RODRÍGUEZ (A), *Hacia una sociedad sin clases* (Madrid).

PERROUX (F), *L'Europe sans rivages* (París, 1954).

PIELTRE (A), *Les trois âges de l'économie* (París, 1955).

PIREUNE (H), *Historia económica y social de la Edad Media* (México, 1952).

RÉTIF (L), *Cathéchisme et mission ouvrière* (París, 1950).

RICHARDSON (J.H.), *An introduction to the Study of industrial relations* (Londres, 1954).

RIDEAU (E), *Consécration du monde* (París, 1945).

RONDET (H), *La théologie du travail* (París, 1950).

SAUVY (A), *Théorie générale de la population* (París, 1952-54).

SCHASCHING (J), *Katholische Soziallehre und modernes Apostolat* (Innsbruck, 1956).

SCHURR (V), *Seelsorge in einer neuen Welt* (Salzburg, 1957).

SÉE (H), *Origen y evolución del capitalismo moderno* (México, 1952).

SEIPEL (I), *Die Wirtschaftslehre der Kirchenvaeter* (Viena, 1907).

SOIGNIES (F. de), *Mystique chrétienne et ascension ouvrière* (París, 1946).

STARK (W), *La interpretación marxista de la religión y la interpretación religiosa del marxismo*: Revista Internacional de Sociología (1954) 33-43.

TAWNEY (R.H.), *Religion and the Age of Capitalism* (Londres, 1949).

THILS (G), *Théologie des réalités terrestres* (París, 1949).

TOYNBEE (A), *La civilisation à l'épreuve* (París, 1946).

VITO (F), *L'economia al servizio dell'uomo* (Milán).

WELTY (E), *Vom Sinn und Wert der Arbeit* (Heidelberg, 1946).

WEBER (A), *Der Kampf zwischen Kapital und Arbeit* (Tubinga, 1956).

WEBER (M), *Wirtschaft und Gesellschaft* (Tubinga, 1925).

WUENSCH (G), *Religion und Wirtschaft* (Tubinga, 1925).

La personne humaine en péril: Semaine Sociale de Clermont-Ferrand (París, 1937).

La communauté Boimondeau: Economie et Humanisme (1946).

Christianisation du proletariat. Problèmes de l'Église en marche 1 (Bruselas, 1947).

Nous, prêtres, et la déchristianisation croissante de la jeunesse travailleuse (Bruselas, 1948).

La déchristianisation des masses prolétariennes (Tournai, 1948).

Inspiration religieuse et structures temporelles (París, 1948).

Problemas actuales de la empresa: X Semana Social de Empresa (Madrid, 1951).

Contacto entre el sacerdote y la familia obrera (Bilbao, 1954).

Directorio Pastoral en el ambiente social (París, 1954).

Convegno Internazionale dell'organizzazione umana nell'economia industriale (Milán, 1955).

Relaciones humanas en la industria moderna. Acción Social Pastoral (Madrid, 1957).

Science économique et développement: Economie et humanisme (París, 1958).

F A O . Estado Mundial de la Agricultura y la Alimentación (Roma, 1959).

THEO FORNOVILLE

EXISTENTIALISME ET ETHIQUE

SUMMARIUM

Scientia moralis definitur « scientia practica » ; proprius sensus huius verbi intelligi potest solummodo ex obiecto formali illius scientiae sc. ex activitate morali. Quod exigit praeprimis authenticam reflectionem super concreta realitate ideoque remittit ad *actualitatem* nostrae situationis humanae. Haec reflectio secumfert :

1. Conscientiam profundam innovationis philosophiae modernae, necessariam conditionem ad hoc ut semper foecundius intelligamus (= intus legamus) rerum realitatem. Hodierna autem philosophia est « modus philosophandi quae dominatur conceptu existentiae » (A. Dondeyne). Quae *a*) praesentat modum proprium cogitandi : *Phaenomologiam*, quae finem sibi conscie proponit mentem humanam quam fidelissime realitati seipsam manifestanti aperire; *b*) accentum ponit in propria positione existentiae humanae in detegenda et enuntianda veritate, in quantum ipsa rebus sensum suum praebet: homo est ens « intentionalisans », responsabilis de veritate in hoc mundo.

2. Accessum sub luce huius innovationis ad problema morale. Hoc autem problema non cogit ad electionem inter ethicam autonomam et ethicam normativam. Activitas humana moralis utrumque elementum complectitur: est enim munus liberum normis subiectum. « Norma proxima obiectiva » est actus liber in quantum, sub ductu iudicii prudentialis, ordinationem suam humanam conscie et concrete in realitatem transponit.

Verum problema ethicae tum ita ponitur: quomodo activitas moralis, quae proprie tamquam quid concretum et particulare apprehenditur, praestare se potest universalisationi et systematisationi scientificae, quin ad hoc invocentur criteria extrinseca? Profundior tantum analysis phaenomeni moralis patefacere nobis poterit ontologicam eius structuram, quo manifestabitur quod indoles scientifica ethicae modo valde analogico intelligi debeat. Character eius scientificus invocat non definitionem theoreticam normarum immutabilium, sed ininterruptam re-inventionem illius, quod home esse *debet*, ut in sua situatione historica *sit* verus homo. Ethica sic non est scientia deductiva sed inspirativa.

Depuis le siècle dernier le thomisme a connu un véritable rajeunissement au point de se ranger, dans la philosophie contemporaine, parmi les doctrines vivantes et actuelles. L'éthique thomiste toutefois fait encore figure de retardataire. Son enseignement relève souvent d'un esprit traditionaliste périmé, qui temoigne d'un manque d'attention aux aspects fondamentaux de l'agir humain.

Les quelques pages qui suivent voudraient essayer de poser le problème éthique dans la perspective du courant philosophique contemporain. Cet article se divise dès lors en deux parties bien distinctes. Dans la première nous nous proposons de décrire aussi brièvement que possible l'existentialisme contemporain. Dans la seconde nous poserons, en nous inspirant des appels « originaux » émanant de ce renouveau de la pensée philosophique, le problème de l'éthique comme science du phénomène moral.

Bien que notre propos soit de nous en tenir à la seule réflexion philosophique, il va sans dire que ces quelques pages s'adressent aussi aux théologiens moralistes. C'est une évidence irrécusable que la Révelation elle-même s'est accomplie dans une histoire humaine; dans l'Ancien Testament en marche vers le Christ, dans le Nouveau Testament en marche vers la parousie. Et la moindre attention à l'histoire de la théologie nous découvre que son mouvement procède d'une double démarche: fidélité renouvelée aux sources de la foi: Ecriture Sainte, Tradition, pratique de la vie chrétienne; attention vivante aux problèmes actuels de l'agir humain tels qu'ils se manifestent dans la vie sociale, et dont témoignent la littérature et la philosophie. Dès lors la théologie, et surtout la théologie morale, ne peuvent passer inattentives auprès des grandes manifestations d'un renouveau de la pensée philosophique. Car elles ont pour tâche d'apprendre à l'humanité *terrestre* sa destinée éternelle; une destinée qui ne commence pas à la mort de l'homme, mais à sa naissance.

A. L'EXISTENTIALISME.

Toute philosophie est portée par une option originelle qui embrasse l'existence complète avant toute réflexion, et que la réflexion ne fait que ressaisir en cours de route. L'existentialisme

replace l'homme au centre de toutes ses investigations à partir
de la conscience tragique de son déracinement, de son rejet sur
soi-même, de sa totale responsabilité. Albert Camus a résumé très
lucidement ce trait essentiel de la pensée contemporaine dans les
premières pages de son *Mythe de Sisyphe* :

> « Il n'y a qu'un problème philosophique vraiment sérieux: c'est le
> suicide. Juger que la vie vaut ou ne vaut pas la peine d'être vécue,
> c'est répondre à la question fondamentale de la philosophie. Le reste,
> si le monde a trois dimensions, si l'esprit a neuf catégories, vient
> ensuite. Ce sont des jeux; il faut d'abord répondre. Et s'il est vrai,
> comme le veut Nietzsche, qu'un philosophe, pour être estimable,
> doive prêcher d'exemple, on saisit l'importance de cette réponse
> puisqu'elle va précéder le geste définitif. Ce sont là des évidences
> sensibles au cœur, mais qu'il faut approfondir pour les rendre clai-
> res à l'esprit ».[1]

On ne peut mieux définir la philosophie existentialiste qu'avec
la description que nous en donne le Prof. Dondeyne : « On entend
par existentialisme une manière de philosopher *dominée par* l'idée
d'*existence* »[2]. Pour la comprendre adéquatement il y a trois termes qui demandent un examen plus approfondi.

1) En tant que « manière de philosopher », l'existentialisme
se distingue de toute autre philosophie par sa méthode propre,
la phénoménologie. On doit se demander, dès lors, en quoi consiste
cette manière spéciale d'approcher et d'approfondir les problèmes philosophiques.

2) Quant à la doctrine même de l'existentialisme une double
question se pose : a) qu'entend-on au juste par l'expression « *dominée par* » ? b) que signifie le terme d'« *existence* », auquel cette philosophie emprunte sa dénomination ?

1) *La phénoménologie.*

Si l'existentialisme est une manière spéciale de philosopher,
il n'est pas sans intérêt de la situer en fonction d'autres manières

---

[1] *Mythe de Sisyphe*, Paris, Gallimard, p. 15.

[2] *Foi chrétienne et pensée contemporaine. Les problèmes philosophiques soule-
vés dans l'Encyclique « Humani Generis »*, Louvain, Publications universitaires de
Louvain, p. 18.

Cfr. aussi du même auteur *Beschouwingen bij het atheïstisch existentialisme*,
T.Ph., 1951, pp.3-41. A certains moments nous suivrons la ligne de son exposé.

possibles. Toute réflexion philosophique se veut *radicale*, et cela dans un double sens. D'abord parce que la philosophie est *autonome*: elle ne peut faire appel à aucune méthode ou aucun critère de certitude, étranger à son propre domaine, qui est celui de la réflexion personnelle; une réflexion donc qui se sait et se veut totalement responsable de ses résultats, sans se baser ni sur une Révélation ni sur aucun autre postulat ultérieurement incontrôlable. Le philosophe, dans le domaine qui lui est propre, ne doit trouver la lumière, source de vérité (« obiectum formale quo »), qu'en soi-même; attendre un autre secours c'est déjà se trahir comme philosophe. En second lieu la réflexion philosophique est radicale parce qu'elle est *universelle*, aussi bien en extension qu'en compréhension. D'un côté le philosophe s'intéresse à tout ce qui est réel; de l'autre côté il veut scruter ce réel jusque dans ses racines les plus profondes et cachées. Ce qui suppose que le réel est intelligible et se prête à une certaine rationalisation de la part de l'esprit humain. Il existe donc un lien essentiel et indissoluble entre le réel à connaître (le noéma) et l'intelligence connaissante (la noésis).

De plus la philosophie veut être une science; sa compréhension du réel ne se réduit pas à une somme d'affirmations disparates, mais exige une certaine systématisation méthodique. Consciemment ou non, toute science inclut un certain jugement de valeur portant sur la possibilité même de l'intelligence devant son objet propre. Ainsi les sciences positives présupposent que la matière se prête à des mesurations adéquates. Or, pour la philosophie ce jugement de valeur ne peut rester un a priori ou un postulat méthodologique. Sa possibilité même dépend essentiellement de la justification de sa méthode. Elle doit être mise en question continuellement, car 1° elle appartient à son object propre, et 2° de sa justification dépend entièrement la portée de la vérité philosophique. Si toute science se définit par une « systématisation méthodique » il faut pourtant bien se rendre compte que ces deux termes sont des plus ambigus et qu'ils ont pour les différentes sciences une portée diverse. Quant à la philosophie cette portée ne peut être établie a priori; elle doit s'inventer, se compléter, se nuancer dans son exercice même. Ici se trouve d'ailleurs la source du grand scandale de l'histoire de la philosophie: après tant de siècles de pensée humaine, elle n'est pas encore arrivée à en finir avec un seul problème. En réalité ce scandale témoigne plutôt de l'authenticité du mouvement philosophique au cours des siècles et de la richesse de son objet formel qui ne se prête pas exhaustivement à une rationalisation définitive. Les périodes de régression et de décadence n'étaient peut-être que des temps de maturation où un renouveau se préparait.

De toute évidence le renouveau philosophique contemporain a pris position devant un certain désarroi épistémologique. Depuis Descartes une antinomie toujours croissante opposait Idéalisme et Empirisme, ce qui conduisit la philosophie, à la fin du siècle passé, à une crise décourageante. D'un côté l'Idéalisme ou le Rationalisme, tenté de surestimer la valeur de l'intelligence humaine dans la constitution de la vérité, se relançait après chaque nouvel échec dans des analyses plus subtiles pour assimiler toute objectivité à des états de conscience et réduire le monde à « la signification monde »[3]. De l'autre côté l'Empirisme pour qui l'expérience est source constitutive de la vérité, ébloui par les résultats des sciences positives et de la technique, entendait cette expérience dans un sens matériel et quantitatif, réduisant en dernière analyse toute expérience humaine à la seule sensation. L'existentialisme veut, consciemment, sortir de ce dilemme ; il adopte une nouvelle méthode épistémologique, la phénoménologie, qui tend à revaloriser l'objectivité authentique de la connaissance philosophique[4].

La phénoménologie prend comme devise : « Zu den Sachen selbst », retour au réel. Cela ne veut nullement dire retour à un ralisme naïf qui sanctionnerait les évidences superficielles du sens commun. Au contraire, retourner au réel, c'est refuser tout a priori non-avoué qui déforme d'avance les données et la teneur d'un problème, c'est faire appel à une inconditionnalité absolue et dépasser toute restriction qui porte préjudice à la réflexion personnelle. Plus positivement, cette devise veut dire que seul le réel,

---

[3] MERLEAU-PONTY, *Phénoménologie de la perception*, Paris, Gallimard, 1945, p. VIII. Dans la suite nous employons le sigle: PP.

[4] Nous n'avons nullement l'intention de traiter ici de la phénoménologie comme philosophie autonome, tel que l'a entendu son fondateur, Ed. Husserl (1859-1938), et qui se prête encore à diverses interprétations. Nous nous arrêtons uniquement à la phénoménologie en tant qu'elle a permis de replacer « les essences dans l'existence et ... de comprendre l'homme et le monde à partir de leur 'facticité' ». (PP. I.).

c'est-à-dire l'évidence objective que la réalité nous impose, est source de certitude philosophique. Aucune généralité conceptuelle ne pourra remplacer ce critère de vérité. Si l'universel existe il doit être dé-couvert dans le réel; il n'est pas l'apanage de la seule raison, sinon il falsifie d'emblée toute compréhension possible du réel. Du côté de l'intelligence ce « retour au réel » signifie que la connaissance philosophique prend son origine dans une présence *immédiate* et concret au réel. Cette immédiateté n'est pas synonyme de facilité ou d'instantanéité; elle met l'accent sur le caractère non-médiatisé de notre connaissance philosophique. Ainsi par exemple le concept n'est pas « objet » de notre connaissance, en tant qu'il re-présenterait une chose en soi; il est le moyen qui nous met en contact cognitif direct avec le réel; en terminologie thomiste le concept n'est pas « id quod », mais « id quo cognoscitur ».

L'étymologie du terme « phénoménologie » est révélatrice. Elle nous renvoie à deux mots grecs: « PHAINOMENON » et « LOGOS ou LEGEIN ».

Phénomène signifie ce qui est manifeste, dé-couvert, dé-nudé. Originellement on entend par ce terme « ce qui se manifeste en soi-même », ou comme Heidegger l'exprime « das Sich-an-ihm-selbst-zeigen » [5].
Cette caractéristique ne s'applique pas seulement au monde sensible, mais aussi à toute réalité psychique et spirituelle, pas seulement à ce qui est extérieurement perceptible, mais aussi à tout ce qui est particulier et subjectif (*mon* émotion, *ma* conviction *tacite*). Phénomène indique n'importe quel réel en tant qu'il se manifeste.

Ce sens originel implique essentiellement la conscience. Rien, en effet, ne se manifeste qu'en évoquant en même temps la conscience comme le corrélatif à qui il se manifeste. En d'autres termes « se manifester » est identiquement « se manifester à... », être dé-couvert ou dé-nudé devant un autre.

Dès lors la signification fondamentale et complète de *phénomène* revient à ceci: ce qui se manifeste, tel qu'il est en soi-

---

[5] *Sein und Zeit*, Tübingen, Max Niemeyer Verlag, neunte unveränderte Auflage, 1960, p. 31. Sigle: SZ.

même, dans et pour une conscience, ou « en terme scolastique :
res cognita ut cognita prout est in se »[6]. Le papier sur lequel
j'écris ne se manifeste pas à la table ; il ne se manifeste comme
vrai papier sur une table réelle qu'à ma conscience. Et si l'on
parle de phénomène dans le monde animal, ce ne peut être qu'im-
proprement, dans la mesure où l'instinct participe de la manière
d'être-conscient.

On comprendra immédiatement que ce sens originel de phénomène ne permet plus la distinction kantienne entre noumène et
phénomène ; le noumène est aussi phénomène. L'être du phénomène n'est pas une catégorie de la raison ; s'il se prête à être
reconnu c'est en tant qu'il se manifeste aussi, d'une certaine
manière, tel qu'il est[7]. Mais le réel phénoménal, à cause de son
rapport essentiel à la conscience, est polyvalent ; la conscience est
co-constitutive des différents degrés de la phénoménalité, c'est-
à-dire de la signification objective de la réalité. Les caractères de
l'être se manifestent davantage à une conscience perspicace et
éveillée ; ils se réalisent et se dévoilent dans un commerce avec
la conscience.

Illustrons cette ambiguïté du phénomène par quelques exemples[8]. Dans le sens obvie du terme phénomène, le réel se montre
en-personne ; telle ma chambre meublée où je suis assis derrière
ma table de travail, tel mon mal de tête, telles mes attitudes
intérieures qui me dominent à chaque instant et constituent ma
personnalité psychique. Mais il y a d'autres replis du réel, où
celui-ci se manifeste dans une dialectique d'être et de n'être-pas.
Prenons l'exemple d'une illusion : « dans un chemin creux, je crois
voir au loin une large pierre plate sur le sol, qui est en réalité

[6] FEULING, D., o.s.b., *Le mouvement phénoménologique : position historique,
idées directrices, types principaux*, in *La Phénoménologie*, Journées d'Études de la
Société Thomiste, Juvisy, 12 sept. 1932, p. 24.

[7] Ici se situe l'effort propre et fondamental de la phénoménologie heidegge-
rienne : découvrir l'être du phénomène qui, tout en étant le sens et le fondement
de n'importe quel phénomène, ne se manifeste pas lui-même immédiatement. Cfr. DE
WAELHENS, A. *La Philosophie de Martin Heidegger*, Louvain, Editions de l'Institut
supérieur de Philosophie.

[8] On trouvera un exposé plus détaillé dans l'article du P. Feuling, cité en
note 6.

une tache de soleil » [9]. Une analyse attentive de ce réel qui se manifeste, fait ressortir la complexité du phénomène : il y a la tache de soleil qui est phénomène-en-personne, mais celui-ci se manifeste en plus comme apparence-de-pierre-plate ; en tant que tel il n'est plus phénomène-en-personne, mais phénomène-apparence ; la pierre plate en revanche se manifeste uniquement comme apparence, comme semblant-être, c'est-à-dire comme pur contenu de conscience, c'est là toute sa réalité et elle se manifeste comme telle. Une autre forme de phénoménalité est l'apparition. Les symptômes d'une maladie encore cachée dans sa propre réalité manifestent celle-ci comme apparition. En tant que je ne perçois que les symptômes, je vis dans un sentiment vague et incertain, j'ai une conscience biologique d'indisposition et de menace. C'est ce trouble fonctionnel qui fait ressortir, qui manifeste la distinction réelle entre le phénomène-en-personne et le phénomène-apparition. Ainsi, certaines démangeaisons, quand elles se prolongent et s'étendent sur l'épiderme manifestent être plus que simples démangeaisons (phénomène-en-personne) et explicitent un trouble fonctionnel qui s'impose comme symptôme de la maladie (phénomène-apparition).

Ces quelques exemples mettent en évidence à leur tour l'ambiguïté de la phénoménalité du réel et ils nous font soupçonner que le second terme LEGEIN nous mettra devant une problématique compliquée.

Le sens ou la tâche première de LOGOS, de toute parole, consiste à exprimer, à extérioriser, à rendre publique un contenu de conscience, que ce soit une pensée ou une perception. Il tend à rendre manifeste ce contenu *dans son objectivité*, c'est-à-dire non l'idée ou la perception comme acte psychique, mais la réalité elle-même dont les actes de conscience témoignent ; originellement il est l'expression de ce dont témoigne la conscience à partir de ce dont il s'agit en réalité. Dans un premier sens dérivé le LOGOS signifie souvent, à cause de son rapport essentiel avec la conscience, la raison elle-même. Et poussant plus loin la déduction on applique ce terme encore aux différentes activités de la conscience : concept, définition, raisonnement. Mais dans chaque cas

---

[9] PP., 343. Merleau-Ponty parle de cet exemple dans un autre contexte.

il emprunte sa valeur de vérité à sa fonction originelle d'être la manifestation d'un contenu objectif de la conscience.

La phénoménologie signifie alors littéralement, tel que l'exprime Heidegger, « LEGEIN TA PHENOMENA »[10]; elle est la méthode qui tâche de faire voir, de par lui-même, tout ce qui se manifeste et tel qu'il se manifeste. Elle dispose la conscience subjective pour aller à la rencontre du réel avec la seule intention de se faire instruire par le réel de ce qu'il est en lui-même, de le faire affleurer au niveau de la réflexion. Heidegger l'exprime ainsi: « Das was sich zeigt, so wie es sich von ihm selbst her zeigt, von ihm selbst her sehen lassen »[11]. Ce caractère de l'immédiateté du réel dans la phénoménologie comme méthode de connaissance philosophique est admirablement rendu dans une anecdote racontée par S. de Beauvoir:

> « Sartre fut vivement alléché par ce qu'il entendit dire de la phénoménologie allemande. Raymond Aron passait l'année à l'Institut français de Berlin et, tout en préparant une thèse sur l'histoire, il étudiait Husserl. Quand il vint à Paris, il en parla à Sartre. Nous passâmes ensemble une soirée au Bec de gaz, rue Montparnasse; nous commendâmes la spécialité de la maison: des cocktails à l'abricot. Aron désigna son verre: « Tu vois, mon petit camarade, si tu es phénoménologue, tu peux parler de ce cocktail, et c'est de la philosophie! » Sartre en pâlit d'émotion, ou presque; c'était exactement ce qu'il souhaitait depuis des années: parler des choses, telles qu'il lès touchait, et que ce fût de la philosophie. Aron le convainquit que la phénoménologie répondait exactement à ses préoccupations: dépasser l'opposition de l'idéalisme et du réalisme, affirmer à la fois la souveraineté de la conscience, et la présence du monde, tel qu'il se donne à nous ».[12]

Après tout ce que nous avons dit sur le caractère propre de la philosophie et sur l'ambiguïté du phénomène, on se rendra compte que la phénoménologie se trouve devant une tâche difficile, qui reste elle-même ambigue. Elle doit d'abord décrire authentiquement la diversité complexe des phénomènes, ce qui demande l'effort constant d'une conscience éveillée, mise en garde contre

[10] SZ., 34.

[11] SZ., 34.

[12] *La force de l'âge*, Paris, Gallimard, p. 141.

toute évidence gratuite. Mais il subsiste une difficulté inhérente à la phénoménologie elle-même : peut-elle se restreindre à la seule description des phénomènes, comme l'a prétendu son fondateur Edm. Husserl? Il est indubitable que l'inconditionnalité absolue, à laquelle elle prétend, ne peut être comprise à la manière des sciences positives. Le philosophe ne peut se mettre à distance, en dehors de son objet, il ne peut faire « tabula rasa » de sa situation historique aussi bien sociale et morale qu'intellectuelle et culturelle ; personne ne commence « ab ovo », pas même à sa naissance. Et puisque la participation de la conscience dans la dé-couverte du sens des phénomènes est non pas passive mais co-constitutive, il semble bien que la phénoménologie, au moins en tant que méthode philosophique, doive s'aventurer nécessairement sur le plan de l'interprétation des phénomènes [13]. La phénoménologie elle-même est donc loin d'être univoque ; on doit reconnaître sans plus « une opposition radicale entre la phénoménologie de M. Heidegger et celle de M. Husserl » [14].

La méthode phénoménologique mérite pourtant un crédit special, car elle se rend explicitement compte de cette situation engagée de la réflexion philosophique et l'assume consciemment dans le complexe des phénomènes à examiner. Elle se met en garde contre tout a priori et reconnaît surtout sa propre tâche comme une entreprise inachevée par définition. L'homme est essentiellement « homo viator », un itinérant ; comme être terrestre il récuse toute valeur statiquement délimitée et définitive. La vérité elle-même ne peut jamais être considérée comme un acquis ou une possession ; elle est une tâche : une investigation continuelle à partir de directions variées qui devront se compléter progressivement et se purifier mutuellement. La philosophie rend impraticable toute distinction tranchée entre l'objet, qui est mis en question, et le sujet qui pose la question ; elle requiert non une

---

[13] Ceci apparaît clairement par exemple dans la phénoménologie telle que M. Heidegger la comprend et la pratique. M. De Waelhens remarque que considérer l'être du phénomène comme étant *le sens et le fondement* de tout phénomène, c'est dépasser la simple description des phénomènes tels qu'ils se manifestent dans leur ingénuité ; un tel jugement relève déjà d'une *interprétation* de la phénoménalité des phénomènes. Cfr. op. cit. in note (8), p. 18.

[14] FEULING, op. cit., p. 37. Cfr. aussi DE WAELHENS, op. cit., p. 21, n. 1.

méthode démonstrative, mais une méthode de « monstration » [15].
Et c'est précisément ce que la phénoménologie veut être.

Pourtant, si l'on doit récuser la validité de tout critère a
priori de la vérité humaine, si, en d'autres termes, la vérité se
dévoile dans la manifestation des phénomènes, on ne parviendra
pas même à une première intelligence du réel, dans le tumulte de
notre existence et la diversité de notre monde phénoménologique,
qu'à partir de et en rapport constant avec un phénomène-clé,
privilégié, originel, qui *oriente et nourrit* — ce qui suppose en
même temps qu'il y reste impliqué — la recherche de l'authenticité du réel. On comprend immédiatement, après ce que nous
venons de dire sur la participation essentielle de la conscience
dans la constitution de la phénoménologie, que c'est notre existence
engagée qui jouera ce rôle de phénomène-clé. C'est ici dès lors
que nous arrivons à la seconde partie de la définition de l'existentialisme, à savoir : une philosophie *dominée par l'idée de l'existence*.

2. *Doctrine de l'existentialisme.*

Il y a deux points qui demandent ici quelques approches plus
approfondies ; a) que veut dire « dominée par » ? b) que signifie
précisément le terme « existence » ?

a) *« Dominée par »*. Pour l'existentialisme l'homme seul existe ;
existence signifiant non pas le simple fait d'être-là, mais au
contraire la manière d'être spécifique par laquelle l'homme se
distingue, *en tant qu'étant*, du monde et de tout autre être dans
ce monde. Cette évidence immédiate constitue pour l'existentialisme le point de départ de toute réflexion. L'existence est ce qu'on
a appelé, depuis Maine de Biran, le « fait primitif » ; elle est le
critère de toute vérité ou certitude philosophique.

Avant de nous attarder à quelques analyses, justifiant cette
position, tâchons de comprendre d'abord la portée d'un « fait primitif » en philosophie. Disons immédiatement que l'appel à un
phénomène-clé, critère de toute vérité humaine, ne peut être
considéré comme un brevet ou une spécialité propre au seul
existentialisme. Toute philosophie importante est dominée par une

---

[15] DE WAELHENS, op. cit., p. 7.

vérité originelle, révélatrice de soi-même et inspiratrice de toute sa dialectique ultérieure.

Un « fait primitif » n'est pas une vérité générale, une vérité de toute pièce, que l'on a ou n'a pas. Il n'est pas une vérité-étalon à laquelle on devrait mesurer nos petites certitudes partielles pour en découvrir leur part de vérité. Un « fait primitif » est plutôt l'*âme* de toute vérité, ce qui fonde toute vérité en tant qu'il s'y explicite soi-même. C'est un moment d'intelligibilité originel, central, universel, si riche de sens que tout sens concret n'en est qu'une participation. Il est ce qui donne à l'intelligence de découvrir la vérité de tout être qui se manifeste hic et nunc. On ne peut mieux comparer cette vérité originelle et sa fonction significative qu'à l'inspiration artistique. Celle-ci n'est pas un être en soi qui serait *cause* de l'œuvre d'art et de l'émotion qu'elle suscite chez l'admirateur. L'inspiration n'existe que dans les manifestations artistiques (la création d'œuvres et la jouissance admirative authentique), dont elle constitue précisément l'aspect ontologique qu'est la création d'une émotion esthétique ; elle *est* l'artiste et son œuvre. Ainsi le « fait primitif » en philosophie est ce qui, en tout acte de conscience, constitue son aspect proprement et réellement cognitif ; il se manifeste dans les vérités concrètes et fait que celles-ci soient vraies et se laissent comprendre dans une synthèse ouverte et à approfondir progressivement , grâce à sa propre richesse inépuisable.

Prenons un exemple que l'on peut supposer connu par le théologien. Pour St. Thomas toute vérité humaine, aussi bien la connaissance des essences que les connaissances déduites par raisonnement, se réfère aux « prima intelligibilia », qui tous se concentrent dans l'idée de l'être [16]. L'« ens » n'est pas une idée gé-

---

[16] Nous citons seulement deux textes importants. Pour une étude plus approfondie nous renvoyons à un article du Prof. G. VERBEKE, *Le développement de la connaissance humaine d'après St. Thomas*, in R.Ph.L., 1949, p. 437 sq. « Insunt nobis etiam naturaliter quaedam conceptiones omnibus notae, ut entis, unius, boni et huiusmodi, a quibus eodem modo procedit intellectus ad cognoscendum quidditatem uniuscuiusque rei, per quem procedit a principiis per se notis ad cognoscendas conclusiones ». Ql VIII, q. 2, a. 2, c. « Sicut in demonstrabilibus oportet fieri reductionem in aliqua principia per se intellectui nota, ita investigando quid est unumquodque ; ... Illud autem quod primo intellectus concipit quasi notissimum, et in quo omnes conceptiones resolvit, est ens. » de Ver., q. 1, a. 1, c.

nérale qui, grâce à son imprécision, pourrait contenir toute autre idée, ni un fait brut que l'on constate, contre lequel on se bute. Moi qui pense, je suis « ens », et chaque aspect de mon être dévoile le même « ens » ; toute autre réalité est « ens », dévoile à son tour la richesse multiforme et inépuisable de l'« ens ». L'« ens » se manifeste dès lors comme l'ordre complexe et concret de tout le réel qui donne un contenu valable à la réflexion philosophique, y compris elle-même. L'« ens » est ce qui fonde en chaque « étant » son insertion dans un milieu naturel en même temps que son intelligibilité universellement valable. Il est le fondement révélateur de toute réalité (noéma) et inspirateur de tout acte de conscience (noésis). Et sa propre vérité se réduit à cette présence participée d'un réel inaccessible dans sa plénitude, inexprimable adéquatement, mais qui fait qu'une vérité humaine soit possible et se prête à un développement méthodique tout en étant par essence inexhaustive et ineffable.

Pour l'existentialisme ce donné originel et significatif, ayant un sens en soi et fondant tout sens possible, est l'existence humaine ; dès lors il n'y a pas d'autre source de vérité valable pour l'intelligence humaine, et toute vérité s'évaluera inévitablement et essentiellement en fonction de ce « fait primitif ».

> « L'existence c'est le mouvement par lequel l'homme est au monde, s'engage dans une situation physique et sociale qui devient son point de vue sur le monde » [17].

Et dans l'Avant Propos de sa *Phénoménologie de la perception* le même auteur écrit:

> « Quand je reviens à moi à partir du dogmatisme de sens commun ou du dogmatisme de la science, je trouve non pas un foyer de vérité intrinsèque, mais un sujet voué au monde » [18].

Gabriel Marcel appelle l'existence « L'Etre incarné, repère central de la réflexion métaphysique » [19]. Et dans l'exposé de ce thème, il décrit son propre effort philosophique en ces termes:

> « Une recherche du type que je vise en ce moment sera commandée par un certain engagement qui ne se laisse d'ailleurs pas facilement

---

[17] MERLEAU-PONTY, *Sens et Non-sens*, Paris, Editions Nagel, p. 143. Sigle: SNS.

[18] PP., V.

[19] *Du Refus à l'Invocation*, Paris, Gallimard, p. 19. Sigle: RI.

formuler; il ne suffit pas de dire que c'est un vœu de fidélité à l'expérience; l'étude des philosophes empiristes nous montre à quel point ce mot d'expérience est imprécis et fluctuant. La philosophie, c'est bien une certaine façon pour l'expérience de se reconnaître, de s'appréhender — mais à quel niveau d'elle-même? et comment se définira cette hiérarchie, comment s'ordonnera-t-elle? Je me bornerai à dire qu'il faudra distinguer des degrés son seulement dans l'élucidation, mais dans l'intimité avec soi et avec l'ambiance — avec l'univers lui-même.

Au départ de cette investigation, il nous faudra placer un indubitable, non pas logique ou rationnel, mais existentiel; si l'existence n'est pas à l'origine, elle ne sera nulle part; il n'y a pas, je pense, de passage à l'existence qui ne soit escamotage ou tricherie ».[20]

C'est une position tellement commune chez tous les existentialistes qu'il ne faut pas insister davantage. Mais il est plus important d'examiner ce qu'ils entendent par le terme « existence », qui domine la possibilité et la portée de toute vérité humaine. Ils devront justifier, en effet, par des analyses phénoménologiques approfondies, ce privilège ontologique et épistémologique qu'ils reconnaissent à l'existence.

b) « *Existence* ». L'existentialisme, comme on vient de le voir, est fasciné par la différence spécifique de la manière d'être de l'homme et de toute autre réalité. L'existence n'est pas un fait que je constate comme je constate la présence objective des choses qui m'entourent: l'ameublement de ma chambre, le trafic de la rue, les autres en tant que je les coudois simplement. Mon existence apparaît à elle-même comme une épreuve, elle s'expérimente comme une identité vécue qui dévoile, d'une évidence directe, une ambiguïté originale. Au moment même où je réfléchis sur ma position actuelle, je saisis cette identité de mon être, autre déjà qu'elle n'était auparavant et en rapport constitutif avec tout ce qui n'est pas moi. Dans la plupart de mes projets quotidiens ce caractère d'altérité et d'extériorité se manifeste avec une évidence éclatante: le glissement de ma main sur le papier, mon regard sur les mots que j'écris, les bruits lointains de la rue qui accentuent le silence de ma chambre, l'attention réflexive concrète que suscitent les livres lus et annotés qui se trouvent sur

---

[20] RI, 24. Cfr. encore pour ce qui regarde le même auteur: RI, 39-40; 88-89. *Etre et Avoir*, p. 11-12; *Homo Viator*, p. 300; *Le Mystère de l'Etre*, I, p. 148-9.

ma table devant moi, toute cette situation concrète suppose dans mon existence une dualité qui se ne résout pas dans une simple contiguïté spatiale. Ce mouvement centrifuge, qui m'installe au milieu du monde, témoigne en moi d'une altérité intérieure et d'un rapport constitutif avec le monde, qui de son côté répond humainement à mes projets. Et le lien qui unifie comme *mien*, c'est-à-dire comme appartenant à mon être, ce-rapport-avec-le-monde est la corporalité propre. C'est mon corps qui manifeste — dans le double sens du terme: découvrir et réaliser — cette altérité comme caractéristique d'une unité plus fondamentale encore que j'éprouve dans une immédiateté vécue. Mon porte-plume, ce papier, la table à laquelle j'écris, l'ambiance familière de tous les objets qui concrétisent ma situation corporelle actuelle sont empreints de mon effort humain et personnel; et en tant que tels ils étalent extérieurement, dans le monde, ma propre ambiguïté éprouvée. Mon corps est ce « lieu de toute appropriation » [21] humaine de l'extériorité du monde, en tant qu'il me constitue comme conscience essentiellement ouverte sur l'autre qu'elle-même afin de pouvoir se réaliser intérieurement. Mon ambiguïté naturelle se dévoile dès lors comme intériorité-extériorisée, comme autonomie-située, comme esprit-matériel. Et ceci est vrai de toute expérience personnelle sans exception; chacune manifeste la même structure d'altérité identifiée. Même ce que l'on appelle une pure expérience intérieure, où je ferais un effort pour me retirer du monde et imposer le silence à tout appel de l'extérieur, reste empreinte de mes rapports avec le monde et les autres, qui ont peuplé mon passé. Ce passé s'intègre dans mon présent essentiellement corporel, comme le sceau ineffaçable de mon appartenance au monde.

Mon existence s'identifie avec ce complexe d'expériences, non en tant que je le pense, mais en tant que je l'éprouve, que je le vis. Cette caractéristique de mon identité extériorisée on l'appelle « intentionnalité » : transcendance du sujet s'affirmant comme identité personnelle dans le rapport même qu'il entretient à travers son corps avec le monde objectif. Selon la définition de Husserl « toute conscience est conscience *de* quelque chose », et

---

[21] PP., 180.

conscience ne signifie pas l'acte ou la faculté de penser, mais ma manière active d'exister. L'intentionnalité, en tant qu'éprouvée dans la corporalité s'appelle encore « incarnation », et dans ce sens on définit notre existence humaine comme « esprit-incarné ». Il est pourtant important de se rendre compte que c'est uniquement à partir de cette unité indécomposable et irréductible, s'opposant en elle-même dans une ambiguïté insurmontable, que l'on peut découvrir un sens humainement intelligible aux termes: esprit et matière.

Si l'autre-que-la-conscience est essentiellement impliqué dans chaque projet humain, il est évident qu'il ne peut être considéré en premier lieu comme obstacle; il est plutôt aide et soutien dans le déploiement de la libération spirituelle de l'homme. L'autre, c'est-à-dire les autres sujets et le monde des objets, constitue le lieu naturel où seule une vie personnelle peut s'épanouir. Même les activités les plus spirituelles, les plus « immatérielles », ne s'exercent et ne se font valoir qu'en connexion intime, qu'en dialogue avec le monde extérieur. Le Prof. Dondeyne en donne quelques exemples frappants: pas de sciences sans laboratoires, pas de sentiments artistiques authentiques et valables sans expressions dans des œuvres d'art, pas de poésie sans langage, pas de philosophie sans livres et Instituts [22]. On pourrait en dire autant de la théologie et de la religion: elles émanent de et s'adressent à l'homme terrestre; la théologie s'incarne dans des œuvres matérielles: livres, œuvres d'art; la religion s'exprime dans le culte. En un mot, l'homme ne s'humanise qu'en humanisant le monde; il apparaît dans le monde comme sujet culturel et historique. Le monde lui-même comme complexité des « choses » s'effondre dans une univocité indistincte dès qu'on essaye de le penser isolé ou détaché de l'existence humaine: une maison n'est plus une habitation, une œuvre d'art ne représente plus rien et ne crée aucune émotion, un livre n'est pas écrit et est illisible, en un mot plus rien n'a de sens. Seulement par l'être-au-monde de la conscience humaine les choses ont été réalisées et conservent

---

[22] Cfr. *Beschouwingen bij het atheïstisch existentialisme*, in T.Ph., 1951, p. 13.

leur sens propre et tant qu'elles sont impliquées dans les initiatives créatrices de l'homme [23].

Tout cet ensemble de considérations est signifié étymologiquement par les termes « existence », « Dasein ». Les préfixes « ex » et « Da » attirent notre attention sur cette position unique de notre condition humaine dans l'universalité de tout le réel: l'homme est essentiellement donc indépassablement « ouverture sur l'autre que la conscience »; il se trouve en dehors de lui-même; il est un sujet « voué au monde » [24]; la conscience est intentionnelle, transcendante, incarnée; toutes expressions qui indiquent, à différents points de vue, la même caractéristique constitutive.

> « La philosophie de la transcendance nous jette sur la grand'route, au milieu des menaces, sous une aveuglante lumière. ...: en vain chercherions-nous, comme Amiel, comme un enfant qui s'embrasse l'épaule, les caresses, les dorlotements de notre intimité, puisque finalement tout est dehors, tout, jusqu'à nous-mêmes: dehors, dans le monde, parmi les autres. Ce n'est pas dans je ne sais quelle retraite que nous nous découvrirons: c'est sur la route, dans la ville, au milieu de la foule, chose parmi les choses, homme parmi les hommes ».[25]

Ces approches phénoménologiques, dévoilant l'ambiguïté spécifique de l'existence humaine, s'inscrivent en faux contre tout matérialisme grossier aussi bien que contre un spiritualisme exagéré, qui ont voulu nier ou réduire, chacun dans une direction extrême et opposée, une des deux caractéristiques de cette unité de notre être.

L'homme n'existe pas à la manière d'une « chose » au milieu d'autres « choses ». L'altérité, expérimentée en premier lieu dans

---

[23] On pourrait se demander: et le monde avant l'apparition de l'homme? Pour le philosophe ce monde n'a pas de sens; tout ce que l'on peut en dire, ou bien réfère de la pure imagination, ou bien renvoit au monde humain auquel on emprunte des images et des idées déjà humanisées. Même si l'on considère ce monde dans une perspective créationniste, le philosophe n'est pas à même de penser l'être créé du point de vue du créateur, mais uniquement du point de vue de sa philosophie théiste, qui est encore humaine. « La nébuleuse de Laplace n'est pas derrière nous, à notre origine, elle est devant nous, dans le monde culturel. » PP., 494.

[24] PP., V.

[25] J.P. SARTRE, *Situations* I, Paris, Gallimard, p. 33, 34-5.

11.

l'eccéité du corps propre, mais dépassée dans l'épreuve de son unité vécue avec l'existence totale, récuse toute réduction de l'être humain à l'univers matériel; il n'est pas un moment passager dans l'évolution physique ou un facteur anonyme dans une série causale. Mon-corps signifie dans toutes ses manifestations mon individualité personnelle; même gravement mutilé, il est encore ma manière *humaine* d'être-au-monde et conserve la dignité personnelle. Le monde lui-même apparaît plein de significations d'origine humaines, et c'est grâce à la *présence* de l'homme que cet univers s'enrichit continuellement de significations. S'il y a lieu de parler d'«englober», c'est plutôt l'homme qui englobe le monde; l'homme com-prend, embrasse, domine le monde, il le signifie tout en y déployant sa propre subjectivité. Sans l'homme notre monde ne serait pas *ce* monde-*ci;* il le *sur*-peuple au delà de tout déterminisme causal. La seule expérience d'une émotion quelconque, mais surtout toute initiative libre apporte à l'évolution déterminée qui s'accomplit dans notre univers un surcroît de sens, et cela en tant que l'homme émerge du monde comme puissance créatrice. Ainsi par exemple l'admiration devant un paysage surpeuple cette partie du monde d'une beauté objective qui n'y est pas sans la présence spirituelle de l'homme.

D'un autre côté il est aussi insensé de considérer l'existence humaine comme une pure subjectivité, se suffisant en soi-même, et de réduire le monde à un complexe de représentations, à la «signification monde»[26]. La spiritualité humaine est liée ontologiquement au monde, et ce lien, *en tant que je le suis,* se manifeste dans mon corps. Au moment même où je réfléchis en m'arrêtant d'écrire, c'est encore dans le prolongement de cet acte

---

[26] PP., VIII. Sartre dépeint cette conception idéaliste dans une image très expressive: «Nous avons tous lu Brunschvicg, Lalande, Meyerson, nous avons tous cru que l'Esprit-Araignée attirait les choses dans sa toile, les couvrait d'une bave blanche et lentement les déglutissait, les réduisait à sa propre substance. Qu'est-ce qu'une table, un rocher, une maison? Un certain assemblage de «contenus de conscience», un ordre de ces contenus. O philosophie alimentaire! Rien ne semblait pourtant plus évident: la table n'est-elle pas le contenu actuel de ma perception, ma perception n'est-elle pas l'état présent de ma conscience? Nutrition, assimilation. Assimilation, disait Lalande, des choses aux idées, des idées entre elles et des esprits entre eux. Les puissantes arêtes du monde étaient rongées par ces diligentes diastases: assimilation, unification, identification.» op. cit. p. 31.

d'écrire, s'exprimant dans le redressement de mon corps et mon regard pensif, dans l'ambiance familière de ma chambre, que mon acte de réflexion se situe, et il n'est réel que dans cette contexture existentielle. L'extériorité matérielle de mon corps, et par lui celle de ce monde concret où je me trouve situé dans le temps et l'espace, appartiennent à mon existence humaine, participent à la vie de l'esprit et la caractérisent de leur empreinte. Le simple fait déjà que l'homme distingue *perception* et *imagination* en est une autre preuve irréfutable. L'exemple de la tache de soleil qui semblait être de loin une pierre plate, — que nous donnions plus haut dans un autre contexte —, fait clairement ressortir que le critère de cette distinction est à chercher dans mon exploration perceptive du monde réel, et non dans les contenus rationnels de ma conscience.

> « Il n'y a pas à la rigueur, dit Gabriel Marcel, de réduit intelligible où je pourrais m'établir en dehors ou en deçà de mon corps; cette désincarnation est impraticable, elle est exclue par ma structure même ».[27]

Merleau-Ponty résume succinctement, dans un texte très clair, l'impossibilité de ces deux extrêmes:

> « Si l'homme était une chose entre les choses, il ne saurait en connaître aucune, puisqu'il serait, comme cette chaise ou cette table, enfermé dans ses limites, *présent* en un certain lieu de l'espace et donc incapable de se les *représenter* tous. Il faut lui reconnaître une manière d'être particulière, l'être intentionnel, qui consiste à viser toutes les choses et à ne demeurer en aucune. Mais si l'on voulait conclure de là que, par notre fond, nous sommes esprit absolu, on rendrait incompréhensibles nos attaches corporelles et sociales, notre insertion dans le monde, on renoncerait à penser la condition humaine. Le mérite de la philosophie nouvelle est justement de chercher dans la notion d'existence le moyen de la penser ».[28]

Les analyses précédentes nous font comprendre que l'existentialisme, s'il veut se faire valoir comme une philosophie intégrale, se trouve devant une double tâche.

---

[27] RI., 31.
[28] SNS., 143.

164

D'abord il devra démontrer ce double caractère indissoluble de l'existence humaine, à savoir qu'elle est *un irréductible pré-réflexif, « qui fonde pour toujours notre idée de vérité »* [29]. Par des réductions phénoménologiques il devra faire apparaître la présence significative de notre existence pré-réflexive dans toute réalité que nous rencontrons et que nous approchons avec n'importe quelle intention, et faire ressortir que tout autre être ou phénomène puise son sens, en tant qu'intelligible pour l'homme, dans son rapport ontologique avec cette existence humaine. Ainsi par exemple Sartre a démontré, dans son *Esquisse d'une théorie des émotions,* que « le sujet ému et l'objet émouvant sont unis dans une synthèse indissoluble » [30]. Et cette synthèse puise son sens dans une intention humaine ; « l'émotion est une certaine manière d'appréhender le monde » [31], « elle est une transformation du monde » [32]. L'homme ému prend position dans le monde, avant même tout acte réflexif, d'une manière qui taille le monde à la mesure de ses possibilités du moment. Et si le monde ne se prête pas physiquement à cette transmutation — comme c'est le cas entre autres dans la peur — le sujet ému le change par une conduite magique.

> Ainsi par exemple « la fuite est une conduite magique qui consiste à nier l'objet dangereux avec tout notre corps, en renversant la structure vectorielle de l'espace où nous vivons en créant brusquement une direction potentielle, de *l'autre côté.* C'est une façon de l'oublier, de le nier. C'est de la même manière que les boxeurs novices se jettent sur l'adversaire en fermant les yeux ; ils veulent supprimer l'existence de ses poings, ils refusent de les percevoir et par là suppriment symboliquement leur efficacité. Ainsi le véritable sens de la peur nous apparaît : c'est une conscience qui vise à nier, à travers une conduite magique, un objet du monde extérieur et qui ira jusqu'à s'anéantir, pour anéantir l'objet avec elle ».[33]

Pour s'acquitter de cette première tâche l'existentialisme devra démontrer que cette réduction se réalise à tous les niveaux de

[29] PP., XI. Nous soulignons.
[30] *Esquisse d'une Théorie des Emotions*, Paris, Hermann & C., p. 30.
[31] Id., p. 30. Cfr. aussi p. 49.
[32] Id., p. 33.
[33] Id., p. 35-6.

notre vie; en un mot que notre existence irréfléchie est à l'origine de toutes nos conceptions journalières, du travail scientifique, de la réflexion philosophique; qu'elle est donc l'indépassable et l'irréductible premier, toujours présupposé dans toutes les doctrines et tous les systèmes qui l'oublient ou s'efforcent de le nier. Fonder la vérité c'est reconnaître notre existence pré-réflexive comme la terre natale de la vérité et reconnaître la philosophie comme « conscience de sa propre dépendance à l'égard d'une vie irréfléchie qui est sa situation initiale, constante et finale » [34]. A deux endroits de *Sens et Non-sens*, le même auteur explicite davantage cette position de l'irréductibilité de l'existence irréfléchie comme fondement radical et universel de toute vérité humaine:

« une philosophie phénoménologique ou existentielle se donne pour tâche non pas d'expliquer le monde ou d'en découvrir les "conditions de possibilité", mais de formuler une expérience du monde, un contact avec le monde qui précède toute pensée *sur* le monde ».[35]

« mon engagement dans la nature et dans l'histoire est à la fois une limitation de mes vues sur le monde et ma seule manière d'y accéder, de connaître et de faire quelque chose. Le rapport du sujet et de l'objet n'est plus ce *rapport de connaissance* dont parlait l'idéalisme classique et dans lequel l'objet apparaît toujours comme construit par le sujet, mais un *rapport d'être* selon lequel paradoxalement le sujet *est* son corps, son monde et sa situation, et, en quelque sorte, s'échange ».[36]

Sur ce terrain la phénoménologie existentialiste a rendu des services inappréciables; elle a découvert et explicité des perspectives nouvelles qui ont permis de préciser les positions et d'approfondir les structures des problèmes éternels de la « philosophia perennis », en même temps que d'ouvrir de nouveaux horizons. Les notions de perception, historicité, temporalité, spatialité, irrationnalité, transcendance, incarnation et tant d'autres ont été revalorisées et enrichies à partir de leur signification originellement humaine, dans des analyses très diverses et propre à chaque philosophe existentialiste. Chez tous on rencontre ces mêmes thèmes,

[34] PP., IX.
[35] SNS., 54-5.
[36] SNS., 143-4.

mais analysés de divers points de vue selon l'inspiration fondamentale qui domine leur œuvre.

La philosophie de Gabriel Marcel est dominée par l'idée de l'incarnation : notre existence se manifeste dans une tension dialectique entre deux manières d'être, qui s'expriment épistémologiquement dans l'opposition *problème-mystère*, ontologiquement dans l'opposition *avoir-être*. Cette tension ouvre notre existence à une reconnaissance métaphysique d'une Transcendance Absolue ; mais cette reconnaissance ne se réfléchit que dans des actes qui dépassent le niveau rationnel, et elle reste intérieurement menacée par la possibilité d'infidélité et de trahison, la philosophie étant essentiellement un engagement libre.

La philosophie de Sartre est inspirée par la même prise de conscience d'une dualité ou d'une ambiguïté ontologique de notre existence. Mais pour lui notre existence historique s'enferme dans cette contradiction ontologique des deux manières d'être, *pour-soi et en-soi*, conscience et eccéité ou facticité. L'homme *est* ce péché originel ontologique, il a à l'être librement. Il n'y a aucune issue métaphysique ; c'est uniquement au niveau de la liberté, ontologiquement contradictoire elle aussi, qu'il pourra surmonter la contradiction dans une praxis morale.

L'idée inspiratrice de l'œuvre de Merleau-Ponty est celle de notre être-au-monde comme perception : la corporalité appartient à l'essence de la conscience. Dans aucune manifestation de l'existence elle ne peut être transcendée ; mais d'un autre côté elle ne se réduit jamais, en tant qu'elle signifie la corporalité-humaine, à une matérialité pure.

> « Notre but constant est de mettre en évidence la fonction primordiale par laquelle nous faisons exister pour nous, nous assumons l'espace, l'objet ou l'instrument, et de décrire le corps comme lieu de cette appropriation ».[37]

La phénoménologie de la perception nous ouvre dès lors l'accès à tous les problèmes authentiquement humains[38].

---

[37] PP., 180.

[38] On comprendra facilement que les analyses profondes de ces différents aspects de notre condition humaine ont remis en valeur la signification réelle de notre corporalité. Nul doute que cette revalorisation comporte un intérêt capital

L'existentialisme ne se restreint pas à cette première tâche.
Il veut aussi élucider le statut ontologique de l'existence avec
toutes ses implications. Il s'efforce de répondre à la question fondamentale: quelle est la manière d'être de l'existence intentionnelle ou transcendantale à partir de laquelle le réel est illuminé
et signifié pour tout homme? On se rendra immédiatement compte
qu'ici l'existentialisme devra examiner et en même temps se pro-
noncer sur la portée épistémologique et métaphysique de cette
réduction de toute réflexion philosophique à l'existence; en dernière analyse il se verra acculé à poser le problème de l'absolu.
S'il prête une attention quasi exclusive à l'existence humaine, c'est
en premier lieu, comme on l'a longuement exposé plus haut, à
cause du rôle irréductible que joue notre existence dans la découverte de la vérité. Mais c'est aussi parce que l'existentialisme
ne s'offre pas le luxe d'être une philosophie de divertissement:
une réflexion philosophique digne de ce nom doit assumer la
responsabilité tragique de se poser le problème du sens ultime de
notre destinée à partir de sa propre énigme. Cette seconde raison
montre clairement que l'existentialisme ne se réduit pas à un

pour la théologie. D'abord pour la morale, qui doit nous instruire sur la valeur
authentique de la vie chrétienne *terrestre*. La seconde partie de cette étude apportera
peut-être quelques suggestions concrètes. Mais aussi la théologie dogmatique peut
s'inspirer de ces apports dans son effort pour élucider les mystères de la Christologie, de la Mariologie et de l'Eschatologie. Pour ne nous arrêter qu'un instant au
dernier, il est sûr que la doctrine chrétienne de la survivance et de la résurrection
pourra s'expliciter dans une compréhension approfondie et plus significative. Certes la
mort reste un mystère, mais le caractère essentiellement matériel de la conscience
humaine, tel qu'il se manifeste dans la perception et l'intentionnalité de ma condition
incarnée, permet de mieux comprendre que « l'âme séparée » signifie en premier lieu
et irrécusablement la personnalité concrète du sujet individuel, tel qu'il a vécu
historiquement son existence terrestre; « l'âme séparée » est séparée de ce corps-ci,
mais non de l'individualité matérielle qui la caractérise comme personne concrète.
La résurrection de son côté ne fera plus cette curieuse impression d'un « retour à
l'ancien régime », mais s'inscrira par avance dans la trame de notre existence actuelle comme une amplification de notre être total, qui est essentiellement corporel,
— ce qu'il est resté après la mort, mais sur un autre mode déficient, — de sorte
que sa vie spirituelle pourra s'épanouir davantage avec l'aide du corps glorifié, sans
en éprouver plus longtemps les entraves propres à la nature déchue. Et notons en
plus qu'on ne peut pas s'inspirer ici des conceptions de la matérialité telles qu'elles
sont assumées dans les théories des sciences positives. Car ces conceptions ne valent
que dans une pensée a-philosophique de la matière et complètement réduite à notre
condition terrestre actuelle.

psychologisme; l'analyse de l'existence n'est pas une fin en soi, elle ouvre au contraire la porte qui donne accès à une métaphysique, c'est-à-dire à une compréhension de l'existence en rapport avec la totalité de l'être.

> « c'est dans son être même , dans ses amours, dans ses haines, dans son histoire individuelle ou collective que l'homme est métaphysique, et la métaphysique n'est plus, comme disait Descartes, l'affaire de quelques heures par mois; elle est présente, comme le pensait Pascal, dans le moindre mouvement du cœur ».[39]

Devant cette question ultime la philosophie existentialiste s'oriente dans une double direction.

Il y a un existentialisme athée[40], représenté par Sartre, Simone de Beauvoir, Francis Jeanson, Maurice Merleau-Ponty. Pour ces penseurs l'homme, considéré dans sa dimension historique et collective, est la source ultime de toute vérité et de toute valeur, il est la mesure de toute intelligibilité; comme agent moral, il « est l'être par qui les valeurs existent »[41]. Toute vérité, étant exclusivement vérité humaine, reste essentiellement relative, inachevée et ne peut être transcendée d'aucune manière. Tout appel à un Absolu, dépassant l'ordre humain, trahit l'authenticité de notre condition telle qu'elle se manifeste comme phénomène-clé, et nie la contingence et la finitude radicales de notre existence.

> « Si au contraire j'ai compris que vérité et valeur ne peuvent être pour nous que le résultat de nos vérifications ou de nos évaluations au contact du monde, devant les autres et dans des situations de connaissance et d'action données, — que même ces notions perdent tout sens hors des perspectives humaines, — alors le monde retrouve son relief, les actes particuliers de vérification et d'évaluation dans lesquels je ressaisis une expérience dispersée reprennent leur importance décisive, il y a de l'irrécusable dans la connaissance et dans l'action, du vrai et du faux, du bien et du mal, justement parce que je ne prétend pas y trouver l'évidence absolue. La conscience mé-

---

[39] SNS., 55.

[40] On appelle cet existentialisme, à tort nous semble-t-il, agnosticisme. L'abandon inconditionnel à la contingence de notre histoire dans toute sa profondeur pousse ces auteurs à la négation pure et simple de ce qu'ils prétendent ne pouvoir atteindre. Leur attitude ne peut se traduire par « on ne sait pas », mais au contraire par un « impossible » absolu.

[41] J.P. SARTRE, *L'Etre et le Néant*, Paris, Gallimard, p. 722. Sigle: EN.

taphysique et morale meurt au contact de l'absolu parce qu'elle est elle-même, par delà le monde plat de la conscience habituée ou endormie, la connexion vivante de moi avec moi et de moi avec autrui. La métaphysique n'est pas une construction de concepts par lesquels nous essaierions de rendre moins sensibles nos paradoxes; c'est l'expérience que nous en faisons dans toutes les situations de l'histoire personnelle et collective, — et des actions qui, les assumant, les transforment en raison. C'est une interrogation telle qu'on ne conçoit pas de réponse qui l'annule, mais seulement des actions résolues qui la reportent plus loin. Ce n'est pas une connaissance qui viendrait achever l'édifice des connaissances; c'est le savoir lucide de ce qui les menace et la conscience aiguë de leur prix. La contingence de tout ce qui existe et de tout ce qui vaut n'est pas une petite vérité à laquelle il faudrait tant bien que mal faire place dans quelque repli d'un système, c'est la condition d'une vue métaphysique du monde ».[42]

Francis Jeanson accentue davantage cette négation de Dieu comme fondement de toute morale authentique:

« Toute référence à Dieu entrave la conquête par les hommes de leur pleine humanité (de cette *totalité* que chacun d'eux « est » déjà mais ''en ayant à l'être''): car elle a pour conséquence une espèce d'hémorragie dans les relations entre les hommes et dans le rapport de chaque homme à lui-même. Celui qui se situe par rapport à Dieu, à l'ordre divin, il ne peut pas se situer réellement, sans réserve, au cœur des problèmes humains; il y a toujours quelque chose de lui qui échappe, qui s'échappe, qui se trouve dérivé vers un incontrolable *ailleurs*. ... toute Morale qui n'implique pas à son origine une profession d'athéisme, semble en effet se vouer à l'imposture, puisqu'elle invite les hommes à trahir leur humanité, puisqu'elle leur désigne comme condition essentielle du salut le reniement initial de leur existence même ».[43]

Notre existence terrestre, intra-mondaine, insérée dans l'histoire collective de l'humanité entière, est épistémologiquement et ontologiquement le « fait dernier »[44]. En dehors de cette perspective il n'y a rien à penser ni rien à affirmer. Ce que l'homme touche est signé, irrévocablement, de sa finitude ou contingence historique. L'Absolu, de quelque manière qu'on le conçoive, est une

[42] SNS., 190-2.

[43] *Sartre par lui-même*, Paris, Editions du Seuil, p. 179-180.

[44] PP., 447.

limite qui se perd dans l'irréalité; son unique sens consiste en ceci: être l'image objective de l'inachèvement essentiel de tout projet humain et de la progression indéterminée de son histoire collective.

A l'encontre de cet athéisme, il y a un existentialisme ouvert sur la Transcendance Absolue, représenté par Gabriel Marcel, Karl Jaspers et Martin Heidegger. Dans l'existence même *se manifeste* une perspective réelle qui dépasse, sans la nier pourtant, notre condition historique terrestre. L'être dont mon existence participe, et qu'elle atteint dès lors authentiquement — sans pour autant le reduire aux conditions ontologiques de sa propre dimension — transcende la contingence de l'histoire humaine; l'homme historique est pénétré du mystère de l'être. C'est ce que d'ailleurs les existentialistes athées reconnaissent implicitement en parlant, après Husserl, d'une « Seinsglaube », d'une « Urdoxa ». Merleau-Ponty entre autres écrit:

> « Percevoir, c'est engager d'un seul coup tout un avenir d'expériences dans un présent qui ne le garantit jamais à la rigueur, c'est croire à un monde. ... Il y a certitude absolue du monde en général, mais non d'aucune chose en particulier. La conscience est éloignée de l'être et de son être propre, et en même temps unie à eux, par l'épaisseur du monde ».[45]

N'est-ce pas la même « Seinsglaube » qui fonde et soutient cette conclusion de Sartre:

> « Et, certes, la conscience envisagée à part n'est qu'une abstraction, mais l'en-soi lui-même n'a pas besoin de pour-soi pour être: la « passion » du pour-soi fait seulement qu'*il y ait* de l'en-soi. Le *phénomène* d'en-soi est un abstrait sans la conscience mais non son *être* ».[46]

Pour ces auteurs néamoins, la « Seinsglaube » est un X inconnu, qui ne se prête pas à une élucidation de la part de l'homme. Car toute élucidation est particularisation, incluse dans la trame historique et contingente de notre existence. Pourtant, la reconnaissance d'une distinction entre cet absolu et sa particularisa-

---

[45] PP., 343-4. Cfr. encore PP., 395.
[46] En., 716.

tion suppose une prise de conscience qui ne s'épuise pas totalement dans la particularisation. Du point de vue phénoménologique même il y a donc un double savoir: 1° le savoir thétique de tout le concret qui apparaît ; 2° le savoir non-thétique qui *sous-tend* tout apparaître en tant que celui-ci suppose et comporte une « sorte de foi ou d'opinion primordiale » [47] du monde comme « horizon de tous les horizons » [48] possibles. Or ce savoir non-thétique, inhérent à notre existence, nous ouvre sur le mystère de l'être. Il s'agit donc de reconnaître cette lumière de l'être, de se mettre à son diapason, et de l'expliciter à partir d'une analyse phénoménologique de notre existence. Dans un telle perspective l'affirmation de Dieu reste possible, sans contredire toutefois la relativité épistémologique et ontologique de notre condition humaine [49]. Une fois que l'homme se reconnaît ouvert sur le mystère de l'être qui le dépasse, il est à même de découvrir dans ce mystère, dont il participe, une exigence fondamentale de transcendance, qui ne peut être garantie et fondée en dernière analyse que par une Transcendance Absolue. Toute la philosophie de Gabriel Marcel se résume dans cet effort pour expliciter, dans le fond le plus authentique de notre existence, cette invocation métaphysique du Toi-Absolu ; une invocation qui sous-tend et nourrit toute transcendance particulière, mais qui possède, ontologiquement et moralement, le pouvoir de se renier. Dans la même perspective Heidegger écrit dans se lettre à Beaufret: « Das Stehen in der Lichtung des Seins nenne ich die Ek-sistenz des Menschen » [50].

---

[47] PP., 395.

[48] PP., 384.

[49] Il va sans dire que toute affirmation humaine qui porte sur le Transcendant Absolu reste irrévocablement analogique. Aussi dans sa *connaissance* l'homme reste enfermé dans sa *finitude ontologique*, enlisé dans la facticité de son corps et du monde. Dans son être même il comporte « une frange irréductible d'opacité » (DE WAELHENS, *Une Philosophie de l'Ambiguïté. L'existentialisme de Maurice Merleau-Ponty*, Louvain, Publications universitaires de Louvain, p. 285), qu'il lui est impossible, par définition, de jamais transformer en une compréhension lucide et adéquate. Toute vérité humaine est insurmontablement *relative* et *provisoire* dans ce sens-là. Il est instructif à cet égard de méditer deux textes importants de St. Thomas: ST., I, q. 3, a. 4, ad 2m.; ScG., lib. 1, c. 12, ad 1m.

[50] *Brief an Beaufret*, Bern, Franke, p. 66. Cité par Dondeyne dans l'article mentionné de T.Ph., 1951, p. 21.

B. Ethique.

De cet exposé ressort nettement le caractère engagé de la philosophie existentialiste. L'homme se trouve au cœur du réel ; il fait partie de l'histoire du monde tout en y occupant une place centrale qu'il ne partage avec aucun autre « étant ». Cette caractéristique s'exprime dans l'idée d'intentionnalité : présence à soi *à travers* le contenu objectif de tous ses projets ; transcendance du sujet, qui existe comme conscience d'autre chose que soi, et qui, dans ce commerce, explicite un rapport de significations objectives, de sorte que les êtres portent « le nom que l'homme leur a donné » [51].

Cette structure de notre existence nous dévoile une *double dimension signifiante,* dans le sens actif du mot : donner une signification, dé-couvrir un sens.

Elle exprime d'abord que notre commerce avec l'être n'est jamais une pure connaissance et que la connaissance conceptuelle elle-même n'est qu'une des manières possibles d'expliciter le sens du monde ; celui-ci se dévoile aussi dans notre manière de le percevoir, de l'aimer ou de le haïr. On doit même dire que c'est la manière de le vivre qui nourrit la connaissance conceptuelle.

Ensuite cette structure nous révèle que tout dévoilement de sens *dans* le monde est corrélativement une réalisation du sens propre de notre existence elle-même. Dans sa transcendance intentionnelle vers le monde notre existence se manifeste en même temps comme un être qui est un « devoir-être », comme un « être qui est déjà, mais en ayant à l'être » [52]. Si l'homme projette des sens dans le monde, il projette dans le même acte existentiel son propre sens : il *est* un être signifiant, et il se signifie lui-même, nécessairement, dans tout projet de sens objectif. Et puisque cette intentionnalité ne se restreint pas à une pure connaissance enregistrable, mais au contraire se dévoile comme fondement de toute vérité et de toute valeur, la manière dont elle se déploie dans l'existence n'est ni indifférente ni arbitraire. L'homme est responsable de la signification du monde et de son propre sens. Par sa liberté il s'engage, selon un thème heideggerien, à « lais-

---

[51] Gen., I, 19.

[52] Jeanson, Fr., *Sartre par lui-même,* p. 179.

ser être l'étant » [53] ; il construit librement la vérité existentielle du monde et de soi-même. Dans cet engagement nous rencontrons phénoménologiquement la moralité.

Trop souvent encore on s'imagine que le problème moral se pose à partir de l'alternative : morale autonome ou morale normative. C'est là un pseudoproblème, car la moralité inclut, originellement, autonomie et norme. Dans un sens très général encore la conduite morale nous apparaît comme projet de réaliser authentiquement son propre sujet. Mais cette conduite révèle immédiatement une dualité.

Elle est d'abord une activité *soumise à une norme*. La moralité désigne une certaine caractéristique de nos projets, qui renvoit à une intention constante de la liberté. Cette constante ne peut être comprise sur le mode de la nécessité ou de la stabilité indifférenciée des choses, ce qui signifierait la négation de la liberté ; elle n'est pas inscrite dans une nature donnée. Elle ne signifie non plus la référence à une Valeur transcendante qui définirait les lignes de notre conduite. Etre soumise à une norme veut dire en premier lieu que la conduite morale n'est pas arbitraire, mais qu'elle manifeste une intentionnalité propre qui décide dans chaque situation concrète de la valeur spécifiquement humaine de l'acte libre. Reconnaître cette constante c'est récuser le non-sens d'une gratuité indifférenciée originelle de l'agir humain comme point de départ d'une réflexion philosophique sur le phénomène moral. Car, comment pourrait-on jamais rejoindre, à partir de ce plan d'indifférence théorique, la réalité vécue de notre agir ? A ce niveau notre vie n'aurait aucune consistance, et aucune expérience ne serait encore reconnaissable. L'agir moral au contraire est d'emblée « le surgissement d'une exigence » [54]. Il est significatif à cet égard que les deux grands courants a-religieux de notre époque, le marxisme et l'existentialisme athée, admettent cette évidence première ; eux aussi reconnaissent que la moralité renvoie essentiellement à une norme de conduite [55].

[53] HEIDEGGER, M., *De l'Essence de la Vérité*, trad. et introduction par Alph. De Waelhens et Walter Biemel, Louvain, E. Nauwelaerts, 1948, passim.

[54] MADINIER, G., *La Conscience Morale*, (Col. « *Initiation philosophique* »), Paris, P.U.F., 1954, p. 37.

[55] A plusieurs reprises on rencontre dans l'œuvre de Sartre, précisément à

174

Dans chacun de ces systèmes, aussi subjectifs et révolutionnaires qu'ils se proclament, on fait appel à une valeur stable, ne serait-ce celle de la liberté subjective et individuelle que chacun se doit de respecter universellement. Nous nous trouvons ici devant un fait originel: l'action morale se référe à une norme en ce sens

---

des moments où on se croirait en droit de lui reprocher son a-moralisme absolu, un renvoi à la prise de conscience morale qui devrait convertir, dans une réflexion purifiante, la condition d'échec ontologique de notre existence. Cfr. p. ex. EN, 484 (1). Dans les deux dernières pages de EN, consacrées à des « perspectives morales », il résume en ces termes l'appel à une norme motivant la conduite morale: « toutes les activités humaines sont équivalentes — car elles tendent toutes à sacrifier l'homme pour faire surgir le cause de soi — et toutes sont vouées par principe à l'échec. Ainsi revient-il au même de s'enivrer solitairement ou de conduire les peuples. Si l'une de ces activités l'emporte sur l'autre, ce ne sera pas à cause de son but réel, mais à cause du degré de conscience qu'elle possède de son but idéal; et, dans ce cas, il arrivera que le quiétisme de l'ivrogne solitaire l'emportera sur l'agitation vaine du conducteur de peuples », EN, 721-2. Dans *Pour une morale de l'Ambiguïté*, un petit essai où Sim. de Beauvoir a systématisé la morale sartrienne, elle parle à maintes reprises des « exigences rigoureuses » que leur morale impose à la conduite libre des hommes, exigences qui peuvent aller, dans des circonstances exceptionnelles, jusqu'à exiger le suicide. Et tout comme Sartre elle tâche, dans ses œuvres littéraires, de démontrer l'authenticité vécue de leur morale autonome de la liberté humaine. Dans *L' Invitée* p. ex. l'héroïne se libère moralement en commettant lucidement un meurtre. Une position qu'elle a entretemps révoquée: « La fin de « L'Invitée » ne me satisfaisait pas: ce n'est pas le meurtre qui permet de surmonter les difficultés engendrées par la coexistence. » in *La Force de l'Age*, Paris, Gallimard, (1960) p. 622.

Le marxisme de son côté, qui justifie moralement la révolution, la violence, le mensonge, la ruse, ne le fait pour autant pas arbitrairement. Les mêmes actions peuvent être injustifiables tant qu'elles ne servent pas la cause du Prolétariat ou, exprimé plus philosophiquement, tant qu'elles n'explicitent pas, en formes concrètes et passagères, l'immanence de la fin absolue de l'histoire. Merleau-Ponty donne, dans *Humanisme et Terreur* à la page 147, l'exemple qu'il serait moralement injustifiable de mentir aux masses prolétariennes au delà d'un délai nécessaire pour les instruire sur les réalités économiques et politiques. Et ce délai ne saurait en aucun cas dépasser la durée d'une vie humaine. C'est qu'à la base de ces attitudes pratiques — que nous reconnaissons comme intrinsèquement immorales — le marxisme reconnaît un principe ou une valeur réelle et définie, càd. donc une certaine constante qui exclut l'arbitraire et décide, selon les circonstances, de la moralité ou de l'immoralité des conduites humaines. En d'autres termes, on ne peut pas indifféremment mentir ou ne pas mentir, ruser ou ne pas ruser, faire la révolution ou ne pas la faire. La décision, si elle veut être moralement bonne, ne dépend pas de notre caprice ou bon plaisir, mais de la soumission de notre liberté à la dialectique de l'histoire, que celle-ci soit reconnue comme la maturation progressive de la liberté de tous les hommes (la vue plus personnaliste du jeune Marx), ou comme l'acheminement progressif et nécessaire de l'histoire économico-sociale vers la société sans classes (Marx de l'âge mûr).

que la liberté humaine n'est pas une faculté de la pure indétermination ou moins encore de l'arbitraire. Ce fait doit servir de base de départ à tout essai de compréhension du phénomène moral.

Si elle n'échappe pas à une norme, l'action morale est pourtant une *action personnelle et libre.* C'est une caractéristique aussi évidente que la première, même si certains conformismes juridiques semblent l'oublier. Il est de toute importance de ne pas le perdre de vue. Tout homme qui réfléchit sincèrement sur le sens de sa destinée doit reconnaître que le fondement de toute valeur morale consiste dans la justification personnelle et concrète de son devoir-être. La conscience morale se porte directement sur l'acte et non sur une loi. Le devoir moral est une tâche strictement personnelle où seul le sujet détermine en dernière analyse ce qu'il doit faire dans chaque situation particulière. Nulle influence ou valeur extérieure n'est à même de le *remplacer;* le sujet seul décide et crée la valeur morale de son acte. En d'autres mots c'est l'homme agissant qui en dernier ressort découvre lui-même la moralité de son acte et de son être [56].

En résumant ces premières approches du phénomène moral on peut définir l'action morale comme un agir libre, qui se reconnaît soumis à une norme par et dans un jugement pratique ou prudentiel du sujet même, situé concrètement, en vue de déterminer et de réaliser hic et nunc son sens humain complet. La mora-

---

[56] A certains croyants cette accentuation du rôle personnel peut paraître sinon hérétique du moins choquant. Ce que l'on veut souligner ici c'est que, même pour un homme qui croit à l'existence de Dieu et à la Révélation, qui admet l'autorité du Magistère de l'Église en tant qu'il nous *enseigne* la vérité et nous *propose* ce que nous avons à faire et à laisser, le problème moral *commence* seulement *à partir* de cette croyance, càd. à partir de l'acceptation consciente et donc subjective de cet ordre objectif. Car si l'on ne veut pas donner dans une hérésie réelle cette fois-ci, et dans une superficialité simpliste, il faut se rendre compte que dans toute doctrine et dans tout précepte, l'Église fait appel à notre personnalité. Chaque croyant devra, personnellement, dans sa situation particulière, transformer en acte humain, incarner, cette doctrine et ces commandements. En dernière analyse donc la signification et la portée concrètes de la foi devront être *découvertes et transformées-en-réalité-vécue* par chaque homme à chaque moment actif de son existence. On n'a pas à choisir entre l'ordre objectif et son évaluation subjective, mais on a la tâche de synthétiser les deux dans leur vérité vécue. A cet égard il est instructif de réfléchir attentivement sur le fait que tous les grands réformateurs et les fondateurs d'ordres ont été, dans la contexture de leur situation historique, de vrais révolutionnaires; c'est trahir leur esprit et leur inspiration que de s'enfermer dans la lettre de leurs écrits ou

lité est l'« existential » le plus enveloppant ; il est dirigé par une finalité interne qui embrasse l'existence totale. L'essence de la moralité comporte donc plusieurs éléments.

Elle embrasse toute notre existence ; elle consiste proprement dans la réalisation de cette existence dans son *authenticité complète*.

Elle n'est pas une contrainte aveugle, mais se manifeste essentiellement dans la lumière d'une évaluation, d'un jugement, d'un engagement *conscient* de notre existence.

En plus, cette évaluation est *libre*, autonome ; mais ceci est à comprendre dans la perspective d'une liberté historique ; non une liberté d'indifférence, mais située : une manière de vivre notre être-là — donc déterminé — sous l'aspect d'ipséité, de personnalité.

Enfin la moralité ne se manifeste que dans une manière de se *comporter,* de prendre concrètement position dans la vie.

En résumé : la moralité est un agir conscient et libre, qui vise comme finalité idéale l'authenticité complète de notre existence humaine. Elle n'est pas un état de nature, mais un « épanouir » personnel ; l'homme *n'est pas* moral, il *se fait* moral.

En poursuivant cette analyse du phénomène moral, on se bute à la question : où se trouve, dans le complexe qu'est la moralité, son caractère normatif, c'est-à-dire le critère qui détermine ce que l'agir humain doit être pour qu'il réponde de fait à sa finalité idéale ? En d'autres termes : quel est le sens objectif et immédiat de la norme, ce qu'on appelle en terminologie scolastique « norma proxima objectiva » ? Il est évident que l'on ne peut invoquer ici aucune contrainte extérieure, sans nier ipso facto le caractère d'autonomie consciente de la moralité, sans détruire donc le phénomène moral. Mais l'agir moral ne reçoit pas plus sa norme, c'est-à-dire sa direction concrète et actuelle manifestant

---

que d'imiter servilement leur conduite. Notons enfin que du point de vue de la responsabilité personnelle de l'agir moral il serait à désirer que l'on assainisse notre terminologie ascétique. Des expressions comme « l'homme est un instrument entre les mains de Dieu », «obéissance aveugle» sont des plus ambigues et, prises à la lettre, des contradictions. Toute la fausse conception sur la vocation religieuse dans un livre comme The *nun's story* se base sur cette ambiguïté. C'est encore cette conception légaliste de la morale chrétienne qui détourne tant de gens de la croyance en Dieu, parce qu'elle favorise une vie mensongère et hypocrite.

sa finalité propre, des vérités métaphysiques, préétablies spéculativement. Il y a un abîme infranchissable entre une vérité spéculative comme telle et l'acte à poser; l'acte ne peut être dominé par une vérité qui lui serve de norme que si cette vérité est la conclusion d'un jugement vécu dans l'acte lui-même. Pour être normative cette vérité doit s'incarner ou s'incorporer dans l'agir concret, en devenir l'âme. Par conséquent, c'est dans l'*accomplissement* de ce qu'il doit être que l'agir moral se manifeste lui-même comme régi par une norme. Alors celle-ci signifie la fin idéale que le sujet se propose d'atteindre, *en tant qu'il en juge dans l'acte même*, c'est-à-dire en tant que cette fin est l'objet ou le contenu d'un jugement concret. Dans sa réalité concrète la norme se confond donc avec le « devoir-être » de l'agir moral. Elle est dans l'acte humain la caractéristique qui lui donne de réaliser consciemment et d'une manière particulière sa finalité idéale; elle est valorisée intelligiblement et moralement d'une manière unique et concrète dans le jugement ultimo-pratique qui est vécu dans l'acte et se porte sur son sens humain. La norme est constituée par le sujet agissant dans une espèce d'intuition affective, impliquant et valorisant tous les facteurs objectifs et subjectifs qui constituent l'agir concret lui-même. Elle puise son intelligibilité dans la lumière de ce que le sujet reconnaît librement comme étant à faire actuellement. Enfin, elle n'existe que concrétisée dans l'accomplissement de l'acte. Il s'ensuit donc que la norme de l'agir moral est à réinventer continuellement dans chacun des actes posés par l'homme, dans la mesure même où chacun d'eux est une nouvelle mise en œuvre de l'authenticité humaine. Ce qui ne veut pas dire qu'elle soit toujours radicalement différente, mais que sa réalité morale est essentiellement dépendante du jugement prudentiel. Cette réinvention concrète, où il y a imbrication de liberté et d'intelligibilité, explique comment il faut comprendre le terme d'intuition, par lequel se définit le caractère normatif, obligatoire, de l'agir moral, et que ne peut justifier une vérité spéculative quelconque s'exprimant dans un « principe général ». Les principes généraux ne sont pas moraux en eux-mêmes; ils le sont par participation, n'ayant de signification ou vérité *morales* qu' une fois incorporés dans l'acte humain. On reviendra plus explicitement sur cette affirmation.

12.

C'est ici, dans la lumière de ces analyses du phénomène moral, que doit se poser le problème de l'éthique. Si l'agir moral est essentiellement un jugement exercé, vécu, il manifeste une certaine *connaissance* morale, qui m'apprend la manière dont je réalise, dans cet acte, ma finalité authentique. Mais cette connaissance implique une double irrationalité: 1° son *objet* propre qui est l'agir concret individuel, 2° sa *forme* propre qui s'exprime dans un « exercitium », une mise en pratique ou une conversion en conduite. Ce savoir moral semble donc, et dans son contenu et dans sa forme, s'opposer à l'essence de toute vérité, à savoir son intelligibilité universelle. En tout cas cette connaissance morale, co-constituant l'essence du phénomène moral, ne saurait se faire valoir comme une *connaissance scientifique,* comprise ici dans le sens large du mot, c'est-à-dire ayant ce caractère d'universalité et se prêtant à une compréhension systématisée [57]. Or le but de l'éthique est précisément de bâtir une *connaissance morale scientifique* du phénomène moral.

On soupçonne immédiatement l'importance fondamentale du problème posé qui décide du sort même de l'éthique. La difficulté pourrait même sembler à première vue insoluble. En effet, ce phénomène moral, *concret et particulier dans son intelligibilité même,* comment peut-il se prêter à une généralisation ou universalisation, sans faire appel à d'autres critères que sa propre authenticité? Ou autrement dit: comment construire une science philosophique de la moralité, puisque « l'être-moralité » est essentiellement, jusque dans son intelligibilité, particulier et subjectif? Faire abstraction de cette particularité de l'acte équivaudrait à quitter l'expérience morale et partant le domaine de la moralité. L'agir concret n'est plus, dès qu'on le généralise, que le contenu d'une idée universelle et l'objet d'une connaissance purement théorique et spéculative. Une fois arrivé sur ce terrain de la spéculation théorique — on le constate trop souvent — il est aisé de construire un système normatif en partant de quelque idée abstraite, conçue comme fin dernière de l'homme. Mais nous savons comment de tels exposés se sont éloignés des problèmes

---

[57] Nous renvoyons ici à notre remarque sur le sens analogique du terme « science », dans la première partie de cette étude, p. 4-5.

vitaux en se réfugiant dans une moralité idéalisée et formaliste, où se perd l'intelligibilité réelle de notre monde vécu et historique.

Ainsi donc, l'éthique se présente comme une contradiction : essai de rationalisation de ce qui, par essence, est ir-rationel.

S'il y a une issue possible, il faudra la chercher sur le terrain de la moralité même. Plus haut nous insistions sur le fait que « l'être-moralité » n'est pas un amas d'actes particuliers se succédant sans ordre ni lien interne. Puisque ces actes ne tirent leur moralité que d'une norme incorporée dans leur déploiement en vue de réaliser notre condition humaine, c'est qu'il ne sont pas arbitraires. Cela nous oblige de reconnaître que le phénomène moral inclut, comme caractéristique aussi originelle que sa particularité, une relation interne à une valeur constante. Et cette valeur constante n'est autre que la condition humaine comme destinée. Car l'agir moral n'inclut cette norme qu'à partir de ce point de vue totalisant que nous appelons la destinée de l'homme ou, si l'on préfère, la liberté comme tâche constante. C'est par cet aspect authentique qu'un acte régi par une norme se manifeste à nous comme acte *moral,* et se distingue de toute autre activité soumise à une régulation quelconque, comme par exemple la soumission à la mode, l'obéissance extérieure à une ordonnance juridique, le jugement artistique. Ces activités aussi sont marquées par une norme en tant qu'elles supposent une intelligibilité régulatrice. Mais elles ne sont pas morales parce qu'elles ne tendent pas à la réalisation de notre existence humaine complète. C'est dans la perspective de la réalisation libre de notre destinée — ou de la nature humaine pour l'exprimer en termes scolastiques — que le jugement prudentiel, qui régit de l'intérieur l'acte humain, puise sa valeur *morale.* En d'autres termes, nous reconnaissons le jugement prudentiel comme exprimant la moralité de l'agir humain, grâce à une *connaturalité originelle* entre l'intelligibilité concrète de ce jugement prudentiel et l'intelligibilité de la condition humaine historique, qui lui en fournit la matière. Par le fait même « l'être-moralité », dans son authenticité complète, dépasse le concret-particulier, non pas en le niant, ni même par un effort pour en faire abstraction, mais au contraire en le plaçant tel qu'il est dans une perspective ontologique réelle. Il est évident que cette référence à la condition ou à la nature humaine comme destinée à réaliser, ne précise pas encore ce qu'est, en réalité, cette condition humaine. Nous savons uniquement que tout acte modelé par une norme est moral parce que lié ontologiquement à notre destinée, réalisant celle-ci en bien ou en mal. Ainsi la signification morale de l'acte dépasse le caractère particulier conçu comme transitif, arbitraire. Il s'ensuit donc que nous découvrons à l'intérieur de la réalité concrète de l'agir moral un aspect ontologique, par lequel ce phénomène moral se prête à une connaissance scientifique, puisque son intelligibilité réelle possède une valeur constante, qui peut être objet d'une considération systématique et universelle.

La reconnaissance de cette référence du phénomène moral à l'ordre ontologique comporte un réel danger. En effet, pour se sentir rassuré il ne suffit pas de savoir que la moralité s'enracine dans un ordre ontologique, de décrire cette condition humaine a priori, en dehors de toute préoccupation morale, pour en déduire enfin un système normatif universellement valable et immuable. Ce serait retourner aux éthiques rationalistes et donner dans le piège de cet illogisme impardonnable de déduire un ordre normatif de quelques vérités métaphysiques préétablies spéculativement. Car n'oublions pas que cet ordre ontologique, — c'est-à-dire cette condition humaine comme destinée se réalisant dans une situation historique —, n'est moral que parce qu'il est informé par ou exprimé dans un jugement prudentiel dont il n'est que la matière. L'ontologique ne peut être reconnu constitutif du phénomène moral que par sa particularisation au niveau d'un agir conscient. La condition humaine comme destinée est, dans sa valeur morale, un tout subjectif et particulier. Si ce tout est intelligible objectivement et universellement, c'est par la médiation du jugement prudentiel de l'homme agissant. Dès lors cette intelligibilité objective ne se manifeste et ne se révèle à la réflexion philosophique qu'à partir de cet agir et en liaison constante avec lui. Un comportement et une attitude n'atteignent au niveau moral que s'ils intègrent les quatre éléments constitutifs de la moralité, indiqués plus haut: *agir conscient* et *libre* visant *l'authenticité de notre existence complète.* Et vice versa, aucune vérité, aucun savoir ne peut être dit moral que pour autant qu'il comporte dans son intelligibilité cette référence à son être-mis-en-pratique, consciemment et librement, dans la perspective de la destinée complète de l'existence humaine.

Cette conception de l'éthique sur laquelle nous insistons rejoint ce qu'il est convenu d'appeler « une science *pratique* », par opposition à la « science théorique ou spéculative ». Il est indispensable de bien se rendre compte de la portée spécifique de ce terme. *Science pratique* ne nie pas la valeur scientifique des résultats de son examen, puisque ces résultats se laissent systématiser et sont reconnus comme universellement valables. Sans quoi on ne pourrait pas même parler de *science*. Mais elle indique que ses résultats ne sont pas, du point de vue moral, vrais en tant qu'ils expriment des conclusions ou des pensées systématisées et universalisées ; jusque là on se trouve encore sur le niveau théorique. Ses concepts, raisonnements et conclusions ne constituent un *savoir pratique* que parce qu'ils incluent, comme caractère essentiel de leur intelligibilité propre, la référence à leur « être-pratiqué » ; ils doivent être pensés, uniquement et totalement, comme exprimant le contenu intelligible de la finalité inhérente à l'agir authentiquement humain. Une verité morale est donc toujours conditionnelle ; elle s'exprime en dernière analyse dans un projet pratique, de sorte que son contenu ne soit, par principe, pas théoriquement défini, mais inclut le consentement responsable du sujet en tant qu'il reconnaît cette vérité s'exprimant en une conduite. Ce rapport est inclut dans le savoir scientifique moral et le caractèrise précisément comme *pratique*. Ainsi par exemple le principe général « tu ne voleras pas » n'est un principe moral scientifique, c'est-à-dire une vérité morale universelle, qu'à condition d'être compris dans une double référence pratique : 1° qu'il résume, dans une intelligibilité ou compréhension systematisée et universalisée, un certain secteur de notre existence sociale, dans toutes ses relations historiquement vécues ; 2° qu'il pousse chaque homme à découvrir dans *ses* rapports sociaux les exigences authentiques de son humanité concrète dans ce même secteur. Et il arrivera que, considéré théoriquement, ces exigences se contrediront en pratique ; ainsi par exemple la licéité de l'intérêt du capital est admise universellement aujourd'hui, ce qui n'était

182

pas le cas au moyen-âge[58]. Dès lors toute règle universelle, découverte par cette science pratique comme ayant une signification normative pour l'agir moral, n'est vraie que pour autant qu'elle inclut, dans sa valeur intelligible, et constituant celle-ci, les caractères historiques, aussi bien individuels qu'intersubjectifs, essentiels à tout agir concret. En d'autres mots, la *connaissance morale scientifique* ne sera vraie moralement que dans la mesure où elle est pour ainsi dire la publication objective, conceptuellement exprimée, de ce qui est impliqué d'une manière subjective, particulière et intuitive dans le jugement prudentiel. Et puisque ce sens objectif et normatif est à découvrir dans la conduite morale, qui est historique elle-même, par une réflexion elle aussi assujettie à la condition historique de l'homme, on se rendra compte que l'on doit parler, aussi sur le plan scientifique, d'une réinvention continuelle des normes objectives de la conduite morale. Cela veut dire en premier lieu que la découverte du sens normatif des facteurs ontologiques, inhérents à la conduite morale, reste toujours à approfondir, à compléter et à nuancer. Cela veut dire encore que ces facteurs objectifs eux-mêmes, puisque historiques, évolueront avec la condition humaine indivi-

---

[58] Il peut être instructif de renvoyer ici à un texte de St. Thomas, non tant pour l'exemple qu'il y donne, que pour sa justification intellectuelle, où il insiste précisément sur ce qu'on pourrait nommer, dans une terminologie contemporaine, la « situation historique » de la nature humaine: « illud quod est naturale habenti naturam immutabilem, oportet quod sit semper et ubique tale. Natura autem hominis est mutabilis. Et ideo id quod naturale est homini potest aliquando deficere. » S.T., II. II., q. 52, a. 2, ad 1m.

Un autre exemple, plus évident encore bien que plus compliqué, est celui du sixième commandement. On ne peut que l'effleurer ici. Le comportement sexuel est un comportement intersubjectif par essence, qui ne se restreint pas uniquement aux rapports corporels, mais s'enracine dans la totalité de la dignité personnelle de l'homme et de la femme. Or, nul doute que la reconnaissance de cette valeur personnaliste a été vécue très différemment au cours de l'histoire, qu'elle a du s'émanciper progressivement d'autres aspects sociologiques prédominant. On se trouve ici devant une hiérarchie de valeurs vécues qui est tellement compliquée qu'elle ne se prêtera jamais à une rationalisation théorique définitive. Elle devra se purifier et se nuancer toujours davantage dans une pratique inventive des motivations les plus saines et les plus exigentes de l'humanité. Seulement dans cette perspective de l'historicité on peut comprendre la licéité de la polygamie dans l'Ancien Testament, ou le sens chrétien d'une certaine littérature patristique, condamnable de notre point de vue chrétien contemporain.

duelle et sociale, et ne seront par conséquent intelligibles qu' analogiquement.

Déclarer la connaissance-morale-scientifique analogique suscite tout spontanément un doute quant à son caractère *scientifique*. Quelle est au fond la portée d'une vérité, et comment surtout peut-elle se dire universellement valable, si elle n'est vraie qu'une fois convertie en agir libre, et si sa formulation conceptuelle peut se prêter à des interprétations pratiques opposées, ainsi que nous l'indiquions pour l'exemple du principe « tu ne voleras pas » ?

Disons d'abord que le caractère analogique est essentiel, dans une nuance plus ou moins grande, à toute connaissance humaine. Pour ce qui regarde la philosophie nous y avons insisté suffisament dans la première partie de cette article. Aucune connaissance philosophique ne se prête à une expression exhaustive et adéquate ; dans ce sens elle doit être dite provisoire et relative. L'expression n'est pas *ce* qu'on connaît, mais ce par quoi on connaît un « quod » toujours plus riche, de sorte que l'expression ne dévoile son contenu qu'analogiquement. Mais toute expression réellement véridique a implicitement conscience de cette plus-value de son objet. C'est ce qui justifie la définition de la vérité comme « adaequatio rei et intellectus », et ce qui rend possible la construction d'un savoir méthodique et systématisé d'un certain domaine objectif.

Pourtant, puisque la valeur véridique de chaque science dépend en dernière analyse de la portée d'intelligibilité de son objet propre, on doit admettre que l'éthique constitue un cas spécial. C'est ce que nous avons décrit plus haut en analysant son caractère *pratique*.

En tant que science, l'éthique a la mission d'analyser systématiquement l'ontologie de notre existence comme être-moral, c'est-à-dire comme tâche d'auto-réalisation. Dans ce sens elle n'est pas une science déductive, mais inspiratrice. Cette inspiration porte sur une double dialectique conjuguée: 1º plus que toute autre réflexion philosophique, l'éthique est amenée à surmonter ses propres résultats, à ne leur reconnaître une valeur que dans la mesure où ils expriment des expériences intensément vécues; 2º puiqu'elle ne se prononce pas sur ce qui est, mais sur ce qui doit-être, sa vérité se retrouve en dernière analyse dans la pratique morale, en tant que celle-ci réussit à créer l'épanouissement de l'éxistence humaine. Ses vérités contiennent un appel à la liberté afin d'être mises en pratique. Ce qui veut dire donc qu'en dernière analyse la situation particulière de l'agir, dans son contexte onto-logique, retouche et donne la forme finale au contenu de la vé-rité exprimée. Dans cette perspective on pourra définir adéquate-ment l'éthique dans une terminologie sartrienne en disant qu' elle est la science de ce que l'homme « est en tant qu'il a à l'être » [59]. Cette formule garantit la portée ontologique de l'éthique tout en respectant son objet formel qui est l'agir moral.

L'élaboration de cette science conduira le philosophe, inévi-tablement, à une problématique à plusieurs étages et secteurs, et l'acculera aussi à une option métaphysique. Nous nous contentons ici d'ouvrir une seule perspective générale, dans laquelle tous les problèmes spéciaux devront se situer pour rester fidèles à l'essence même du phénomène moral. Au cours de nos analyses précédentes notre existence s'est précisée toujours davantage com-me *intentionnalité*, c'est-à-dire comme transcendance vers l'autre que la conscience. La dimension la plus riche de ce caractère de transcendance se manifeste dans l'intersubjectivité: l'homme *se* réalise dans une multiplicité de rapports avec ses semblables, qui constitue l'histoire humaine. Ici s'ouvre dès lors une perspective privilégiée pour l'éthique [60]. La transcendance dépasse, dans ce pro-longement de l'exister au cœur d'autres subjectivités, reconnus comme centres de significations, sa forme de généralité anonyme; elle surmonte le séparation des êtres tout en l'affirmant davantage; elle manifeste, non l'opposition, mais au contraire la corrélativité dialectique de la transcendance dans l'immanence. Dès lors, ce rapport dialectique nous suggère, semble-t-il: 1° que toute atti-tude morale personnelle doit s'enraciner dans une attitude sociale, puisque l'intersubjectivité appartient à l'essence de la condition humaine; 2° que l'attitude *morale* la plus fondamentale de l'homme

---

[59] C'est un « Leitmotiv » dans toute la littérature philosophique de Sartre.

[60] Il est éclairant, à cet égard, de contsater que l'existentialisme athée et le marxisme ramènent la problématique morale exclusivement aux seuls problèmes sociaux.

social n'est pas le conflit ou la lutte, mais la communion dans une manifestation de charité, de bienveillance, car elle exige, ontologiquement, le respect de la liberté de tous ; 3° que cette structure existentielle de transcendance, postulant ontologiquement une attitude de communion entre les hommes, nous ouvrira peut-être le chemin vers une Transcendance Absolue, que nous vivons comme un appel métaphysique au plus profond de notre existence authentique. Dans ce sens on peut comprendre que notre condition humaine vise et aspire vers un surcroît d'humanité, que le christianisme appelle « grâce », et que la manifestation de Dieu dans une Révélation a anticipé.

Alphonse Humbert

L'OBSERVANCE DES COMMANDEMENTS
DANS LES ÉCRITS JOHANNIQUES
(Évangile et Première Épître)

SUMMARIUM

Contendimus hoc articulo inquirere quid revera exegetice et theologice tam in IV Evangelio quam in I Ioannis significet illa formula: « tèrein tas entolas ».

I. DE MANDATORUM OBSERVANTIA IN IV EVANGELIO.

1. *Significatio negativa observantiae mandatorum.*

Quamvis de origine veterotestamentaria formulae « tèrein tas entolas » nullum dubium haberi possit, tamen Christus apud Ioannem, neque, pro seipso neque pro discipulis suis, de mandatorum legis mosaicae observantia agere intendit.

2. *Significatio positiva observantiae mandatorum.*

A. In existentia terrestri Christi. Pro Christo servare mandatum (vel mandata) Patris nihil aliud significat quam opus a Deo sibi commissum Patrem revelandi mundumque salvandi perficere. Inter Patrem et Filium habetur unio intima, permanens ac reciproca amoris. Si Pater diligit Filium et omnia dedit in manu eius, Filius ex sua parte manifestat suam erga Patrem dilectionem impletione mandati Patris. Apud Ioannem observantia mandatorum ex parte Filii describitur ut exhibitio et responsio dilectionis totalis ac permanentis Filii erga summam Patris dilectionem ex qua oritur et in qua fundatur et radicatur missio Filii. Et haec communio amoris quae viget inter Patrem et Filium datur ut fons et exemplar vitae discipulorum.

B. In existentia discipulorum. Vita christiani in IV Ev. concipitur ut manifestatio unionis realis cum Deo in Christo magis ac magis intimae, in qua observantia mandatorum non est aliquid temporarium et accidentale sed est quid omnino necessarium ad hoc ut christianus perseveret qua discipulus a Patre atque Filio dilectus et nova beneficia ab eis recipiat. Distingui potest in existentia christiana duplex phasis, prout ante vel post glorificationem Christi consideratur. In prima phasi observantia mandatorum, quae identificanda sunt cum fide (sensu ioanneo intellecta), apparet ut conditio sine qua non ad effusionem Spiritus et inhabitationem Patris et Filii in anima recipiendam. Fides de qua hic agitur, quamvis non sit perfecta, iam est gratia a Patre concessa simulque adhaesio firma ac vitalis totius hominis Christo eiusque doctrinae. In secunda phasi, sub voce « entolai » Ioannes praesertim de fide et caritate fraterna agit. Fides ex praesentia activa trium Personarum in anima novum dynamismum acquirit, quo discipuli opus Christi messianicum etiam maiori cum successu et effectu continuant et Christo testimonium perhibent.

Caritas autem fraterna describitur ab auctore evangelii ut participatio activa et vitalis dilectionis qua Pater dilexit Filium suum nosque in Filio; ut aliqua extensio illius dilectionis divinae (quae invenitur in nobis ut principium activum) ad nostram cum aliis fratribus conversationem. Sic oritur inter discipulos ad instar communionis divinae nova « koinônia », qua testificatur usque ad consummationem saeculi Revelatio Dei in Iesu Christo. Ex his patet observantiam mandatorum in IV Ev. ad legalismum externum nullo modo reduci posse.

II. De mandatorum observantia in I Ioannis.

De mandatorum observantia habentur inter I Io. et IV Ev. nonnullae dissimilitudines, quarum tamen explicatio inveniri potest in circumstantiis compositionis epistolae. Bene praeprimis notandum est auctorem epistolae non sibi proponere ut finem principalem scribendi fidelium exhortationem ut in Christum credant vel sese diligant, sed velle eis patefacere quales sint genuini christiani, seu quales sint qui veram communionem cum Deo possideant et consequenter revera communitatis credentium sint.

1. Significatio negativa observantiae mandatorum. In I Io., agitur solummodo de mandatis Dei; hoc tamen non significat Ioannem ad mandata legis mosaicae redire velle. Patet enim ex analysi epistolae auctorem sub voce « entolai » concrete loqui velle de fuga peccati et mundi, de fide christologica (praesertim de confessione fidei; deinde fides consideratur etiam ut victoria super potestates diabolicas), de caritate erga Deum aliosque christianos, de oratione, de imitatione Christi. Cum Ioannes asserit peccatum esse iniquitatem (« anomia » cf. 3, 4), non videtur asserere peccatum esse contemptum vel transgressionem alicuius legis (Veteris vel Novi Testamenti) sed revelare videtur profunditatem religiosam peccati, quatenus peccator potestati diabolicae se submittit, fit servus Satanae.

2. *Significatio positiva observantiae mandatorum*. In I Io. auctor instat ex una parte in aspectu concreto vitae christianae id est in observantia mandatorum, quae plerumque describitur ut signum seu criterium visibile communionis cum Deo et Christo, ex altera parte in auctoritate Apostolorum in vita christiana ordinanda. Hoc non obstante, observantia mandatorum considerari non potest ut obligatio mere legalis ab extra imposita. E contra patet ex tota argumentatione Apostoli communionem cum Patre et Filio tam fundamentum quam principium vitale observantiae mandatorum esse. De hoc datur triplex exemplum in textu articuli. Tandem ex interventu Apostoli in ordinanda mandatorum observantia plene apparet aspectus ecclesialis vitae christianae.

Parmi les expressions similaires que présentent les écrits johanniques, figure la formule « *tèrein tas entolas* », observer les commandements. On la trouve quatre fois dans l'évangile (14, 15, 21; 15, 10), cinq fois dans la première épître (2, 3s; 3, 22, 24; 5, 3) et deux fois dans l'Apocalypse (12, 17; 14, 12). Nous nous proposons ici de mettre en lumière le sens et la portée de cette expression dans les deux premiers de ces écrits. Nous le ferons d'un double point de vue: négatif et positif [1].

L'OBSERVANCE DES COMMANDEMENTS
DANS LE QUATRIÈME ÉVANGILE

I. Signification négative de l'observance des commandements.

Une première constatation s'impose: en dépit de son origine biblique incontestable [2], la formule « *tèrein tas entolas* » n'implique nullement la soumission aux prescriptions de la loi mosaïque [3].

---

[1] La présente étude s'adresse aux professeurs et aux élèves de théologie morale. D'où son caractère synthétique et la brièveté des notes bibliographiques et trop techniques. Pour une vue d'ensemble de la morale du quatrième évangile et des épîtres johanniques, voir R. Schnackenburg, *Die sittliche Botschaft des Neuen Testamentes*, München, 1954; p. 218-234; O. Prunet, *La morale chrétienne d'après les Écrits Johanniques (Évangile et Épîtres)*, Paris, 1957.

[2] Cf. C. Spicq, *Agapè dans le Nouveau Testament*, t. III, Paris, 1959, p. 182, note 3.

[3] Si l'on excepte le texte de la péricope de la femme adultère (cf. 8, 5), le mot « *nomos* » se rencontre quatorze fois dans le quatrième évangile et désigne toujours des réalités de l'Ancien Testament. En 1, 17, « *nomos* » évoque toute la révélation mosaïque à laquelle s'est substituée une révélation parfaite et totale: l'autorévélation de Dieu en Jésus-Christ. L'aspect prophétique de « *nomos* » apparaît

Si l'auteur du quatrième évangile affirme clairement l'élection d'Israël (4, 22b) [4], s'il trouve annoncée dans l'A.T. toute la destinée de Jésus (1, 45; 2, 22; 12, 16; 20, 9) et pense que la Loi, bien comprise et pratiquée, devait logiquement conduire au Christ (5, 39s, 45-47; 7, 19), il prend soin cependant de préciser que la vie éternelle que ses contemporains cherchaient dans les Écritures, a désormais pour unique source le Christ (5, 39s. Cf. aussi 1, 16s; 4, 5-14) [5].

Que la loi mosaïque ait perdu sa force d'obligation découle en premier lieu de l'attitude du Christ lui-même à son égard. D'après le quatrième évangile, la volonté de Dieu s'exprimant dans une révélation directe et constante, par conséquent non figée dans un code de lois, est pour Jésus la règle suprême de sa conduite (4, 34; 5, 19; 6, 38). Le Christ johannique a pour mission de réaliser l'« *entolè* » de son Père (10, 18; 12, 49s; 14, 30; 15, 10b), d'accomplir son « *ergon* » (4, 34; 5, 36; 9, 4; 10, 37s; 14, 10; 17, 4). Aussi ne craint-il pas d'enfreindre la Loi, au risque d'exciter la colère des Juifs (5, 1-18 + 7, 19-24; 9, 14-16) [6]. En 4, 21-24, Jésus annonce un culte nouveau, inspiré par l'Esprit et répondant à l'authentique révélation que Dieu en fait en sa personne [7]. En

---

dans quatre passages et désigne concrètement soit le Pentateuque (1, 45), soit tout l'Ancien Testament (10, 34; 12, 34; 15, 25). « *Nomos* » revêt aussi une signification légale et vise alors l'ensemble des prescriptions fixées d'avance par Moïse dans le but de régler la conduite des Israélites (7, 19, 23, 49, 51; 8, 17; 18, 31; 19, 7). Il convient de ne pas accentuer ces différents sens. L'intérêt que Jean porte à la Loi est dominé par ses préoccupations christologiques. Dans la perspective johannique, la Loi est une seule et même réalité considérée, tantôt comme une lumière qui annonce le Christ, tantôt comme un guide qui mène au Christ.

[4] Au sujet de ce texte, F.M. BRAUN (*Évangile selon Saint Jean, La Sainte Bible*, t. X, p. 344) écrit: « Rien n'a été dit de plus fort dans S. Paul en faveur des privilèges de la race juive ». Le texte de 1, 11[a] « il vint chez lui » se rapporte aussi plus probablement à Israël. Cf. M.E. BOISMARD, *Le Prologue de Saint Jean*, Paris, 1953, p. 53.

[5] Sur ce dernier texte, voir F.M. BRAUN, *L'arrière-fond judaïque du quatrième évangile et la Communauté de l'Alliance*, R.B. 62 (1955), p. 24s. Le puits de Jacob n'est autre que la Loi.

[6] En 5, 16, le « *tauta* » ainsi que l'emploi des imparfaits « *ediôkon* » et « *epoiei* » font supposer que les libertés prises par Jésus à l'égard de la Loi étaient fréquentes. Cf. M.J. LAGRANGE, *Évangile selon Saint Jean*, 2e édit., Paris, 1925, p. 140; C.K. BARRETT, *The Gospel according to St. John*, London, 1956, p. 213.

[7] Cf. D. MOLLAT, *l'Evangile de Saint Jean* (B.J.), 2e édit., Paris, 1960, p. 86, note d. Jo. 4, 24 a été et est encore diversement interprété. L'opinion adoptée par

6, 28s, Jésus oppose aux œuvres extérieures et légales des Juifs
la foi qui est, d'après saint Jean, don de Dieu, adhésion intérieure et totale de l'homme au Christ. Dans le discours après la
Cène, le Maître parle de ses commandements (14, 15; 15, 10a).
Le commandement de la charité est un commandement nouveau
(13, 34). A la différence de Paul et des Synoptiques, Jean n'utilise
même pas les textes de l'A.T. pour formuler le commandement
de la charité. Ailleurs, il est question du baptême dans l'Esprit-
Saint (1, 33; 3, 5-8), de l'eucharistie (6, 51b-58), de la prière au
nom de Jésus (14, 13s; 15, 16; 16, 24). Autant de preuves non
équivoques que pour saint Jean la loi mosaïque, malgré le rôle
important qu'elle a joué dans l'histoire du salut, ne peut plus
régler le comportement moral des chrétiens .« Car la Loi fut
donnée par l'intermédiaire de Moïse, la grâce et la vérité nous
sont venues par Jésus-Christ » (1, 17) [8].

---

le P. Mollat nous paraît la plus probable; elle tient compte et du contexte immédiat
et du sens religieux que les mots « *pneuma* » et « *alètheia* » revêtent la plus part du
temps dans le quatrième évangile.

[8] Sur le caractère transitoire de la Loi comme règle de l'agir humain d'après
le quatrième évangile, voir W. GUTBROD, art. « *nomos* », *TWNT*, t. IV, p. 1075, 1077;
R. SCHNACKENBURG, *op. cit.*, p. 225; O. PRUNET, *op. cit.* p. 18; M. GOGUEL, *L'Église
primitive*, Paris, 1947, p. 493; H. CAZELLES, art. *Loi israélite*, *S.D.B.* t. V, col. 527s;
F.M. BRAUN, *L'Évangile de Saint Jean et les grandes traditions d'Israël*, Rev. Th.
60 (1960), p. 180-184. Nous n'avons pas fait état des formules « votre Loi » (8, 17; 10,
34), « leur Loi » (15, 25), interprétées en différents sens par les auteurs. Qu'il nous
soit permis à ce propos de transcrire les remarques très judicieuses de J.P. Charlier
au sujet de Jo. 8, 17: « On a souvent commis un contresens dans l'interprétation de
cette façon de dire. Elle signifierait, pense-t-on, une attitude de supériorité, de
réserve, voire même avec une nuance d'hostilité, de la part du Christ vis-à-vis de la
Loi: il lui serait étranger, indifférent, il ne saurait lui être soumis. On irait jusqu'à
comparer la formule à celle qu'emploie Pilate, le juriste romain qui, à ce titre, renvoie Jésus aux lois de sa nation (Jn. XVIII 31). Pareille interprétation est d'autant
moins vraisemblable que, dans deux cas au moins, « *nomos* » n'a pas un sens restreint,
légal, mais désigne manifestement l'ensemble de l'Écriture. Celle-ci est la révélation
préfigurative des Juifs, leur Écriture, d'autant qu'ils font publiquement profession
de la recevoir. Parallèlement, c'est aux Juifs que se révèle le Christ, en continuité
avec la révélation écrite dont ils se réclament; en refusant de l'écouter, ils refu-
sent par le fait même d'écouter leur Loi, les deux révélations étant inséparables l'une
de l'autre. Le « *hymeteros* » souligne d'une part que l'argument sera irréfutable,
étant admis a priori par les contradicteurs; d'autre part, il met les Juifs en contradiction avec eux-mêmes, car il n'est pas possible d'accueillir la Loi, de la reconnaître pour sienne (pas plus que d'être vraiment des fils d'Abraham), et de refuser
le Christ ». Cf. *L'exégèse johannique d'un précepte légal: Jean VIII, 17*, *R.B.*
67 (1960), p. 506.

II. Signification positive de l'observance des commandements.

Commençons par faire le relevé des textes où figurent les mots « *tèrein* » et « *entolè* ». « *Tèrein* » se rencontre dix-huit fois dans le quatrième évangile. On traduit ordinairement ce vocable par « garder », encore qu'il connote certaines nuances non négligeables. C'est ainsi que le sens de « conserver avec soin », « veiller sur » convient bien en 2, 10 et 12, 7. En 17, 11s, 15, « *tèrein* » revêt une double connotation : « conserver intact » et « protéger », « défendre de ». Au moment de quitter cette terre, Jésus demande à son Père de conserver intacts ses disciples, de les maintenir fermes dans l'unité, ce qui ne peut se faire qu'en les protégeant du monde et du Mauvais. En 9, 16, l'expression « *to sabbaton tèrein* », dans la bouche des Pharisiens, évoque l'idée d'une observance scrupuleuse et matérielle des règles sur le sabbat. Dans les douze autres cas, « *tèrein* » détermine les mots « *logos* » et « *entolè* ». Il se dit aussi bien du Christ qui « garde » la parole (8, 55) ou les commandements du Père (15, 10b) que des hommes qui « gardent » la parole ou les commandements du Père ou du Fils (8, 51s ; 14, 15, 21, 23s ; 15, 10a, 20 [9] ; 17, 6) [10]. Quant à « *entolè* » et au verbe correspondant « *entellesthai* », ils figurent respectivement dix et trois fois [11] dans le quatrième évangile. En 11, 57, « *entolè* » au pluriel désigne les ordres des grands prêtres et des Pharisiens en vue de l'arrestation de Jésus. Quatre fois Jean utilise le substantif (10, 18 ; 12, 49s ; 15, 10b) et une fois le verbe (14, 31) pour caractériser les relations de Jésus avec son Père.

---

[9] Pour ce texte, Lagrange (*op. cit.*, p. 410) écarte avec raison le sens d'« épier » que d'aucuns ont voulu donner à « *tèrein* ». En traduisant ce dernier par « garder », « observer », on ne suppose pas deux catégories de personnes : les unes, mal disposées, qui persécuteront les Apôtres (v. 20[b]), les autres, bien disposées, qui garderont leur parole (v. 20[c]). Ce sont toujours les mêmes personnes et l'idée est la même dans les deux stiques, comme le montre clairement le v. 21. On gardera la parole des Apôtres comme celle de leur Maître, c'est-à-dire qu'en fait, on ne la gardera pas du tout. « Jésus veut seulement annoncer aux apôtres que leur sort sera de tous points identique au sien ». Ainsi Mollat, *op. cit.*, p. 163, note c.

[10] A cette deuxième série de textes, il convient d'ajouter Jo. 12, 47 où l'auteur du quatrième évangile, contrairement à son habitude, emploie « *phylassein* » au lieu de « *tèrein* ». Sur se texte, voir M.E. Boismard, *Le caractère adventice de Jo., XII, 45-50, Sacra Pagina*, t. II, Gembloux, 1959, p. 190s.

[11] En 14, 31, la leçon « *entolèn edôken* » est moins bien attestée que « *eneteilato* » et semble rappeler la formule de 12, 49. Cf. C. Spicq, *op. cit.*, p. 201, note 3.

Les autres emplois d'«*entolè*» (13, 34; 14, 15, 21; 15, 10a, 12) et d'«*entellesthai*» (15, 14, 17) expriment les commandements de Jésus à ses disciples. Comme on peut le constater, les principaux emplois de «*tèrein*» et d'«*entelè*» sont polarisés sur deux centres d'intérêt: d'une part, les relations de Jésus avec son Père, d'autre part, les rapports des disciples avec Jésus ou le Père. D'où les deux paragraphes suivants.

1. *L'observance des commandements comme expression des relations de Jésus avec son Père*[12].

Pas plus que les autres écrivains néotestamentaires, Jean n'a voulu élaborer un traité de la Trinité. S'il affirme clairement la préexistence du Christ, sa divinité et son égalité avec le Père, il n'entend pas spéculer sur les rapports de nature ou de substance qui unissent le Fils au Père au sein de la Trinité, mais nous décrire le rôle joué par Jésus en collaboration avec le Père vis-à-vis du monde et des hommes. Sa doctrine trinitaire est inséparable de l'histoire du salut qui se réalise en Jésus-Christ[13].

Dans cette histoire du salut, le Père a en tout la suprématie et c'est à lui qu'appartient en tout l'initiative. C'est lui qui par amour a envoyé son Fils unique pour sauver l'humanité (3, 16s) et c'est de lui que procède en premier lieu l'Esprit (15, 26). Par rapport au Fils lui-même, le Père est caractérisé également comme celui qui donne. Tout ce qu'a le Fils, tout ce qu'il fait, tout ce qu'il dit, vient du Père (3, 35; 5, 20, 22, 27, 36; 6, 37, 39; 7, 16; 8, 26, 28; 10, 25, 29; 12, 49s; 13, 3; 14, 10, 24; 17, 2, 4, 6-12, 22, 24; 18, 9).

---

[12] Pour ce paragraphe, nous avons particulièrement utilisé: J. DUPONT, *Essais sur la christologie de Saint Jean*, Bruges, 1951; D. MOLLAT, *La divinité du Christ d'après Saint Jean*, Lum. et Vie, n. 9 (1953), p. 101-134; J. BONSIRVEN, *Le Témoin du Verbe, Le disciple bien-aimé*, Toulouse, 1956, p. 24-92; A. WIKENHAUSER, *Das Evangelium nach Johannes*, 2e édit., Regensburg, 1957, les excursus sur la christologie; C. SPICQ, *op. cit.*, p. 125-245; J. GIBLET, *Jésus et le «Père» dans le IVe Evangile*, *L'Évangile de Jean, Études et problèmes*, Bruges, 1958, p. 111-130; A. VANHOYE, *L'œuvre du Christ, don du Père (Jn. V, 36 et XVII, 4)*, R.Sc.R. 48 (1960), p. 377-419; W. THÜSING, *Die Erhöhung und Verherrlichung Jesu im Johannesevangelium*, Münster Westf., 1960; O. CULLMANN, *Christologie du Nouveau Testament*, Neuchâtel-Paris, 1958; O. PRUNET, *op. cit.*, p. 29-45.

[13] Cf. J. GIBLET, *art. cit.*, p. 113s.

13.

Le Christ johannique a parfaitement conscience de la suprématie du Père dans toute son activité salvifique. « Le Père est plus grand que moi », proclame-t-il en 14,28 et à maintes reprises, il proteste que son idéal de vie, sa nourriture, comme il dit, est de faire en tout la volonté de celui qui l'a envoyé et d'accomplir son œuvre (4,34. Cf. également 5,30; 6,38; 8,28). En ce domaine, il est impossible de l'accuser d'infidélité (7,18). Comme Serviteur et Agneau de Dieu, Jésus doit mourir pour détruire le péché du monde (1,29). C'est là l'aspect le plus douloureux de sa mission, l'épreuve de force par excellence, qui nous dévoile le tréfonds de son âme et manifeste la grandeur héroïque de sa soumission à la volonté du Père (cf. 12,27s). Totale dépendance vis-à-vis du Père, entière disponibilité et docilité parfaite à son bon vouloir: telle a été l'existence de Jésus. Au soir de sa vie, le Fils peut se rendre ce témoignage: « je t'ai glorifié sur la terre, j'ai achevé l'œuvre que tu m'as donné à faire » (17,4).

Quelqu'importantes que soient ces données, on ne peut s'y limiter si l'on veut comprendre la vraie nature de l'observance des commandements au niveau des relations de Jésus et du Père. Il convient, en effet, de ne pas séparer en Jésus cette docilité parfaite au bon vouloir de son Père de sa toute-puissance et en particulier de l'admirable communauté d'amour qui unit inséparablement le Père et le Fils dans leur agir messianique. L'activité entière de Jésus est marquée du signe de la puissance divine. Celle-ci se manifeste d'abord dans la parfaite connaissance que le Christ a des hommes (1,47s; 2,24; 4,17s; 6,64,70s; 13,10s, 18s,21,27; 16,19,30), des événements qui le concernent (2,19-21; 3,14; 7,6-8; 8,14; 13,1,3; 18,4; 19,28), voire de Dieu lui-même (1,18; 5,19s; 6,46; 7,29; 8,55; 10,15). Autre manifestation de la toute-puissance de Jésus: la liberté souveraine avec laquelle il se détermine à agir et particulièrement à sacrifier sa vie pour le salut du monde (5,21; 10,15,17s; 14,30s; 17,19; 18,4; 19,30). Finalement c'est dans l'action, une action indissolublement reliée et parfaitement identique à celle du Père, que la puissance de Jésus acquiert tout son éclat (1,3,10; 2,19-21; 5,17-30; 10,25, 28,30,38; 11,25s,43s; 12,31s; 14,10s; 17,2,21). Le Christ johannique ne se trouve pas associé aux œuvres de Dieu comme pourrait l'être un prophète, fût-il investi des dons les plus extraordinaires, mais comme vrai Fils de Dieu, égal en tout à son Père. Quant à la communauté d'amour qui règne entre le Père et le Fils, elle est nettement affirmée en plusieurs endroits du quatrième évangile. A l'origine de la mission du Christ et de son activité messianique, il y a l'amour du Père. Saint Jean est formel sur ce point: « le Père aime le Fils, il lui a tout donné » (3, 35. Cf. également 5, 20; 10, 17; 15, 9s; 17, 23s [14], 26). L'amour du Père est premier. L'amour du Fils [15] est une réponse, mais une réponse active, laquelle, trouvant dans l'amour du Père son modèle et sa force, rend au Père tout ce qu'il reçoit de lui. Si par amour, en effet, le Père comble le Fils de dons sans mesure et lui confie une mission qui le mène à la plus sublime exaltation (8, 54; 11, 4; 12, 23; 13, 31a, 32b; 16, 14; 17, 1, 5, 24), à son tour, par amour, le Fils se livre tout entier entre les mains du Père, en vue de le glorifier (13, 31b, 32a; 14, 13; 17, 1, 4). Une manifestation de l'amour réciproque du Père et du Fils, aboutissant simultanément à la glorification du Fils par le Père et du Père par le Fils: telle est sans aucun doute la dimension la plus profonde de l'œuvre salvifique du Christ johannique, celle aussi qui situe à sa vraie place la « *tèrèsis tôn entolôn* » et permet d'en saisir la véritable portée théologique.

Que signifie, en fait, au niveau de la christologie johannique l'observance des commandements?

On sait que lorsqu'il parle du Christ, l'auteur du quatrième évangile utilise trois fois « *entolè* » (10, 18; 12, 49s), une fois « *entolai* » (15, 10b) et une fois « *entellesthai* » (14, 31). L'objet de l'« *entolè* » du Père est clairement précisé par les emplois du substantif au singulier et du verbe correspondant. En 12, 49, il

---

[14] La gloire que le Fils possède dès avant la création du monde est un don de l'agapè du Père. Jean a en vue « ou bien la gloire que Jésus possédait dans sa préexistence divine, ou la gloire que, de toute éternité, le Père lui destine et lui tient en réserve. Cette gloire, Jésus la possède dès le moment de l'Incarnation (1, 14) et il la manifeste par ses miracles (2, 11; 11, 4); mais elle n'apparaîtra dans son plein éclat que dans résurrection, l'ascension, l'envoi de l'Esprit et le retour triomphal du Fils de l'homme au dernier jour. Cf. v. 24 ». MOLLAT, *L'Évangile selon Saint Jean*, p. 171, note a.

[15] Seul 14, 31 parle explicitement de l'amour de Jésus pour le Père. On notera à propos de ce texte l'union étroite de l'amour et de l'obéissance en Jésus. « Son obéissance est à la mesure de son amour: celui-ci est absolu, eelle-là est totale ». SPICQ, *op. cit.*, p. 203.

est question de l'enseignement de Jésus, en 14, 31, de sa Passion
et en 10, 18, du mystère de sa mort et de sa résurrection : autant
de réalités qui constituent la trame de sa mission de révélateur du
Père et de sauveur du monde. Danc cette perspective, l'emploi du
pluriel en 15, 10b n'étonne plus. Jésus peut parler des « *entolai* » de
son Père, car si l'œuvre de salut qui lui a été confiée est une et
indivisible [16], elle comporte néanmoins différentes phases ou étapes.
L'emploi du pluriel en 15, 10b s'explique bien par référence à ces
différents moments, « *kairoi* », de l'œuvre salvifique du Christ [17].
La traduction ordinaire d'« *entolè* » par ordre, commandement ou
précepte n'est peut - être pas des plus heureuses, vu le sens légal
que nous sommes malheureusement trop enclins à donner à ces
mots [18]. Comme le note très justement le P. Spicq, « il ne s'agit
point d'ordre, de précepte, mais de parole (Jo. XII, 49), de communication d'un dessein ou d'un propos (« *thelèma* » Hébr. X, 9-10),
ou mieux d'une mission on d'un programme » [19]. Si le légalisme est
à bannir, c'est bien au niveau des relations du Père et du Fils.

En mettant en garde contre une interprétation légaliste de la

---

[16] Cf. l'emploi du mot « *ergon* » en 4, 34 et 17, 4.

[17] L'emploi du pluriel peut se justifier également par le fait que Jésus se
donne ici en exemple. Il n'envisage plus sa mission en elle-même mais en relation
avec les commandements qu'il donne à ses disciples. La comparaison qu'il établit
entre sa propre conduite et celle de ses disciples explique l'emploi du pluriel. Cette
interprétation nous est suggérée par les remarques du P. de la Potterie au sujet
de l'emploi des verbes « *oida* » et « *ginôskô* » dans St. Jean. Cf. *B.* 40 (1959),
p. 714, note 2.

[18] En fait, la notion biblique de commandement de Dieu est inséparable de la
volonté salvifique de Dieu; l'exigence divine est un don. « Dans l'A.T., la manifestation de la volonté divine n'est pas présentée comme une pure exigence d'un
maître absolu, comme un commandement qui ne viserait que la réalisation d'une
œuvre. La manifestation de la volonté divine est présentée comme un geste bienveil-
lant, un don inestimable. Connaître cette volonté est une grâce insigne qui n'est
pas accordée à n'importe qui (cf. Ps. 147, 19-20). Etre choisi pour accomplir cette
volonté n'est pas un asservissement humiliant, mais au contraire un honneur, une
assurance de réussite et de vie (cf. Dt. 30, 15s; Ps. 19 et 119) ». A. Vanhoye, *art. cit.*,
p. 392s. Voir aussi M.J. O'Connell, *The Concept of Commandment in the Old Testament, Th. St.* 21 (1960), p. 351-403.

[19] *Op. cit.*, p. 141. Il convient en particulier de noter le lien étroit entre
« *entolè* » et « *logos* ». En comparant 14, 15, 21 avec 14, 23, on voit que « *logos* » et
« *entolè* » sont interchangeables. En 8, 55, « *logos* » exprime la même idée qu'« *entolè* ».
Cf. Wikenhauser, *op. cit.*, p. 184. Par là se trouve souligné l'aspect de révélation
contenu dans la notion johannique de commandement.

« *tèrèsis tôn entolôn* », nous ne prétendons pas qu'elle ne comporte aucune nuance morale. Il nous semble, au contraire, qu'on doive lui attribuer une très haute signification morale, à condition cependant qu'on accepte de la considérer pour ce qu'elle est en réalité: l'expression et le déploiement de l'amour de Jésus en réponse à l'amour du Père qui explique et motive la mission du Fils et toute son activité messianique. En Jésus, soumission parfaite à la volonté du Père et amour de Dieu sont une seule et même chose (cf. 14, 31). S'il fait toujours ce qui plaît au Père, l'unique raison en est qu'il l'aime d'un amour total, pleinement adéquat à l'amour que lui porte le Père. Réciprocité totale, déploiement de deux amours parfaitement identiques, laissant entrevoir l'insondable mystère d'amour qui unit de toute éternité le Père et le Fils au sein de la Trinité [20].

2. *L'observance des commandements au niveau des disciples.*

L'observance des commandements revêt ici plusieurs nuances. Pour en saisir le sens profond, il nous paraît indispensable de la situer dans la trame même de l'existence chrétienne, telle que la décrit l'auteur du quatrième évangile. Celle-ci comporte deux « temps » d'inégale importance, suivant qu'elle précède ou suit la glorification du Fils de l'homme et l'effusion de l'Esprit.

A. Une des tâches essentielles du ministère public du Christ johannique a été de préparer ses disciples à recevoir le don de l'Esprit que, conjointement avec le Père, il devait leur envoyer après sa glorification. Jésus exige de ses auditeurs une option fondamentale, la foi, s'exprimant dans une adhésion ferme et vitale à sa personne et à son enseignement. Certes, cette foi à laquelle Jésus promet le don de l'Esprit (cf. 7, 39), n'est pas encore la foi dans la pleine acception du terme [21]. Cependant, elle revêt déjà, encore qu'à un degré moindre, les principales caractéristiques qui seront définitivement les siennes après la résurrection. Déjà elle est une grâce, un don de l'amour du Père (cf. 3, 16; 5, 42) et

---

[20] Sur l'agapè au sein de la Trinité, voir J. HUBY, *Mystiques paulinienne et johannique*, Bruges, 1946, p. 147-150.

[21] Comme le note avec raison le P. MOLLAT (*L'Evangile selon Saint Jean*, p. 117, note b) « le mot « foi » dans le quatrième évangile comporte des degrés très divers ».

du Fils (13, 1 ; 15, 9). Les disciples qui répondent aux initiatives de cet amour divin font confiance à Jésus (6, 68) et se trouvent purifiés par ses paroles (15, 3) qui sont esprit et vie (6, 63). Ayant rompu avec le monde mauvais et les œuvres des ténèbres (cf. 3, 19s ; 5, 44 ; 8, 43-47 ; 9, 39-41 ; 12, 42s), ils suivent Jésus (8, 12 ; 10, 27), demeurent en lui (15, 4-7), dans sa parole (8, 31) ou dans son amour (15, 9s), le servent et sont prêts à se sacrifier avec lui (12, 25s). Déjà ils se trouvent en contact vital avec lui et portent du fruit (15, 1-6). Leur foi, quoiqu'imparfaite, n'est pas une froide adhésion à un credo ; elle est don de soi, amour (cf. 14, 15, 21, 23s)[22]. Entre eux et Jésus commence ainsi cette merveilleuse union d'amour qui ira toujours croissant.

A ce premier stade de la vie chrétienne, l'observance des commandements a déjà sa place. Jésus en fait même une condition sine qua non pour demeurer dans son amour (15, 9s)[23], comme aussi pour recevoir l'effusion de l'Esprit (14, 15) et la visite amicale du Père et du Fils (14, 21-23). Dans ce contexte, l'observance des commandements ne peut être concrètement qu'un appel à la fidélité dans la foi[24]. Au disciple qui veut demeurer dans l'amour qu'il n'a cessé de lui porter et être l'objet des nouvelles faveurs qui suivront sa glorification, Jésus demande de posséder une foi stable, toujours en acte, une foi qui soit vraiment un

---

[22] Wikenhauser (*op. cit.*, p. 268) commente ainsi le verbe « agapan » dans ses quatre derniers versets : « Sachlich ist mit der hier verlangten Liebe zu Jesus das gleiche wie mit dem Glauben an ihm gemeint, wie 8, 42 und 16, 27 deutlich erkennen lassen ». Cf. également R. BULTMANN, *Das Evanglium des Johannes*, 17e édit., Göttingen, 1962, p. 475.

[23] D'après saint Jean. l'observance des commandements n'est pas un élément accessoire et temporaire de la vie chrétienne. Elle se trouve inscrite dans l'appel même de Dieu qui invite amoureusement tous les hommes au salut dans son Fils Jésus et, de ce fait, s'impose au croyant tout au cours de son existence ici-bas. Le don divin exige pour s'épanouir et atteindre son but une série d'options auxquelles l'homme ne peut se dérober.

[24] Cela découle de l'ensemble du quatrième évangile selon lequel la foi est l'option fondamentae en vue de la réception de l'Esprit. Il convient de ne pas trop presser le pluriel « entolai ». Le contexte montre que pour saint Jean les expressions « garder les commandements » (14, 15, 21) et « garder la parole » (14, 23) sont pratiquement interchangeables. L'auteur n'entend certainement pas le mot dans le sens restreint d'énoncés d'un code de lois. Dans la phase initiale de la vie chrétienne, l'emploi du pluriel peut se justifier par référence aux différentes options partielles que comporte la foi johannique : rupture avec le monde mauvais, renoncement aux œuvres des ténèbres, engagement à la suite de Jésus, imitation...

engagement sans retour de tout son être. A ce point de vue, la formule de Jo. 14,21a « celui qui a mes commandements et qui les garde » est très éclairante. Elle met visiblement l'accent sur la mise en pratique des commandements, concrètement sur la fidélité dans la foi.

B. La période qui suit la glorification du Christ, est dominée par l'activité de l'Esprit: c'est l'ère de l'Esprit (cf. 1, 33 ; 3, 1-21 ; 4, 23s ; 6, 63 ; 7, 39 ; 14, 16s, 26 ; 15, 26 ; 16, 7-15 ; 20, 22).

Deux textes (1, 33 et 3, 5-8) mettent directement l'Esprit en relation avec le baptême. En 1, 29-34, il est question du baptême de Jésus, rapporté sous la forme de témoignage rendu au Christ par Jean-Baptiste. A la différence de Jean-Baptiste envoyé pour baptiser dans l'eau, le Christ, lui, baptise dans l'Esprit. Sa mission est de communiquer aux hommes cette force illuminatrice et sanctificatrice que Dieu avait promise pour les temps messianiques (cf. Is. 11, 1-9 ; Ez. 36, 25ss) [25]. Dans l'entretien de Jésus avec Nicodème (3, 1-21), le v. 5 contient une allusion au baptême. Pour entrer dans le Royaume de Dieu, il est absolument nécessaire de naître de l'eau et de l'Esprit [26]. Bien que Jean ne s'explique

---

[25] Cet Esprit sera communiqué aux hommes après la résurrection, comme Jean l'affirme en plusieurs endroits (cf. notamment 7, 39s; 14, 16s; 16, 17; 20, 22). Sur les textes de Jo. 3. 22b, 26; 4, 1s qui apparemment pourraient faire difficulté, voir LAGRANGE, op. cit., p. 91s; WIKENHAUSER, op. cit., p. 98; J. DELORME, La pratique du baptême dans le judaïsme contemporain des origines chrétiennes, Lum. et Vie, n. 26 (1956), p. 21; D.M. STANLEY, The New Testament Doctrine of Baptism: An Essay in Biblical Theology, Th. St. 18 (1957), p. 200; R. SCHNACKENBURG, Die Sacramente im Johannesevangelium, Sacra Pagina, t. II, p. 245.

[26] A propos de l'aspect ecclésial et sacramentaire du quatrième évangile, le P. Mollat (L'Evangile selon saint Jean, p. 15) écrit: « Un rapport du quatrième évangile avec la catéchèse, en particulier la catéchèse pascale et sacramentaire, paraît très probable. Le nombre précis des allusions aux sacrements est difficile à déterminer. En tout cas l'entretien avec Nicodème (3, 1-21) contient tout les éléments d'une catéchèse baptismale, analogue à celle d'Ep 5, 8-14 ». A. Feuillet (cf. Les thèmes bibliques majeurs du discours sur le pain de vie (Jn 6), N.R.Th., 82 (1960), p. 1055, note 132), après avoir fait allusion au texte de Mollat que nous venons de citer et signalé les mots ou expressions communs entre Jo., 3, 19-21 et Eph., 5, 8-14, poursuit: « Jean a certainement précisé l'enseignement original du Sauveur à partir de la pratique baptismale de l'Église; en particulier le P. Léon-Dufour propose de voir dans le mot « eau » du v. 5 une précision sacramentaire de l'évangéliste (L'actualité du Quatrième Évangile, dans N.R.Th., 1954, pp. 450-451) ». F.M. Braun (La vie d'en haut Jo., III, 1-15), R.Sc.Ph.Th., 40 (1956), p. 14s) admet également que Jean a approfondi l'enseignement de Jésus à la lumière de l'Esprit. « C'est

pas sur les relations et les effets respectifs de l'eau et de l'Esprit, tout le contexte cependant laisse supposer que c'est l'Esprit qui est le principe actif, comme l'élément essentiel et constitutif, de la nouvelle naissance [27]. On notera également la relation du baptême dans l'eau et l'Esprit avec la glorification du Christ (cf. les vv. 13s) [28]. Celle-ci s'impose comme une nécessité (v. 14): sans glorification du Fils de l'homme, pas d'effusion de l'Esprit, partant pas de nouvelle naissance ni de salut. A l'homme né de la chair [29], le Christ glorifié doit communiquer un nouveau principe vital, pour lui permettre d'entrer dans le Royaume de Dieu.

Dans le discours d'adieux, l'Esprit est présenté comme une personne divine qui demeure à jamais avec les fidèles et agit en eux. Une de ses fonctions essentielles est d'amener les disciples à une compréhension plus complète et plus vitale de la personne de Jésus et de son œuvre salvifique (cf. 14, 26; 16, 13). « Présent dans les fidèles, les assistant du dedans, l'Esprit-Saint ne leur communiquera par des doctrines absolument nouvelles, une seconde révélation, comme si celle qu'a apportée le Christ ne suffisait pas. Il fera pénétrer dans une intelligence plus profonde du message du Christ, de sa vie, de ses actes, de ses discours; il donnera efficacité à ses enseignements pour que, reçus dans le cœur des croyants, ils y deviennent une force de salut » [30]. Le P. Huby auquel

---

ainsi, dit-il, que s'explique l'insertion dans le dialogue des gloses ou de petits développements qui mettent le lecteur chrétien sur la voie d'une interprétation pénétrante. L'exégèse des versets 13 et 14, notamment, doit en tenir compte. Il en va de même, persons-nous, du mot accolé à « *pneumatos* » dans la locution « *ex hydatos kai pneumatos* » (v. 5) ». Il précise cependant contre l'interprétation de Bultmann: « Puisque ''*hydatos*'' est attesté par la masse des autorités diplomatiques et l'unanimité de la tradition patristique, nous ferions de la mauvaise critique en le soustrayant à la composition de l'évangéliste ».

[27] Au sujet de l'Esprit, Schnackenburg (*Die Sacramente im Johannesevangelium, Sacra Pagina*, t. II, p. 245) écrit: « Was nun den Gottesgeist betrifft, so ist er das entscheidende Agens bei dieser Neuschöpfung, und er teilt sich zugleich als göttliches Leben mit ».

[28] D'après saint Jean, la glorification du Fils de l'homme commence par la passion pour s'achever par le retour auprès du Père. L'auteur insiste ici sur le premier acte de cette glorification (v. 14). On voit cependant d'après le v. 13 que le retour auprès du Père n'est pas exclu.

[29] C'est-à-dire, l'homme livré à ses propres forces, indépendamment de l'idée de péché. Cf. SCHWEIZER, *art.* « *sarx* », *TWNT*, t. VII, p. 139.

[30] Cf. J. HUBY, *op. cit.*, p. 190.

nous empruntons cette citation, montre bien que l'action de l'Esprit
ne se limite pas à l'intelligence pour l'éclairer et l'affermir dans
la vérité, mais s'étend à l'homme tout entier. La vérité johannique
implique une attitude morale; en faisant la pleine lumière sur la
personne de Jésus, son unité avec le Père et son œuvre salvifique,
l'Esprit donne à la foi une efficience nouvelle.

En même temps que du rôle de l'Esprit, Jean parle d'une
manifestation spirituelle, amicale et permanente du Père et du
Fils à chacun des disciples (cf. 14, 18-21, 23, 28) [31]. C'est au cours
de cette inhabitation dans l'âme que le Fils communique sa paix
(14, 27; 16, 33) [32], sa joie (15, 11; 16, 22; 17, 13), sa gloire (17,
22) [33] et toutes les grâces sollicitées en son nom par ses disciples
(14, 13s; 15, 16; 16, 24, 26). Quant au Père, il associe les disciples
au mystère de son unité avec le Fils, en leur communiquant
l'amour dont il a aimé ce même Fils (17, 26). Nous atteignons ici le
point culminant de la réflexion johannique sur la vie chrétienne.
A son degré le plus haut, celle-ci apparaît comme une participation
à l'amour du Père pour le Fils et conséquemment comme une union
de tous les chrétiens entre eux dans l'amour sur le modèle de
l'union divine. La phase terrestre de l'œuvre de salut est achevée:
une nouvelle « koinônia » est créée parmi les hommes à l'image
de la « koinônia » divine qui unit le Père et le Fils.

Dans cette période qui suit l'effusion de l'Esprit, quelle place
occupe l'observance des commandements? Quelle est sa signification profonde?

---

[31] Bien que Jean ne le dise pas explicitement, venue de l'Esprit et manifestation du Père et du Fils ont lieu en même temps. Cf. WIKENHAUSER, op. cit., p. 271.

[32] A propos de 14, 27b « je vous donne ma paix », Mollat (L'Évangile selon
Saint Jean, p. 158, note f) écrit: « La sécurité, le sentiment de plénitude dans la
vérité, la fermeté dans l'espérance, de tout cela est faite la paix que Jésus laisse
à ses disciples (14, 1-3, 5). C'est le don messianique parfait et accompli ».

[33] Il est difficile de préciser le contenu de la « doxa » que Jésus communique
à tous les siens. Le P. Spicq (op. cit., p. 205-209) résume bien les différentes interprétations proposées par les exégètes. A la bibliographie indiquée par l'auteur,
ajouter: W. GROSSOUW, La glorification du Christ dans le quatrième évangile, dans
L'Évangile de Jean, p. 131-145; THÜSING, op. cit., p. 181-186. D'après ce dernier auteur,
« Die "doxa" Jesu ist dann wohl als der Glanz der Liebeseinheit Jesu mit dem Vater
zu bezeichnen, als sein Durchstrahltsein von der Liebe des Vaters, das geoffenbart
wird und durch diese schöpferische, lebenspendende Offenbarung die Glaubenden in
die Liebesgemeinschaft von Vater und Sohn hineinzieht ».

1. Notons d'abord que l'observance des commandements ne perd rien de sa force d'obligation. Après comme avant l'effusion de l'Esprit, elle s'impose comme une condition pour demeurer dans l'amour de Jésus (15, 9s)[34]. Amis ou serviteurs doivent faire ce que Jésus commande (cf. 15, 14).

2. La foi demeure l'attitude fondamentale de la vie chrétienne, mais la présence active de l'esprit, comme aussi l'union plus étroite des croyants avec le Père et le Fils, lui communiquent, avec la pleine maturité, un dynamisme nouveau.

a. En 14, 12-14, Jésus déclare solennellement qu'après sa glorification et en vertu même de cette glorification, celui qui croit en lui fera lui aussi les œuvres qu'il fait, voire en fera de plus grandes encore. C'est toute l'activité missionnaire de l'Église après la résurrection qu'évoquent ces paroles de Jésus[35]. Animés par la foi et la vertu du Christ ressuscité, assurés que la prière en son nom est toujours exaucée, les disciples donneront alors son achèvement à l'œuvre entreprise par Jésus. La même idée, semble-t-il, est exprimée au ch. 15 (cf. vv. 5, 8, 16), où Jésus affirme que celui qui demeure en lui et en qui il demeure porte un fruit abondant qui demeure pour la vie éternelle[36]. Ici également, le Christ insiste sur la prière en son nom (cf. vv. 7, 16). Celle-ci est plus qu'un moyen d'obtenir la fécondité requise; elle fait réellement partie de la mission même confiée aux disciples[37]. Son but essentiel est de glorifier le Père dans l'œuvre de salut que Jésus accomplit par ses disciples (cf. 14, 13)[38].

---

[34] Les paroles de Jésus « demeurez dans mon amour » valent pour l'existence chrétienne toute entière et, de ce fait, donnent à l'observance des commandements une portée universelle.

[35] Le mot « erga » en 14, 12 ne vise pas uniquement les miracles, mais l'ensemble des oeuvres opérées par Jésus en sa qualité de révélateur du Père. Cf. LAGRANGE, WIKENHAUSER, MOLLAT, THÜSING (ce dernier auteur, op. cit., p. 115).

[36] Pour l'exégèse de ce passage, nous renvoyons à W. THÜSING, op. cit., p. 107-114. L'auteur montre bien que l'expression « pherein karpon polyn » doit s'entendre du rendement apostolique et non, comme on le pense assez communément, de la sainteté personnelle.

[37] Cf. 15, 16 où les deux propositions commençant par « hina » sont coordonnées et dépendent toutes deux des verbes « exelexamèn » et « ethèka ».

[38] Ce thème de la prière est repris dans une perspective différente en 16, 23s et 26s. « Ici l'apostolat n'est pas envisagé, mais le rapport des disciples avec le

b. En même temps qu'il associe ses disciples à son œuvre de salut, Jésus leur annonce qu'ils seront exposés aux percécutions et voués à la haine du monde à cause de lui (15, 18 - 16, 4, 33). Au sein de ces épreuves, leur fonction sera de témoigner en faveur de la divinité de Jésus (15, 27). Ils le feront dans la force et sous la lumière de l'Esprit, dont Jean évoque le témoignage au verset précédent [39].

c. Finalement la foi se présente comme une victoire, une participation au triomphe du Christ glorifié sur le monde mauvais et le Prince de ce monde. Ce dernier trait qui sera particulièrement accentué dans la première épître, apparaît déjà dans quelques passages de l'évangile. Par sa glorification, le Christ a remporté sur le Prince de ce monde une victoire personnelle complète (cf. 12, 31; 16, 11, 33), à laquelle les disciples participent déjà dans une certaine mesure. S'ils leur faut rester dans le monde pour prolonger la mission de Jésus (17, 18), ils ne sont plus du monde (16, 19; 17, 14, 16); ils se trouvent mis à part, consacrés dans la vérité - la Parole salvifique du Père (17, 12). Le monde peut les prendre en haine, les persécuter, ils sont sûrs de vaincre (16, 33).

En 16, 8-11, Jésus annonce que le procès injuste qui aboutit à sa condamnation, sera repris par l'Esprit, mais cette fois à l'avantage de l'accusé. « Et quand il (le Paraclet) viendra, il confondra le monde en matière de péché, en matière de justice et en matière de jugement: de péché, parce qu'ils ne croient pas en moi; de justice, parce que je vais au Père et que vous ne me verrez plus; de jugement, parce que le prince de ce monde est condamné » [40]. Ces paroles ne signifient pas que l'Esprit amènera le monde mauvais à reconnaître son péché, mais seulement, com-

---

Père par la médiation de Jésus ». Lagrange, à propos du v. 24. Les vv. 26 et 27 soulignent la position privilégiée des croyants dans la prière. Unis intimement à Jésus, ceux-ci, de ce fait, sont aimés du Père et voient leurs demandes exaucées.

[39] Témoignage de l'Esprit et témoignage des Apôtres, encore qu'ils possèdent chacun leur mode d'agir propre et de ce fait peuvent être distingués, ont même objet: attester la mission divine de Jésus.

[40] L'interprétation de ce passage demeure passablement discutée parmi les exégètes. Voir l'étude très documentée de M.F. BERROUARD, *Le Paraclet, défenseur du Christ devant la conscience du croyant (Jo., XVI, 8-11)*, R.Sc.Ph.Th., 33 (1949), p. 361-389. Une des difficultés majeures est de préciser la nature et les limites de cette nouvelle fonction de l'Esprit. S'agit-il d'une révélation purement intérieure, réservée

me le suggèrent le contexte et le verbe « *elegchein* » utilisé au v. 8, qu'il mettra ce péché en pleine lumière, en apportant la preuve que le monde a eu tort de condamner Jésus. Alors que le monde persistera dans son incrédulité, le Paraclet refera pour ainsi dire dans le secret des cœurs croyants le procès de Jésus. Sous la lumière de l'Esprit, ceux-ci seront pleinement persuadés : premièrement, que c'est le monde, en refusant de croire au Christ, qui est dans le péché (v. 9) ; deuxièment, que Jésus, par sa glorification auprès du Père, manifeste la justice de sa cause (v. 10)[41] ; troisièmement, que le grand perdant dans le procès de Jésus est le Prince de ce monde, inexorablement condamné (v. 11). Les mots « et vous ne me verrez plus » (v. 10b) évoquent la situation des disciples après le départ de Jésus. Les disciples ne verront plus leur Maître, mais croiront et c'est dans cette foi que sera attestée la victoire de Jésus sur le monde incrédule.

3. Le commandement nouveau. Dans le quatrième évangile, la charité fraternelle constitue un des thèmes majeurs des derniers entretiens de Jésus avec ses disciples (cf. 13, 1-17, 34s ; 15, 12, 17 ; 17, 21-23). A la petite communauté, choisie pour continuer son œuvre de salut, le Christ donne ce commandement : « Aimez-vous les uns les autres comme je vous ai aimés » (15, 12). Jésus parle de commandement ou de commandement nouveau (13, 34) ; il ordonne (15, 17). Quel sens faut-il attribuer à ces expressions ? La solution de ce problème est à chercher principalement dans la conception même que l'auteur du quatrième évangile se fait de la charité fraternelle.

Pour saint Jean, la charité fraternelle ne se comprend qu'à partir de la charité du Père pour nous dans et par le Fils. L'agapè divine, par sa plénitude et sa transcendance, est la source et le modèle de tout autre amour. Le Père aime le Fils (cf. 3, 35 ; 5, 20 ;

---

aux seuls croyants, on bien d'une action de l'Esprit sur le monde mauvais à travers le témoignage des Apôtres et de la communauté chrétienne ? Berrouard montre bien que la révélation de l'Esprit est adressée aux seuls croyants. Parmi les derniers commentateurs, notons que G.M. Behler (*Les Paroles d'adieux du Seigneur* [*S. Jean. 13-17*], Paris, 1960) s'est rallié à cette opinion, tandis que Thüsing (*op. cit.*) qui semble ignorer le travail de Berrouard, défend l'autre opinion.

[41] Le mot « *dikaiosynè* » est pris ici non au sens moral mais juridique de déclaration d'innocence, de victoire dans un procès. Cf. BULTMANN, *op. cit.*, p. 434s ; WIKENHAUSER, *op. cit.*, p. 294.

10, 17 ; 15, 9a, 10b ; 17, 23s, 26) ; comme le Père aime le Fils, le Fils aime les croyants (15, 9 ; 17, 23, 26) ; comme le Fils aime les croyants, ainsi les croyants doivent-ils s'aimer les uns les autres (13, 34 ; 15, 12). « En un triple palier, l'amour du Père pour le Fils, du Fils pour les disciples et des disciples entre eux, descend des hauteurs incommensurables du ciel pour alimenter la vie éternelle dans la société humaine » [42]. Il importe de noter que pour saint Jean cet amour divin est plus qu'un modèle au sens ordinaire du mot. S'il rappelle des faits passés comme l'incarnation ou la mort de Jésus en croix, il est aussi un don que le Père et le Fils communiquent aux croyants, en venant habiter en eux (cf. 17, 26). L'agapè divine est une force créatrice, toujours agissante, qui transforme l'homme de l'intérieur, alimente et règle ses relations avec les frères. La charité fraternelle est donc une participation active et vitale à l'amour du Père pour nous dans le Christ, un prolongement de cet amour divin (qui se trouve et agit en nous) dans nos relations fraternelles. Gratifiés de la même présence active et amicale du Père et du Fils, s'aimant tous du même amour divin, les chrétiens forment ainsi une unité que Jean peut assimiler à l'unité des personnes divines (cf. 17, 21-23).

Dès lors, on voit que dans le quatrième évangile la charité fraternelle n'est pas une simple obligation et que le vocable « *entolè* » dont use saint Jean, ne peut absolument pas s'entendre dans le sens restreint de prescription légale. M. Goguel écrit à ce propos : « Il ne s'agit de loi ou de commandement que dans une acception assez particulière, non comme d'une obligation imposée du dehors au croyant mais comme d'une impulsion intérieure, d'une action du Paraclet sur le croyant. S'il y a ainsi un impératif, il n'est rendu possible que par un indicatif » [43].

Concernant la nouveauté du commandement de la charité fraternelle, les avis des exégètes demeurent partagés [44]. Si l'on tient compte du fait que Jo. 13, 33-35 contient des expressions

---

[42] PRUNET, *op.. cit.*, p. 99.

[43] M. GOGUEL, *L'Église primitive*, Paris, 1948, p. 495. Cf. aussi SPICQ, *op. cit.*, p. 171s.

[44] Cf. PRUNET, *op. cit.*, p. 103-107 ; SCHNACKENBURG, *Die sittliche Botschaft des NT*, p. 230s ; SPICQ, *op. cit.*, p. 177-179.

206

caractéristiques de la première épître[45], on est enclin tout natu-
rellement à éclairer Jo. 13, 34 par I Jo. 2, 8 où l'expression « *entolè
kainè* » figure dans un contexte fort suggestif. En I Jo. 2, 7s, le
commandement de la charité fraternelle est présenté à la fois
comme ancien (v. 7) et nouveau (v. 8). En insistant sur l'ancienneté de ce commandement, Jean entend protester de sa fidélité
à la catéchèse primitive. Son intention n'est par d'innover, mais
de rappeler à ses correspondants un enseignement dont ils ont
eu connaissance dès leur premier contact avec le christianisme.
Cependant, Jean nous dit que ce commandement est nouveau et il
en donne la raison: les ténèbres — le monde ancien du péché
soumis à Satan — sont en train de disparaître, la véritable lumière
— la Révélation de Dieu en Jésus-Christ — jette déjà sa lueur.
Tout est renouvelé et en Dieu (« *en autôi* »), auteur de cette révélation (cf. I Jo. 1, 5-7) et en l'homme qui en est le bénéficiaire.
Les hérétiques qui ne pratiquent pas la charité fraternelle, refu-
sent ce nouvel ordre de choses; ils sont encore dans les ténèbres
(cf. vv. 9-11). La nouveauté du commandement de la charité vient
donc du fait que ce commandement appartient au nouvel ordre de
salut établi par Dieu et réalisé en Jésus. Il est la marque distinctive des temps nouveaux et de ce fait, sa mise en pratique constitue le signe caractéristique des disciples de Jésus (cf. Jo. 13, 35).

On a dit du christianisme johannique qu'il était « une économie de témoignage » [45bis]. C'est là une donnée fondamentale qu'il
ne faut jamais perdre de vue, si l'on veut se faire une juste idée
de la charité fraternelle dans le quatrième évangile. Si Jean, en
effet, a particulièrement insisté sur l'union et l'unité créées par
la charité au sein de la communauté des croyants, l'une des raisons en est que pour lui le commandement nouveau a valeur de
témoignage. En s'entr'aimant du même amour que le Christ les a
aimés, les chrétiens témoigneront à la face du monde de la mission divine de Jésus et de son amour pour les siens. Leur charité

---

[45] Cf. le vocatif « *teknia* » (Jo. 13, 33; I Jo. 2, 1, 12, 28; 3, 7, 18; 4, 4; 5, 21),
les expressions « *en toutôi ginôskein* » (Jo. 13, 35; I Jo. 2, 3, 5; 3, 16, 19, 24; 4, 2, 13;
5, 2) et « *entolè kainè* (Jo. 13, 34; I Jo. 2, 7s).

[45bis] BONSIRVEN, *op. cit.*, p. 149. Sur la notion de témoignage dans St. Jean,
voir en particulier l'article de I. DE LA POTTERIE, *La notion de témoignage dans Saint
Jean*, Sacra Pagina, t. II, p. 193-208.

manifestera que Jésus était bien l'envoyé du Père, un avec lui, et
qu'il a aimé les siens comme le Père l'a aimé (17, 21-23). Répli-
que et prolongement de la société divine sur cette terre, la communauté des croyants demeurera ainsi jusqu'à la fin du monde
le témoin toujours vivant de la révélation de Dieu en Jésus-Christ.

L'OBSERVANCE DES COMMANDEMENTS
DANS LA PREMIÈRE ÉPÎTRE DE JEAN

La communauté à laquelle est adressée la première épître de
Jean, doit faire face aux théories pernicieuses de certains hérétiques qualifiés par l'Apôtre de pseudo-prophètes (4, 1) ou d'antichrists (2, 18, 22; 4, 3). Qui étaient ces faux prophètes, ces antichrists? Constituaient-ils des groupes différents? Faute d'une do-
cumentation suffisante, les exégètes ont émis plusieurs hypothè-
ses, mais aucune d'elles ne s'impose avec certitude. La même
difficulté se présente, lorsqu'il s'agit de préciser les erreurs pro-
fessées par ces hérétiques. Antant qu'on peut en juger par notre
lettre, ceux-ci soutenaient d'abord certaines erreurs concernant la
personne et l'œuvre rédemptrice du Christ (cf. 1, 1-4, 7; 2, 22-26;
3, 5, 8b; 4, 2s, 10, 14s; 5, 5-13, 20). Ils professaient ensuite une indifférence complète vis-à-vis de la morale. Se croyant sans péché
(1, 8, 10), négligeant la pratique des commandements (2, 4), principalement celui de la charité fraternelle (2, 9-11; 3, 14s; 4, 8, 20),
ils prétendaient atteindre Dieu par la seule connaissance. Saint
Jean semble avoir été vivement frappé par le danger que de telles
erreurs pouvaient créer dans l'église. Comme l'a bien mis en
lumière le P. Boismard[46], le but essentiel de sa lettre n'est pas
d'exhorter les fidèles à croire au Christ et à s'aimer les uns les
autres, mais de déterminer quels sont les véritables chrétiens,
ceux qui possèdent vraiment la vie divine et font partie de la
communauté[47]. Pour saint Jean, le chrétien authentique est celui
chez qui se trouvent réalisées deux conditions inséparablement

---

[46] M.E. Boismard, *La connaissance dans l'alliance nouvelle, d'après la première lettre de saint Jean, R.B.* 56 (1949), p. 365-391. Voir en particulier les pages
375s; 380 note 2.

[47] Cela ne veut pas dire que l'épître ne contient pas d'exhortations proprement
dites adressées aux chrétiens restés fidèles. Cf. par exemple 2, 1, 15, 24, 27s; 3, 11,
16b-18; 4, 1, 7, 11, 19; 5, 16, 21.

unies et également nécessaires: d'une part, la profession de foi christologique, d'autre part, la fidélité absolue aux commandements, spécialement au commandement de la charité fraternelle [48].

I. SIGNIFICATION NÉGATIVE DE L'OBSERVANCE DES COMMANDEMENTS.

A la différence du quatrième évangile, la première épître attribue exclusivement à Dieu l'origine des commandements (cf. 2, 3s; 3, 22-24; 4, 21; 5, 2-4). Comment expliquer ce changement de perspective? Faut-il y voir entre autres, de la part de Jean, une prise de position plus favorable à l'égard de la loi mosaïque?

1. Constatons d'abord que notre épître ne contient aucune citation scripturaire. La seule allusion à l'Ancien Testament se lit en 3, 12 et c'est pour nous dire de ne pas imiter Caïn, lequel, étant du Mauvais, égorgea son frère. 3, 8 est probablement aussi une allusion à l'Ancien Testament, soit à Gen. 3, soit à Gen. 4, 1-16 [49].

2. Le mot « nomos » est absent de la première épître de Jean. En 3, 4, nous trouvons deux emplois de « anomia », vocable qu'on traduit ordinairement par « violation de la loi ». Il s'agirait soit de la loi mosaïque, soit de la loi chrétienne de charité, soit de la loi divine en général [50]. Ce sens de « transgression de la loi » donné ici à « anomia », est loin de s'imposer. Avec le P. de la Potterie [51],

---

[48] Cf. en 3, 23 l'emploi du singulier « hè entolè » pour désigner la foi au Christ et l'amour du prochain. Le véritable amour du prochain a sa source dans l'amour de Dieu pour nous, lequel s'est manifesté par l'envoi du Fils dans le monde (cf. 4, 7-10). Amour du prochain et foi au Christ sont donc inséparablement unis.

[49] Faut-il en conclure que certains cercles johanniques étaient peu familiarisés avec la Bible? Ce serait exagéré de l'affirmer. Comme dans l'évangile, plusieurs thèmes de notre épître ne se comprennent qu'à partir de l'Ancien Testament. Cf. R. SCHNACKENBURG, *Die Johannesbriefe*, Freiburg im Breisgau, 1953, p. 22s; M.E. BOISMARD, *art. cit.*; I. DE LA POTTERIE, *L'arrière-fond du thème johannique de vérité*, *Studia Evangelica*, T.U. Berlin, 1959, p. 277-294. Pour les contacts de la première épître de Jean avec les écrits de Qumrân, voir en particulier W. NAUCK, *Die Tradition und der Charakter des ersten Johannesbriefes*, Tübingen, 1957.

[50] Cf. GUTBROD, *art.* « nomos » dans *TWNT*, t. IV, p. 1079.

[51] I. DE LA POTTERIE, « *Le péché, c'est l'iniquité* » (*I Joh., III, 4*), N.R.Th. 78 (1956) p. 785-797. Notons que le P. Braun (*Les Épîtres de Saint Jean*, 2e édit. revue, Paris, 1960) traduit désormais: « Quiconque commet le péché commet aussi l'iniquité, car le péché, c'est l'iniquité ».

il nous semble même tout à fait déplacé dans ce contexte dualiste et eschatologique où Jean oppose les fils de Dieu et les fils du diable, le Christ à Satan. L'étude sémantique d'« *anomia* » révèle qu'à l'époque néotestamentaire, dans la littérature biblique et extra-biblique, ce mot, en plus de son sens étymologique (sans loi ou contre la loi) et de son identification avec « *hamartia* », peut revêtir, dans certains contextes où il n'est pas question de loi et de caractère généralement dualiste et eschatologique, un sens spécial et désigner le péché sous son aspect religieux de participation à la puissance satanique[52]. « Celui qui commet le péché, ne commet pas seulement une action moralement répréhensible; il commet aussi l'iniquité, c'est-à-dire qu'il révèle ce qu'il est dans son fond, un fils du diable, quelqu'un qui s'oppose à Dieu et au Christ, et qui se met sous l'empire de Satan; il se dévoile comme fils des ténèbres, prend part à l'hostilité eschatologique contre le Christ, et s'exclut du royaume messianique »[53]. La traduction « peccatum est violatio legis » est basée uniquement sur le sens étymologique d'« *anomia* ». Ses défenseurs oublient l'usage de ce mot à l'époque néotestamentaire et introduisent en I Jo. 3, 4 une notion qui ne cadre pas du tout avec le contexte.

3. Au sujet de l'emploi d'« *entolè* », il convient d'abord de noter que l'expression « garder les commandements » voisine avec des expressions similaires comme « marcher dans la lumière » (1, 7), « garder la parole de Dieu » (2, 5), « se conduire comme celui-là (« *ekeinos* » c'est-à-dire le Christ) s'est conduit » (2, 6), « pratiquer la justice » (« *dikaiosynè* » au sens de sainteté morale) (2, 29; 3, 7, 10), « faire ce qui est agréable à Dieu » (3, 22). Ces expressions sont pratiquement interchangeables: premier indice que les « entolai » ne sont pas à prendre dans le sens restreint d'énoncés d'un code de lois. Si on tient compte ensuite de l'ensemble de l'épître, on voit que sous ce mot de commandements il faut entendre concrètement: a) la fuite du monde mauvais (2, 15-17) et du péché (3, 3-10; 5, 21); b) la foi (surtout la profession de foi christologique) (2, 23; 3, 23; 4, 2s, 15s; 5, 1, 4s, 10, 13); c) la charité

---

[52] Pour le Nouveau Testament, on retiendra en particulier Mt. 13, 41; 24, 12; Mc. finale codex W; II Thess. 2, 3, 7; II Cor. 6, 14; Tite 2, 14.

[53] Ainsi I. DE LA POTTERIE, *art. cit.*, p. 794.

14.

210

envers Dieu (4, 20-5, 3)[54] et envers le prochain (2, 7-11[55]; 3, 10c-19, 23; 4, 7s, 11s, 20s; 5, 1s, 16); d) l'imitation du Christ (2, 6; 3, 3, 16; 4, 17); e) la prière (5, 14-17)[56]. Ainsi se retrouvent dans la première épître, avec les adaptations nécessitées par les circonstances spéciales de sa composition, les grands thèmes par lesquels saint Jean avait caractérisé la vie chrétienne dans le quatrième évangile. Si dans l'épître il parle exclusivement des commandements de Dieu, c'est en vue de combattre les hérétiques qui prétendaient s'unir à Dieu sans faire ce qu'il commande. Il importait pour lui d'insister sur l'union inséparable de la connaissance de Dieu et des commandements de Dieu. Sa position théocentrique n'implique donc pas un retour à la législation mosaïque. Concluons ce paragraphe par la remarque de Schnackenburg à propos de I Jo. 2, 6: «Par là, dit l'auteur, l'obligation générale de garder les commandements de Dieu qu'un juif pieux pouvait également imposer, reçoit son cachet chrétien propre. Pour un chrétien, la norme prochaine de son agir n'est pas un code général de lois, voire même le vénérable décalogue, mais l'enseignement personnel du Christ, et non seulement sa parole mais encore l'exemple de sa vie»[57].

[54] 4, 20 - 5, 3 est le passage le plus important qui traite de l'amour pour Dieu, encore qu'il ne soit pas directement une exhortation à aimer Dieu mais une mise au point sur le véritable amour de Dieu et l'intime corrélation qui existe entre l'amour pour Dieu et l'amour pour le prochain. Il est dirigé contre les faux prophètes qui ne mettaient pas en doute la nécessité d'aimer Dieu mais se trompaient seulement sur la manière de l'aimer. Le texte de 2, 15 est discuté. Alors que Schnackenburg entend l'expression «l'amour du Père» de l'amour du chrétien pour le Père («tou Patros» est un génitif objectif) auquel s'oppose l'amour du monde, Bonsirven l'entend de la participation à l'amour de Dieu, forme de la communion divine («tou Patros» est alors un génitif de qualité).

[55] D'après tous les commentateurs, l'ancienneté du commandement de la charité fraternelle ne vient pas du fait que ce commandement remonte à l'Ancien Testament, mais de ce qu'il a été connu des correspondants de l'Apôtre dès leur premier contact avec le christianisme.

[56] Ces textes sur la prière ne font pas mention explicite de la personne de Jésus. Il ressort cependant de l'ensemble de l'épître qu'il ne saurait y avoir de prière authentique en dehors du Christ. Seuls ceux qui observent les commandements de Dieu, par conséquent qui croient au nom de son Fils Jésus Christ (cf. 2, 23), reçoivent de Dieu ce qu'ils demandent. Pour interpréter correctement le passage sur la prière pour les pécheurs (5, 14-17), il faut nécessairement tenir compte des nombreux textes qui parlent du rôle du Christ dans notre rédemption et notre sanctification (1, 7; 2, 1s; 3, 5, 8; 4, 9s; 5, 11-13, 20).

[57] SCHNACKENBURG, *Die Johannesbriefe*, p. 90.

II. Signification positive de l'observance des commandements.

Dans son souci majeur de distinguer hérétiques et vrais chrétiens, Jean a insisté d'une façon spéciale sur l'aspect concret, réaliste de la vie chrétienne: l'observance des commandements, qu'il conçoit dans la grande majorité des cas (cf. 1, 6s; 2, 3-5, 23, 29; 3, 6-10, 14s, 19, 24b; 4, 2s, 6-8, 13, 15; 5, 1s) comme une réalité-signe, un critère visible de la communion avec le Père et le Fils [58].

Par rapport au quatrième évangile, l'épître présente une concrétisation plus poussée de la volonté de Dieu. C'est le cas entre autres pour la charité fraternelle (3, 17s) et la fuite du monde (2, 15-17) [59]. La foi est considérée dans l'épître sous un angle plus restreint que dans l'évangile. Jean met l'accent sur la profession de foi extérieure, laquelle, comme l'ensemble de la vie chrétienne, est soumise à une autorité (cf. 2, 12-14; 4, 6; 5, 13, 18-20). En 2, 12-14, le « *hoti* » est probablement épexégétique [60]. L'Apôtre annonce à ses correspondants que ce sont eux et non les hérétiques qui sont en communion avec Dieu. Pour appuyer son autorité, Jean en appelle à l'expérience personnelle qu'il a faite du Verbe de Vie (1, 1-3; 4, 14) et insiste sur la valeur traditionnelle de son enseignement (1, 5; 2, 7, 24; 3, 11) [61]. Ces différences entre

---

[58] Jean souligne également d'autres aspects de l'observance des commandements. En 3, 21s, celle-ci se présente comme une condition pour avoir pleine assurance devant Dieu et voir ses prières toujours exaucées. En 5, 3, elle apparaît comme le signe et l'effet de l'amour de l'homme pour Dieu. En tant que critère de la communion avec Dieu, l'observance des commandements est par le fait même une condition pour demeurer dans cette communion. L'Apôtre semble avoir voulu exprimer ce dernier aspect en 2, 6; 3, 24a; 4, 12, 16. En 2, 28, le fait de demeurer en Jésus, c'est-à-dire d'après le contexte précédent, de rester fermement attaché à la profession de foi christologique, est une condition pour posséder pleine assurance lors de son Avènement.

[59] A propos de 2, 16, Schnackenburg (*Die Johannesbriefe*, p. 112) note cependant avec raison qu'en parlant de la convoitise de la chair, de la convoitise des yeux et de l'orgueil de la richesse, Jean n'a pas l'intention de systématiser mais d'illustrer par trois exemples l'attitude du monde mauvais.

[60] Cf. Boismard, *art. cit.*, p. 380.

[61] Dans la première épître de saint Jean, l'observance des commandements a un caractère ecclésial très prononcé. Dès le début de la lettre (cf. 1, 3, 7), l'auteur affirme clairement que la communion avec Dieu et la communion entre frères sont inséparables. En même temps qu'elle est un critère de la communion avec Dieu, l'observance permet de juger de l'appartenance de quelqu'un à la communauté. Celle-ci exerce son contrôle sur la vie chrétienne par l'intermédiaire de ses chefs.

212

l'épître et l'évangile ne vont pas sans donner à la vie chrétienne un aspect plus légaliste. La question se pose donc si, par suite des circonstances, la pensée de Jean n'a pas opéré un glissement dans le sens du légalisme. La réponse à ce problème nous amène à rechercher quel est le véritable fondement de l'observance des commandements dans notre épître. On peut formuler le principe général suivant: si l'observance des commandements est le critère permettant de juger si l'on possède la communion avec le Père et le Fils, c'est la communion avec le Père et le Fils qui est le véritable fondement et le principe vital de l'observance des commandements. Illustrons par trois exemples le principe posé.

A. La communion avec le Père et le Fils comme fondement et principe vital de la fuite du péché: et de la pratique de la justice (2, 29 - 3, 10ab).

Le thème central de cette section est l'opposition des fils de Dieu et des fils du diable (3, 3-10). Jean décrit leur comportement moral respectif et présente celui-ci comme une réalité-signe témoignant, dans les représentants des deux groupes opposés, de la présence d'une réalité spirituelle invisible. Celle-ci est exprimée chez les fils de Dieu par les expressions suivantes: «être né de Dieu» (2, 29; 3, 9a, 9c), «être enfant de Dieu» (3, 2), «posséder l'espérance d'une totale ressemblance avec Dieu» (3, 3), «demeurer en Dieu» (3, 6s), «voir et connaître Dieu» (3, 6b formule négative), «être juste comme celui-là (le Christ)» (3, 7), «le «*sperma*» de Dieu demeure en lui» (3, 9b), «être de Dieu» (3, 10 formule négative). Il y aurait beaucoup à dire sur ces formules, car si toutes se réfèrent fondamentalement à la même réalité invisible, chacune d'elles n'en exprime pas moins un aspect particulier, revêtant par le fait même une acception spéciale [62]. C'est ainsi que l'expression «être de Dieu» marque fortement l'origine divine et l'appartenance à Dieu du chrétien. L'expression «être né de Dieu» (noter dans le grec l'emploi du parfait qui indique

« Nous (Apôtres), nous sommes de Dieu. Qui connaît Dieu nous écoute, qui n'est pas de Dieu ne nous écoute pas » (4, 6).

[62] Les auteurs sont loin de s'entendre sur le sens exact à donner à ces formules. Notons cependant que, quelque soit la part d'hypothèse que comportent certaines interprétations auxquelles nous croyons devoir nous rallier, l'ensemble de notre exposé ne s'en trouve nullement ébranlé.

une action passée dont l'effet dure) évoque l'idée d'une naissance divine. Le chrétien est né de Dieu ; dès à présent il est son enfant (3, 1s), bien que sa ressemblance avec lui n'ait pas encore atteint toute sa plénitude (3, 2). D'où la formule de 3, 3a « quiconque a cette espérance en lui », où s'exprime la possession de l'espérance d'une totale ressemblance avec Dieu [63]. « Demeurer en » évoque une présence, un contact intime entre le chrétien et Dieu, tandis que les formules « connaître Dieu » et « voir Dieu » traduisent la prise de conscience de la présence de Dieu dans le chrétien. Il s'agit d'une connaissance qui ne se limite pas au domaine de l'intelligence, mais prend l'être spirituel dans sa totalité. On se rend compte qu'on connaît Dieu dans la mesure où l'on pratique la justice (cf. 3, 6) et la charité fraternelle (cf. 4, 8). « Etre juste comme celui-là est juste » c'est posséder l'intégrité morale du Christ, être saint comme le Christ est saint. Quant à la formule de 3, 9 « sa semence *"sperma"* demeure en lui », elle a été très diversement interprétée. Il convient très probablement de l'entendre de la parole de Dieu pleinement intériorisée dans le chrétien et vivifiée par l'Esprit [64]. Certes, ces formules n'expriment la communion du chrétien avec le Père et le Fils que sous quelques-uns de ses aspects ; d'autres viendront s'y ajouter qui apporteront de nouvelles lumières. D'ores et déjà, cependant, se trouve fortement souligné un trait essentiel de la communion avec Dieu et le Christ : son dynamisme. Si les enfants de Dieu, en effet, à l'encontre des fils du diable, ne pèchent plus et pratiquent la justice, la raison profonde en est qu'ils vivent une expérience religieuse unique. De toute évidence, c'est parce qu'ils sont nés de Dieu et possèdent au plus intime d'eux-mêmes sa parole vivifiante que leur comportement moral est sans reproche. Le Christ ne se contente pas de leur pardonner leurs péchés (cf. 1, 9-

---

[63] « Le contexte précise le sens de ce verset. Jean ne veut pas dire que nous serons rendus semblables à Dieu parce que notre vie céleste sera de contempler Dieu, de même que Dieu se contemple. Il veut dire que la vue de Dieu produira une perfection morale (il songe surtout à l'amour) qui nous rendra semblables à Dieu. Ce sens moral du v. 2 est évident d'après les vv. 3, 5 et 6 ». Ainsi BOISMARD, *art. cit.*, p. 379 note 2.

[64] Cf. I. DE LA POTTERIE, *L'impeccabilité du chrétien d'après I Joh., 3, 6-9* dans *L'Évangile de Jean, Études et Problèmes*, Bruges, 1958, p. 170-174 ; du même auteur, *L'onction du chrétien par la foi, B.* 40 (1959), p. 43-46.

2, 2), il leur communique son intégrité morale, sa sainteté (cf. 3, 7). La communion qu'ils possèdent avec lui et avec Dieu, devient ainsi la source et le principe vital de leur tranfiguration morale.

B. La communion avec le Père et le Fils comme fondement et principe vital de la charité fraternelle (2, 9-11 ; 3, 10s, 14-19, 24a ; 4, 7s, 12, 16b, 19-21 ; 5, 2).

Dans les textes sur la charité fraternelle, Jean utilise un certain nombre de nouvelles expressions pour décrire la communion du chrétien avec le Père et le Fils. En 2, 9, « être dans la lumière » signifie appartenir au monde nouveau, au nouvel ordre de choses où les ténèbres sont en train de disparaître et où la vraie lumière, la révélation de Dieu en Jésus-Christ, rayonne déjà. Le chrétien est engagé dans une situation nouvelle à laquelle répond l'impératif nouveau de la charité. En 3, 24a et 4, 16b, la formule « il demeure en Dieu et Dieu demeure en lui » évoque une immanence réciproque, un contact permanent entre Dieu et le chrétien. Dieu demeure dans le chrétien (4, 12) ; son amour aussi y demeure (3, 17 ; 4, 12) [65]. Restent les formules complémentaires de 3, 14 « être passé de la mort à la vie » et de 3, 15 « avoir la vie éternelle demeurant en soi ». On sait combien il est difficile de préciser la notion de « *zôè* » dans les écrits johanniques [66]. Les exégètes se demandent entre autres si Jean entend désigner par ce mot la présence agissante de Dieu dans l'âme, la communion actuelle du chrétien avec Dieu. Cette interprétation semble pourtant devoir s'imposer ici. Seule elle rend compte du raisonnement de l'auteur et de la parfaite ressemblance de ces deux versets avec les textes analysés jusqu'à présent. De même que le chrétien est réellement né de Dieu, de même que Dieu agit réellement en lui par son amour, de même aussi le chrétien est passé non seulement virtuellement ou juridiquement, mais réellement, encore bien entendu qu'imparfaitement (cf. 3, 2s), de la mort à la vie. Celle-ci de-

---

[65] Nous interprétons le « *tou Théou* » de 3, 17 et le « *autou* » en 4, 12 comme des génitifs subjectifs, ce que semble exiger dans les deux cas le contexte précédent. On pourrait les comprendre également comme des génitifs de qualité et l'agapè dont il est question serait alors l'agapè divine participée.

[66] Sur la notion de vie dans saint Jean, on consultera en particulier F. MUSSNER, « *Zôè* » *Die Anschauung vom « Leben » im vierten Evangelium unter Berücksichtigung der Johannesbriefe*, München, 1952.

meure en lui comme le Père et le Fils avec lesquels d'ailleurs elle est inséparablement unie (cf. 5, 11s).

Dans cette deuxième série de textes, plus encore que dans la première, apparaît le caractère dynamique de la communion avec le Père et le Fils. Saint Jean donne de la charité fraternelle deux présentations, lesquelles, loin de s'exclure, permettent de saisir l'unité profonde de l'agapè johannique. En 3, 14-19 et 4, 7-12, il reprend, en l'explicitant et en la concrétisant, la doctrine exposée dans le quatrième évangile, à savoir que la charité fraternelle est une participation active et vitale à l'amour du Père pour nous dans le Christ, un prolongement de cet amour divin dans nos relations fraternelles. Partie du Père, l'agapè rejaillit sur les disciples dans et par le Christ et à travers les disciples se porte vers les autres frères. Dans la section 4, 20 - 5, 3, l'agapè fraternelle est conçue comme une extension et un déploiement de notre amour pour Dieu. Jean suppose ici que l'agapè partie de Dieu pour alimenter le cœur des croyants, retourne à lui comme à sa source pour s'épancher ensuite sur tous ceux qui sont nés de lui. Encore une fois, loin de s'exclure, ces deux présentations témoignent de l'unité profonde que l'Apôtre se faisait de l'agapè. En aimant ses frères comme Dieu les aime dans le Christ, on aime Dieu; en aimant Dieu, on aime ses frères. Dans les deux cas, l'agapè fraternelle apparaît comme l'achèvement du mouvement divin de charité. D'après 5, 2s, la charité fraternelle a pour réalité - signe l'amour de l'homme pour Dieu qui consiste, précise l'auteur, dans l'observance des commandements. De quels commandements s'agit-il? Le contexte suggère que Jean vise directement et principalement la profession de foi christologique (cf. 5, 1, 4s). Celle-ci est une marque d'amour envers Dieu et un critère permettant de juger si l'on a la vraie charité fraternelle.

C. La communion avec le Père et le Fils comme fondement et principe vital de la profession de foi et du triomphe de la foi sur les puissances du Mal (2, 13s, 20-27; 3, 23 - 4, 6, 13-15; 5, 1, 4s).

Saint Jean considère la foi dans plusieurs passages de la première épître sous un angle plus restreint que dans l'évangile. Dans sa lutte contre les faux docteurs, l'Apôtre s'est vu dans la nécessité de mettre l'accent sur la profession de foi extérieure.

« *Pisteuein* » peut avoir le même sens que « *homologein* » [67] et la confession de foi devient avec la charité une réalité-signe de la communion avec Dieu.

Une autre caractéristique de la foi est également fortement soulignée par l'auteur de notre épître : la victoire sur toutes les réalités, visibles et invisibles, qui s'opposent au christianisme authentique : péché, mensonge, hérétiques, monde, ténèbres, Démon. Le croyant qui fait profession de foi christologique est un fort (cf. 2, 14) ; déjà il se trouve associé au triomphe du Fils de Dieu, venu en ce monde pour détruire les œuvres du diable (cf. 3, 8). Plusieurs passages de l'épître attestent explicitement que cette victoire sur les forces du Mal, le chrétien la doit à son union intime avec le Père et le Fils. C'est parce qu'il est né de Dieu (5, 4), garde sa parole (2, 14), possède la sainteté même du Christ (3, 7) et que celui qui demeure au plus intime de son être est plus grand que celui qui est dans le monde (4, 4), que le chrétien peut ainsi triompher de tous ses ennemis. Sa victoire est celle-là même du Père et du Fils [68].

Quant à la profession de foi christologique, il convient pour elle aussi de chercher son véritable fondement et son principe vital dans la communion du croyant avec Dieu. Seul confesse que Jésus est le Fils de Dieu venu en ce monde, celui qui est né de Dieu (5, 1), possède le Père (2, 23) et vit avec lui dans une union réciproque (4, 15). En 3, 24b, Jean parle de l'Esprit comme d'une réalité-signe de la communion avec Dieu, sans préciser cependant comment il manifeste sa présence. Certains exégètes pensent que l'Apôtre fait allusion ici aux phénomènes charismatiques tels, par exemple, que Paul les décrit en I Cor. 12-14. Rien cependant dans les écrits johanniques ne favorise une telle interprétation. La vraie solution est à chercher dans le contexte subséquent où l'Esprit est mis directement en relation avec la profession de foi

---

[67] Comparer par exemple les formules semblables de 2, 23b ; 4, 2s, 15 ; 5, 1, 5. La formule « croire au nom de » en 3, 23 peut se comprendre également de la profession de foi christologique. La tendance générale des commentateurs est d'interpréter les textes de la première épître de Jean concernant la foi en fonction des textes correspondants du quatrième évangile. Le P. BOISMARD (*art. cit.*, p. 385-389) réagit contre cette façon de procéder.

[68] Voir A. DECOURTRAY, *La conception johannique de la foi*, N.R.Th. 81 (1959), p. 573-576.

orthodoxe (cf. 4, 2). Dieu agit par son Esprit, lequel manifeste sa présence dans la profession de foi christologique[69]. En 2, 20 et 27, dans un contexte qui oppose vrais chrétiens et antichrists, il est question, à côté d'un rappel de la catéchèse apostolique (cf. 2, 24), d'une onction « *chrisma* » venant du Saint[70] et demeurant dans le chrétien ; c'est elle qui l'instruit de toute vérité nécessaire, lui permet de discerner la vérité de l'erreur et le maintient fermement uni au Christ. Les exégètes ont proposé du mot « *chrisma* » plusieurs interprétations. A la suite du P. de la Potterie[71], on verra dans l'onction la parole du Christ pleinement intériorisée dans le chrétien et vivifiée par l'Esprit. Jean veut affirmer que le vrai chrétien possède en lui un principe illuminateur qui le met à l'abri des erreurs des faux prophètes et lui permet de rester uni au Christ.

CONCLUSIONS

1. Dans la première épître comme dans l'évangile, l'observance des commandements se situe chez les disciples dans une perspective exclusivement chrétienne. Par commandements, Jean a en vue les nouvelles exigences religieuses et morales qui découlent pour l'humanité de la révélation de Dieu en Jésus-Christ. Le théocentrisme de l'épître s'explique par la nécessité où s'est trouvé l'Apôtre de combattre les faux prophètes qui prétendaient s'unir à Dieu sans faire ce qu'il commande. Concrètement se rencontrent dans l'épître les grands thèmes par lesquels saint Jean caractérise la vie chrétienne dans l'évangile, encore que l'auteur de la lettre soit amené, pour faire face aux hérétiques ou répondre aux besoins spirituels de ses correspondants, à mettre l'accent sur tel aspect d'un commandement ou à descendre dans le détail des applications concrètes.

2. D'après saint Jean, l'observance des commandements est

---

[69] En 4, 13, l'Esprit est également présenté comme une réalité-signe. Ici encore, le contexte subséquent (cf. v. 15) montre que l'Esprit manifeste sa présence dans la profession de foi christologique.

[70] Plus probablement le Saint doit être identifié avec Jésus. Cf. SCHNACKENBURG, *Die Johannesbriefe*, p. 134s.

[71] Cf. *L'onction du chrétien par la foi*, B. 40 (1959), p. 12-69.

218

un élément essentiel de l'existence chrétienne, dans son état le plus parfait comme dans sa phase initiale. Selon le quatrième évangile, le don initial de Dieu exige de l'homme une réponse et la réponse de l'homme provoque chez Dieu de nouvelles faveurs, elles-mêmes impliquant de nouvelles exigences. L'observance des commandements apparaît ainsi comme une condition et pour demeurer dans l'amour de Dieu ou du Christ et pour être l'objet de nouvelles faveurs de la part de cet amour divin. A son degré le plus parfait, l'observance des commandements se présente dans le quatrième évangile comme une participation et un prolongement de l'œuvre rédemptrice du Christ et prend valeur de témoignage. Dans la première épître, l'observance des commandements est conçue dans la grande majorité des textes comme une réalité-signe de la communion avec le Père et le Fils; elle est un critère permettant de distinguer le vrai chrétien de l'hérétique. Elle se présente aussi, mais plus rarement, comme une condition pour demeurer dans la communion avec Dieu. Finalement, elle donne au chrétien pleine assurance devant Dieu dans la prière et lors de l'Avènement du Christ à la fin des temps.

3. Il est impossible d'interpréter l'observance des commandements chez les disciples dans un sens légaliste. Dans l'évangile, le problème ne se pose que pour la phase initiale de la vie chrétienne, celle qui précède l'effusion de l'Esprit et la présence amicale et permanente du Père et du Fils dans l'âme du disciple. Nous croyons, cependant, avoir montré suffisamment que la foi imparfaite qui caractérise cette première période de l'existence chrétienne, n'est pas un précepte au sens légal du mot, mais un don de Dieu. La volonté amoureuse et salvifique de Dieu suscite et alimente la réponse de l'homme autant qu'elle la prescrit. Apparemment, la première épître semble offrir plus d'éléments pour une interprétation légaliste de l'observance des commandements. D'où l'importance donnée dans cette étude à la recherche de son véritable fondement: la communion avec le Père et le Fils. Si l'observance des commandements est la réalité-signe de la communion avec le Père et le Fils, c'est cette même communion qui est le véritable fondement et le principe vital de l'observance des commandements. Comme dans le quatrième évangile, l'impé-

ratif est fondé sur un indicatif. Les interventions de Jean, loin d'être un appauvrissement pour l'observance des commandements, contribuent à mettre en pleine lumière un aspect essentiel de la vie chrétienne: sa dimension ecclésiale. Saint Paul qui a tant insisté sur la loi de l'Esprit, savait, à l'occasion, rappeler à ses correspondants le fruit de l'Esprit (cf. Gal. 5,22) ou ses règles de conduite dans le Christ (cf. I Cor. 4,17). D'après toute la Bible, Ancien et Nouveau Testament, l'appel au salut est un appel essentiellement communautaire.

4. C'est au niveau des relations de Jésus avec son Père que l'observance des commandements atteint sa plus haute signification. Entre Jésus et son Père tout est amour; l'observance des commandements n'est autre que l'expression et le déploiement de l'amour permanent et total de Jésus en réponse à l'amour du Père qui explique et motive toute son activité redemptrice. Et cette union du Père et du Fils dans l'amour devient le modèle et la source de la vie des disciples.

5. Saint Jean n'a jamais eu l'intention de nous livrer un enseignement complet sur la vie chrétienne et encore moins un traité de théologie morale. Le quatrième évangile et la première épître sont des écrits de circonstances et poursuivent chacun un but particulier. Leur importance pour la théologie morale est cependant très grande car, à défaut d'une catéchèse morale variée, on y trouve, clairement énoncés, les principes fondamentaux de la vie chrétienne. Une étude approfondie des écrits du disciple bien-aimé ne peut qu'aider le Moraliste à prendre une conscience plus vive de ce que doit être la vie chrétienne authentique.

Rome. Avril 1962.

Josef Endres

ANTEIL DER KLUGHEIT AM ERKENNEN DES KONKRET WAHREN UND AM WOLLEN DES WAHRHAFT GUTEN

SUMMARIUM

Bonum morale actionis mensuratur a vero ontologico rerum, in- qnantum ut verum logicum apparet in intellectu. At intellectus modo valde imperfecto cognoscit veritatem ontologicam concretam, Etsi eam perfecte cognosceret, voluntas ad eam sequendam non cogeretur; virtus cognita in intellectu non necessario causat virtutem realem in voluntate.

Quomodo intellectus ope prudentiae perveniat ad cognitionem suffi- cientem realitatis concretae et quomodo voluntas ope virtutum moralium sequatur veram cognitionem intellectus; quid prosit virtus intellectus virtuti voluntatis et virtus voluntatis virtuti intellectus, in articulo fusius explicatur.

A. DIE KLUGHEIT IN DER NATÜRLICHEN ORDNUNG

Wenn man sagt, der Mensch habe nicht nur und nicht vor allem die Wahrheit zu *erkennen,* sondern sie zu *leben,* er habe im *Hinblick* auf das Wahre im Verstand, das Gute im Willen hervor- zubringen, muß man sich mit mehreren Schwierigkeiten ausein- andersetzen.

Eine davon besteht darin, daß das Wissen um das Wahre den Willen nicht zwingen kann, dieses zum Guten umzuformen. Daraus, daß die Tugend als erkannte im Verstande ist, folgt nicht notwendig, daß sie im Willen als wirkliche ersteht. Aber was nützt es dann, wenn der Verstand das wahre Gute zum Leuchten bringt, der Wille sich davon aber nicht gewinnen läßt; ja, wenn der Wille den Verstand sogar zwingen kann, Leitbilder zu entwerfen, die nicht der Wahrheit, sondern seinen eigenen Wünschen entsprechen? Was bedeutet ein Führer, der zwar die

richtigen Wege kennt, es aber nicht fertig bringt, daß man ihm
gerne folgt; der sogar in Abhängigkeit von dem gerät, der ihm
untersteht; der dem folgen muß, den er eigentlich führen soll?

Die zweite Schwierigkeit meldet sich in der Frage: Wie
kann der Wille zum Streben nach Tugend und « Vollkommenheit »
verpflichtet werden, wenn der ihm vom Verstand vorgelegte Entwurf dieser Vollkommenheit selbst so unvollkommen ist? Wie
soll es ihm gelingen, das Wahre in das Gute zu übersetzen, wenn,
wie noch zu zeigen ist, die Vorlage lückenhaft und teilweise
unleserlich ist? Also wäre der Verstand gar nicht jener wissende
Führer, als der er eben bezeichnet wurde. Dann scheint es aber
um den Menschen schlecht bestellt zu sein. Er wird verpflichtet,
das Gute zu tun, obgleich er nicht richtig weiß, was es ist. Dadurch entsteht die Gefahr, daß ein solcher Wille nicht das Gute
unvollkommen tut, sondern das Schlechte vollkommen. « Das Böse in der Welt kommt fast immer aus der Unwissenheit, und der
gute Wille kann ebensoviel Unheil anrichten wie die Böswillig-
keit, wenn er nicht ausreichend informiert ist » (A. Camus).

Denen, die besonders wegen dieser letzten Bedenken, die
Richtlinien für das Tun von anderswoher beziehen wollen, wird
gesagt, die *Verstandestugend* der *Klugheit* fülle jene Lücken im
Wissen aus. Wenn diese Lücken aber vielleicht natürliche Folgen
des Verstandeserkennens sind, wie kann die Klugheit sie dann
beseitigen, ohne nicht auch den Verstand zu verändern? Und
wenn sie ihn nicht verändert, kann sie dann noch eine nennens-
werte Hilfe sein?

I. Seinsgerechtes Erkennen und Wollen ohne die Klugheit.

1. *Einige « Setzungen »*, die als gültig vorausgesetzt werden.

a) Das Wesenssein als Ursprung und Wurzel des Tätigseins,
ist auch dessen Norm, Gesetz und Ziel. Als Norm gibt es dem Tun
die Richtung, als Gesetz die Bindung und als Ziel den Sinn. Das
Wesen ist Wirk-, Form- und Zielursache des Tuns. Dieses soll
entweder die noch ausstehende Wesensvollendung herbeiführen
oder die schon erreichte bewahren und offenbaren.

b) Alles innerweltliche Sein hat mit dem Dasein seines We-

sens noch nicht die diesem Wesen mögliche und zustehende End-
vollkommenheit. Wohl hat es alle, das Wesen darstellenden Bestimmtheiten, doch hat es sie nicht in aller Vollkommenheit.

Das diesem Ziel dienende Tun richtet sich dabei auf ein
anderes Seiendes, das in sich so vollendet ist, um das im Tun
nach ihm greifende Sein ebenfalls vervollkommen zu können.
Das Tun ist das zum Vollzug gewordene Naturverlagen, das ein
noch unvollendet Seiendes nach der ihm möglichen Vollendung hat.

c) Entsprechend den artlichen Verschiedenheiten innerhalb
des Seienden in der Welt, ist das Wesen in verschiedener Weise
Gesetz und Norm des auf es selbst rückbezogenen Tuns.

Das Wesen alles untermenschlichen Seins ist ein Gesetz, das
das Tun mit innerer *Notwendigkeit* bindet, so zu sein, wie es
dem Wesen entspricht. Das Wesen des nicht erkennenden Seins
ist richtende Norm, ohne daß es selbst die Richtung sieht; es
richtet blind. Das Wesen des nicht geistig erkennenden Seienden
richtet die Tätigkeit *schauend,* ohne jedoch sie, ihr Ziel und den
Bezung zwischen beiden, zu *durchschauen.* Die Tätigkeiten, die
unter einer blinden oder nur sinnlich sehenden Norm stehen, erreichen *sicher* ihr Ziel, sie sind notwendig *naturgemäß.*

Das Wesen des Menschen, der ein «Vernunftwesen» ist,
richtet vernunftgemäß, ist Norm als *erkanntes.* Entsprechend
nimmt das Gesetz eine andere Form der Bindung an. Sie ist eine
in Freiheit vorzunehmende *Selbstbindung* an das Wesen als
Norm.

So ist das im Wissen um das Wesen — das immer ein
Wesenswissen ist —, und in freier Bindung an das Wesen vollzo-
gene Tun eigentlicher Selbstvollzug des Menschen.

Was der Mensch auf Grund einer falschen Wesenserkenntnis
als Gut betrachtet, kann nicht in jeder Hinsicht für ihn ein Übel
sein. In seinem bewußten, auf sich selbst zurückbezogenen Tun,
kann er nicht ganz an sich vorbeitreffen, nicht einfachhin gegen
sein Wesen handeln, weil er dieses nie ganz verkennt. Das bedeutet jedoch keineswegs, daß er immer dessen wirkliche Mitte
trifft. Um aber «auf Verstandesebene» die Zielrichtigkeit und
Sicherheit des unverständig handelnden Seienden zu erreichen,
müßte er sich ganz in seinem *konkreten Wesenssein* wie auch so

die von ihm angestrebten Güter kennen und sie in seinem freien Wollen ganz anerkennen.

Der vernunftbegabte Mensch weiß in seinem Tun nicht nur, daß er *tätig*, sondern auch daß er *frei* tätig ist. Das bedeutet: er muß das der Selbstvervollkommnung dienende Tun nicht ganz seinem eigenen, zu vervollkommenden Wesen gemäß verrichten. Wohl *muß* er seine Vollkommenheit wollen; er muß auch einen Gegenstand als gut erkannt haben, wenn er ihn als Baustein für seine Vollkommenheit erwerben will; aber er muß weder jene Vollkommenheit in einer bestimmten *konkreten* Form wollen, etwa so, wie sein Wesen sie « will », noch muß er jene Güter erstreben, die jene naturentsprechende Vollkommenheit wirklich erstehen ließen.

Das heißt nicht, der Wille könne das Verstandeserkennen gleichsam überspringen und sich unabhängig davon « auf eigene Faust » betätigen. Das « Herz », der Wille, hat keine eigenen Einsichten, die der Verstand nicht kennte. Jedenfalls könnte man nicht mehr von einem vernünftigen und damit von einem eigentlich menschlichen Verhalten sprechen, wenn dieser Wille sich ohne Verstandesführung auf den Weg machte. Wohl kann die Frucht einer längeren guten Verstandesführung sein, daß der Wille nachher eine « Witterung » für das wahrhaft Gute erhält und es unter mehreren, ihm begegnenden Gütern herausfühlt, ehe der Verstand seine Echtheit entdeckt hat. Kann also der Wille das Verstandeserkennen auch nicht einfach überspringen, so hat er doch einen mitbestimmenden Einfluß auf das, was dieser ihm als die konkrete Vollendung des Menschen vorstellt und was er als das Gut bezeichnet, durch dessen Besitz jene Vollendung entsteht.

Wenn aber der Mensch als vernunftbegabtes Wesen sich im Tun wesensentsprechend, und damit *wahr* und *richtig*, verhalten soll, muß seine Vernunft dieses Wesen erst richtig kennen. Dann muß sie auf Grund solchen Wissens die entsprechenden Güter entdecken, inbezug auf welche er auch noch die einzuhaltende Ordnung für das Streben zu entwerfen hat. Der Wille, als Strebekraft des Vernunftwesens « Mensch », müßte sich dann frei dieser Ordnung fügen, da er nur so seinen Daseinssinn verwirklicht: den wahrhaft guten Menschen hervorzubringen.

d) Die Vollkommenheit des Menschen besteht im Entfaltetsein und im rechten Vollzug aller Anlagen und Kräfte. Weil er aber wesenhaft « mehrschichtig » ist, die einzelnen « Schichten » nicht den gleichen ontischen Stellenwert und ihre Vollendung nicht die gleiche Dringlichkeitsstufe haben, ist auch das Streben nach Vollkommenheit auf diesen Sachverhalt abzustimmen. Sonst erreicht der Mensch, selbst wenn er große Schritte macht, nicht das Ziel, da er auf einem falschen Wege ist.

Das, wodurch der Mensch als vernunft- und freiheitbegabtes Wesen ganz zu sich selbst kommt, ist ein *unendliches* Gut. Mit einem solchen muß er sich vereinigen, um vollendet er selbst zu sein. Apriori ergibt sich das aus einer Analyse der Natur und des Naturstrebens, des in einer Rückbewegung des Verstandes auf sich selbst erfaßten Menschengeistes. Es läßt sich auch aposteriori, aus der Erfahrung, zeigen, nämlich am Ungenügen aller Güter, einzeln und zusammengenommen, die das Merkmal des Endlichen haben. Auch dem nicht wissenschaftlich vorgehenden Menschen ist das schon irgendwie bewußt, und es ist verhältnismäßig leicht, sein unklares Wissen zu einem klaren zu entwickeln.

Ist es dem Menschen darum um die wahre, die seinem Wesen entsprechende Vollkommenheit zu tun, muß er sich bewußt auf jenes Gut als Endziel seines Strebens richten. Weil es unendlich vollkommen ist, ist dieses Gut keine Sache, sondern eine *Person*. Deshalb vollendet es den Menschen auch nicht in einer Weise, wie eine Sache das tut, und damit es ihn vollende, darf der Mensch sich ihm nicht wie einer Sache nähern. Es kann nur in einer Begegnung geschehen, in der jene höchste Wertperson sich dem Menschen schenkt und ihn durch das Geschenk ihrer selbst endgültig vollendet. Dem schenkenden Teil steht es jedoch zu, die Bedingungen für diese, den Menschen erfüllende Begegnung festzusetzen. Und das ist in diesem Fall jene höchste Wertperson, denn sie allein ist gebend, ohne selbst etwas zu empfangen. Richtet die menschliche Person, der empfangende Partner, sich nicht nach jenen Bedingungen, geht sie leer aus; das « höchste Gut » versagt sich ihr. Es steht in der Macht des Menschenwillens, die gestellten Bedingungen abzulehnen, da er auch einem konkreten Gut gegenüber frei bleibt, das in sich ohne jeden Abstrich vollkommen und deshalb schlecht-

15.

hin vervollkommnend ist, weil der Verstand es nicht in seiner ganzen Vollkommenheit erkennt.

e) Doch bei aller Freiheit, die der Mensch wissend hat, weiß er sich auch auf eine besondere Art *gebunden*. Es ist eine Bindung eigener Art, weil sie nur im Bereich der Freiheit möglich ist und die Freiheit bestehen läßt, obwohl sie sie festlegt. Der Mensch hat das klare Bewußtsein, angesprochen zu werden, in der Form eines Befehls, der bald als Gebot, bald als Verbot erscheint. Auch wenn er sich zur Wehr setzt, vermag er diesem Anspruch nichts anzuhaben. Er fügt sich nicht, sondern verfügt weiter über den Menschen.

Kann er unter einer Hinsicht mit diesem Befehl machen, « was er will », kann er es unter einen anderen doch nicht. Er kann nicht verhindern, daß ein solcher Befehl sich meldet, daß er bleibt, auch wenn der Mensch sich nicht nach ihm richtet, daß er Gültigkeit beansprucht, ohne daß der Mensch seine Zustimmung zu geben hätte, daß er von ihm Gehorsam fordert, ohne vorher seine Erlaubnis eingeholt zu haben.

Der Mensch kann und darf nach dem Ursprung und der Berechtigung dieses erlebten Sollens fragen. Die Allgemeinheit mit der es auftritt, zeigt, daß es nicht aus zufälligen Ursachen und Umständen entstanden sein kann, sondern etwas Eigentümliches ist und deshalb mit dem menschlichen Wesen zusammenhängt. Vergleicht man den Inhalt der Gebote mit diesem Wesen, erkennt man leicht die Entsprechung. Vom Wesen aus gesehen ist es gut, das Gebotene zu tun. Doch folgt aus einer solchen Entsprechung, einem solchen *Angemessensein* noch nicht die eigenartige *Bindung*. Sie ist absolut, nicht bedingungsweise: wenn du gut, vollkommen, glücklich werden willst, mußt du dieses tun und jenes unterlassen. Das Absolute des Befehls erstreckt sich auch auf die Art und Weise, wie es auszuführen ist: nicht irgendwie, äußerlich der Sache nach, sondern innerlich, menschlich, dh in Freiheit. Die Freiheit hat hier zu tun, was ihr zu widersprechen scheint, sich an ein fremdes Gebot zu binden.

Um dieses absolute « Sollen » zu verstehen, muß der Mensch in seinem Vernunftwesen ein anderes Merkmal beachten: das *Geschaffensein*. Als Geschöpf hängt er von seinem Schöpfer vollständig ab als seinem Herrn, und als Herr kann dieser dem

Geschöpf befehlen. Das ist durchaus seinsgerecht. Und wie der *Inhalt* des Befehls bezeugt, ist er auch unter dieser Hinsicht seinsgerecht und frei von jeder Willkür. Denn das, was da vom Menschen gefordert wird, kommt ihm wahrhaft «zugute». Er müßte schon von sich aus sich dafür entscheiden, wenn er es mit sich gut meint, da es nichts anderes ist als das, worum sein eigenes Wesen ihn bittet.

Weil er also im Befolgen des Gesetzes einem zweifachen Anspruch genügen muß, dem Willen seines absoluten Herrn und dem drängenden Glücksverlangen seiner eigenen Natur, ist es für ihn um so wichtiger, genau zu wissen, was der Herr gebietet. Darum ist die, besonders in Psalm 118 so häufig wiederkehrende Bitte: «Herr, laß mich dein Gesetz erkennen», sehr verständlich.

Die Verbindung zwischen der Erfüllung des Gesetzes und der des eigenen Verlangens ist deshalb noch besonders eng, weil der Gesetzgeber selbst es ist, der das Naturverlangen allein erfüllen kann. Er ist jene höchste Wertperson, der die menschliche Person begegnen muß, um sich selbst zu finden.

Weil dieser Gesetzgeber sein Gesetz und die Bedingungen für eine fruchtbare Begegnung mit ihm in den irdischen Seinsordnungen und Wesensstrukturen, besonders im Menschenwesen selbst, ausgedrückt hat, und der Mensch diese Schrift zu deuten versteht, wird er, wenn er den Gesetzgeber nach dem zu Tuenden fragt, die Weisung erhalten: Befrage dich selbst. Wiederum wird daraus sichtbar, wie wichtig das Wissen des Selbst um sich selbst für das freie, zu verantwortende Tun des Selbst ist.

f) Zum endgültig erfüllenden Gut wird Gott für den Menschen jedoch erst, wenn dessen Geist sich vom Leib getrennt hat. Das Verbundensein beider, die Zeit des irdischen Lebens, ist die Phase der Vorbereitung auf jenes Glück hin, nicht schon die des reines Genusses.

Nun hat der irdische Mensch aber ständig mit *irdischen* Gütern zu tun. Er ist mit dem anderen innerweltlichen Sein in einen unaufhebbaren Zusammenhang eingefügt. Er ist auf Sachen und Menschen in vielfacher Weise zielhaft bezogen. Er kann darum weder ständig an Gott denken, noch ständig und ausschließlich nach ihm streben. Er muß sich notwendig auf Ziele hinbewegen, die er nicht umgehen kann, die aber doch nicht als wahres Endziel in Frage kommen.

Was somit seinen Bezug auf Gott und damit sein Heil zu gefährden scheint, ist jedoch nicht notwendig eine solche Gefahr. Genau das Gegenteil ist der Fall. Der sich in menschlicher Weise auf Gott bewegende Mensch, muß über nicht göttliche Ziele gehen. Ihrer Natur nach sind alle innerweltlichen Sach- und Persongüter Hilfen, um das überweltliche Gut zu erreichen. Sie werden es auch tatsächlich, wenn der Mensch sich seiner und ihrer Natur entsprechend um sie bemüht, wenn er sie zu Mitteln und Zwischenzielen macht, wenn er sie im Erstreben zugleich übersteigt und hinter sich läßt.

Ein allgemeines Wissen, ein Wissen um allgemeine Wesensstrukturen und allgemeine Zusammenhänge genügt für das rechte Verhalten nicht. Der Wille bewegt sich auf reale und deshalb *konkrete* Ziele, nur sie haben die Bewandnis eines Gutes.

Nun fragt es sich, ob die menschliche Vernunft leisten kann, was hier zu leisten ist, ob sie im Hinblick auf die ontologische Wahrheit des Konkret-Realen eine logische Wahrheit bilden kann, die für den Willen hinreicht, um das wahre Gutsein zu erstellen.

2. *Die Erkenntnis des Konkreten.*

Ob der Verstand seiner Aufgabe gewachsen ist, wird schrittweise untersucht.

a) Der ihm angemessene Gegenstand, jener also, den er in gerader, natürlicher Bewegung unmittelbar erfaßt, ist nicht das Konkrete, sondern das aus dem Konkreten « abstrahierte » Allgemeine: die allgemeinen Wesenheiten der Körperdinge[1]. So entspricht es ihm, als dem Erkenntnisvermögen eines Geistes, der zugleich einen Körper formt und mit ihm ein inneres Ganzes bildet. Aus diesem Verhältnis folgt, daß der Geist in seinem vom

---

[1] Mit diesen Bemerkungen soll nicht auch gesagt sein, daß sich die erkenntniskritische Frage im Sinn des Realismus lösen lasse, nur aus dem Formalobjekt des menschlichen Verstandes. Diese Lösung fordert eine Rückwendung des erkennenden Verstandes auf sich selbst, die ihn bis zum Ansich des den Akt vollziehenden Ich führt. Dieser Rückblick des Verstandes setzt jedoch schon einen anderen, nach « vorn » gerichteten Blick voraus, jenen nämlich, der die allgemeinen Wesenheiten erfaßt. Und so kann die erkenntniskritische Frage nicht ohne die Lehre vom Formalobjekt des Verstandes gelöst werden.

Verstand vollzogenen Erkennen auch an den Akt der körperlichen Erkenntniskräfte gebunden ist und inbezug auf seinen
Inhalt von diesen abhängt. Die Sinne bieten ihm einen, von einem
Körper stammenden konkreten Inhalt, und nur indem er diesen
begrifflich umformt, kommt er zum Ansich des Körpers. Als
geistige Erkenntniskraft ist er wohl einer Seins- und damit
Wesenserkenntnis fähig, aber als Erkenntniskraft eines *stoffge-
staltenden* Geistes vollzieht sich diese Wesenserkenntnis in der
Form einer *Abstraktion*. Einmal deshalb, weil die Sinne den ihm
dargebotenen konkreten, aus vielerlei Bestimmtheiten bestehen-
den Gehalt — zB Farbe und Ausdehung —, nicht einzeln und
gesondert, sondern nur verbunden und vermischt enthalten; und
zum andern, weil die körperlichen Wesensformen ihre Vereinzelung, ihre individuelle Gestalt, auch von dem mit ihnen verbun-
denen Stoff bekommen. Sofern die Vereinzelung in diesem gründet, kann sie dem Verstand vom Körper nicht offenbart werden,
weil der Stoff sich dabei rein passiv verhält[2]. Alles also, was
einem Seienden zukommt, sofern es vereinzelt ist — und dazu
gehört auch seine Existenz —, geht nicht ein in das begriffliche
Mittel, mit dem der Verstand die Wesenheiten erkennt.

Innerhalb eines solchen abstrakt-allgemeinen Erkennens sind
dann wohl noch « konkretere » Einsichten möglich. Was zuerst
nur in der allgemeinsten und unbestimmtesten Weise, nämlich
als Sein erkannt worden ist, wird im fortschreitenden Bemühen
des Verstandes um Seinserhellung als Körper-Sein, als belebter
Körper und sinnenhaft belebter Körper gedeutet. In einem Fall
gelingt es ihm sogar, das Wesen nach seinem Artgehalt zu erkennen: beim Menschen selbst. Aber auch dann verläßt er den
Bereich des Allgemeinen nicht.

b) Trotzdem ist das Einzelne als solches dem Verstand nicht
einfach unzugänglich. Er erkennt Körperliches und Geistiges —
sich selbst im Vollzug und das ihn vollziehende Selbst —, er erkennt es nach seinem Dasein und « So »-Sein. Das Fremdkörper-
liche erkennt er in einer Rückwendung auf den sinnlichen Erkenntnisgehalt und das Eigengeistige durch Rückwendung auf
den Akt, der in gerader Bewegung auf ein Nicht-Ich geht.

---

[2] Vgl. M. THIEL, *Was ist der Mensch?*, in: *Divus Thomas* 20 (1942) 13.

230

Die Rückwendung auf jenen sinnlichen Erkenntnisgehalt ist deshalb möglich, weil die entsprechenden allgemeinen Begriffsinhalte daraus abgezogen worden sind und trotz allem Abgezogensein den Bezug zu ihrem konkreten Ursprung, und über ihn zum konkreten realen Körper beibehalten. Aber ein Einblick in das *individuelle Wesen* ist dem Verstand versagt. Er kann es nur beschreiben, indem er nicht-wesentliche, akzidentelle Merkmale angibt, die einzeln — etwa der Fingerabdruck — oder zusammen, dieses Seiende von den anderen unterscheiden.

3. *Die sicheren Urteile.*

Aus allgemeinen Begriffen werden allgemeine Urteile gebildet, die entweder sagen, was und wie ein Seiendes *ist,* oder die bestimmen, wie ein noch Nicht-Seindes zu *verwirklichen ist.*

Dem wissenschaftlichen Erkennen geht es immer um solche Urteile; nur sie kann es begründen und sichern. Entsprechend der verschiedenen Begründung solcher Urteile unterscheidet man Wesenswissenschaften und Tatsachenwissenschaften. Diese letzteren weisen Tatsächliches entweder nur nach, und wenn sie es begründen, dient dazu nicht der eigentliche Wesensgrund. Dagegen leiten die Wesenswissenschaften ihre Aussagen aus dem Wesen des betreffenden Gegenstandes ab. Der verschiedenen Begründung entsprechend, haben die beiden Arten wissenschaftlicher Aussage auch eine verschiedenartige Sicherheit.

Jede dieser Wissensarten ermöglicht es, über das Verhalten eines Seienden Voraussagungen zu machen. Ist es zB eine wissenschaftlich begründete Tatsache, daß Eisen sich bei einem bestimmten Wärmegrad ausdehnt, läßt sich von einem bestimmten Eisenstück voraussagen, wie es sich in jener Wärme verhalten wird. Ist erwiesen, daß der Mensch als solcher sterblich ist, läßt sich das apriori auch von jedem Einzelmenschen sagen.

Und doch sind die einzelnen konkreten Menschen nicht in gleicher Weise sterblich. Die physischen Bedingungen, durch die die Wesenseigentümlichkeit des Sterbenkönnens zum tatsächlichen Sterben wird, oder die dieses hinauszögern, sind nicht bei allen gleich mächtig. Im Sterbenkönnen unterscheiden die einzelnen Menschen sich mehr voneinander, als verschiedene, zur gleichen Art gehörende Eisenstücke in der Dehnbarkeit. Je höher die

Stufe ist, die ein Seiendes artmäßig einnimmt, um so ausgeprägter ist die Individualität, um so weniger gleich gelten die allgemeinen Wesensgesetze von den Individuen. Das wird vielleicht noch deutlicher im Bereich des freien Tuns. Wenn die Freiheit auch zum Wesen des Menschen gehört und mithin allem zukommt, was « Menschenantlitz » trägt, ist der Freiheitsgrad der einzelnen dem einen gleichen endlichen Gut gegenüber doch recht verschieden. Entsprechend hat auch das Sollen, das der einzelne in sich für sich vernimmt, je einen verschiedenen Klang. Doch ist die unterschiedliche Verfügbarkeit der Freiheit nicht der einzige Grund dafür. Auch bei gleichem Freiheitsgrad kann das « Sollen » mehrerer Menschen gegenüber dem gleichen Sachverhalt nach Inhalt und Verbindlichkeit ganz anders aussehen. Was für den einen recht ist, ist nicht immer für den anderen billig.

Wie allgemein das Wesenssein das Gesetz für das Handeln enthält, so ist aus dem Wesenssein des Menschen als einem mit Vernunft und Freiheit begabten Seienden das Gesetz seines sittlichen oder gesollten Verhaltens abzuleiten. Das ist eine Hauptaufgabe der Ethik, die als Wissenschaft vom sittlich guten Menschenleben aufzuzeigen hat, worin ein solches Leben besteht und auf welche Weise es verwirklicht wird. Indem sie das menschliche Wesen in seinen allgemeineren und spezifischen Gehalten, in seinen zahlreichen Bezügen zu Seiendem der gleichen und der nicht gleichen Art, immer klarer zu verstehen suchte, hat sie im Verlauf ihrer langen Geschichte die Richtmaße für das Handeln nicht nur an Zahl vermehrt, sondern sie auch schärfer gefaßt, klarer begründet und ihrem Stellenwert entsprechend systematisch geordnet.

Aber so dicht dieses Netz auch ist, so zahlreich die Einzelheiten in diesem Vorentwurf eines menschengemäßen und menschenwürdigen Lebens sind, bleibt doch alles *allgemein*, wird der Bereich das Abstrakten nicht verlassen. Nur sofern sie den Überstieg zum Konkreten nicht vollzieht, kann die Ethik für ihre Aussagen einstehen. Wirklichkeit und wirkliches Leben sind aber nicht abstrakt, sondern konkret, und deshalb sind alle abstrakten Richtlinien für das Leben mehr oder weniger *lebensfern*. Sie enthalten nicht das Besondere, das der konkrete Einzelmensch für *sein* Leben wissen muß. Um ihren Richtlinien die Sicherheit zu bewahren, muß die Ethik deren *Wirklichkeitsnähe* opfern.

Verlieren sie damit auch jeden *Wirklichkeitswert?* Das werden jene sagen müssen, die die sogenannte Universalienfrage im Sinn des Nominalismus beantworten. Wer sich jedoch in dieser Frage zu dem nachweisbar richtigeren Realismus bekennt, wird anders urteilen.

Obwohl sie allgemein sind, gelten die von der Ethik aufgestellten Richtlinien vom sittlich guten Menschenleben als solchem, auch für den konkreten Menschen. Sie sind von ihm ursprünglich abgeleitet worden [3] und weisen auch wieder auf ihn zurück, sie treffen etwas in ihm. Sie stecken nicht nur die Grenze ab, innerhalb deren die gute Einzelhandlung liegt, sie enthalten auch Bestimmtheiten, die in dieser wiederkehren müssen, wenngleich in anderer Form. Denn was für den Menschen als solchen gilt, gilt auch für einen und für jeden Einzelmenschen. Er ist ja nicht etwas außer und neben diesem Menschsein, er ist *Mensch* in der Weise der Vereinzelung. Die Hauptsache an ihm ist nicht, daß er zahlenmäßig nicht der andere ist, sondern, daß *Menschsein* in ihm eine besondere Gestalt angenommen hat. Er ist nicht so vereinzelt und individualisiert, daß er aufhörte Mensch zu sein. Geschähe das, nützte ihm seine Individualität nichts. Sie hat keinen Bestand ohne das, was in ihr individualisiert ist und dabei wesentlich bleibt, was es in sich ist.

Ist aber *der* Mensch in den einzelnen eingegangen und bleibt er in ihm erhalten, dann gelten für diesen einzelnen auch die Gesetze, die aus dem Menschsein abgeleitet werden. Aber ebensowenig wie *der* Mensch und *dieser* Mensch einfach gleich sind, gelten die aus *dem* Menschen abgeleiteten Gesetze in gleicher Weise für *diesen* Menschen. Auch sie müssen individualisiert werden. Sind

---

[3] Das bedeutet jedoch nicht, daß zB « die » Gerechtigkeit ursprünglich aus einem konkreten Sachverhalt, aus einem gerechten Handeln, abstrahiert worden wäre. Der Begriff der Gerechtigkeit als bestimmtes Verhalten des einen Menschen zu einem anderen, wird gewonnen aus der Natur des Menschen als einem Gemeinschaftswesen. Auch wenn es bis jetzt noch keine real-konkrete Gerechtigkeit gegeben hätte, ließe sich doch sagen, was Gerechtigkeit ist. Was sie ist, läßt sich jedoch nicht « erschauen » gelegentlich einer ungerechten Handlung, deren Zeuge man ist. Um eine bestimmte Handlung als ungerecht zu erleben, muß man schon wissen, was Gerechtigkeit ist.

sie somit in sich auch *nicht ausreichend*, sind sie trotzdem *nicht unbrauchbar*. Mit ihren lebensfernen Lebensgesetzen hat die Ethik dem wirklichen Leben einen sehr großen Dienst erwiesen. Sie kann zwar niemanden eine sichere, gebrauchsfertige Lösung geben. — Könnte sie das, erwiese sie damit jedem einen schlechten Dienst. Sie nähme ihm weitgehend die Möglichkeit, in eigener Entscheidung und Verantwortung sein sittliches Leben aufzubauen und es bis zu der ihm möglichen Vollkommenheit zu entwickeln. — Aber mit dem, was sie zu bieten vermag, hilft sie jedoch dem einzelnen, selbst seinen eigenen Weg sicherer zu finden.

Wer hilft jedoch denen, die die Aussagen und Begründungen der Ethik nicht kennen oder nicht hinreichend verstehen? Nur die wenigsten Menschen sind mit der Ethik als Wissenschaft vertraut, und auch jene, die sich darum bemühen, eignen sich ihre Ergebnisse nur in langwieriger Arbeit an. *Alle* stehen aber *immer* unter dem ethischen Gesetz, das für jede freie Handlung das wahre Gutsein fordert.

Wer das Gute als Wahres im wissenden Verstande hat, hat es damit noch nicht als Gutes im wollenden Willen. Die eine Weise muß nicht aus der anderen folgen. Darum sind jene, die ausgezeichnete Ethiker sind, noch nicht ohne weiteres ausgezeichnet ethisch. Aber trotzdem ist bei einem vernunftbegabten Wesen das Wissen des zu Tuenden die notwendige Voraussetzung für den seinsgerechten Vollzug dieses Tuns.

Wenn daher nur der Ethiker finden könnte, was das wahrhaft Gute und zu Tuende ist, wäre es um den Nicht-Ethiker schlecht bestellt. Er würde zu etwas verpflichtet, wozu er schuldlos die Voraussetzungen nicht hat. Wenn aber sittlich gutes Handeln von jedem Menschen ausnahmslos gefordert wird, ist schon von vornherein anzunehmen, daß auch jeder sich wenigstens ein Mindestmaß des dafür notwendigen Wissens verschaffen kann. Tatsächlich lebt ja kein einzelner isoliert, sondern mit anderen zusammen in Gemeinschaft, und tatsächlich erhält er auch von ihr die ersten Kenntnisse von gut und böse. Außerdem kann jeder geistig Normale nicht nur von sich aus den Seinsbegriff bilden und aus ihm die ersten Seins- und Denkgesetze formen; er bildet auf ähnliche Weise auch den Begriff des Guten, erkennt das

Gute als Gesolltes und formt aus ihm das Grundgesetz des sittlichen Handelns. Dieses ist ihm ebenso einleuchtend wie die ersten
Seinsgesetze, wenngleich er das in beiden Fällen nicht einleuchtend
begründen kann. Es bleibt auch nicht beim Finden dieses *for-
malen* ersten Gesetzes des Handelns. Wenigstens in bezug auf
einige *Inhalte* erkennt jeder, daß sie unter das fallen, was zu
tun ist. Doch tauchen hier schon bald bei den einzelnen Unter-
schiede und Unsicherheiten auf. Persönliche Veranlagung, Erzie-
hung, Verhalten und Beispiel der andern, verdunkeln und ver-
wirren ebenso oft wie sie erhellen und sichern. Aber ein objektiv
falsches Handeln, dessen Grund in einem unverschuldeten falschen
Erkennen liegt, wird dem betreffenden nicht als sittliche Schuld
angerechnet werden, wie umgekehrt keinem als sittlich gute Tat
zuzuschreiben ist, was er, ohne es zu wissen, richtig machte. Doch
ist es möglich, auch ohne das wissenschaftliche Wissen des Ethi-
kers, ethischer zu sein als dieser.

Ist die Ausgangslage des ethisch Ungebildeten auch in man-
cher Hinsicht ungünstiger als die des Gebildeten, darf man nicht
meinen, unter einer Rücksicht stehe er doch besser als dieser.
Der Gebildete habe zwar ein sicheres, aber dafür abstraktes Wissen, wogegen das des Ungebildeten zwar weniger sicher, dafür
aber um so konkreter sei. Das ist nicht wahr. Sowohl die Leit-
sätze, die er selbst bildet, wie auch jene, die er von anderen
übernimmt, sind allgemein, und er steht vor der gleichen Aufgabe
und Schwierigkeit, das *allgemein* Gültige in eine *für ihn* gültige
Form zu übersetzen. Wie wird nun dieser Übergang vollzogen,
und wer steht ein für seine Richtigkeit? Oder muß man das
sittlich gute Handeln als reinen *Zufallstreffer* bezeichnen?

4. *Unzulängliche Deutungsversuche.*

a) Die konkrete Entscheidung ist richtig, wenn sie unter
mehreren Werten immer den höheren wählt. Aber selbst wenn
die Rangordnung gültig bestimmt wäre[4], ist es nicht in jedem
Fall richtig, sich für den höheren Wert zu entscheiden. Nur der
Höchstwert oder das Endziel ist sowohl in der abstrakten wie in

---

[4] Versuche bei M. SCHELER, *Der Formalismus in der Ethik und die materiale
Wertethik*, Halle 1916, 84 ff. Dazu N. HARTMANN, *Ethik*, Berlin 1949, 278.

der konkreten Ordnung immer jedem anderen Gut vorzuziehen. Die anderen Güter dagegen werden in der konkreten Wahl zuweilen erlaubterweise anders behandelt als es ihrer objektiven abstrakten Rangordnung entspricht. So ist unter Umständen ein biologischer Wert einem geistig-religiösen vorzuziehen, wie es erlaubt geschieht, wenn jemand den Sonntagsgottesdienst unterläßt, um einen Kranken zu betreuen. Der religiöse Akt dürfte nur dann nicht zurückgesetzt werden, wenn seine Unterlassung notwendig die Abkehr von Gott als Endziel nach sich zöge.

b) Fr. Brentano meint, in der «richtigen Liebe» offenbare sich das wahrhaft Gute; «um etwas als ein Gut, d h als liebenswürdig zu erkennen, müsse man es selbst mit einer richtigen Liebe geliebt haben»[5]. Was hier als «richtige Liebe» bezeichnet wird, entspricht wohl dem, was die Scholastiker als «Erkennen aus Naturverwandschaft» — cognitio per connaturalitatem — bezeichnen. Wer so zB eine starke und beharrliche Willensneigung zum sittlich Guten, zur Tugend hat, wird diesem Wertbereich verwandt, er ist auf ihn abgestimmt, ist ihm der ganzen Neigung nach verbunden, und wenn er vor einer Entscheidung steht, fühlt er gleichsam unmittelbar, was das Richtige ist, welches Verhalten der betreffenden Tugend entspricht oder widerspricht.

Aber diese ausgeprägte und eindeutige freie Willensneigung zum Tugendgut ist nicht das erste beim Menschen, der ja «von Jugend auf zum Bösen neigt» (Gen 8, 21; 6, 5). Sie ist die Frucht unverdrossenen Übens, in dem es genug Fehlhandlungen gibt. Diesem Einüben des Willens auf das wahre Gute muß aber ein Bemühen des Verstandes um das Finden dieses Wahren vorausgehen. Die Liebe erhält ihr sittliches Gut- und Richtigsein dadurch, daß sie einen Person oder Sachwert, also etwas, das nicht eigentlich — formaliter —, sondern nur gegenständlich — obiective —, sittlich gut ist, in einer der Seinsordnung entsprechenden Weise erstrebt. Ihre Richtigkeit ergibt sich nicht schon daraus, daß man sie in sich selbst betrachtet; man muß sie vergleichen mit, und messen an jener Seinsordnung. Die richtige Liebe hat nicht jene unmittelbare Selbstbezeugung ihres Richtigseins, die Bren-

---

[5] FR. BRENTANO, *Grundlegung und Aufbau der Ethik*, Bern 1954, 151, 146, 306; *Vom Ursprung sittlicher Erkenntnis*, Leipzig 1921, 17.

tano ihr zuschreibt, und darum vermag sie auch nicht zu leisten, was er von ihr erhofft[6].

c) Mit Hilfe der Formel I. Kants, « handle so, daß die Maxime deines Willens jederzeit zugleich als Prinzip einer allgemeinen Gesetzgebung gelten könne »[7], kann der einzelne ebenfalls nicht finden, was er hier und jetzt zu tun hat. Schon deshalb nicht, weil eine konkrete Handlung gut sein und trotzdem nicht für alle verbindlich, also allgemeines Gesetz werden kann; und, weil eine Handlung, die allgemeines Gesetz werden könnte, nicht immer gut ist. - So könnte es zB allgemeines Gesetz werden, daß in einem Kriege *alle* Beteiligten die Waffen niederlegten und die Regierenden dadurch gezwungen würden, den Kriegsfall auf menschenwürdigere Weise zu lösen. Trotzdem darf ein einzelner in einem Kriege nicht so handeln, weil doch nur wenige seinem Beispiel folgen würden und deshalb die gute Sache nur Schaden litte. - Außerdem stellt diese Regel es in das Ermessen des einzelnen, zu bestimmen, welches Verhalten würdig ist, zu einem allgemeinen Gesetz erhoben zu werden. Die Entscheidung darüber fiele bei den verschiedenen sehr verschieden aus. Das rein Formale der Formel Kants ist weder von der Sittlichkeit gefordert noch macht es sie für den genannten Zweck brauchbar. Es genügt nicht, zu wissen, *daß* man sich gut zu verhalten hat, man muß auch, und vor allem, wissen, *worin* dieses Gute besteht.

d) K. Barth[8] sieht die so undurchsichtig scheinende Situation, in der der einzelne steht und sich entscheiden muß, immer schon erhellt, durch die Aufträge, Anweisungen und Befehle, die Gott uns gibt, die in der Bibel, in den « zehn Geboten », in der « Bergpredigt », in den « epistolischen Ermahnungskapiteln », im

---

[6] R. Le Senne sieht richtiger, wenn er schreibt, das Gute, das ich hier und jetzt tun muß, « wird mir durch die Schau des Sittlichen unter der Bedingung gezeigt, daß ich es verdient habe. Das dadurch, daß ich diese Schau rein hielt durch Abwehr alles dessen, was sie verdirbt und daß ich sie bewußt den Dingen anpaßte, auf die sich bezieht » (*Traité de Morale générale*, Paris 1946, 602).

[7] I. KANT, *Kritik der praktischen Vernunft*, Meiner-Ausgabe 1929, 36. Vgl. *Metaphysik der Sitten*, Meiner 1922, 237.

[8] K. BARTH, *Das Halten der Gebote*, in: *Theologische Fragen und Antworten. Gesammelte Vorträge*, Zollikon-Zürich 1957, 32-53.

« Doppelgebot der Liebe » enthalten sind. Diese Gebote sind nach ihm keine inhaltslosen Imperative, sondern sie haben einen materialen und zwar konkreten Gehalt. Den « Verweis aus der Problematik des Allgemeinen in die Wirklichkeit des Besonderen und damit die einzig mögliche Antwort auf das sogenannte ethische Problem gibt uns die Bibel, indem sie vom Halten der Gebote redet ». Darum ist « es so sachgemäß, daß der an den Menschen sich richtende Anspruch wie er in der in der christlichen Kirche vernommenen und verkündeten Botschaft der Bibel vorliegt, nicht nur als schlechthin gegebenes Gebot auftritt, sondern auf der ganzen Linie auch als konkretes Gebot... Das Gebot kommt zum Menschen als konkretes Gebot ». « Als bestimmtes Gebot kommt es zu ihm, nicht hat er selber zu bestimmen, was geboten ist. Es ist ein Gebot, ein konkretes Gebot ». Der Mensch, der im Ernst die Frage stellt, was er tun soll, weiß dann schon um das Sollen, sowie um dessen Inhalt. « Dem Frager ist bekannt, was das heißt: Sollen, ein unbedingt an mich gerichteter Anspruch... Frage ich, was ich soll, zeige ich damit, « daß dieser Anspruch an mich ergangen ist, daß ich also durchaus *weiß*, was ich tun soll ».

Mit Recht ersetzt K. Barth das formale durch ein materiales Gebot, doch verwechselt er « material » und « konkret ». Alles Konkrete ist material, aber nicht alles Materiale ist konkret. Auch Gott hat in seinen Aufträgen, Anweisungen und Befehlen, die in der Bibel enthalten sind, die Menschen material angesprochen, aber trotzdem allgemein. Was er vorschreibt, sollen alle tun, wie der einzelne es konkret tun soll, ist für keinen vorgeschrieben. Das sagen die « zehn Gebote » ebensowenig wie die Gesetze der Ethik, wenn diese Gebote auch in die Form gekleidet sind: *Du* sollst... Eines dieser Gebote befiehlt zB: « Du sollst nicht töten ». Sogleich erhebt sich die Schwierigkeit: Ist damit jedwedes Töten für jedweden Menschen verboten? Darf ich unter keinen Umständen töten, etwa bei der Verteidigung des Vaterlandes oder der meines eigenen ungerecht bedrohten Lebens? Und wenn jenes Verbot sich auf das Töten im Sinn von Morden bezieht, weiß ich dann vom Verbot her schon, ob die konkrete, von mir zu unterlassende Tat, auch wirklich ein Mord ist?

5. *Die praktische Wahrheit.*

Die Frage wäre befriedigend nicht zu lösen, der zu sittlich gutem Handeln verpflichtete Mensch wäre überfordert, seine guten Taten wären reine *Zufallstreffer,* wenn die Wahrheit, die er leben soll, jene wäre, die man als « logische » Wahrheit bezeichnet, und die in der erkannten Übereinstimmung des Erkennens mit dem Erkenntnisgegenstand besteht.

Eine volle Übereinstimmung des Erkennens mit dem konkreten Wesen des Gegenstandes ist nach dem früher Gesagten nicht möglich. Weil das Wesen des Einzelmenschen als solches nicht erkennbar ist und ebensowenig dasjenige des Seienden, das zu seiner jeweiligen konkreten Situation gehört, können für eine zu vollziehende Handlung nicht die für sie passenden Richtlinien mit Sicherheit vorgelegt werden.

Statt dieser, dem Menschen nicht erreichbaren Wahrheit, findet er jedoch eine andere, die ihn zu menschlichem und sittlich gutem Tun befähigt. Man nennt sie die « praktische » Wahrheit.

Sie ist nicht zu verwechseln mit dem praktschen Erkennen, das sich nicht im Wesen, sondern nur im Ziel vom theoretischen unterscheidet. Praktisches Erkennen ist jenes, das die Wahrheit nicht ihrer selbst wegen sucht, sondern zu einem anderen Zweck: um mit ihrer Hilfe etwas zu verwirklichen. So ist das praktische Erkennen nicht auf den Bereich des sittlichen Handelns beschränkt.

Die praktische Wahrheit besteht im Unterschied von der theoretischen, nicht in der Übereinstimmung des Erkennens mit dem gegenständlichen *Sein,* sondern mit dem *Willen* des Erkennenden. Aber *nicht* jedes Urteil, das mit dem Willen, mit dem Streben und Wollen des Willens übereinstimmt, ist schon praktisch *wahr* in dem hier gemeinten Sinn. Denn dann könnte jeder Wunsch, dessen Erfüllung ein Mensch zum Ziel einer Handlung macht, dieser auch das Merkmal sittlichen Gutseins verschaffen.

Nur *das* Urteil ist praktisch wahr, das mit *dem* Willen übereinstimmt, der das *objektiv* sittlich Gute bejaht und will. Das ist also der Wille, der sich durch seine Neigung und Ausrichtung zur *Seinsordnung* bekennt [9]. Praktisch wahr ist demnach der Erkenntnisinhalt, das Urteil, der dem Willen sein jetzt zu vollziehendes Tun vorschreibende konkrete Befehl, die inhaltlich mit dem übereinstimmen, was dieser zuständlich recht gerichtete Wille will.

Nach diesem Befehl wurde gesucht. Es wurde gefragt, wie er, auf den das Tun unweigerlich folgt, zustandekomme, obwohl der Verstand das « Material » nicht hinreichend erkennt, aus dem er den Befehl bilden soll. Ist dem Menschen auch ein Verstand versagt, der das Konkrete in seinen konkreten Wesensstrukturen erkennen kann, so liegt es doch in seiner Macht, einen Willen zu haben, der das wahrhaft Gute will, der also bereit ist, sich nach den « objektiven » Forderungen des Seins und nicht nach seinen « unordentlichen » Wünschen zu richten.

Stimmt also das den Willensentscheid auslösende Befehlsurteil mit der *zuständlich* guten Neigung des Willens überein, sind sowohl Verstandes- wie Willensakt seinsgerecht, dann sind sie wahr und gut, soweit das menschenmöglich ist. Der Willensakt bliebe auch wahrhaft gut, wenn der Verstandesbefehl objektiv falsch wäre, wenn er der Situation nicht entspräche. Für diesen Fehler ist der Mensch nicht verantwortlich, und darum beeinträchtigt er auch nicht den sittlichen Wert seines Tuns.

Die so verstandene praktische Wahrheit ist nicht etwas *neben* und außer der logischen. Es ist die logische Wahrheit, soweit sie dem Menschen inbezug auf das Konkrete, inbezug auf einen zu vollziehenden Akt, erreichbar ist. Man darf deshalb nicht behaupten, hier würde mit einem zweifachen Wahrheitsbegriff gearbeitet. Es ist auch noch zu bedenken, daß praktische Wahrheit nur dann zustandekommt, wenn der gute Wille, mit dem das Befehlsurteil übereinzustimmen hat, die Liebe zur logischen Wahrheit einschließt, wenn er also den Verstand antreibt, diese nach Kräften zu suchen. Nur der Wille, der die *Wahrheit* des Verstandes *liebt*, ist ein *guter* Wille. Je stärker dieser gute Wille ist, um so mehr wird sich die praktische Wahrheit mit der logischen decken, da ein Mensch in solcher Verfassung, mit allen Kräften seiner geistigen Seele dem Wahren zugekehrt und für es aufgeschlossen und es zu suchen bereit ist.

[9] THOMAS VON AQUINO, *Summa theologiae* (= s th), I-II 56, 2 Zu 3.

II. Die Leistung der Klugheit [10].

Am Ende der vorausgehenden Überlegungen hat sich gezeigt, daß der Verstand das wahre Gute eines noch zu vollziehenden Willensaktes soweit erkennt, daß er dem, die Tat vollbringenden Willen die entsprechenden Anweisungen zu geben vermag. Dabei wurde nirgends vermerkt, daß der Verstand dazu noch einer besonderen Hilfe bedürfe.

Aber so sehr es bei der ganzen Erkenntnisfrage auch um das Konkrete als den Gegenstand des Erkennens ging, wurde doch gefragt, ob « der » menschliche Verstand einer Wesenserkenntnis des Konkreten fähig sei. Nun sind die Schwächen, die ihm hier *als solchem* anhaften, noch größer, sofern er « *dieser* » ist. Denn wie die Vollkommenheit eines Wesensgehalts durch dessen Vereinzelung abnimmt, so nehmen die Unvollkommenheiten dabei zu.

Wie schon angedeutet wurde, kann man sich mit der Schwierigkeit, mit dem Mißverhältnis zwischen dem Verstandeskönnen und Willenssollen — auch in der praktischen Wahrheit kommt man der theoretischen ja num mehr oder weniger nahe —, nicht durch den Hinweis abfinden, auf letzte Genauigkeit komme es im « gewöhnlichen » Leben auch nicht an. Bei den meisten dieser inneren und äußeren Willenstätigkeiten sei es einerlei, in welcher von hundert möglichen Weisen und Formen sie verwirklicht werde. Wenngleich längst nicht in allen, so trifft das doch in sehr vielen Fällen zu, wenn man die betreffende Tätigkeit rein nach ihrem *Sachziel*, ohne Bezug zum « Sollen » und zum sittlichen Ziel des Handelnden betrachtet. Sieht man sie jedoch in diesem Zusammenhang — und so muß jede freie Tätigkeit gesehen werden —, kommt es wohl auf letztmögliche Genauigkeit, auch im gewöhnlichen Leben, an. Bonum ex integra causa; gut ist nur das, was allen Anforderungen entspricht, die an es gestellt werden können. Unter den verschiedenen Anforderungen, denen ein freier Akt entsprechen muß, um sittlich gut zu sein, gehört an erster Stelle, daß er dem objektiven konkreten Sachverhalt oder der ontologischen Wahrheit möglichst entspricht. Wenn dem Menschen

---

[10] In einem schon fertigen Kommentar zu s th II-II 47-56, der als Bd 17B der Deutschen Thomasausgabe erscheinen soll, werden die Fragen über die Klugheit vom Verfasser ausführlicher behandelt.

diese Entsprechung auch nie ganz gelingt, so gelingt ihm doch eine mehr oder weniger große Annäherung daran, und um die größere soll er sich bemühen.

Man sieht leicht, wie willkommen, wenn nicht gar notwendig, für «diesen» Verstand jede Hilfe bei seinem Bemühen ist. Wohl ist er aus sich und ohne eine besondere Vervollkommnung imstande, die *allgemeinen* ersten Gesetze des sittlichen Handelns zu erkennen, weil er sich dabei in seinem ureigenen Bereich bewegt.

1. *Das Wesen der Klugheit.*

a) Zwar gehört die Klugheit in den Erkenntnisbereich, doch ist sie kein fertiges Wissen. Sie besteht nicht in Richtlinien, deren Inhalt der konkreten ontologischen Wahrheit möglichst nahe kommt. Sie ist also kein Erkenntnisinhalt, sondern eine Beschaffenheit der Erkenntniskraft, die dieser das Finden des rechten Inhalts erleichtern soll. Besteht Klugheit schon nicht im Wissen dessen, was hier und jetzt das Richtige ist, so ist sie noch weniger das Wissen über die Klugheit selbst. Die Klugheit erkennen und klug erkennen, sind verschiedene Dinge. Im ersten Fall ist die Klugheit eine Beschaffenheit des auf das konkrete Tun gerichteten Subjektes, im zweiten ist sie Objekt eines erkennenden Subjektes, das, um diese Klugheit zu erkennen, die Klugheit als Gehaben nicht besitzen muß Die Klugheit als Gehaben nimmt dem Verstand die Arbeit nicht ab; sie macht sein Arbeiten nur erfolgreicher. Sie raubt dem menschlichen Erkennen nicht seine Eigenart und kann es deshalb auch nicht von den aus dieser fließenden Mängeln befreien. Sie kann und soll aber das Erkennen von den Fehlern befreien oder davor bewahren, in die es als «dieses» leicht verfällt.

Diese Klugheit kann in einem zweifachen Sinn verstanden werden: als kommender und gehender Aktvollzug oder besser Mit-Vollzug, und als bleibende, dem Aktvermögen anhaftende Beschaffenheit. Wie sich aus dem Gesagten schon ergibt, ist der eigentliche Ort der Klugheit der «praktische», nicht der «theoretische» Verstand.

Doch ist noch näher anzugeben, worauf sich der Klugheitsakt bezieht, welche freie Willenstätigkeit er leiten soll.

16.

Nicht jene, durch die der Mensch sich für das wahre konkrete Endziel entscheidet, sondern jene, die sich auf die dem Letztziel vorgelagerten Zwischenziele und auf die dafür notwendigen Mittel richtet. Der unter dem Einfluß der Klugheit geformte letzte Befehl schreibt dem Willen vor, wie er sich in jenem Zwischenbereich verhalten muß, damit an seinen Akten das Merkmal: «sittlich gut», erscheint. Mit Hilfe der Klugheit soll der Verstand also leichter und sicherer jenen Marschbefehl für den Willen finden, der nicht in technischer, sondern in sittlicher Hinsicht möglichst situationsgerecht ist.

Dieser Befehl wäre die letzte, engste, der konkreten Wirklichkeit am meisten angenäherte Formulierung des allgemeinsten Richtsatzes für menschliches Handeln: Der Mensch soll das sittlich Gute tun. Sowohl jene letzte, wie die ihr noch vorausgehenden allgemeineren Fassungen, leben und binden alle kraft des allgemeinsten Gesetzes. Sie binden soweit, als der von ihnen befohlene Inhalt wirklich eine Konkretisierung des im Grundgesetz gemeinten sittlichen Gutes ist. Man sieht, wie wichtig es ist, daß gerade der konkrete, am weitesten von jenem allgemeinsten Gesetz abstehende Marschbefehl sich als dessen richtige, dh situationsgerechte Übersetzung erweist. Er läßt sich aus allgemeinsten und allgemeinen Obersätzen ebenso wenig auf syllogistische Weise einfach ableiten, wie er durch Einblick in die Wesensstruktur des konkreten Sachverhalts gefunden wird.

b) Daß dem Verstand trotzdem das Werk gelinge, soll die Klugheit ihn unterstützen. Das geschieht, indem sie ihn vervollkommnet; und den Verstand vervollkommnen heißt zunächst, seine natürliche Neigung zur Wahrheit verstärken. Im praktischen Verstand wirkt sich das darin aus, daß sein Blick geschärft wird für die konkrete Situation, daß er sie unter möglichst vielen Rücksichten sieht und diese nach ihrer Bedeutung richtig abschätzt. Eine weitere Hilfe leistet die Klugheit sodann bei der Anpassung der allgemeinen Richtlinien auf diesen konkreten Sachverhalt. Um beide Erkenntnisaufgaben zu lösen wird der Kluge auch noch den Rat erfahrener Menschen einholen. Das sind solche, die die technische und solche, die die sittliche Seite der Situation kennen, in der eine Handlung zu setzen ist. Gewiß muß am Ende der Handelnde selbst die Entscheidung fällen, die Tat vollbringen und für sie einstehen. Aber nicht jeder soll sich ohne weiteres und unter allen Umständen für fähig halten, allein zu finden, was er tun soll.

c) Wenn der Verstand und sein Erkennen dem Willen und seinem Wollen logisch vorausgehen, haben die den Verstand vervollkommnenden Beschaffenheiten auch den gleichen Vorrang vor denen des Willens, nämlich vor den sittlichen Tugenden. Dagegen behalten diese einen seinshaft-wertmäßigen Vorrang vor allen Vollkommenheiten, die nicht die volle Bewandnis der Tugend haben. Dazu gehören die verschiedenen Arten des Wissens, die eine Vollkommenheit des theoretischen Verstandes sind. Sie sind nicht im Vollsinn vollkommen, dh sittlich gut, weil ihr Vollzug auch sittlich schlecht sein kann. Das ist aber bei den eigentlichen, also bei den im Willen wohnenden Tugenden nicht möglich.

Und trotzdem hat nach thomasischer [11] und fast allgemein scholastischer Lehre, die Klugheit, die eine im Erkenntnisbereich liegende Beschaffenheit ist, doch den Charakter einer *sittlichen Tugend*. Die Tatsache, daß sie im praktischen Verstande wurzelt und somit in eine besondere Nähe zum Willen rückt, kann dafür allein nicht genügen. Der eigentliche Grund liegt darin, daß ihr Vollzug, wie der der sittlichen Willenstugenden, nicht schlecht sein kann. Das von der Klugheit unterstützte Erkennen ist innerlich nur auf das *Gute* im sittlichen Sinn gerichtet, weil es unter dem bewegenden Einfluß eines tugendhaften Willens steht, der als solcher auch das *Wahre* im Erkennen will.

Im heutigen Sprachgebrauch wird mit dem Wort « Klugheit » nicht mehr oder kaum noch dieser, zuweilen sogar der entgegengesetzte Sinn verbunden. Klug ist, wer versteht, ein Gesetz zu umgehen, ohne daß ihm etwas nachgewiesen werden kann; klug ist, wer andere für sich arbeiten läßt und dort Früchte erntet, wo er nicht gesät hat. Diese « Klugheit des Fleisches » war den Scholastikern zwar auch bekannt, doch sahen sie darin einen defizienten Modus und hielten es eher für einen Mißbrauch, ihn als « Klugheit » zu bezeichnen.

d) Aber nach Ansicht dieser Scholastiker ist die Klugheit nicht nur *auch* eine sittliche Tugend, sondern sogar die *erste* von

---

[11] Vgl. s th II-II 47, 4 - 47, 17.

allen. Durch sie werden die Willenstugenden erst zu echten Tugenden, wogegen sie, die Klugheit, jener nicht in diesem Sinne bedarf. Sie gibt ihnen Maß und Form [12], sie muß in jede eingehen, damit diese Tugend werde, sie leitet alle [13], und da sie als eine und gleiche das alles bei den verschiedenen Willenstugenden hervorbringt, verbindet sie diese auch alle untereinander [14]. Außerdem gibt sie ihnen eine *letzte* zielhafte *Einheit*. Ihren *nächsten* Sachzielen nach streben sie auseinander, doch fügt sie alle zusammen durch das gleiche Sinnziel, das sie ihnen gibt: den vollguten Menschen.

Das Gegenstück zu diesem Vorrang der Klugheit in der scholastischen Tugendlehre ist ihre Verdrängung in nicht scholastischen Ethiken. So ist sie in älteren und neueren evangelischen Werken kaum zu finden [15]. Auch die heutigen Wertphilosophen befassen sich nicht mit ihr, weder, sofern sie ein objektiver Wert, noch sofern sie eine Beschaffenheit des menschlichen Subjekts ist.

Trotzdem ist das Anliegen der scholastischen Klugheitslehre in jenen Darstellungen nicht immer übersehen; es erscheint in anderen Zusammenhängen und unter anderem Namen, bei den Fragen der Verantwortung, der Entscheidung, des richtigen Wählens, des Vorziehens und des Verhaltens im Wertkonflikt.

2. *Bedingungen für den Vollzug der Klugheit.*

Die nicht zu übersehende Vorzugs- und Führungsstellung, die damit der Klugheit im Bereich des sittlich guten Handelns zugestanden wird, geht letztlich an den Verstand, den Träger der Klugheit, selbst über. Dieser Zusammenhang ist ein Hauptgrund, warum man der diese Lehre vertretenden scholastischen

---

[12] s th I-II 58, 4; II-II 109, 4; 166, 2 Zu 1.

[13] s th I 22, 1; 23, 4; 55, 3 Zu 3; I-II, 3, 6; 13, 2 Zu 3; 21, 1; II-II 47, 1; *Quaestiones disputatae de veritate* 27, 5 Zu 5.

[14] Zur Ansicht von mehreren Arten der Klugheit vgl. O. LOTTIN, *Études de morale, histoire et doctrine*, Gembloux 1961, 29, 65.

[15] So zB nicht bei: E. BRUNNER, *Das Gebot und die Ordnungen*, Tübingen 1932; W. ELERT, *Das christliche Ethos*, Tübingen 1949; W. HERRMANN, *Ethik*, Tübingen 1904; H. MARTENSEN, *Die christliche Ethik*, Gotha 1878; A.D. MÜLLER, *Ethik*, Berlin 1937; A. SCHLATTER, *Die christliche Ethik*, Stuttgart 1914; R. SEEBERG, *Christliche Ethik*, Stuttgart 1936; H. THIELICKE, *Theologische Ethik*, Tübingen 1951; 1955; 1958; N.H. SOE, *Christliche Ethik*, München 1949.

Richtung einen ethischen Intellektualismus vorgeworfen hat. Eine solche Alleinherrschaft des Verstandes verdränge sozusagen den Willen, den Träger der sittlichen Tugenden, aus dem sittlichen Bereich, jedenfalls lasse sie ihm nicht genügend Möglichkeit, sich entsprechend zu betätigen, und damit werde das Phänomen des Sittlichen vergewaltigt.

Selbst wenn man einsieht, daß dem Verstand gegenüber dem Willen naturgemäß eine leitende Stellung zukommt, müßte man jenen Vorwurf als berechtigt anerkennen, wenn jene Theorie wirklich so wäre, wie er sie darstellt. Das ist jedoch nicht der Fall, denn das bis jetzt Gesagte ist nur ein Teil von ihr, aber nicht das Ganze.

Dieser Teil, nach dem also die Klugheit und mit ihr der Verstand einen entscheidenden Einfluß auf die Findung des sittlich *Guten* hat, muß ergänzt werden durch jenen Teil, nach dem der *Wille* einen entscheidenden Einfluß auf die Bestimmung des sittlich *Wahren* hat. Und damit wird die Theorie wohl dem eigenartigen Verhältnis zwischen Verstand und Willen gerecht, in dem unter einer Rücksicht der Verstand, unter einer anderen der Wille führend und bestimmend ist. So kann sie als eine Synthese gelten, in der das Falsche von Intellektualismus einerseits und Voluntarismus anderseits vermieden und das Wahre in ihnen in einer höheren Einheit bewahrt wird.

Dem Willen ist eigentlich schon Gerechtigkeit widerfahren, als von der « praktischen » Wahrheit gesprochen wurde. Dort wurde gesagt, daß sie ohne seine Mitwirkung vom Verstande nicht gefunden wird, da sie ja in der Übereinstimmung eines Erkenntnisinhalts mit dem *recht* gerichteten *Willen* besteht. Diese Willensrichtung wurde noch näher als eine Dauereinstellung bezeichnet.

Wodurch wird aber der Wille in diese Richtung gebracht und in ihr erhalten? Durch die Beschaffenheiten, die man *sittliche Tugenden* nennt. Ob man sie als Vollzug oder als Dauergehaben des Willens betrachtet: Sie sind nichts anderes, als eine Übersetzung des Ontologischen in das Axiologische; sie sind die Antwort, die der Wille auf den Anruf des Seienden gibt, der Form entsprechend, in der er über den vermittelnden Verstand jenen Anruf vernommen hat. Wenn darum der Verstand einen Erkenntnisinhalt an dem so gerichteten Willen prüft, hält er ihn gleichsam an das Sein. Kommt er dabei auch nicht ganz an dieses in seinem Ansichsein heran, ist es nur Maß, sofern es im Gerichtetsein des Willens Gestalt angenommen hat, so befindet sich der in dieser Weise messende Mensch doch jenseits von allem *Subjektivismus*.

Aber indem diese Theorie so auch dem Willen sein Recht zu lassen sucht, scheint sie in einen Zirkelschluß auszulaufen. Denn einmal wird das Wahrsein für das Gutsein, und dann wieder das Gutsein für das Wahrsein vorausgesetzt. Oder: einmal geht das Erkanntwerden des Guten dem Wollen des Guten voraus, und dann wieder das Wollen des Guten seinem Erkanntwerden.

Dieses sich gegenseitige Voraussetzen zweier Bezugsglieder ist kein Sonderfall, und in keinem der bekannten Fälle ist es ein Widerspruch, wenn, wie auch im Beispiel, das eine das andere, und das andere das eine, nicht im *gleichen* Sinn voraussetzt. Die Willenstugenden setzen aber die Klugheit im Sinn einer *Ursache*, und die Klugheit setzt die Willenstugenden im Sinn einer *Bedingung* voraus.

Die Leistung der sittlichen Tugenden, den freien Willen in seinem zuständlichen und tatsächlichen Streben der Seinsordnung anzupassen, ist ebenfalls an eine Bedingung geknüpft: an die angeborene und innere Rechtheit dieses Willens als *Natur*, an die naturhafte Neigung dieses Willens zum *Guten*. Dieses Gute ist nichts anderes, als die dem Menschen *wesenhaft* zukommende Vollkommenheit. Das mit dem noch *unerfüllten* Wesen zusammenfallende Verlangen nach seiner Vollendung setzt sich fort in diesem Naturwillen, der ja nichts anderes ist, als das Vermögen, durch das das Wesen zu sich selbst als erfülltes kommen soll. Der Naturwille liebt also naturnotwendig das *Wesensgut* des Menschen, und das ist nichts anderes als das Gute im *sittlichen* Sinn. Was der Mensch, der mit seinem *freien* Willen *jedes* Seiende erstreben *kann*, was ihm unter *irgendeiner* Rücksicht als Gut erscheint, nun mit seinem freien Willen erstreben *soll* ist dieses: jene Güter, die ihn nicht irgendwie, sondern im *Wesentlichen* vervollkommnen, wenn er sie in der Ordnung erstrebt, die wiederum in den Wesen grundgelegt ist. Weil der Mensch im ontologischen Sinn immer schon gut ist, kann er sich im axiologischen Sinn gut machen. Wird der freie Wille von diesem Hineingebundensein in den Naturwillen, und über ihn in das menschliche Wesen, gelöst oder wird der Naturwille als böse und das Wesen als chaotisch seiend gedeutet, dann hat der freie Wille weder Wurzeln noch Ziel, dann sieht man nicht mehr, wie in ihm das sittlich Gute, als die dem Menschen wesenhaft entsprechende Vollkommenheit entstehen könnte.

Sind im menschlichen Wesensbereich auch die Ordnungen nicht zerstört, so sind sie doch gestört; ist das den verschiedenen «Schichten» seines Wesens entströmende Streben in sich auch nicht verkehrt, so ist es doch im ganzen nicht mehr recht über- und untergeordnet. Der tatsächliche Zustand in diesem Bereich liegt somit zwischen zwei Extremen, die man als seinswidrig und ideal bezeichnen kann. Daher kommt es, daß die Erstellung des sittlich Guten im Bereich der Freiheit oder die Entfaltung der menschlichen Person zur wahren Persönlichkeit weder unmöglich, noch ein beglückendes Spiel, sondern eine mühsame Arbeit ist. Über den Verstand, jenes Vermögen, durch das das Menschenwesen als «vernunftbegabtes» zur *Wahrheit* drängt, um über sie zum *Guten* und durch dieses zum menschlichen Vollendet-*Sein* zu kommen, ließen sich ähnliche Überlegungen anstellen.

Mit dem Gesagten ist der Beitrag des sittlich *guten* Willens zur Findung des *wahren* Guten noch nicht vollständig beschrieben. Denn so erscheint dieser Wille mehr als eine *statische* Norm, an der ein Erkenntnisinhalt gemessen wird. In Wirklichkeit jedoch ist der Wille auch *dynamisch* an der Arbeit des Verstandes beteiligt. Sind die Tugenden in ihm das, als was sie bezeichnet wurden, dann teilen sie dem Willen eine Übereinstimmung mit dem objektiv Guten mit, machen ihn diesem *verwandt*. Treffend nennen die Scholastiker das eine «connaturalitas». Durch sie *drängt* ein Wille schon auf das hin, wonach der Verstand noch sucht; er bringt diesen gleichsam auf die richtige Spur. Der mit dem Guten innerlich verwandte Wille vernimmt in gewisser Weise die «Stimme des Blutes». Er empfindet, ob das Verhalten anderer *in* einer bestimmten Situation richtig *war* oder nicht; er empfindet aber auch, was das Richtige für ihn *in* einer bestimmten Situation sein *wird*. In diesem Sinn hat er wohl seine eigenen Gründe, die der Verstand nicht, noch nicht kennt.

Allerdings darf nicht vergessen werden, daß diese seine Haltung doch eine Frucht des *Wissens* vom wahren Guten ist, und daß sie sich vor dem Forum des Verstandes wieder als richtig auszuweisen hat und prüfen lassen muß.

3. *Was durch den Vollzug der Klugheit erreicht wird.*

Es fragt sich, um wieviel besser der mit der Klugheit ausgerüstete Verstand das konkret Wahre für den Vollzug eines wahrhaft guten Willensaktes erkennt, als der ohne die Klugheit sich darum bemühende.

Dadurch, daß er zu einem klugen wird, ändert sich im Wesen des Verstandes und in der Eigenart seines Erkennens nichts. Nach wie vor bleibt dieses an das vorausgehende und mitlaufende Tun der Sinne gebunden; nach wie vor sind ihm konkrete Wesensstrukturen undurchsichtig. Was er dem Willen als erkenntnismäßigen Vorentwurf einer zu verwirklichenden guten Handlung vorlegt, ist nicht ganz durchgezeichnet und begründet, und darum bleibt dem Willen das Wagnis nicht erspart. « Da die Klugheit es mit dem einzelnen in seiner Faktizität zu tun hat, ...vermag sie keine Sicherheit zu bieten, die jede Angst beseitigte » [16]. Die inhaltliche Anreicherung und Wirklichkeitsnähe, die das erste Prinzip in seiner letzten Gestalt erhält, bezahlt es durch einen Verlust an Sicherheit. So sieht also die sittliche Seite einer Hand-

---

[16] s th II-II 47, 9 Zu 2. - E. Brunner deutet die katholische Lehre vom Gesetze falsch, wenn er meint, aus ihr ergebe sich Vorauswissbarkeit des sittlichen Lebens als Ganzes. « Es ist für jeden Fall das Zutuende und das Nicht-zu-Tuende im 'Gesetzbuch', in der genügend speziell ausgeführten Morallehre nachzuschlagen » (*Das Gebot und die Ordnungen*, Zürich 1939, 122). Das « für jeden Fall » zu Tuende, ist in ihnen gerade nicht zu finden, weder in den Moral- noch in den Gesetzbüchern, nicht einmal in den so oft mißverstandenen Kasuistik-Werken. Sie alle bleiben diesseits des konkreten Falles. Wenn Gesetzbücher, wie etwa das des Kirchenrechts oder das einer Ordensregel, auch konkretisierte Bestimmungen enthalten, wollen sie damit keineswegs das Tun der in Frage kommenden Menschen unter allen Umständen in dieser Weise festlegen. In keinem andern Gesetzbuch wird der « Epikie » soviel Raum gewährt, wie im Codex iuris canonici. Und selbst wenn in einem bestimmten Fall jemand sich nach dem Buchstaben dieser Gesetze richten müßte, wäre ihm damit die persönliche Entscheidung keineswegs abgenommen. Diese ist nirgendwo « nachzuschlagen », sondern von jedem, im Hinblick auf vorgegebene allgemeine Richtlinien und im Hinblick auf eine gegebene konkrete Lage, immer persönlich zu finden und zu fällen. Sie kann falsch sein, obwohl sie mit dem Wortlaut des Gesetzes übereinstimmt, und sie kann richtig sein, obwohl sie diesem widerspricht.

lung anders aus als die technische, in der oft alles nach Maß, Zahl und Gewicht genau durchgerechnet werden kann.

Was der Klugheit hinsichtlich der *wesentlichen* Schwächen des Verstandes nicht gelingt, vermag sie doch inbezug auf die *individuellen*. Der Kluge ist *hellsichtiger* als der Unkluge, auch wenn dieser die gleiche *Sehkraft* hat. *Dieser* Kluge findet das Wahre *dieses* Seienden, soweit es *ihm* möglich ist.

Aber auch nicht auf Anhieb und von Anfang an. Wie das menschliche Leben im allgemeinen, so steht auch das geistig-sittliche unter dem Gesetz der *Entwicklung*. Die natürliche Anfangsklugheit eines Menschen ist noch recht bescheiden, und sie reicht nicht aus, ihn vor Unklugheiten im Tun ganz zu bewahren. Erst durch beharrlichen Vollzug wächst und festigt sich das Klugheitsgehaben, und ausgewachsen ist es erst, wenn der Mensch auch in anderer Hinsicht reif geworden ist. Denn mit der Tugend der Klugheit wachsen in ihm auch die anderen Tugenden, die im Willen wohnen und sie alle stehen in einem lebendigen Bezug zueinander, in einem gegenseitigen Empfangen und Geben. Die Verstandesklugheit formt und richtet die Willenstugenden, und diese wiederum stützen sie, daß sie, die Klugheit, sie, die Tugenden, immer besser formen und richten kann. Der durch den tugendhaften Willen unterstützte Klugheitsverstand *sieht* das Wahre möglischt *gut*, und der vom Klugheitsverstand geführte Tugendwille *verwirklicht* das Gute möglichst *wahr*.

So wird die Verwirklichung der *praktischen* Wahrheit nicht nur immer *subjektiv* richtig sein, sondern auch in vielen Fällen der *konkret-objektiven*, ontologischen Wahrheit ganz entsprechen. Was *grundsätzlich* nicht garantiert werden kann, tritt dann wenigstans *tatsächlich* oft ein. Am leichtesten wird es sein, einem allgemeinen *Verbot* die zutreffende konkrete Form zu geben. Bei *Geboten* wird das nicht selten dadurch noch zusätzlich erschwert, daß zur gleichen Zeit *mehrere* den Menschen beanspruchen, und er erst die Dringlichkeitsfrage beantworten und feststellen muß, welchem von ihnen er sich zu stellen hat.

Wenn auch das sittliche Leben eine Summe von « Alltäglichkeiten » ist, jede dieser Kleinigkeiten gleichsam ein Pinselstrich in der geistigen Gestalt des Menschen wird, und deshalb keine für unbedeutend gehalten werden darf, so sind doch viele von ihnen *leichter* zu erkennen. Wer einen ehrlichen Beruf ausübt, in dem er nicht gerade eine leitende Stelle hat und sich, sowie andere von seiner Arbeit ernähren muß, der braucht nicht jeden Morgen aufs neue lange Überlegungen darüber anzustellen, was er tun soll, was für ihn hier und jetzt das Gesollte ist. Das für die «Freizeit» zu finden, ist heute oft schwerer als für die Arbeitszeit. Man darf nicht jeden «Fall» zu einem «Grenzfall» machen, zu einer Situation, in der der Mensch schmerzlich die Begrenztheit seiner Einsicht erlebt. Allerdings gibt es auch Berufe, in denen schwierige Entscheidungen fast die Regel sind. Man denke etwa an den Beruf des Staatsmannes, des Arztes, des Atomforschers, des Erziehers oder des Seelsorgers.

Im Befehlsurteil und dem daraus fließenden Tun offenbart sich die Stellung, die dem Menschen seinsmäßig zwischen dem ungeistigen Tier und dem stofffreien Geist zugewiesen ist.

Das Tier kennt sein Wesen nicht und befolgt in dem darauf bezogenen Tun notwendig bindende Gesetze, die es sicher und zielgerecht führen.

Der reine Geist durchschaut sein Wesen ganz und klar und gewinnt aus dieser Schau zielgerechte Gesetze für sein Tun. Diese befolgt er notwendig und bejaht sie zugleich in voller Freiheit.

Der Mensch erkennt sein Wesen mehr als das Tier das seine und weniger als der Geist das seine. In seinen allgemeinen Strukturen erkennt er es klar und in seinen individuellen nur dunkel. Dieser zweifachen Erkenntnis entsprechend entwirft er für das Tun ein zweifaches Gesetz mit entsprechenden Eigenschaften. Auch er wird naturhaft notwendig zu seinem Naturgut getrieben. Diesem Drang kann er im freien Tun weder ganz widersprechen, noch braucht er ihm ganz zu entsprechen. Dem stoffgebundenen Geist fehlt die Helle, um das Sein ganz zu durchleuchten, und dem triebverbundenen Willen mangelt die Freiheit, das notwendige Wahre in voller Freiheit zu bejahen. Über Unwahrheiten und Halbwahrheiten in seinen Urteilen und Entscheidungen, über Fehlleistungen in seinem Willen, muß er sich in ständigem Streben um das ganz Wahre und um ganz Gute bemühen. Der Wert dessen, was er am Ende erreicht, was er aus sich gemacht hat, bemisst sich weniger nach dem, was er tatsächlich geworden ist,

sondern mehr nach dem, was er nach bestem Wissen und Gewissen werden wollte.

III. « KLUGHEIT DE FLEISCHES » STATT SITTLICHER KLUGHEIT?

1. *Ein falsche Theorie.*

Die vorausgehenden Überlegungen zeigten, daß der Mensch
die ihm von seiner Situation unaufhörlich gestellten Aufgaben
nicht schon menschengemäß erfüllt, wenn er sich dabei genau
an die « *technischen* » Spielregeln des Sachbereichs hält, in dem
seine Aufgabe liegt, daß er außerdem und vor allem auch die
dazu gehörenden sittlichen Richtlinien befolgen muß. Wird das
unterlassen, kann eine Handlung, zB eine Operation, die lege ar-
tis *einwandfrei* ist, sittlich doch *schlecht* sein. Der Handelnde ist
niemals nur « *Sachbearbeiter* », sondern immer auch *Mensch,* und
deshalb muß sein Handeln, um ganz gut zu sein, auch immer
unter dieser zweifachen Gesetzlichkeit stehen und ihr entsprechen.
Bonum ex integra causa.

Auf die in der Theorie oft und in der Praxis noch öfter
vertretene Ansicht, die einzelnen Sachgebiete seien nur nach
jenen sachlichen oder technischen Gesetzen, nicht aber auch nach
sittlichen Grundsätzen zu bearbeiten, wird hier nicht eingegangen. Der Grund für solche Ansichten liegt entweder in einer
verkehrten Haltung des Willens gegenüber dem Sittlichen und
dem Sollen oder in einer falschen Deutung der « Sachgesetzlich-
keit ». Dieser Irrtum besteht darin, daß man meint, die Sachgesetze, wie die der Wirtschaft, Politik usw. ließen einer anderen
Gesetzlichkeit überhaupt keinen Raum und Ansatzpunkt, sie
setzten sich rücksichtslos gegen alles andere durch. Das ist nicht
wahr. Wohl haben die einzelnen Kultursachgebiete eine eigene
Gesetzlichkeit, nach der der in ihnen arbeitende Mensch sich
richten muß. Aber der gesetzmäßige Ablauf dieses Arbeitens ist
nicht unbeeinflußbar. So ist es ein Wirtschaftsgesetz, daß bei
Güterknappheit die Preise steigen. Der Mensch kann aber sowohl
die Voraussetzungen für diese Steigerung ändern, wie auch die
Steigerung selbst regulieren. Die hier eingeschalteten sittlichen
Gesetze stören die Eigengesetzlichkeit des Wirtschaftslebens nicht,

sondern helfen mit, daß dieses seine eigentliche Aufgabe erfüllt. Seiner Eigengesetzlichkeit ganz überlassen, wird es zum Widersinn und bricht sogar in sich zusammen. Das erkennen auch besonnene Nationalökonomen an. «Das Wirtschaftsleben spielt sich nicht in einem moralischen Vakuum ab, es ist vielmehr dauernd in Gefahr, die ethische Mittellage zu verlieren, wenn es nicht von starken moralischen Stützen getragen wird, die vorhanden sein und fortgesetzt gesichert werden müssen. Andernfalls muß schließlich ein System freier Wirtschaft und mit ihm die freie Staats- und Gesellschaftsordnung zusammenbrechen... So ergibt sich, daß auch die nüchterne Welt des reinen Geschäftslebens aus sittlichen Reserven schöpft, mit denen sie steht und fällt, und die wichtiger sind als alle wirtschaftlichen Gesetze und nationalökonomischen Prinzipien» [17].

2. *Anerkennung der sittlichen Klugheit.*

Es gibt aber auch eine andere Ansicht, die die sittlichen Gesetze als eine durchaus notwendige Ergänzung der Sachgesetze anerkennt, die aber doch behauptet, gerade des sittlichen Zieles dieser Sachbereiche wegen, müsse der darin wirkende Mensch oft die sittlichen Gesetze verraten. So sei es besonders im Bereich des Politischen.

Wer sich hier nach den Forderungen der sittlichen Klugheit richte, schade der Sache und dem Volk, das er vertrete, und so bleibe ihm der «guten Sache wegen», nichts anderes übrig, als die «Klugheit des Fleisches» zum Richtmaß seiner Entscheidungen zu machen. Hier erhebt sich im gleichen Individuum der Politiker wider den Menschen, und es bleibt ihm keine andere Wahl, als: entweder den politischen Auftrag zu erfüllen und dann das sittliche Gewissen zu verraten oder dem Gewissen zu folgen und dann Land und Volk ins Unglück zu stürzen. Die «Staatsraison» verlangt, zu heucheln und zu lügen, Bindungen einzugehen, ohne sich gebunden zu fühlen, die Ehre anderer zu verletzen und andere für das anzuklagen, was man selbst verschul-

---

[17] W. Röpke, *Ethik und Wirtschaftsleben*, in: *Wirtschaftsethik heute*, Hamburg 1956, 23.

det hat. « Zum Wesen der Staatsraison gehört es gerade, daß sie sich immer wieder beschmutzen muß durch die Verletzung von Sitte und Recht... » [18]. Schon Plato hat die Lüge, sofern sie dem Staatswohl förderlich ist, für erlaubt gehalten [19], und andere haben das Erlaubtsein von sittlich Unerlaubtem noch über die Lüge ausgedehnt. « Man darf in der Politik nicht nur lügen » (C.M. Talleyrand). Wieder andere sehen in einem solchen Kompromiß zwischen Verbotenem und Gebotenem zwar etwas Unerlaubtes, « etwas aus der Sünde und der Sühne Bedürftiges [20], finden jedoch keinen Weg, ihn zu umgehen [21]. Endlich meint man, das in sich Verkehrte könne dadurch wenigstens zu einem relativ Guten werden, daß es einem guten Zweck dient [22].

So kommt man zu Folgerungen und Formeln für das politische Verhalten, die sich weitgehend mit denen Machiavellis decken, wenngleich sie nicht dessen Lehre von Mensch und Staat zur Voraussetzung haben. Sie stützen sich vielmehr auf die ebenso sichere wie beklagenswerte Tatsache, daß viele Staatsmänner sich nicht um sittliche Normen kümmern. Wer sich im politischen Zusammenspiel mit ihnen nicht auch ihrer Regeln bedient, ist immer der Dumme und der Verlierer.

---

[18] Fr. Meinecke, *Werke*, hrsgb. v. H. Herzfeld, C. Hinrichs, W. Höfer, München 1957, 14; vgl. 18. In einem ethischen Zwielicht stehen nach L.H. Martensen auch die großen Helden der Geschichte. Sie, « die mitten in der Revolution eine heilsame Tat üben und rettende Taten ausführen, entgehen nicht dem Los der sittlichen Befleckung und Versündigung, was zu dem Tragischen ihres Geschicks gehört. Wer durch Tyrannenmord sein Vaterland rettet, wird nichtsdestoweniger von dem Schatten des Ermordeten verfolgt » (a.a.O.2. Teil, 2 Abt. 272). Saint Just: « Niemand kann regieren, ohne schuldig zu werden ».

[19] Platon, *Politeia*, III, 389 B; vgl. II, 382 D. Auch H. Thielicke hält die Lüge zu politischen Zwecken für erlaubt. Allerdings soll sie auf diesen Bereich beschränkt bleiben. Die « gesellschaftliche Abriegelung der politischen Lüge ist wirklich nur unter der Voraussetzung möglich: daß eben die politische Lüge ein pudendum ist und daß sie darum streng auf den amtlichen Bereich des Politischen und auf die Schicht der Amtsträger beschränkt wird, daß man also streng zwischen dem amtlich Erlaubten oder besser: Erzwungenen auf der einen und dem ethisch-human Gebotenen auf der anderen Seite unterscheidet » (*Theologische Ethik*, II, 1, n. 478).

[20] Vgl. H.L. Martensen, a.a.O. 2. Teil, 1. Abt. 264, 262.

[21] H. Thielicke, a.a.O. n. 464.

[22] Fr. Meinecke, a.a.O. 7.

3. *Schwierigkeit, sie zu üben.*

Es braucht nicht eigens gezeigt zu werden, daß es für den Politiker besonders schwer ist, auch in sittlicher Hinsicht situationsgerechte Entscheidungen zu treffen. Der objektiv immer schon undurchsichtige politische Sachbereich ist das heute, wegen der Verflochtenheit fast aller Länder in die politischen Angelegenheiten eines jeden einzelnen, mehr denn je. Als subjektive Schwierigkeit kommt hinzu, daß die einzelnen Politiker sich nach ganz verschiedenen Werttafeln richten.

Aber von der Politik gilt das Gleiche wie von der Wirtschaft. Wollte man alle sittlichen Richtlinien von ihr ausschließen und sie nicht einmal ihrem materialen Gehalt nach gelten lassen, zerstörte man durch eine solche Politik unvermeidlich deren Sinnziel. Der Minimismus an sittlicher Bindung, den nicht wenige Politiker üben, wirkt nur deshalb seine zerstörende Kraft nicht ganz aus, weil er aufgefangen wird durch das Verhalten der anderen, die sich dem Sittlichen mehr verpflichtet fühlen.

Der «gewissenhafte» Staatsmann, der einen solchen Minimismus als Haltung ablehnt, muß ihn jedoch als Tatsache sehr wohl beachten, wenn er situationsgerecht urteilen und handeln will. In der Form seiner letzten Entscheidung muß mitgesehen sein, daß andere seine Redlichkeit zu mißbrauchen versuchen. Trotzdem darf diese Entscheidung deshalb nicht auch widersittlich sein. Sie darf nicht ein Kompromiß werden zwischen Gebotenem und Verbotenem.

Das Problem, das sich inbezug auf viele Entscheidungen und Verhaltensweisen stellt, erscheint besonders häufig und deutlich in der Frage nach der Verpflichtung zur Wahrhaftigkeit.

Sie ist für jeden naturgesetzlich geboten, wie ihr Gegenteil verboten ist. Aber jede Situation hat auch *ihre* Wahrhaftigkeit. Nicht jede, und vor allem die politische nicht, verlangt oder duldet die gleiche offene Wahrhaftigkeit, wie auch keine die offene Lüge rechtfertigt. In sehr vielen Fällen muß ein Weg, muß eine Ausdrucksform gefunden werden, die die Lüge einerseits ausschließt und anderseits vermeidet, daß die Wahrheit Schaden stiftet. Keiner hat das Recht, einen anderen zu belügen, aber nicht jeder andere hat das Recht auf die volle Wahrheit. Zu letzteren gehören auch jene, die sich selbst nicht an die Wahrheit gebunden halten. Die entsprechende Formel ist kein Kompromiß zwischen Verbotenem und Erlaubten, sondern zwischen zwei verschiedenen sittlichen Forderungen, deren Geltungsanspruch in dieser bestimmten Situation abzuwägen und dem entsprechend das konkrete Verhalten einzurichten ist. Das ist kein Zugeständnis an die menschliche Schwäche, sondern die situationsgerechte Anwendung des allgemeinsten Richtmasses, das Gute zu tun. Zu dieser Situation gehören allerdings tatsächlich Menschen, die sittlich schwach sind und sich zB um die Wahrheit nicht kümmern. Ist dem Staatsmann auch wie jedem anderen Menschen die Lüge verboten, so ist ihm doch mehr als anderen erlaubt und sogar geboten, die Wahrheit in einer verschleierten Weise zu sagen. Allerdings wandelt ein solcher Politiker auf einem schmalen Pfad, und es gehört eine besondere, durch andere sittliche Tugenden gefestigte Klugheit dazu, um ihn erst einmal zu finden und ihn dann im Gewirr der vielen anderen verbotenen Wege nicht aus den Augen zu verlieren. Zu diesen dafür notwandigen Tugenden ist vor allem die der Wahrhaftigkeit selbst zu rechnen.

Nur darf dieser Pfad, auf dem die Wahrheit sich in der Form von Zweideutigkeit bewegt, nicht als einer der Wege angesehen werden, auf denen die Lüge schreitet. In beiden Fällen handelt es sich nicht nur um bloße Wortunterschiede, sondern um verschiedene Sachverhalte, die auch dann noch innerlich verschieden bleiben, wenn sie äußerlich einander sehr ähnlich zu sein scheinen.

Es ist denkbar, daß ein Politiker, der sich zur Wahrhaftigkeit bekennt, dieses oder jenes in sich erlaubte und von seinem Staat von ihm erwartete materielle Zielgut nicht erreicht. Aber auf die Dauer wird er sich doch durchsetzen, und das moralische Ansehen, das er sich verschafft, ist wohl auch für sein Volk ein höherer Gewinn. So sicher die verschiedenen materiellen Güter zum Gemeinwohl gehören, so sicher fällt dieses nicht mit ihnen einfach zusammen oder hat in ihnen seine Spitze. Es kann keinem Staatswesen auf die Dauer guttun, wenn man sein Gemeinwohl in dieser verkürzten Weise versteht und den höheren Teil darin zerstört, um den niederen zu verwirklichen. Die Staatsraison, auf die man sich dabei beruft, ist nicht die Stimme des wahren Gemeinwohls, sondern dessen Mißdeutung durch den Politiker.

4. *Unnötige Erschwerung der Lage.*

Die in sich schon schwierige politische Situation bietet dem sie zu verstehen suchenden Klugheitserkennen noch besondere Schwierigkeiten dadurch, daß in die allgemeinen sittlichen Richtlinien und Vorentscheide Ansichten eingeführt und als *gesichert* ausgegeben werden, die es nicht sind. So zB die Behauptung: Jeder mit neuzeitlichen Waffen geführte Krieg ist sittlich unerlaubt.

Außer solchen *Lehren,* können auch *Meinungen* politische Entscheidungen zusätzlich erschweren, wenn sie zu einer « offentlichen Meinung » geworden sind. So schwach oft ihr Wahrheitsgehalt ist, so stark ist der Einfluß, den sie auf die Mitglieder der Staatsgemeinschaft ausüben können. Hierhin gehören besonders die Vorstellungen, die man sich von den Rechten des eigenen Nationalstaates macht. Diesen wichtigen Bestandteil seiner Situation darf der Politiker ebenfalls nicht übersehen oder unterbewerten, wenn er eine richtige Entscheidung will. Und wenn er ihn beachtet, erschwert er sich damit nicht nur die richtige Entscheidung, sondern auch seine eigene Stellung.

5. *Der Staatsbürger.*

Zu Klugheit des Fleisches wird heute besonders der Staatbürger verlockt, wenn nicht fast gezwungen, der in einem « totalitären » politischen Gebilde leben muß, dessen offizielle Lehre und Weltanschauung er nicht anerkennt. Menschen, die einerseits in einem solchen Staate bleiben müssen und anderseits die meisten seiner Gesetze doch nicht anerkennen können,[23] wissen der Unehrlichkeit, Verstellung und Zweideutigkeit kaum zu entgehen. Oder sie wählen am Ende, wie viele andere, den leichteren Weg, der sich jedoch vor dem Gewissen nicht vertreten läßt.

Daß die allgemeinen Richtlinien des sittlichen Handelns im

---

[23] Über die nicht annehmbare Ansicht von D.C. Dibelius, über die Verbindlichkeit unvernünftiger, aber von einer rechtmäßigen Regierung erlassener, und über die Unverbindlichkeit vernünftiger, aber von einer nicht rechtmässigen Regierung erlassener Gesetze, sowie über die dadurch ausgelöste Diskussion, vgl.: *Dokumente zur Frage nach der Obrigkeit,* Darmstadt 1960.

Hinblick auf diese Situation eine Gestalt erhalten, die sich beträchtlich von den konkreten Richtmassen für Bürger demokratischer Staaten unterscheidet, ist leicht einzusehen.

Aber in verschiedenen Lagen ist der Mensch nicht zu Gleichem verpflichtet. Vor allem nicht zur «Äußerung» seiner inneren Willensakte in sichtbaren Handlungen, wenn ihm daraus ein ungewöhnlicher Nachteil erwüchse. Das sittlich gute Leben ist zunächst und wesentlich ein innerer Willensvorgang, dessen naturgemäße Fortsetzung in äußeren Akten weder immer in der Macht des einzelnen liegt noch von der Klugheit immer gefordert wird. Physischer Druck der politischen Machthaber kann die äußeren Akte sittlich guten Handelns weitgehend unmöglich machen und die inneren erschweren; doch verhindern kann er diese nicht. Keine fremde Macht kann den Menschen daran hindern, sein konkretes Endziel richtig zu wählen und sich in seinem freien Tun und Lassen innerlich richtig darauf einzustellen. Wohl kann es geschehen, daß jemand auf Grund einer äußeren Beeinflussung schuldlos ein Endziel wählt, das objektiv *falsch ist.* Das werden in den totalitären Staaten heute sehr viele tun, die von Jugend auf systematisch im Atheismus erzogen werden, die nur hören, daß der Menschengeist eine Frucht der sich aus sich entwickelnden Materie, die Freiheit eine Funktion von Notwendigkeiten, das Kolloktiv die höchste Wirklichkeit, der Einzelmensch nur ein Teil in ihm, und der Leiter von ihm das unfehlbare Lehramt ist. Den meisten dieser Menschen fehlen sowohl die subjektiven wie objektiven Möglichkeiten, all das kritisch zu prüfen.

Aber bei allen Irrtümern erfahren sie doch auch die Wahrheit, daß das Gute zu tun ist und sehen selbst unmittelbar die Wahrheit und Verbindlichkeit dieses Satzes ein.[23a] Wenn sie nun nach bestem

---

[23a] Dieser Grundsatz widersetzt sich dem Versuch, seine Gültigkeit im Ernst zu bezweifeln. Darum tritt der Fall, wie Descartes ihn vor Augen hat, gar nicht ein. Nach Descartes müßte man an sich vor die Begründung der praktischen Wahrheit den Zweifel ebenso an den Anfang stellen, wie beim Sicherungsversuch der theoretischen Wahrheit. Weil das jedoch nicht möglich sei, weil er Mensch handeln müsse, auch bevor die praktische Wahrheit gesichert ist, müsse man sich eben nach ungesicherten Gesetzen richten, «als ob» sie schon begründet wären. So ergebe sich dann eine «morale de provision». Vgl. *Discours de la Méthode*, 3. Teil 3; H. WEIN, *Der wahre cartesianische Zweifel*, in: *Zeitschrift für philosophische Forschung* 10 (1956) 3-28, - Ein Handeln, das sich erweist, als die wenigstens *subjektiv* oder

Wissen und Gewissen dem allgemeinen Befehl die ihrer Situation entsprechende Form und Gestalt geben und danach handeln, widerlegen sie durch die Praxis ihre Theorie. In der praktischen Bejahung des sittlichen Grundgesetzes, bejahen sie auch den Gesetzgeber selbst. Und indem sie sein Gesetz auf ihre Weise erfüllen, begegnen auch sie ihm einmal als ihrem höchsten Gut.

B. DIE KLUGHEIT IN DER ÜBERNATÜRLICHEN ORDNUNG

I. DIE ÜBERNATÜRLICHE ERHÖHUNG.

Sie besteht an erster Stelle darin, daß dem Menschen ein « über » seiner Natur liegendes Endziel gegeben worden ist. Es liegt «jenseits» ihres Verlagens, ist deshalb nicht geschuldet, sondern geschenkt.

Doch kann das neue Endziel nicht schlechthin neu und anders sein, da der Mensch schon naturhaft auschließlich, den zum Endziel hat, über den hinaus es kein anderes mehr gibt. Darum besteht das Neue in der neuen Art, wie der erhobene Mansch sich mit seinem Ziel, und dieses sich mit ihm verbindet.

Ebenso ist der «verübernatürlichte» Mensch nicht etwas ganz Neues geworden. Bei allem Erhobensein in eine andere Ordnung, hat et seine doch nicht verlassen; er ist etwas anderes geworden, ohne aufzuhören, Mensch zu sein. Dann kann auch die Begegnung selbst mit dem neuen Ziel nicht in jeder Hinsicht von der im natürlichen Bereich verschieden sein. Dort vollzog sie sich schon im Geistigen, durch die Akte des Erkennens und Wollens, durch jene also, die die höchsten des Menschen sind und in der neuen Ordnung nicht durch andere ersetzt werden können, die der Gattung nach höher wären.

Das Neuartige in der übernatürlichen Mitteilung Gottes besteht darin, daß er sich dem Menschen nicht als Gott der eine sondern als dreipersönlicher schenkt. Er gibt sich ihm so, wie er, Gott, sich selbst hat. Und das Neuartige auf seiten des Menschen: Er steht nicht mehr vor Gott wie ein Knecht und Diener, sondern wie ein Kind und Freund.

---

praktisch richtige Verwirklichung jenes in sich einleuchtenden Grundsatzes, ist sittlich wahr oder gut.

Mit dem Geschenk eines solchen Zieles an den Menschen, war eine zweite übernatürliche Gabe an diesen notwendig verbunden: Eine entsprechende innere, seinshafte Erhöhung, ohne die jene Begegnung nicht vollzogen werden könnte. Der Mensch wurde in sich über sich erhöht und so der inneren Mächtigkeit nach seinem neuen Ziel angeglichen.

Das geschah dadurch, daß seiner Natur, als dem Tätigkeitsgrund, ein Sein zusätzlich verliehen wurde, das eine Teilhabe am göttlichem Leben *als solchem* ist, die sogenannte heiligmachende Gnade. Diese erhöhte Natur ist fortan Form und Norm seines Tuns. Mit der Erhöhung des Tätigkeitsgrundes ist zugleich eine entsprechende der Tätigkeitsvermögen, des Verstandes und Willens, verbunden.

Für den Willen bedeutet das, daß er nicht mehr wie früher, Gott auf menschliche Weise lieben muß, sondern ihn so lieben kann, wie er, Gott, sich selbst liebt. Wie das Erkennen dem Wollen naturhaft vorausgeht und beide auf der gleichen Ebene stehen, mußte vor und mit dem Willen auch der Verstand im gleichen Sinn erhöht werden. Dadurch wird er befähigt, Gott nicht nur begrifflich-mittelbar, sondern unmittelbar und in sich zu erkennen, wiederum, wie Gott selbst sich erkennt.

Wie in der natürlichen Ordnung Gott jedoch erst nach dem Tode des Menschen zu dem diesen vollendenden Endziel wird, so bleibt es auch im erhöhten Zustand. Auch hier wird der Mensch erst nach seinem Tode Gott so sehen, wie er in sich ist, und die Frucht dieser ungetrübten Schau wird die vollendete und endgültig beglückende Liebe zum Geschauten sein. Der übernatürliche irdische Mensch ist ebenfalls Wanderer, der auf dem Wege zu seiner Endbestimmung ist, und ähnlich wie im natürlichen Zustand, bleibt das zu erreichende Ziel für sein Erkennen in Dunkel gehüllt. Er schaut es nicht, sondern glaubt es mit unzulänglichen Begriffen, die der natürlichen Ordnung entnommen sind.

Aber dieses Erkennen, so sehr es dem übernatürlichen Menschen als einem Wanderer auch entsprechen mag, entspricht ihm doch nicht als einem Freunde Gottes. Durch die Liebe ist er schon als Wanderer in affektiver Weise mit seinem Endziel verbunden, wie sie nachher, wenn er am Ziel angekommen ist, nicht anders sein wird. Die irdische Verbindung mit Gott in der überirdischen Liebe ist Freundschaft, Lebenseinheit, ein gegenseitiges Sich-Schenken. Damit das vom Glauben geleitete Erkennen dieser Höhe entspreche, muß es selbt erhöht werden. Das geschieht durch die « Geistgaben » der Einsicht, des Wissens und der Weisheit. Sie machen den Menschen tauglich, sich unmittelbar von der We-heit des Hl. Geistes selbst führen zu lassen, der jetzt gleichsam für ihn denkt und die Richtmaße für das Handeln formt. Doch haben sie noch die Bewandnis des Allgemeinen und müssen deshalb dem Konkreten, in dem sich das menschliche, selbst konkret seien-de Handeln abspielt, angepaßt werden. Das ist, wie gleich gesagt wird, die Aufgabe der « übernatürlichen » Klugheit.

II. Die Umwertung des Natürlichen.

Ohne Zweifel erfährt der Mensch durch das ihm von Gott gemachte zweifache Geschenk, durch das neue objektive Endziel und die subjektive Anpassung daran, als Ganzer eine Vervoll-kommnung, die « alles Verlangen übersteigt ».

Doch zugleich erleidet das in ihm fortbestehende Natürliche in gewisser Hinsicht auch eine Zurücksetzung. Es wird als solches zweitrangig. Das gilt ebenfalls für die sittlichen Tugenden, obwohl auch sie zugleich mit den « göttlichen », Glaube, Hoffnung und Liebe, dem Menschen als Gehaben mitgeschenkt und erhöht worden sind. In einem durch den Glauben überformten Verstand kann die Klugheit die ihr in der natürlichen Ordnung zukom-mende Stellung nicht mehr behaupten; sie muß die Führung zum Teil an den Glauben abtreten. Ebenso verliert sie zu Gunsten der Liebe an Einfluß auf die Willenstugenden.

Sie bezieht sich wohl weiter auf innerweltliche Mittel und Zwischenziele, doch die allgemeinen Richtlinien, die sie jetzt darauf anzupassen hat, sind nicht mehr vom natürlichen Verstand aus natürlich gewonnenen Begriffen gebildet, sondern dem glaubenden Verstand von Gott mitgeteilt. Dabei wird die Glaubenskraft des Verstandes noch verstärkt durch mitgeteilte « Geistgaben ». Durch sie vermag der Mensch sein übernatürliches Endziel konkret und als persönliches Anliegen zu verstehen [24].

---

[24] s th II-II 6; 8.

Durch den Glauben allein gelingt das weniger, da er im theoretischen Verstand beheimatet ist[25]. Im Hinblick auf das so begriffene Endziel bestimmt die neue Klugheit das Verhalten gegenüber den konkreten Zwischenzielen und Mitteln. Aber noch mehr wird ihre natürliche Aufgabe an den Willenstugenden von der Liebe übernommen, wenn sie von dieser auch nicht ganz verdrängt wird. Die sittlichen Willenstugenden selbst behalten ebenfalls in der übernatürlichen Ordnung ihre Sachziele.

III. Die Liebe und die eingegossenen sittlichen Tugenden.

Thomas von Aquino stellt die Frage, ob die übernatürliche Liebe ohne die sittlichen Tugenden sein kann und diese ohne sie[26]. Nach ihm können die sittlichen Tugenden in der natürlichen Ordnung wohl ohne die Liebe bestehen, kommen aber dann aus einem unvollkommen Zustand nicht heraus. Als eigentliche Tugenden sind sie jedoch ohne die Liebe im übernatürlichen Bereich nicht möglich.

Die Liebe verbindet den Menschen auf das Vollkommenste mit seinem übernatürlichen Endziel[27] und ist zugleich Form und Norm der sittlichen Tugenden, da sie alle umgreift, durchdringt und formt[28]. Sie gibt ihnen, über ihren unmittelbaren Gegenstand hinaus, auch noch die Richtung auf ihr eigenes Ziel, auf Gott selbst. In der Liebe und durch sie übersteigen die sittlichen Tugenden sich und ihre Nahziele; sie erreichen Gott, das Fernziel, und nehmen teil am Wert und an der Natur der Liebe.

Deren Einfluß erstreckt sich bis auf die Klugheit. Von ihr geleitet, bestimmt die Klugheit jetzt, welches Verhalten im Bereich der Zwischenziele dem göttlichen Gesetz am meisten entspricht[29].

Wie ist es jedoch möglich, daß, entgegengesetzt den natürlichen Verhältnissen, in der übernatürlichen Ordnung die Liebe

---

[25] II-II 47, 13 Zu 2; II-II 4, 3.

[26] I-II 65, 2; 3; II-II 23, 7.

[27] II-II 23, 6.

[28] I-II 65, 2. Vgl. C.A. van Ouwerkerk, *Caritas et Ratio*, Nijmegen 1956, 20-52.

[29] II-II 23, 8; I-II 62, 4.

262

führen kann? Sie ist doch eine Willenstugend und bedarf deshalb, wie der Wille selbst, der Führung. Wäre es nicht entsprechender und notwendig, die Verstandestugend des Glaubens der
Liebe vorzusetzen und ihr die Leitung zu überlassen?

Das ist deshalb nicht möglich, weil der Glaube nicht auf der
gleichen Höhe steht wie die Liebe[30]. Die erkenntnismäßige
Vereinigung mit Gott, die er herbeiführt, ist unvollkommer als die
affektive, die in der Liebe besteht. Jene wird durch Begriffe ver-
mittelt; diese ist unmittelbar. Die Vereinigung mit Gott im Glauben wird einmal durch die im Schauen abgelöst, wogegen die
irdische Liebesverbindung mit ihm wesentlich die gleiche ist
wie die jenseitige.

Die Liebe bedarf auch einer solchen Führung nicht, weil sie
in sich und notwendig immer schon recht gelenkt, dh auf Gott
bezogen ist. Darum kann sie auch durch sich den sittlichen Tugenden diese Ausrichtung geben. Als affektive Vereinigung mit
Gott, dem Höchstgut, wird sie als solche von diesem selbst
hervorgebracht; sie ist keine Eigenleistung des Menschen. Darum
wird sie auch von Gott selbst, von seiner Weisheit gesteuert[31].
Gottes Weisheit, nicht das Glaubenswissen des Menschen, ist
ihr Licht. Sie vermag darum auch auf den Glauben, die Tugend
im theoretischen Verstand, so einzuwirken, daß er sich dem
praktischen Leben zuwendet. Aus dem Gesagten ergibt sich, daß
zwischen Liebe und Klugheit größere Ähnlichkeiten bestehen, als
zwischen Glaube und Klugheit.

Deshalb dürfen doch die Unähnlichkeiten nicht übersehen
werden. Die Klugheit ist Form der sittlichen Tugenden in der
Ordnung der Formalursache; die Liebe dagegen in der Ordnung
der Wirkursache, indem sie bewegt. Allerdings wird diese Bewegung von den sittlichen Tugenden innerlich, gleichsam wie eine
Form aufgenommen. Innerhalb bestimmter Grenzen ist die Liebe
auch Formgrund der sittlichen Tugenden, jedoch in anderer
Art als die Klugheit. Die Klugheit formt im eigentlichen Sinn;
die Liebe insofern, als im Hinblick auf sie die sittlichen Tugenden

---

[30] II-II 23, 6; 17, 8.
[31] II-II 24, 1 Zu 2. Vgl. II-II 27, 6 Zu 3; I-II 90, 1 Zu 1; v. OUWERKERK,
a.a.O. 37, 69, 72/73.

eingegossen sind, als ihr Eingegossensein den Grund in der Liebe hat[32].

In einem Menschenleben, in dem die Liebe zur vollen Entfaltung und Herrschaft gekommen ist, vermag die Klugheit nicht einmal ihre eingeschränkte Aufgabe zu lösen. Ein solches Leben wird, wie die Liebe selbst, in allen seinen Vollzügen von Gott gesteuert. Durch eine besondere Gabe, durch die des «Rates», wird der Mensch befähigt, den führenden Anruf Gottes zu vernehmen[33]. So kommt das letzte praktische Urteil, das den Willensentscheid hervorbringt, ohne mühsames schlußfolgerndes Denken zustande[34]. Ein solches Urteil zu finden, übersteigt auch die Kraft der vom Glauben geleiteten Klugheit[35].

[32] v. Ouwerkerk, a.a.O. 49/50.
[33] II-II 52, 1 Zu 1; 52, 2.
[34] II-II 52, 1.
[35] II-II 52, 2.

DOMENICO CAPONE

DISSERTAZIONI E NOTE DI S. ALFONSO
SULLA PROBABILITA' E LA COSCIENZA DAL 1748 AL 1763

SUMMARIUM

Ab anno 1748 ad annum 1777 pluries egit s. Doctor de modo perveniendi ex dubio vel ex opinione probabili ad certum de agendo iudicium in situatione.

Examini subiiciuntur Alfonsi Dissertationes atque Notae ab anno 1748 ad 1763, quo anno devenit ad plenam evolutionem et expressionem suae doctrinae; quin tamen ei opus fuerit substantialiter hanc doctrinam immutari.

Aspectus sub quo consideratur mens eius in singulis operibus est enucleatio per gradus conceptuum probabilitatis et certitudinis in moralibus, et vindicatio valoris non logicalis sed moralis dialecticae ex probabilitate in efformando certo conscientiae iudicio.

Clare primatum prudentiae asserit Alfonsus atque fundamentale principium flexibilitatis regularum casuisticae theologiae enuntiat, vi cuius criterium veritatis moralis in electione sumitur ex necessitate servandi *to* esse personae agentis ut participationem *tou* esse Christi, ita ut rationes probabilitatis obiectivae alium valoris gradum possint in praxi assumere, a iudicio theoretico discrepantem.

Inde deducitur doctrinam alfonsianam arcte et apte cum doctrina divi Thomae, ut ipsi quam maxime cordi erat, cohaerere; praesertim ubi Doctor communis de veritate practica prudentiae agit.

Immo, si profundiori examini doctrina alfonsiana subiiciatur, asserendum videtur illam, quamvis non reflexe et signate, exercite tamen et vere, inniti in ontologia *tou* esse personae prout est participatio intensiva *tou* esse Dei, ita ut persona plus dicat quam simplex natura. Quae participatio in ordine supernaturali et theologico ponitur cum s. Paulo ut ontologia Mysterii Christi, vi cuius nostrum esse et ideo nostra persona et conscientia et libertas gaudent in Christo superioritate ordinis verticalis finalitatis et caritatis relate ad ordinem instrumentalem rerum et legum particularium, nempe ordinem horizontalem multiplicitatis.

Ideo s. Alfonsus vindex est personae moralis et conscientiae et libertatis, prout tamen persona libera dynamisatur a caritate et conscientia regitur a prudentia. Et ita ille discedit a legalismo tum ontologico-pluralistico, tum nominalistico-iuridistico.

*
* *

Parlare di « casistica » e di « sistemi morali » può sembrare come fare opera da archeologo. Si tratterebbe di concezioni della vita morale fuori delle grandi virtù della carità e della prudenza; le quali invece devono esser ispirazione e chiave in una vita morale che voglia essere autenticamente cristiana.

Eppure s. Alfonso discese nella non amena valle della casistica e prese parte alla controversia sulla dialettica delle probabilità in sede di coscienza, proprio per indicare alle anime la via della prudenza nel deliberare, e per determinare in esse una conversione che fosse aperta al dinamismo della carità teocristocentrica.

Egli infatti era convinto che proprio l'oggetto di queste due virtù, cioè la verità della salvezza in Gesù, esigeva tanto la elaborazione e la difesa di una teologia morale casistica non giuridistica ma prudenziale, segnata dall'equilibrio umano-divino dell'incarnazione, quanto anche la retta soluzione della controversia sulla natura e sul valore della probabilità delle regole di morale in sede di coscienza.

Studioso, missionario e soprattutto santo in stretta comunione col Cristo, col Cristo totale, sentiva che né il giuridismo a sfondo nominalistico ed umanistico, né il rigidismo dell'ontologia formale, ma solo la ontologia dell'essere intensivo dell'uomo nuovo nel Cristo poteva fondare e sviluppare una dottrina della verità morale veramente salvifica. Così mise da parte rigorismo e lassismo e pose le anime per la via cristiana della incarnazione.

Parlando della probabilità morale, che è il tema che a noi qui interessa, egli scrive:

Tre anni or sono (nel 1762), mi *indussi* a dar fuori una mia dissertazione circa l'uso moderato dell'opinione probabile, appunto

per non vedere illaqueate le coscienze di molte anime, con gran
pericolo della loro eterna salute, dall'obbligo che alcuni scrittori oggi
vogliono, secondo il lor rigido sistema, esser di precetto grave di non
poter seguire in tutte le azioni umane altre sentenze, se non quelle
che sono moralmente certe a favor della libertà.
Nella mentovata mia dissertazione credetti aver provata evidentemente la sentenza da me difesa (cioè che la legge non obbliga
se non promulgata e resa certa) coll'autorità de' teologi e specialmente
di s. Tommaso l'Angelico...
Io mi protesto che in tutto quello che ho scritto in questa materia
altro non ho preteso né pretendo, che si scovra la verità di questa
gran controversia, dalla quale dipende la buona o mala direzione
delle coscienze di tutti i fedeli [1].

E' difficile pensare che il santo si sia ingannato nel dar tanto valore ad una soluzione, la quale per alcuni non sarebbe poi
altro che una delle tante tecniche, uno dei tanti « sistemi » per
« formare la coscienza », mettendo da parte la prudenza; e perciò oggi potrebbe al più interessare l'archivista ma non il teologo.

Del resto la storia della Chiesa nell'Ottocento religioso documenta che la dottrina alfonsiana diventò vita autenticamente
cristiana nei fedeli e nei santi; una semplice tecnica non avrebbe potuto diventar difesa di verità e vita di carità.

Certamente i termini della problematica teologica possono
mutare; oggi si diventa più sensibili ad altri aspetti e valori della verità rivelata di salvezza. Lo Spirito Santo rinnova sempre
la vita dei fedeli; ed il *kairós* si pone sempre all'uomo come attuale vocazione della volontà del Padre per mezzo del Cristo, perché si attui vitalmente quale membro del Cristo nella situazione
personale ed ecclesiale; ed il Cristo totale cresca in ogni membro e nell'umanità intera verso il « giorno di Cristo », quando
Dio sarà tutto in tutti. La Pentecoste continua. Ma se è così,
non vi possono essere secoli di vuoto nella presenza del Cristo
nella vita personale-ecclesiale, che è una ed inscindibile nel suo

---

[1] S. ALFONSO, *Dell'uso moderato dell'opinione probabile*, Napoli 1764: dedica
a Clemente XIII.
(Per ragioni critiche e poiché d'altronde gli opuscoli non si stampano da oltre
un secolo e non son facili a trovarsi, citerò dalle edizioni originali, indicando nel
testo la pagina. Per omogeneità farò lo stesso per le citazioni da Amort e da
s. Tommaso).

doppio aspetto; ed il fondo del problema della verità di salvezza che deve farsi vita cristiana sarà sempre quello che i Padri ed i Santi della Chiesa in comunione col Vicario del Cristo testimoniano o affermano o difendono.

Nel Sette ed Ottocento s. Alfonso è stato uno di questi testimoni e maestri. Chi riduce la storia della verità rivelata a semplice processo di elaborazione concettuale pura per poterne ragionare con ragione ragionante, potrà dissentire; ma la verità rivelata è data non per esser contemplata in quiddità, ma per incarnarsi in bontà, in vita nel Cristo; sicché solo i *pastores* ne possono cogliere e dare l'autenticità.

Ci sembra quindi che si faccia non opera di fossore o di archeologo, se ci si fermi sulla « gran controversia dalla quale dipende la buona o la mala direzione delle coscienze di tutti i fedeli », come la vedeva s. Alfonso, testimonio e pastore.

E ci sembra di far cosa opportuna, anche perché i lavori ad essa dedicati dal santo non si stampano più da oltre cento anni e sono perciò quasi del tutto sconosciuti.

Questa sua attività nella controversia intorno alla probabilità morale e sua dialettica in sede di coscienza va dal 1748 al 1777 e si esprime in oltre venti lavori. Noi qui ci limitiamo a quelli che vanno dal 1748 al 1763, quando l'atteggiamento problematico del santo si risolve in una chiarificazione di pensiero e di terminologia che resterà poi sostanzialmente invariata.

1) ADNOTATIO IN BUSENBAUM: DE CONSCIENTIA SPECULATIVE DUBIA - 1748.

Nel 1748 s. Alfonso, imitando il La Croix ed altri autori, curava l'edizione della « Medulla Theologiae Moralis » del gesuita Busenbaum H., aggiungendovi delle *Adnotationes*[2]. Ma egli stesso nel 1753 dichiarava di aver pubblicato queste *Adnotationes* non volentieri e senza impegnarvisi scientificamente:

Opus absolvi; sed quia nimis festinanter fuit illud typis demandatum, ut aliis satisfacerem mihi non satisfeci: plura enim in eo vel

[2] BUSENBAUM H., *Medulla Theologica Moralis cum adnotationibus per R.P.D. Alphonsum De Ligorio*, Neapoli 1748.

non bene excussa exciderunt, vel confuso ordine fuerunt exposita. Idcirco cum ea diligentiore examine necnon clariore methodo indigere animadvertissem, animum ad hanc secundam editionem applicui, in qua ad meliorem ordinem omnia redigere curavi [3].

Fin dalle prime pagine si trovava di fronte al quesito: « Quid agendum cum conscientia speculative dubia ». Il Busenbaum asseriva la liceità della semplice probabilità in favore della libera scelta morale, anche se la determinazione della legge fosse « speculativamente » più probabile: « probabilior » (col. 5). E qui s. Alfonso stendeva la prima nota sull'uso della probabilità.

Per evitare polemiche, che avrebbero nociuto alla sua Congregazione che nasceva allora tra tante difficoltà, non prendeva posizione sul probabilismo del Busenbaum, ma si limitava a dichiarare illecito l'uso dell'opinione « probabiliter probabilis » (useremo questi termini latini ormai classici ed insostituibili), perché fondandosi sulla « probabiliter probabilis », non si agirebbe prudentemente; non si potrebbe cioè fare uso del principio riflesso: « Qui probabiliter agit prudenter agit ».

Questo principio, egli notava, suppone infatti che la probabilità abbia fondamento grave e certo, « alias fallibilitas ista constituit nos potius in dubietatem, cum qua videmur imprudenter operari » (col. 8).

Egli quindi ammette la distinzione tra dubbio speculativo sulla verità oggettiva e certezza pratica riflessa, fondata su di un principio certo non diretto ma riflesso; in forza di questo principio si viene alla certezza morale assoluta sull'onestà pratica e concreta dell'azione. Egli ancora non parla di certezza morale larga che ammette un certo timore di errare; per lui la certezza è una sola: quella che non ammette timore di errore.

Bisogna però notare che, dopo aver detto che nel conferire i sacramenti non si può seguire un'opinione probabilissima favorevole alla libertà nella scelta, ma si deve stare alla probabilità favorevole alla legge, a meno che l'opposta non sia più che probabilissima, sia cioè certa in senso stretto; egli aggiunge che in particolari circostanze è lecita anche la « certo probabilior » (col. 10-11) e cita il La Croix, che parla della « certo probabilior » come di opinione « moraliter certa » [4]. - Ciò va sottolineato per-

---

[3] S. ALPHONSUS, *Theologia Moralis*[2] t. I, Neapoli 1753: ad lectorem.

ché prova che già fin dal 1748 è presente in lui il concetto di una opinione « certe probabilior » qualitativamente distinta dalla semplice « probabilior ». Dal 1762 in poi questa distinzione sarà un punto chiave nel suo pensiero sulla dialettica delle probabilità in sede di coscienza.

2) Dissertatio scholastico-moralis pro usu moderato opinionis probabilis in concursu probabilioris - 1749.

E' una dissertazione in difesa del probabilismo contro il probabiliorismo. Per evitare polemiche, la dissertazione è anonima; ma il nome del santo oltre che nella domanda del tipografo A. Pellecchia per l'autorizzazione alla stampa, è indicato nella approvazione ecclesiastica: « Defaecatam de probabilitate doctrinam desiderabamus; quod praestitit in sua dissertatione solertissimus vir P.D. Alphonsus De Ligorio » [5].

E' un opuscolo in 16° (cm. 15 × 9) di 48 pagine con caratteri molto fitti.

In due paragrafi risponde affermativamente a questi due quesiti: « Utrum liceat usus opinionis probabilis in concursu probabilioris » (p. 5-36); « utrum probabilitas extrinseca veram probabilitatem quandoque constituat » (p. 37-46). Egli difende il probabilismo in forza dei due principii: « Qui probabiliter agit prudenter agit (p. 8): « In dubio legis possidet libertas » (p. 17).

Dal concetto di prudenza, che è « proxima regula nostrarum actionum » (p. 12), legata alla « cogitativa » (ibid) e condizionata alla « ambiguitas rerum agibilium » (p. 11), deduce che « agere ex opinione probabili » è « agere prudenter » e che non si richiede perciò la certezza diretta della verità.

Ma, nonostante quel che abbiamo già notato sulla « certo probabilior », egli non distingue tra certezza che non ammette timore di errare e certezza probabile; ed identifica l'agire « ex opinione obiectiva » con l'agire « ex prudentia ». Però su questo punto egli non è convinto, e ci dichiarerà molto presto il suo vero pensiero.

---

[4] Busenbaum H., *Theologia Moralis nunc pluribus partibus aucta a R.P.Cl. La Croix*, Lib. VI, n. 108, Mediolani 1724; cf. anche Lib. I, nn. 178-181.

[5] [S. Alfonso], *Dissertatio scholastico-moralis pro usu moderato opinionis probabilis in concursu probabilioris*, Neapoli 1749, p. 47.

Quanto al principio del possesso della libertà di fronte alla legge dubbia, è da notare che tale possesso è concepito non come titolo per dirimere una specie di contesa tra legge e libertà di fronte alla scelta morale (« forma mentis » molto frequente in altri probabilisti), ma come valore primordiale dato da Dio all'uomo, per cui questi ha il dominio del proprio atto; come esigenza della stessa « natura aequissima » (p. 18, 20). Attraverso dunque una formula giuridica è presente nel santo un valore ontologico e quindi etico: quello che s. Tommaso pone nel prologo della parte morale della « Summa Theologiae »: per la libertà l'uomo è ed agisce come immagine di Dio.

Comunque in questo primo lavoro s. Alfonso dipende ancora fortemente dal La Croix e dagli altri probabilisti, sicché spesso dà non il suo ma il pensiero degli altri, ed egli esita.

Le sue esitazioni, trattandosi di dottrina da cui dipendeva la salvezza delle anime, che per lui era la ragion d'essere della vita, non è meraviglia che si trasformassero in agitazione intima. Ne abbiamo la documentazione in alcune note di diario.

Vi sono dei biografi che badando alla forma dell'agitazione e non considerandone l'oggetto assai grave, hanno creduto di poter penetrare nelle profondità psichiche del santo; e così parlano di fondo aperto allo scrupolo. Ora lo scrupolo è dar corpo alle ombre; il santo invece esitava non di fronte ad un'ombra, ma di fronte ad una dottrina che in alcuni si poneva realmente come lassismo e causa di deviazione per le coscienze. Per chi ama Dio nelle anime e le anime in Dio questo pensiero è un tormento [6].

3) DISSERTATIO PRO USU MODERATO OPINIONIS PROBABILIS - 1753.

E' la dissertazione inserita nella seconda edizione della sua « Theologia Moralis », in sostituzione della « Adnotatio » del 1748. Consta di 12 pagine (pp. 15-27) in 8° (cm. 25 × 19).

Poiché era sempre necessario evitar polemiche e d'altronde qui il suo nome non poteva esser taciuto, egli formula la sua dot-

---

[6] Sulle agitazioni del santo in età senile segnaliamo la nota del Dott. GOGLIA Gennaro, in *Spicilegium Historicum* C.SS.R., VI, p. 76. Tali agitazioni sarebbero determinate da riflessi vegetativi e psichici di alterazioni organiche dovute ad artrosi lombare. I biografi futuri terranno conto di questo.

trina non come difesa del probabilismo, ma come confutazione del tuziorismo mitigato, che al suo tempo era diffuso sotto forma di probabiliorismo. Però nell'argomentazione non fa altro che esporre la stessa dottrina con le stesse ragioni date nella dissertazione del 1749.

Egli dunque enunzia così la sua tesi: « Sententia nostra et communis tenet licere usum saltem (*nota questa restrizione*) probabilioris, etsi contraria pro lege sit probabilis » (p. 17).

Anche qui come « ratio praecipua » per la liceità dell'opinione più probabile favorevole alla libertà dà il principio: « qui probabiliter agit prudenter agit » e riassume l'esame del concetto di prudenza come l'ha dato nella precedente dissertazione (pp. 18-19).

Difendendo la « probabilior », col Gersone ne dà come ragione il valore di « certezza probabile »; ed asserisce che Dio non esige da noi una certezza assoluta o comunque maggiore di questa certezza probabile, per seguire la libera autodeterminazione nelle scelte morali (pp. 17-18).

Era certamente questo un concetto che andava sviluppato; ma per il Gersone la « probabilis certitudo » come « probabilis coniectura » è unica ed in un senso; per s. Alfonso il congetturare è bipolare: questa differenza di accezione non poteva giovare alla chiarificazione.

Poiché la dissertazione è antituziorista, il principio del possesso viene presentato come obiezione in difesa del tuziorismo: « In hoc dubio veritatis possidet lex naturalis » (pp. 19-20).

Il santo si limita a rispondere che la legge meno probabile non è sufficientemente promulgata e quindi non può obbligare (p. 20).

Nel rispondere alle obiezioni non soltanto rinnova la distinzione data nella dissertazione precedente tra verità oggettiva: « veritas rei », ed onestà dell'azione (p. 20), ma fa dipendere questa onestà dell'azione dalla non violazione della « ragione ». Se per ragione intende la « ratio in deliberando » allora è in piena definizione della prudenza, che è appunto « recta ratio in agendo ». Ma da tutto il contesto bisogna piuttosto affermare che per « ratio » intende una « ratio probabilis », ed allora non siamo ancora nel giusto concetto di prudenza. Comunque ecco la difficoltà che egli si pone dalla Sacra Scrittura e la soluzione che ne dà, poggiando sull'esegesi del Calmet:

> *Ante omnia verbum verax praecedat te, et ante omnem actum consilium stabile.* - Dicunt verbis his significari quod non licet operari, nisi prius veritatem actionis assequamur.
> Sed respondeur id a textu graeco apud Calmet sic verti: *Omnis actionis initium est ratio; et antequam aliquid facias, consulto opus est.* Certi ergo esse debemus in agendo non iam de veritate, sed de ratione, sive honestate actionis » (p. 19).

Per la retta intelligenza di tutte le regole che egli deduce e determina nella sua « Theologia Moralis », che prende forma perfetta proprio in questi anni 1753-1755, è da notare che egli in questa dissertazione dà le definizioni delle diverse opinioni secondo i varii gradi di probabilità che hanno. Secondo queste definizioni ha classificato la probabilità delle regole che dà nella « Theologia »; né in seguito ha mutato questa classificazione, eccetto in qualche dettaglio.

Secondo tali definizioni alla « probabilior » si può opporre una opinione « vere probabilis seu graviter verisimilis » (p. 15).

Nel 1763 egli ritoccherà lievemente tali definizioni che saranno poi assunte dalla sesta edizione della « Theologia Moralis » del 1767, né saranno più mutate; ma resterà sempre fermo che le regole giudicate nella « Theologia » come « probabiliores » non escludono la grave probabilità delle opposte.

4) DISSERTATIO SCHOLASTICO-MORALIS PRO USU MODERATO OPINIONIS PROBABILIS IN CONCURSU PROBABILIORIS - 1755.

E' un opuscolo di 14 pagine in 16° (cm. 15 × 9), stampato a Napoli nel 1755 dal tipografo Benedetto Gessari.

Benché anonimo, siamo certi che è del santo, perché è rielaborazione del testo della dissertazione del 1749, benché molto ampliata; e con opportune variazioni sarà inserita nella terza edizione della sua « Theologia Moralis » del 1757. Alla dissertazione prepone questo monito: Noli esse iustus nimis (Eccl. 7, 17), e subito aggiunge questa sentenza, che caratterizza il suo pensie-

18.

ro; tanto che la si trova già nella Dissertazione del 1749 (p. 39), in quella del 1753 (p. 27) e poi negli scritti dopo il 1755[7]:

> Cavenda est conscientia nimis larga et nimis stricta, nam prima generat praesumptionem, secunda desperationem: prima saepe salvat damnandum, secunda contra damnat salvandum.

Chi vedesse nel santo presenza di minimismo, ricordi che è sua questa massima: «Chi si contenta del meno buono sta vicino al male»[8]; ed appunto per evitare il minimismo egli combatte il rigorismo e si pone per la via della benignità che è introduzione al dinamismo della carità.

La sua dottrina è così enunziata: «Licitum (est) uti opinione probabili in concursu probabilioris pro lege, semper ac illa certum et grave habeat fundamentum» (n. 3).

La dimostrazione è sviluppata in tre capitoli con prove tratte dall'autorità, dalla ragione, dalla soluzione delle difficoltà. Un quarto capitolo ripete letteralmente quanto era stato detto nella dissertazione del 1749 sulla probabilità estrinseca.

La prima delle ragioni in favore del probabilismo anche qui è fondata sul principio: «Qui probabiliter agit prudenter agit» (n. 13); egli però la presenta ed evolve non come sua ma di altri ed infine fa questa inattesa dichiarazione:

> Numquam acquiescere potui argumento prius proposito, nempe quod qui probabiliter agit prudenter agat; non enim videtur, absolute loquendo, prudenter agere qui iudicans veritatem stare magis pro sententia tutiori, velit oppositam minus probabilem amplecti (n. 14).

Dunque se egli mai è stato convinto del principio suddetto, bisogna concludere che nel 1749 e nel 1753 egli riferiva più che asserire; lo abbiamo già notato. Coerentemente egli afferma che

---

[7] S. Alfonso prende dal Cabassut tale sentenza e con lui l'attribuisce a S. Bonaventura (cf. *Theologia Moralis* I, Romae 1907, l. I, tr. I, n. 89, p. 70); essa è tratta dal celebre e difusissimo *Compendium theologicae veritatis* l. II, c. 52 compilato da Ugo di Strasburgo intorno al 1265 ed attribuito poi a s. Alberto Magno, talora a s. Tomaso e, nel rifacimento trecentesco di Rigaud Jean sotto il titolo di *Compendium sacrae theologiae pauperis*, attribuito a s. Bonaventura.

[8] S. ALFONSO, *Massime di spirito per un sacerdote*, in *Selva di materie predicabili*,... Venezia 1760, p. 441.

la probabilità non ha più valore di motivazione del giudizio pratico, ma soltanto di prova che la verità può stare dalla sua parte e quindi genera il dubbio nel soggetto. La probabilità dunque per s. Alfonso non è più valore costituito ed oggettivo, di fronte al quale la coscienza è passiva, valore analogo alla probabilità giuridica; essa è soprattutto valore funzionale in rapporto al soggetto, sicché le probabilità opposte si elidono; che se una di esse diventa « convincens argumentum », allora genera la « opinio probabilior » con « notabilis excessus », e l'opposta diventa « improbabilis vel non amplius graviter et certo probabilis » (n. 13). Se invece una delle probabilità non si pone come « argumentum convincens », allora le due probabilità opposte, oggettivamente non si elidono, e nel soggetto si elidono solo negativamente, in quanto l'istanza dell'una impedisce che si aderisca all'altra e tutte e due generano il dubbio (nn. 17, 13).

Questa evoluzione del pensiero alfonsiano è veramente fondamentale; per essa egli si stacca da una corrente molto forte tra i probabilisti, e rende possibile la definitiva chiarificazione che si avrà nel 1759-1762, quando distinguerà tra certezza morale assoluta e certezza morale larga; benché anche qui, parlando della « certitudo probabilis », sembri avvicinarsi a questa chiarificazione (n. 52).

Coerentemente egli mette da parte l'analisi della prudenza come virtù della parte opinativa — cogitativa —, per cui aveva asserito fino al 1753 esser prudente agire fondandosi su di una « ratio recta », identificata con una opinione oggettivamente probabile.

Egli recede da questo concetto che fa della prudenza una specie di giurisprudenza, e, come appare dalla dichiarazione da noi letta, afferma che la prudenza esige che seguiamo la probabilità come si pone nel soggetto, sicché far violenza al proprio giudizio non sarebbe prudenza.

Qui però il santo nota che non per questo è necessario recedere dal probabilismo come lo intende lui, ed aderire al probabiliorismo, perché è vero che quando si è in situazione bisogna agire secondo la verità, ma occorre distinguere *due verità*: la verità dell'atto come questo è in sé, e la verità dell'atto come esso si pone nella scelta morale concreta della persona:

Semper distinguere oportet (in quantum pertinet ad operationem) duas veritates: unam rei speculativam, alteram honestatis actionis practicam (n. 15).

Quando si è nel dubbio per la presenza di una « probabilior tuta » che non elide oggettivamente la certa gravità della « minus probabilis », allora la verità oggettiva della legge non è conosciuta, e quindi non può determinare *direttamente* la verità che rende formalmente onesta la scelta. Ma poiché d'altronde non è prudenza motivare direttamente la scelta con una ragione che apparisce soltanto probabile, anzi meno probabile, in questo caso la prudenza dovrà motivare direttamente la verità della scelta personale con altre ragioni, con altri principi, che vengono detti impropriamente riflessi. Sicché anche chi opera con la « minus probabilis », se egli opera per motivi di prudenza, la sua « minus probabilis » è integrata e diventa, sul piano della verità morale ultima, « probabilior » anzi « moraliter certa » (nn. 14, 15, 16, 17, 26, 53, 54, 55 etc.).

Con questa dottrina della possibilità di raggiungere la verità della scelta morale in situazione, anche quando si è in dubbio sulla verità dell'atto oggettivamente considerato, s. Alfonso raggiunge il pensiero di s. Tommaso quando questi insegna che la verità propria della prudenza in situazione è nella sintonia della scelta con l'intenzione retta del fine; sintonia che non è alterata, se si cade in errore involontario intorno alla verità oggettiva (I-II, 57, 5 ad 3).

Da tale dottrina s. Alfonso deduce che anche chi erra intorno alla verità oggettiva, ma non erra intorno alla verità formalmente morale per cui la scelta è onesta, non commette peccato neppure materialmente, perché la sua scelta è conforme alla volontà divina « consequens » (nn. 23, 26), o come ci dirà meglio in seguito, alla volontà divina che vuole che tutto quel che noi facciamo lo facciamo con l'intenzione di un fine onesto, per il fine supremo.

Naturalmente i suoi avversari affermavano che nel dubbio positivo la legge non può dirsi invincibilmente ignorata, specialmente quando la legge sia favorita dall'opinione più probabile.

Ma su questo punto egli è molto deciso, e su di esso dopo il

1759 concentrerà la sua attività in difesa del suo probabilismo. Per lui la promulgazione è certezza di legge; la legge che non è intimata nel suddito formalmente come legge certa, non è legge; di conseguenza non produce il suo effetto formale che è l'obbligazione: «Lex debet per promulgationem subditis applicari, alias *nec* valet obligare, *nec* lex dici potest» (n. 37). E quindi egli domanda: «Quomodo potest dici lex vere applicata sive intimata, quando probabile est quod lex ne existat quidem?» (n. 37).

Ciò posto egli conclude:

> Patet igitur ex... s. Thoma legem non posse dici satis intimatam per solam opinionem probabiliorem. Cum enim opinio necessario formidinem in oppositum includat, ut supra ostendimus, nunquam scientia dici valet. Ergo etiamsi alicui prababilius appareat adesse legem prohibentem, nequit tamen dici quod ipse legem sciat, quando probabiliter adhuc putat illam non existere, et forte revera non existet. Cum autem promulgatio legis pertineat ad legis essentiam, quando dubitatur de promulgatione, etiam de lege dubitatur; unde sicut lex debet esse certa ut obliget, ita et promulgatio, quae est constitutivum legis... Ergo ubi homo non est certus de lege prohibente, facere potest quicquid ei placet, ut pro indubitato supponit d. Thomas... (n. 38).

Gli avversari opporranno che la legge è promulgata ontologicamente nella stessa costituzione della natura, e da questa affermazione dedurranno che è inutile ricorrere all'altro argomento del possesso della libertà di fronte alla legge, che essi identificano con la gloria formale di Dio.

Vi è qui confusione tra promulgazione ontologica nella *natura* e promulgazione formalmente morale alla *persona* come immagine di Dio nell'agire; confusione tra le leggi particolari che regolano l'ordine orizzontale e la legge suprema di finalità e di carità che risolve l'ordine orizzontale nell'ordine verticale a spirale, che ha come valore di tutti i valori l'essere come partecipazione di Dio nel Cristo. Ma su questo il santo chiarirà il suo pensiero nella disputa col Patuzzi nel 1764-1765.

Vorremmo infine notare che non si può venire alla retta intelligenza del pensiero alfonsiano, se ci si ferma all'analisi della probabilità solo secondo i suoi gradi interni; sicché una «probabilior» solo perché «probabilior» sarebbe promulgazione della legge. Per quanto si deduce dalla dissertazione del 1755 è piuttosto il contrario che bisogna affermare; cioè la natura della promulgazione della legge, sia come legge sia come obbligante, esige che la probabiliorità sia tale da porsi nel soggetto come « argumentum convincens », in modo che l'opinione opposta favorevole alla libera scelta cada nel campo della improbabilità e l'opinione per la legge si ponga non più come opinione probabile, ma come certezza probabile e come sufficiente promulgazione della legge.

Anche su questo punto fondamentale il pensiero del santo si chiarirà definitivamente tra il 1759 ed il 1765; ma poi sarà costretto a velarsi dal 1767 al 1777, anno in cui già ottantunenne cesserà da ogni attività letteraria.

Quanto poi al valore del possesso della legge o della libertà, egli riproduce il testo del 1749, dove sottolinea il valore più ontologico che giuridico del possesso della libertà ed aggiunge che la libertà non va considerata come concessione della legge sicché sia lecito solo quello che è da essa permesso; ma piuttosto la legge va considerata come limitazione dell'iniziativa della libertà nelle scelte morali: l'uomo è fatto per autodeterminarsi, eccetto nei casi in cui la determinazione è già indicata e prescritta dalla legge (n. 28).

5) Risposta ad un anonimo che ha censurato l'opera morale (di S. Alfonso).

Quest'opuscolo è stato pubblicato in appendice alla seconda edizione delle « Glorie di Maria », come risposta a G.F. Soli, che sotto lo pseudonimo di Lamindo Pritanio, aveva criticato alcune idee difese dal santo nelle « Glorie di Maria » e nella « Theologia Moralis ». Il titolo intero dell'opuscolo è quindi il seguente: « Risposta ad un anonimo che ha censurato ciò che ha scritto l'autore nel capo V al paragrafo I°, della prima parte; ed insieme l'opera morale del medesimo ».

L'opuscolo in 16° (cm. 15 × 9) consta di 24 pagine, di cui 15 son dedicate alla difesa della sua dottrina morale.

Ma poiché il censore criticava Alfonso anche perché sarebbe stato imprudente nel dare a leggere ai suoi congregati la sua

« Theologia Moralis » e nell'aver seguito principi ed autori probabilisti, egli è costretto a difendere se stesso. Ed afferma di aver composta la sua opera, che gli « costa da dieci anni di fatica eccessiva e noiosissima », proprio per formare nei redentoristi dei buoni confessori; « perché, son sue parole, non mi pareva a proposito di dare a' giovani altri libri di Morale, perché o troppo brevi o troppo voluminosi; o troppo rigidi o troppo benigni ». (p. XI).

Quanto poi ai principi ed agli autori probabilisti egli scrive questa pagina che è bene leggere, perché ci sembra di attualità, dopo due secoli:

> Ma mi dirà taluno: Tu ti sei servito di mali principi: di principi probabilistici. Io non voglio sapere se i principi che ho seguitati sieno probabilistici o anteprobabilistici. Vorrei solamente che costui m'insegnasse donde io debbo prendere questi principi, per determinarmi nelle questioni?
> Nelle sacre Scritture io ne trovo molti, ma non tutti, per decidere tutte le controversie morali. Né posso trovarli, come sapientemente m'insegna il mio Pritanio morto, cioè Ludovico Muratori nel suo dotto trattato, che ho letto, della Giurisprudenza; dove appunto mi dice che nella Scrittura non vi sono già i principi chiari, per decidere tutte le questioni della Morale.
> Neppure poi questi principi gli ritrovo tutti presso i SS. Padri; i quali ne' loro libri poco han trattato de' casi morali, avendo essi atteso a determinare i dogmi della fede, in mezzo a tante eresie che allora nel principio della Chiesa andavano serpendo. I sacri Canoni parimente poche cose hanno stabilito circa i costumi.
> All'incontro la scienza di Morale è così vasta e così oscura, dove una ragione che ad alcuni dotti apparisce certa, ad altri pare insussistente... Dove, aggiungo, a noi stessi una ragione che un tempo ci ha convinti in un altro poi non più ci persuade.
> Ora in una scienza così oscura ed intrigata... par che non vi possa essere via più sicura per non errare, che il seguire la regola approvata da tutti i savi: cioè che nelle scienze debbon seguirsi que' principi che sono più ricevuti da' dotti...
> Dunque io giustamente credo di non aver errato, regolandomi con quei principi che da una parte mi son paruti più conformi, anzi in tutto conformi alla ragione, e dall'altra gli ho veduti comunemente, o almeno di gran lunga più comunemente approvati da' teologi antichi e moderni (pp. XIV-XVI).

Questo quanto ai principi; quanto alle opinioni particolari egli dichiara:

« Nella scelta delle opinioni ho cercato sempre di preferire la ragione all'autorità... Dov'io ho trovato ragione convincente non ho ardito di dare mai l'opinione contraria per probabile, con tutto che l'avessi veduta difesa da più autori, il che mi ha conciliato discredito appresso di alcuni. Dove poi all'incontro non ho trovata questa ragione convincente, non ho ardito di condannare le opinioni alla mia opposte, come troppo facilmente fanno alcuni...

Non ho avuto poi difficoltà di chiamare probabili certe opinioni, ancorché la mia mi fosse paruta più probabile, perché io tengo certo potersi dare, almeno speculativamente parlando, opinioni che sieno veramente probabili, ancora in concorso delle probabiliori » (p. XII-XIII).

Tutto questo è in perfetta armonia con quanto ha detto nella dissertazione del 1755, ed è probabilismo moderato.

Per non staccarci dal metodo storico-critico, qui bisogna segnalare che il santo dal 10 al 17 aprile 1756 ammalò e fu per morire. Il Gaudé ed il Delerue, per provare che egli non fu mai convinto probabilista, hanno cura di ricordare una dichiarazione del redentorista Melchionna Giuseppe, secondo la quale Alfonso in fin di vita sarebbe stato in angustia per aver difeso il probabilismo.

Ma se non il Gaudé, il Delerue conosceva una lettera del santo, ritrovata nel 1899. In essa, in data 12 ottobre 1758, dichiarava esser lecito, più che lecito « seguire la probabile in concursu probabilioris ex parte praecepti se tenentis ». Bisognerebbe allora concludere che dopo il pentimento del 1756 egli sia ritornato al probabilismo per nuove e più forti ragioni, tanto da non fargli tener più conto delle agitazioni in fin di vita[9]. Evidentemente il Melchionna ha frainteso.

---

[9] GAUDÉ L., *De morali systemate s. Alfonsi M. De Ligorio*, Romae 1894, c. I, n. 5, p. 17.

DELERUE F., *Le système moral de St. Alphonse de Liguori*, St.-Etienne 1929, ch. 4, p. 42.

Ecco il testo della lettera: « M. Rev. Padre, Signore e Padrone colendissimo, ho intesi i suoi stimatissimi comandi e brevemente, per servirla, rispondo alle proposte difficoltà.

Primieramente le dico che non posso presentemente darle regola generale circa le opinioni del P. Busenbaum, perché le dovrei tutte leggere ed esaminare se veramente siano o no probabili; per ora le suggerisco solamente che alcune lo sono, altre non sono tali.

Secondariamente le dico che è lecito e piucché lecito seguire l'opinione pro-

6) Dissertatio de usu moderato opinionis probabilis - 1757.

Questa dissertazione di 16 pagine in folio (cm. 42×26) è inserita nella terza edizione della « Theologia Moralis » del 1757 al tomo primo, pp. 8-24, in sostituzione di quella del 1753.

Essa però è la ristampa della dissertazione anonima del 1755; ma poiché il nome non poteva esser taciuto e d'altronde occorreva evitare polemiche, il santo anche qui trasforma la tesi antiprobabiliorista in tesi antituziorista, affermando che non è necessaria la probabilissima per seguire la libera autodeterminazione, ma basta la solida probabilità o almeno la probabiliorità.

Però la trasformazione è ottenuta solo col sostituire al termine *probabilior* il termine *probabilissima,* e con eliminare alcuni paragrafi troppo favorevoli alla probabile semplice. La sostituzione è fatta meccanicamente, sicché alcuni termini non sono stati mutati e ne sorgono evidenti incoerenze. Il disagio del lettore cresce perché l'argomentazione è restata quella della dissertazione del 1755, che difendeva la liceità della probabile in concorso con la « probabilior ».

Tutto questo prova la non libertà del santo nell'esprimersi ed attenua di molto l'importanza di questo lavoro.

---

babile; soda, fondata probabile *in concursu probabilioris ex parte praecepti se tenentis;* come puranche è lecitissimo seguire l'opinione veramente probabile *in concursu opinionis aeque probabilis,* non ostante che essa sia non alla legge ma bensì alla libertà favorevole.

E la ragione fondamentale di tutto ciò si è che essendo la legge sempre dubbia (come si suppone), non vi è motivo che strettamente obbliga a seguire la sentenza che favorisce alla legge; ma possiamo sempre seguire la contraria favorevole alla libertà, posto che sia sodamente probabile.

Del resto per renderla vieppiù persuasa del mio sentimento, le mando questa mia dissertazione, in cui mi sono assai più chiaro spiegato che nell'opera grande della Teologia Morale; e ciò l'ho fatto affine di potere sfuggire le lingue di tanti e tanti letterati che con ardore assai grande oggidì contrastano l'uso dell'opinione probabile *in concursu probabilioris.*

E così (per non più attediarla) finisco, offerendomi ad ogni suo veneratissimo comando; e raccomandandomi alle sue ferventi orazioni, mi sottoscrivo di V.P.R.M.

Nocera de' Pagani, 12 ottobre 1758

um.o e div.mo serv.re
Alfonso De Liguori
della C. del SS.Red.re

7) Della coscienza probabile - 1757.

E' un paragrafo del compendio in italiano della « Theologia Moralis », edito nel 1757 col titolo: *Istruzione e pratica per un confessore,* presso il tipografo Alessio Pellecchia. Consta di 10 pagine (pp. 14-23) in 16° (cm. 18 × 11).

Per la brevità e per il carattere espositivo, egli si limita a dare i principi con brevi dimostrazioni e rimanda per il resto alla dissertazione antituziorista della « Theologia Moralis ».

Anche qui accenna alla sufficienza della « certitudo probabilis o sia, come spiega (Gersone) probabilis coniectura »; ma il santo sembra recedere dalla interpretazione della « certitudo probabilis » come vera certezza, data nella dissertazione del 1755, per identificarla con la semplice opinione probabile (n. 31).

Questo lavoro ha grande importanza, perché in esso la prima volta il santo enunzia il *principio di flessibilità* delle regole di casistica che propone come principio ultimo della sua dottrina sulla dialettica delle probabilità [10].

In forza di tale principio l'ultima parola sulla verità morale della scelta in situazione è data dalla prudenza, che deve assumere come principio e valore supremo di verità e quindi di probabilità l'esigenza della persona di vivere nella grazia, cioè nel Cristo. Il valore di questo principio è tale che può rovesciare le probabilità come son date in sede teoretica.

Egli infatti, dopo aver dato la sua dottrina sulla loro determinazione e sulla loro dialettica, scrive:

> Ciò corre in quanto alla teorica; ma in quanto alla pratica di scegliere le opinioni, nel dubbio che debbano preporsi le rigide alle

---

[10] Il concetto di flessibilità è affermato da Aristotele nel campo della legge che ha bisogno di esser moderata dall'equità nell'applicazione particolare (*Ethica Nicomachea*, Lib. V. 1137b,19-1138a,3). G. B. Vico riprende questo concetto e lo applica romanamente alla prudenza civile nella famosa dissertazione « *De nostri temporis studiorum ratione* », letta il 18 ottobre 1708 come prolusione all'anno accademico universitario a Napoli. Normalmente tra i suoi uditori doveva trovarsi il neo-immatricolato Alfonso de' Liguori, che aveva dovuto ricevere proprio dal G.B. Vico la « fede di rettorica » per esser ammesso all'Università. Ed egli avrebbe poi applicato così magistralmente alla coscienza il principio della flessibilità di cui aveva parlato l'oratore filosofo. (Su s. Alfonso universitario si può consultare l'opera in collaborazione: *S. Alfonso de' Liguori*, Morcelliana 1940).

benigne o queste a quelle, io rispondo così: dove si tratta di esimere il penitente dal pericolo del peccato formale, deve il confessore avvalersi, per quanto permette la cristiana prudenza, delle opinioni più benigne. Ma dove poi le opinioni benigne fan più vicino il pericolo del peccato formale, come sono alcune opinioni di dottori circa l'obbligo di fuggire le occasioni prossime e simili, allora è sempre espediente che il confessore si avvaglia, anzi dico ch'egli come medico delle anime è tenuto ad avvalersi delle opinioni rigide che meglio conducono a conservare il penitente nella divina grazia (n. 38).

Siamo convinti che basta questo principio a dar carattere sintetico e prudenziale a tutta la « Theologia Moralis » alfonsiana ed al suo così detto « sistema morale ».

Né siamo noi a porre in evidenza questo principio, che finora sembra sia stato considerato come una semplice nota marginale. Il santo stesso lo ripeterà quasi testualmente nelle sue dissertazioni posteriori, anche quando muterà il testo di tali dissertazioni. Noi lo segnaleremo via via che esamineremo gli altri suoi lavori.

Occorre infine notare che nel 1758 questo compendio della « Theologia Moralis » veniva tradotto in latino, per essere stampato a Venezia nel 1759 col titolo: « Homo apostolicus instructus in sua vocatione ad audiendas confessiones. Sive praxis et instructio ad usum confessariorum ». Nel nuovo testo latino il paragrafo da noi esaminato non subiva alcuna mutazione.

8) NOTE DI S. ALFONSO AL « TRATTATO DELLA REGOLA DELLE AZIONI UMANE NELLA SCELTA DELLE OPINIONI » DEL PATUZZI - 1759.

Nel 1758 l'erudito tomista Vincenzo Patuzzi stampava a Venezia, e nel 1759 a Napoli in seconda edizione, il « Trattato della regola prossima delle azioni umane nella scelta delle opinioni ». In essa l'autore, probabiliorista rigido, impugnava fortemente il probabilismo.

S. Alfonso, letta l'opera nell'edizione di Venezia, pensò di controbatterla in uno dei punti fondamentali, cioè sulla promulgazione delle leggi. Ma la risposta rimase allo stato di abbozzo assai avanzato. Non sappiamo se egli la concepì così, allo stato in cui l'abbiamo, per diffonderla come opuscolo anonimo, o se per altre ragioni, per esempio per evitare polemiche, decise di non pubblicarla e la utilizzò in tre lavori che diede alle stampe nel 1760, 1761, 1762. Quest'ultima ipotesi ci sembra la più verosimile, perché sta di fatto che in questi tre lavori sono ampiamente presenti le Note al Patuzzi del 1759.

Proponiamo il 1759 quale anno di composizione, perché, come vedremo, nel luglio 1760 esse sono state già da tempo grandemente rielaborate ed assorbite parzialmente in altro testo, e d'altronde il Trattato del Patuzzi, di oltre novecento pagine, è dell'anno 1758.

Un esame comparativo di una copia originale delle Note, forse l'unica che ci sia rimasta [11], con una dissertazione stampata nel 1762 a Napoli dal tipografo Giuseppe Di Domenico, per l'identità dei caratteri, ci fa pensare che il Di Domenico abbia stampato anche queste Note al Patuzzi.

L'opuscolo non ha titolo e non ha frontespizio e consta di 51 pagine in 24° (cm. 14,5 × 9). Non ha neppure introduzione né « status quaestionis », ma comincia con la enunziazione di una tesi da dimostrare: « La legge incerta non può indurre un'obbligazione certa ». Segue la dimostrazione (pp. 1-32), e quindi in un secondo paragrafo si danno « Risposte ad alcun'altre opposizioni de' contrari » (pp. 33-51). I bibliografi alfonsiani sogliono intitolare queste Note con la tesi che dà principio al primo paragrafo [12].

---

[11] Si trova nell'Archivio generale dei PP. Redentoristi a Roma, nel vol. V delle opere presentate sul finire del sec. XIX alla Sacra Congregazione dei Riti, per l'esame in vista del processo di beatificazione e canonizzazione di s. Alfonso. Questa circostanza spiega la ricerca e quindi la conservazione di questo e di altri opuscoli assai più piccoli, che altrimenti forse sarebbero andati perduti. E' da notare che il santo per indole conservava ordinatamente lettere, scritti e documenti; sicché alla sua morte si son potuti trovare e conservare. Sull'uso del santo di far precedere alla stampa definitiva, la stampa di poche copie a sé stanti, su cui rifondere il testo cfr S. ALFONSO, *Lettere* III, Roma 1890, nn. 133, 135, 161 etc.

[12] I bibliografi alfonsiani han fatto diverse ipotesi sul tempo di composizione di queste Note, che soglion denominare dal tema del primo paragrafo: « *La legge incerta non può indurre un'obbligazione certa* ». L'opuscolo non può esser stato composto dopo il 1764, perché è unicamente e strettamente aderente al Trattato del Patuzzi del 1758, senza nessun accenno ad altro opuscolo dello stesso Patuzzi. Questi nel 1764 impugnava direttamente la dottrina del santo, sicché se le Note fossero del 1765, non si spiegherebbe perché in esse si confuti il libro del 1758, e non si

L'importanza dell'opuscolo è grande perché esso serve a stabilire il tempo, le cause e la portata dell'evoluzione del pensiero alfonsiano da un probabilismo generico al probabilismo mode-

tenga invece conto di quanto l'avversario nel 1764-1765 veniva dicendo in polemica diretta col santo.

Le citazioni appena appena accennate (per es. a p. 33 troviamo: il P. Patuzzi *to. 2. p. 212* oppone...; a p. 36 troviamo: oppone il p. Patuzzi *to. 2. p. 225...* e mai è dato il titolo dell'opera da cui son tratte le citazioni), evidentemente manifestano il carattere di abbozzo provvisorio e personale dello stampato. Non fa quindi meraviglia che in esso si trovi il nome esplicito del Patuzzi, mentre nelle opere destinate al pubblico lo dissimula dicendo « un moderno autore », « i contrarii ». Dalla lettera del 12 ottobre 1758 riportata qui sopra a nota 9, sappiamo ora che, per evitare lui e la sua Congregazione « le lingue dei letterati », dissimulava anche il proprio nome.

Se si pensa che proprio per la lettura del Trattato del Patuzzi, il principio: « La legge incerta non può indurre un'obbligazione certa », diventa espressione spontanea per lui, e di più la formula equiprobabilista diventa formula del suo probabilismo, si deve concludere che il 12 ottobre 1758, quando scriveva la suddetta lettera, egli non ancora aveva letto il Patuzzi; perché accoppia ma non fonde le due formule, e perché esprime la stessa idea dell'assioma ma con altre parole.

Dunque la data di composizione delle Note va tra l'ottobre 1758 ed il marzo 1764 quando egli ha notizia e quindi attende dal Remondini un opuscolo del Patuzzi diretto contro di lui (cf. S. ALFONSO, *Lettere* III, Roma 1890, p. 205), mentre nel giugno successivo dice che sta leggendo « l'opere latine del Patuzzi (mandategli dal Remondini) e sono belle assai » (*ibid.* p. 211).

Ma possiamo venire ad una determinazione più precisa. Sopra al n. 7 abbiamo parlato dell'opera « *Istruzione e Pratica* »... del 1757. Nel settembre 1758 egli manda per lettera alcune correzioni ed aggiunte per la seconda edizione dell'opera. In questa non appare alcuna mutazione sulla dottrina della probabilità. Nel luglio 1760, come diremo nel testo al n. 9, egli manda correzioni ed aggiunte per una nuova edizione veneta della stessa opera e qui troviamo una nuova lunga esposizione della dottrina sulla probabilità. In essa è stata assorbita larga parte delle Note di cui cerchiamo la data: questa dunque va fissata tra l'ottobre 1758 ed il luglio 1760. Poiché le aggiunte e correzioni mandate nel luglio 1760, il santo « le teneva già raccolte », bisogna retrocedere verso l'anno 1759, che è l'anno che abbiamo proposto nel testo, parlando di *Note al Patuzzi del 1759.*

Si sarebbe tentati di porre la data di composizione di esse tra il dicembre 1759 ed il luglio 1760, perché nel dicembre 1759 è in ristampa a Napoli la terza (il Remondini per errore la considererà come quarta) edizione della « *Istruzione e Pratica* », ed in essa non si ha alcuna correzione. Ma il santo dice apertamente che tale edizione è stata fatta senza sua intesa (*Lettere* ibid. p. 106).

Che queste Note precedano e non seguano il testo del 1760 appare chiaro dall'esame interno dei due testi posti in comparazione: il testo del 1760 è la *forma longior* e più perfetta delle Note che presentano una *forma brevior* e dottrinalmente meno perfetta. Basti per es. comparare i nn. 39-42 del testo del 1760, (*Istruzione e Pratica*, Venezia 1761, I, pp. 25-29) con il testo delle Note, pp. 29-39. Inoltre, come abbiamo notato, le Note sono vere *Adnotationes* il cui orizzonte è determinato da poche pagine centrali del libro del Patuzzi, come diremo nel testo; l'elaborazione del 1760 ha l'ampiezza della dottrina da esporre e difendere.

rato, in cui la probabilità valida in sede di coscienza è caratterizzata dalla equiprobabilità qualitativa morale-psicologica, che è più intensiva dell'equiprobabilità soltanto logica.

Gli studiosi del pensiero alfonsiano, pur datandone col 1760 la prima chiarificazione equiprobabilista, non han fatto attenzione alle Note al Patuzzi del 1759, perché le hanno considerate come composte dopo il 1764, ed è quindi sfuggito il contesto storico-critico della chiarificazione alfonsiana, cioè la lettura dell'opera del Patuzzi.

Venendo ora all'esame delle Note, quale ci è consentito dall'indole del nostro studio, è significativo come il santo concentri la sua attenzione principale su cinque delle novecento pagine del Patuzzi, dove questi confuta « il primo principio riflesso dei probabilisti preso dall'incertezza della legge » [13].

Ciò conferma quello che veniamo sottolineando; che cioè nel pensiero alfonsiano il punto cardine nella dialettica delle probabilità non è il calcolo logico dei gradi di probabilità, ma l'esigenza che la legge sia promulgata in modo da esser certa: una probabilità che non determini la certezza morale non è moralmente valida per la promulgazione.

La ragione data nella dissertazione del 1755 era duplice: la legge deve essere regola, misura, norma: una misura incerta non è misura; la legge è una limitazione della libertà, e questa ha un valore ontologico voluto da Dio: « L'uomo fu creato in libertà », dice il santo nelle Note al Patuzzi (p. 14).

Quest'ultimo così riassumeva l'argomentazione dei suoi avversari probabilisti: « La legge incerta non può indurre un'obbligazione certa. Adunque nel dubbio probabile non può esservi obbligazione di ubbidire alla legge » [14].

La premessa esprimeva ciò che s. Alfonso veniva affermando fin dal 1753; ma la formula era nuova per lui; gli piacque e la prese come enunziazione della sua tesi per le sue Note del 1759.

Nella dimostrazione il santo utilizza quel che ha scritto due

---

[13] PATUZZI G.V., *Trattato della regola prossima delle azioni umane nella scelta delle opinioni*, Venezia 1748, P.I., c. 4, 2, pp. 232-237.

[14] PATUZZI G.V., *op. cit.*, ibid. n. 18, p. 235.

anni prima, trattando della coscienza probabile nella « Istruzione e Pratica per un confessore » ; ma si nota un maggior studio di s. Tommaso, dovuto forse al tomismo del suo avversario. Tale studio diventerà sempre più intenso in lui.

Alla dimostrazione diretta della tesi segue la confutazione delle argomentazioni che il Patuzzi faceva sulla promulgazione della legge e su altri punti di interesse teoretico e di interesse storico.

Ma l'importanza grande di queste Note è nel fatto che in esse Alfonso afferma per la prima volta il suo equiprobabilismo. Egli infatti scrive:

Il nostro sistema non è per altro di potersi seguire l'opinione meno probabile in concorso della probabiliore; ma di poter seguire la opinione benigna, quando è ugualmente probabile alla rigida; poiché, come accordano tutti gli antiprobabilisti, secondo dice lo stesso P. Patuzzi, quando è poca la preponderanza tra l'una e l'altra opinione, sicché tenue e dubbioso sia l'eccesso, allora ben può dirsi egualmente probabile, perché *parum pro nihilo reputatur;* mentre all'incontro, allorché la preponderanza è grande, l'opinione contraria resta tenuamente o almeno dubbiamente probabile (pp. 35-38).

Ecco la pagina del Patuzzi a cui allude s. Alfonso:

Ut quis possit sequi sententiam faventem libertati adversus legem, non sufficit quod ista sit probabilior, seu verisimilior operanti cum excessu exiguo et dubio: quia parum pro nihilo reputatur; sed requiritur quod sit manifeste verisimilior operanti cum excessu notorio: et idcirco ab ipso iudicetur vera iudicio firmo (Gonzalez).
Questa proposizione che dagli antiprobabilisti comunemente s'insegna, deve essere ben osservata dai nostri avversarii; poiché il p. Ghezzi ed altri rappresentano la sentenza nostra di tal maniera, quasi che per operare onestamente, seguendo la benigna opinione, contenti fossimo di qualunque maggiore probabilità, che in essa apparisca, comeché sia tenue l'eccesso.
Ciò non è vero. Noi anzi vogliamo che la preminenza della probabilità sia certa e manifesta a chi opera; stanteché se ella sia tenue e dubbiosa, quantunque possa quella opinione assolutamente e in *senso logicale* chiamarsi *più probabile,* tale non può dirsi *moralmente* parlando, ma piuttosto *ugualmente probabile,* e però incapace di determinare l'uomo prudente a seguirla [15].

_____

[15] PATUZZI G.V., *op. cit.*, P. I., c. 2, n. 5, pp. 13-14.

Dunque per il Patuzzi o vi è probabiliorità per la libertà tanto eccedente, da rendere tenue e dubbia la probabilità della legge, ed allora è lecito seguirla; oppure non vi è tale probabiliorità ed allora si ha equiprobabilità sempre favorevole alla legge, perché questa ha un valore ontologico e morale assoluto e quindi inviolabile. Questa equiprobabilità non è eliminata dalla presenza di una probabiliorità che sia soltanto logica: occorre una probabiliorità che abbia un valore morale decisivo, tale da renderci certi che la legge non esiste.

Dunque il Patuzzi è equiprobabilista, ma di un equiprobabilismo favorevole alla legge. S. Alfonso assume concezione e terminologia del suo avversario ma in funzione antitetica: se non si ha probabiliorità eccedente in favore della legge, si resta nella sfera della equiprobabilità e questa è favorevole alla libertà. Né l'antitesi del santo è per semplice ragione polemica; il Patuzzi muove dall'ontologia formale delle essenze, l'altro dall'ontologia partecipazionistica dell'essere intensivo e quindi della persona.

L'evoluzione marcata nella terminologia si nota in quest'altra affermazione di Alfonso: « Noi, siccome abbiam più volte detto di sopra, non difendiamo la probabile in concorso della probabiliore, ma diciamo esser lecito seguir l'egualmente probabile in concorso della più sicura, onde siamo affatto fuori della tenue probabilità » (p. 45-46).

Egli dunque rigetta la formula che ha difeso nelle due dissertazioni anonime del 1749 e del 1755 dove ha manifestato con libertà il suo vero pensiero; rigetta cioè la formula del suo probabilismo da lui tenuta e proposta fino ad un anno prima della composizione delle Note al Patuzzi; cioè fino al dodici ottobre 1758, quando ha scritto al camaldolese Don Roberto: « Le dico che è lecito e più che lecito seguire l'opinione probabile: soda, fondata, probabile, *in concursu probabilioris ex parte praecepti se tenentis* ». E tuttavia poco dopo nelle Note afferma che il probabilismo da Innocenzo XI, non solo non è stato condannato, ma è stato confermato, in quanto il Papa ha condannato alcune proposizioni « perché quelle si chiamavano probabili, quando non avevano fondamento di grave probabilità » (p. 44); e quindi « dall'aver il Papa condannate quelle proposizioni e con quelle circostanze, tanto più ha data autorità al probabilismo, essendo che l'eccezione conferma la regola » (p. 46).

Dunque egli mantiene sempre la validità della vera, solida probabilità che è la ragione di essere del probabilismo; perciò egli non muta nulla di tutto il grande lavoro di classificazione delle probabilità delle regole morali determinate, che egli ha già fatto nella sua « Theologia Moralis » fin dal 1753.

Ma la lettura del Patuzzi ha provocato in lui la riconsiderazione della *terminologia* del sistema: egli scopre che la equiprobabilità morale, qualitativa, è la caratteristica di ogni probabilità che si ponga in dialettica con altra contraria: se si va fuori della equiprobabilità morale, una delle opinioni diventa certezza morale e l'altra diventa tenuemente o almeno dubbiamente probabile; cioè moralmente infraprobabile.

Il termine dunque « minus probabilis » può generare confusione, perché può significare una probabilità soltanto logica che moralmente resta infraprobabile; ed allora il santo lascia cadere questo termine nella formulazione del suo sistema.

9) DELLA COSCIENZA PROBABILE - 1760.

Nel 1759 era in ristampa a Napoli la terza edizione della « Istruzione e Pratica per li confessori » senza che il santo ne fosse inteso [16]; essa quindi riproduceva il testo antico senza variazioni quanto alla dottrina sulla coscienza probabile. Ma il 2 luglio 1760 egli scrive al Remondini di Venezia per dirgli che ad una copia di questa terza edizione sta aggiungendo delle note, « che teneva già raccolte. Specialmente a principio del primo tomo, son sue parole, vi ho posta una bellissima aggiunta lunghetta, in un quinternuolo a parte, la quale non sta posta ancora in niuno libro delle mie Morali; ma la prego, essendo quella tutta scritta a mano e di carattere minuto, di raccomandarla ad un buon revisore » [17].

---

16 S. ALFONSO, *Lettere* III, Roma (1890), n. 61, p. 106.
17 S. ALFONSO, *ibid.*, n. 69, p. 115.

19.

290

Il 10 luglio 1760 scrive: « Le invio qui la consaputa Pratica, di cui già le scrissi giorni sono, con tutte le aggiunte che vi ho fatte. Le raccomando specialmente l'aggiunta che va alla pagina 19 del primo tomo, dove già l'ho collocata. V.S. Ill.ma sommetta la revisione di quella a qualche revisore intendente; perché si assicuri ch'è una bella cosa e molto faticata. Dico l'aggiunta che sta in un quinternuolo a parte... [18].

Paragonando l'edizione della « Istruzione e Pratica » spedita dal santo, con l'edizione del Remondini del 1761 possiamo costatare che la pagina 19 della prima risponde alla pagina 18 della seconda e qui il testo dal n. 32 varia e si sviluppa in 14 pagine (pp. 18-31) in 16° (cm. 16,5 × 9) con caratteri assai minuti e fitti. Ci troviamo dunque di fronte alla « bellissima aggiunta » « molto faticata ». Di fatto è la parte migliore del paragrafo « della coscienza probabile » che noi dateremo col 1760, perché a noi interessa l'anno della composizione e non quello della stampa che è il 1761 [19].

<hr>

[18] S. ALFONSO, *ibid.*, n. 70, 116.

[19] L'edizione remondiniana del 1761 sul frontespizio è indicata come quinta edizione; l'edizione napoletana del 1760, stampata dal Di Domenico, è indicata come terza edizione (la seconda è del 1759 presso il Remondini di Venezia; la prima è del 1757 presso il Pellecchia di Napoli).
Il Gaudé (*op. cit.* p. 20), nota 1) dice di non aver potuto rintracciare la quarta edizione. A noi interessa sapere se l'edizione spedita da s. Alfonso al Remondini il 10 luglio 1760 è la terza. Ci sembra certo che sia la terza, perché alla fine del primo tomo di questa edizione l'ultimo semiquinterno ha una pagina con un avvertimento, dove è citata una Bolla di Benedetto XIV del 20 dicembre 1759. Dunque nel gennaio 1760 terminava la stampa del primo tomo di *questa* terza edizione; e quindi di essa parla il santo, quando il 17 genaio 1760 scrive al Remondini: « Sì signore, Stasi stampa la *Pratica* ed è al secondo tomo (*Lettere* III, n. 62, p. 107). Poiché nelle lettere successive si parla sempre di questa edizione, spedita al Remondini il 10 luglio 1760 e da questi ricevuta per il 4 ottobre 1760 (*Lettere* III, n. 73, p. 120), noi siamo certi che le aggiunte del santo di cui parliamo nel testo sono state fatte sulla terza edizione napoletana; con essa quindi deve esser confrontata la quinta edizione, per conoscere le varianti e quindi lo sviluppo del pensiero alfonsiano e la sua data.
Ma è esistita una quarta edizione? Per ammetterne l'esistenza bisognerebbe pensare che gli stampatori napoletani tra il luglio 1760 ed il 4 giugno 1761, quando l'edizione veneta era già stampata (*Lettere* III, n. 77, p. 125), abbiano almeno iniziato la ristampa della terza edizione, ed il Remondini, conosciuta la cosa, abbia indicato la sua come quinta, cioè ultima edizione. Sta di fatto che questa « Istruzione e Pratica » napoletana del 1760 presenta delle varianti nel frontespizio: alcuni esem-

Paragonando questo nuovo lavoro del santo con le Note al Patuzzi del 1759 appare chiaro che esse vi sono state in parte rielaborate ed assorbite.

Qui troviamo lo « status quaestionis » che mancava alle Note: esso è di somma importanza, perché conferma, sviluppa e precisa le idee nuove manifestate nelle Note:

> Diciamo... esser lecito il servirsi dell'opinione gravemente probabile a favor della libertà, sempre ch'ella non è già meno probabile, ma è o più probabile o almeno egualmente probabile che la contraria a favor della legge.
> E qui bisogna avvertire che quando le due opinioni opposte sono ambedue gravemente probabili e fondate, sempre sono egualmente probabili, o quasi egualmente probabili. Il che importa lo stesso, mentre, secondo dicono i medesimi antiprobabilisti, quando è poca la preponderanza tra l'una e l'altra opinione, sì che molto tenue e dubbioso è l'eccesso, allora ambedue le opinioni si reputano egualmente probabili, giusta l'assioma comune che *parum pro nihilo reputatur*.
> Altrimenti poi sarebbe quando la preponderanza d'un'opinione fosse notabile, perché allora l'opinione contraria resta o improbabile o pure tenuemente probabile (n. 32).

Sottolineiamo questa affermazione che da sola caratterizza e precisa l'equiprobabilismo alfonsiano: *Quando due opinioni opposte sono ambedue gravemente probabili e fondate, sempre sono egualmente probabili o quasi egualmente probabili.*

Dunque se una « probabilior » non è tale da rendere improbabile oppure tenuemente probabile l'opposta opinione, esse sono equiprobabili. Ma questo in fondo Alfonso lo ha già insegnato nella « Dissertatio » del 1755, quando ha scritto:

> « Opinio probabilior non est moraliter certa, nisi excedat probabilitatem alterius, ut haec improbabilis appareat, vel saltem tenuiter probabilis. Secus vero si adhuc grave motivum retinere videatur quod vera esse possit » (n. 13)..

---

plari indicano l'editore: « A spese di Cristoforo Migliaccio, e dal medesimo si vendono nella sua libraria a s. Biagio de' librari ». Tuttavia nonostante queste varianti, l'edizione è sempre indicata come terza edizione.

Bisogna inoltre tener conto che quando la stampa di questa edizione napoletana era già incominciata, al Migliaccio si aggiunge un altro editore: Stasi Michele (*Lettere* III, n. 67, p. 113).

Comunque una vera edizione nuova con aggiunte e correzioni tra la terza napoletana e la quinta veneta ci sembra da escludere in base all'epistolario alfonsiano col Remondini.

Questo ci spiega come egli, dopo aver enunziato il suo nuovo «status quaestionis» che rigetta la meno probabile ed afferma l'equiprobabilismo, scrive queste testuali parole:

> Questa sentenza nella nostra opera grande l'abbiamo provata in una dissertazione a parte con molte autorità e ragioni, e specialmente con quella ragione che tra tutte l'altre io stimo la più valida, cioè che la legge dubbia non può indurre un obbligo certo (n. 32).

E' vero che questa nota la troviamo già nella terza edizione del 1760, anzi fin nella prima edizione della «Istruzione e Pratica» del 1757 (n. 32); ma sta il fatto che il santo l'ha trascritta e conservata nel nuovo testo. Ora la dissertazione a cui rimanda è quella del 1755, meccanicamente poi trasformata in dissertazione antituziorista ed inserita nella terza edizione della «Theologia Moralis» del 1757. In essa si difende «licere usum opinionis absolute probabilis aut saltem probabilioris, etsi contraria pro lege sit probabilis». E tutta la parte argomentativa è in favore della solida probabilità, anche se contro di sé abbia una probabiliorità.

Egli dunque non muta sistema; solo muta terminologia, per dichiarare che quando probabilità solida e probabiliorità che non sia certezza morale sono di fronte, esse moralmente devono chiamarsi equiprobabili.

E' una semplificazione che tende a togliere dal campo dei sistemi morali le sottigliezze logicistiche che si prestano così al lassismo come al rigorismo, e che riducono la coscienza a far da calcolatrice di gradi di probabilità logica. Non possiamo entrare in un'analisi del nuovo lavoro alfonsiano. Notiamo qualche dettaglio.

Nel testo riportato si può costatare la presenza della nuova formula presa dalla lettura del Patuzzi e che sarà poi in lui costante: «La legge dubbia non può indurre un obbligo certo». Nell'edizione seconda veneta, riveduta nel settembre 1758, si diceva invece: «La legge dubbia o non sufficientemente intimata non obbliga, poiché la legge per ligare ed obbligare dev'esser certa e manifesta»[21].

---

[20] S. ALPHONSUS, *Theologia Moralis*[3], Romae 1757, I l. I, tr. I, c. 2, n. 47, p. 9.

[21] S. ALFONSO, *Istruzione e Pratica per li confessori*, Venezia 1759, p. I, c. I, n. 32.

Parlando poi della libertà egli dichiara « che l'uomo nasce bensì subordinato al dominio di Dio, onde nasce obbligato certamente ad ubbidire a tutt'i precetti che Dio gl'impone; ma non nasce già ligato a verun precetto *particolare* circa le sue azioni » (n. 35). La distinzione tra obbligazione ontologica a Dio ed obbligazione alle leggi *particolari* è di grande importanza, ed essa sarà sviluppata in seguito.

In fine troviamo immutato il canone di flessibilità che abbiamo già segnalato nell'edizione del 1757.

10) DE CONSCIENTIA PROBABILI - 1761.

Il 20 luglio 1761 s. Alfonso invia al Remondini una copia del suo « Homo Apostolicus » per la seconda edizione. Annunzia che vi sono molte aggiunte; tra le quali ve n'è una, così egli, « che sta a principio [e che gli è costata] più fatica delle altre »[22].

L'esame parallelo della seconda edizione, stampata con ritardo nel 1763, e della prima del 1759 ci mostra che l'aggiunta ha per oggetto la questione della coscienza probabile, che il santo qui modifica ed amplia secondo le sue nuove posizioni. Essa si sviluppa in nove pagine e mezza in 8° (cm. $24 \times 17,5$) da p. 12 col. b n. 32 a p. 17. I caratteri sono minuti ed assai fitti.

Noi datiamo questo lavoro col 1761, anno della composizione. Per aver considerato non l'anno della composizione, ma quello dell'edizione, alcuni studiosi del pensiero alfonsiano si son trovati di fronte a problemi non esistenti, sicché lo sviluppo del pensiero non è colto nella sua realtà storica.

Questo nuovo lavoro assorbe parte delle Note del 1759 e del nuovo testo sulla coscienza probabile del 1760, ma assume maggiore ampiezza.

Ecco l'enunziazione della dottrina:

Dicimus non licere uti opinione minus probabili et minus tuta adversus probabiliorem pro lege; tunc enim qui illa utitur non videtur satis tute et prudenter operari. Licere autem dicimus sequi opinionem pro libertate, si opinio illa innititur adeo gravi fundamento, ut vere probabilis iudicetur (n. 32).

---

[22] S. ALFONSO, *Lettere* III, n. 81, p. 133.

294

Anche qui la prima parte della tesi potrebbe sembrare la negazione di quanto ha insegnato fino all'ottobre 1758, quando al camaldolese Don Roberto ha detto esser lecito seguire un'opinione probabile anche in concorso con una « probabilior » favorevole alla legge. Ma l'enunziazione della tesi è strettamente legata alle nuove definizioni che egli premette; e qui noi abbiamo una esplicita prova della presenza del Patuzzi che determina una decisa antitesi in Alfonso.

Il Patuzzi nella pagina da noi letta aveva non soltanto definito l'equiprobabile morale distinguendola dalla equiprobabile logica, ma col Gonzalez aveva definito la « probabilior » necessaria per seguire la libertà in termini che la identificavano quasi con la probabilissima. Egli esigeva che la « probabilior » apparisse « all'operante manifestamente più verosimile con eccesso notorio, per cui venga giudicata vera con giudizio fermo e non titubante ».

Si comprende questa posizione del Patuzzi se si pensi che per lui è necessario evitare ogni errore oggettivo, sicché se anche con la « probabilior » così definita si erri e l'errore dipenda da qualche negligenza passata anche non avvertita, tale errore è imputabile[23]. Opinione questa « omnino improbabilis », come la chiama s. Alfonso (n. 60), ma che spiega perché il Patuzzi quasi identifichi la « probabilior » con la probabilissima, e si avvicini al tuziorismo mitigato.

Per l'antitesi ontologica già sottolineata, Alfonso assume il concetto patuzziano di « probabilior », ma poiché le leggi particolari sono, non cronologicamente ma ontologicamente ed assiologicamente, posteriori all'essere della persona che da Dio ha il dono della libertà, non è la libertà ma la legge particolare che deve esser promulgata alla persona con una « probabilior » che si avvicini alla « probabilissima ».

Sicché quando la libertà ha in suo favore una opinione meno probabile e per la legge è una opinione fortemente e certamente più probabile *nel senso indicato*, allora la prudenza vuole che si

---

[23] PATUZZI G.V., *Trattato della regola prossima delle azioni umane nella scelta delle opinioni*, P. I., c. 2, n. 15, pp. 23-24.

segua la legge. Ma se si resta nel campo della probabilità, sicché l'opinione per la libertà non cessi di esser veramente probabile, allora si può stare per la libertà. Questa è la dottrina costante di s. Alfonso, e nella enunziazione che sopra abbiamo riportato, in base alla nuova definizione della « probabilior » non si dice altro che questo.

Ecco le nuove definizioni del santo:

Distinguendae sunt opinio tenuiter probabilis, probabilis, probabilior et moraliter certa.
Opinio tenuiter probabilis est quae innititur momento quod non valet ad se viri prudentis assensum pertrahere.
Probabilis est quae innititur fundamento gravi.
Probabilior est quae innititur fundamento graviori; sed ut dicatur vere probabilior requiritur, prout aiunt Gonzalez et Patuzius cum aliis antiprobabilistis communiter (Gonzal. Tract. de Prob. V. Patuzius Tract. De Reg. prox. hum. act. par. I; cap. 2), ut opinio sit *manifeste verisimilior operanti cum excessu notorio* nam si excessus, sive praeponderantia sit tenuis et dubia, tunc opinio illa reputatur, *moraliter loquendo,* aeque *probabilis quam opposita, quia parum pro nihilo reputatur* (La sottolineatura è nostra).
Opinio demum sive sententia moraliter certa est illa cuius opposita apparet omnino improbabilis (n. 29).

Si noti come non si dia la definizione della probabilissima; essa infatti viene assorbita dalla nuova « probabilior ». Del resto il santo subito dopo al n. 31 scrive: « Dicimus pro indubitato licere operari cum opinione probabilissima sive probabiliori superius explicata ».

Sicché lo stato della coscienza di fronte a due opinioni probabili è duplice (se si eccettui lo stato di certezza in cui il giudizio si pone come « sententia », che ha contro di sé una proposizione *del tutto* improbabile): o una di esse è veramente « probabilior » cioè probabilissima o quasi probabilissima ed allora l'opposta è « tenuiter probabilis »; oppure si resta nello stato di vera probabilità, ed allora le due opinioni appaiono equiprobabili moralmente.

Questa semplificazione di termini rende molto più facile la dialettica delle probabilità e fa che il *sistema* morale sia espressione non di calcolo logico di gradi di probabilità, ma di valutazione psicologica e morale; sia cioè espressione della virtù della prudenza.

La chiarificazione sarebbe stata ancora più perfetta nella terminologia, se Alfonso avesse distinto, anche nel dare le definizioni, la certezza morale della « sententia », dalla certezza morale larga che ammette qualche timore ma non tale da impedire l'assenso di un uomo prudente: di un uomo cioè che non esiga in materia morale la certezza assoluta; e se avesse attribuito questa certezza morale larga alla « probabilissima » ed alla « certe probabilior ». Questa ulteriore chiarificazione il santo ce la darà subito nell'opuscolo che esamineremo nel paragrafo seguente.

Notiamo però che tale chiarificazione si viene preparando nel lavoro che qui esaminiamo, perché ad una obiezione dell'Antoine che negava la necessità della certezza per la legge, altrimenti sarebbero pochi i casi in cui la legge naturale sarebbe obbligatoria, egli risponde che basta che la legge sia promulgata con una « notabiliter probabilior », perché allora la legge diventa « certa, sive quodammodo certa moraliter » (n. 44).

In base alle nuove definizioni la « minus probabilis » o conserva la probabilità valida moralmente ed allora essa è equiprobabile, oppure non la conserva ed allora diventa tenuemente o al più dubbiamente probabile; come tale recede nel campo della infraprobabilità morale, anche se logicamente conserva qualche grado di probabilità. Perciò il santo d'ora in poi respingerà il termine *minus probabilis,* e potrà anche dire di essere probabiliorista, ma in funzione antitetica al probabiliorismo del Patuzzi.

*
* *

Nell'edizione terza dello « Homo Apostolicus » del 1770 tornerà alle definizioni consuete; ma allora già da tre anni egli sarà oggetto di pressioni anzi di violenze politiche anche quanto alla sua dottrina morale e sarà costretto a modificare la sua terminologia.

Comunque il Gaudé dice che il santo fece bene ad eliminare la definizione patuizziana della « probabilior », perché essa sarebbe « ambigua, imo si cum rigore loqui velimus, falsa », poiché si può avere una vera probabiliorità per motivazione più grave e tuttavia non molto eccedente [24]. Ma questo è vero se alle definizioni morali si dà valore soltanto logico; ora s. Alfonso intende reagire proprio al logicismo che riduce la dialettica delle probabilità ad un calcolo quasi matematico di gradi di probabilità; e che d'altronde apre la via così al rigorismo come al lassismo.

Ciononostante noi crediamo che Alfonso, pur mantenendo sempre la dottrina della necessità di una forte eccedenza per costituire la vera probabiliorità richiesta per la promulgazione della legge, a ragion veduta non chiamò più probabilissima o quasi probabilissima la «notabiliter probabilior».

Infatti la probabilissima è ambivalente: essa può significare il minimo invalicabile determinato da Innocenzo XI con la condanna della liceità dell'opinione «tenuiter probabilis» (Denzinger 1153), per cui, contro i lassisti che volevano piegarsi soltanto di fronte alla certezza assoluta della legge, una legge probabilissima obbliga anche se abbia contro di sé una opinione tenuemente probabile.

Ma la probabilissima di s. Alfonso voleva essere più ristretta in modo da poter coesistere ed opporsi non soltanto alla tenue probabilità ma anche ad una probabilità che sarebbe valida ma è dubbia o è soltanto logica; che è insomma infraprobabile moralmente: «minus probabilis».

Nella sua attività letteraria, fin dal 1748 aveva rigetttato la «probabiliter probabilis», aveva assimilato alla tenue probabilità condannata da Inocenzo XI la probabilità dubbia, perché egli voleva evitare non soltanto il minimismo lassista ma anche la via che portava al lassismo. Ora, concepita la probabilità come equiprobabilità, la «minus probabilis» o era veramente probabile ed allora era equiprobabile, o era «minus probabilis» ed allora era infraprobabile. Sicché la nuova probabilissima o quasi probabilissima alfonsiana voleva poter coesistere e rendere invalida non soltanto la tenue probabilità ma anche questa «minus probabilis», perché «dubie probabilis», «probabiliter probabilis», infraprobabile moralmente.

Data dunque questa ambivalenza del termine: probabilissima,

---

[24] GAUDÉ L., *De morali systemate s. Alphonsi M. De Ligorio*, Romae 1894, c. I, n. 10, pp. 24-25.

il santo indicherà in seguito la sua quasi probabilissima con i termini « notabiliter probabilior », « certe probabilior », « ratio convincens », « sine haesitatione probabilior ».

Purtroppo anche il termine « probabilior » è ambivalente, perché può indicare la « probabilior » logica che resta nella sfera della equiprobabilità morale, e la « notabiliter probabilior » che qualitativamente è fuori della probabilità ed è certezza. Questa ambivalenza pesa sulla storia secolare dei sistemi morali ed ha determinato almeno due correnti nella interpretazione del pensiero alfonsiano.

Si potrebbe obiettare che la distinzione tra probabilissima e quasi probabilissima, o tra « probabilior » e « certe probabilior », « notabiliter probabilior » faccia ricadere la dialettica delle probabilità nel logicismo e nell'indeterminato, perché i termini « quasi », « certe », « notabiliter » sono termini elastici ed assai relativi.

Questo è vero; ma s. Alfonso ha cura di insistere su di un termine che ha un valore semantico moralmente e psicologicamente chiaro; egli afferma che si ha la « notabiliter probabilior » quando la probabiliorità è data da una ragione *convincente*. Ed è certo che nella deliberazione morale ognuno sperimenta e riconosce quando una ragione è o non è *convincente*. Naturalmente ciò suppone che la sensibilità della persona sia sviluppata e ben orientata. Ma proprio in questo sta il superamento del logicismo che vorrebbe fare della deliberazione morale un compito celebrale o giuridistico; si deve invece considerare la deliberazione come scelta ed impegno di tutta la persona, conscia del suo valore di immagine cristiana di Dio nel Cristo. La deliberazione morale non è altro che la espressione della preparazione ontologico-etica della persona fondata nel Cristo. La convinzione è appunto il « rivelatore » dell'opinione che è da approvare, « dokimázein » dice s. Paolo, perché essa rende la nostra scelta morale un approfondimento della nostra persona nel Cristo; sia che si tratti di convinzione che la scelta va fatta secondo la legge certa, sia che si tratti di convinzione che la scelta va fatta secondo la libertà certa.

Ecco dunque come s. Alfonso nell'opuscolo che veniamo esaminando, sottolinea in s. Agostino il valore e la necessità della *convinzione* nel deliberare:

Valde etiam firmat nostram sententiam (che cioè la legge deve
esser certa) id quod brevi calamo scripsit s. Augustinus: *Quod enim
neque contra fidem, neque contra bonos mores esse convincitur,
indifferenter est habendum* (S. August. Epist. 54 ad Januar. cap.
2). Nota illud: *convincitur* (non *iniungitur*, sed *convincitur* ut
legendum iudicant eruditissimi Patres Maurini) [25].
Id ergo illicitum est, quod moraliter certe convincitur esse contra
fidem aut bonos mores; aliter liberum est homini sequi opinionem
quam maluerit (n. 56).

Ma la necessità che la « probabilior » si ponga come « argumentum convincens » egli l'aveva affermata già nel 1755, come
abbiamo visto sopra a p. 275. Egli dunque non muta idea, ma determina sempre meglio l'espressione del suo pensiero per mezzo di
una terminologia più precisa.

*
* *

Un altro grande progresso su di un punto più fondamentale
nella dialettica delle probabilità riguarda il principio di valore
che è anche criterio di verità di ogni nostra scelta morale: *sinto-
nizzzare ogni atto della nostra volontà con la volontà di Dio.*
La conformità, anzi l'uniformità che è conformità dall'interno,
per cui la legge più che come legge è sentita come principio e
libertà, è l'idea base di tutto il pensiero morale di s. Alfonso,
dalla casistica alla mistica.
Già nella Dissertazione del 1755 all'obiezione che seguire
l'opinione meno probabile è non conformarsi alla volontà di Dio
identificata con l'osservanza delle leggi particolari nella loro
oggettività, egli rispondeva col Terill distinguendo in Dio legge
costitutiva dell'ordine morale oggettivo ed in sé (lex antecedens) e
legge realizzatrice dell'ordine morale nelle concrete situazioni degli uomini anche se in errore (lex consequens). Quindi egli afferma che secondo la legge realizzatrice, « vult Deus homines teneri
ad suas leges secundum quod sunt in eorum conscientia » (n. 23).
Di conseguenza la non esecuzione della legge antecedente non è
peccato neppure materiale, perché l'uomo retto è sempre in conformità con la volontà di Dio realizzatrice (n. 26).

---

[25] Cf. *P. L.* 33, 200; CSEL 34, 160, 14.

La distinzione e la conseguente soluzione è fondata; ma così come è presentata può anche sembrare un po' artificiosa, su misura prestabilita. Forse per questo il santo non vi torna più almeno come formula, e nel 1763 la sostituirà con altra, come vedremo.

Bisogna qui notare che volontà di Dio e legge eterna assoluta coincidono; ma i suoi avversari concepivano la legge eterna come l'archetipo in Dio di tutte le leggi naturali *prese nelle loro particolarità* e quindi nell'ordine orizzontale e molteplice. La semplicità della legge eterna si dovrebbe allora concepire come il punto-origine di proiezione che in sé è semplice ma nella proiezione è molteplice; sicché violare le leggi particolari nella loro particolarità sarebbe formalmente violare la legge eterna e quindi la volontà di Dio. Donde il principio fondamentale degli avversari di s. Alfonso: *in dubiis pars tutior est sequenda;* donde anche la negazione della distinzione tra violazione materiale e formale della legge; la negazione della distinzione tra giudizio diretto sulla « veritas rei » e giudizio formalmente pratico sulla « veritas honestatis actionis ».

Si dimentica così che la legge eterna in Dio è volontà, ma non così come nell'uomo, che con la sua volontà pone in esecuzione una forma. In Dio la volontà è bontà che partecipa intimamente il suo essere ed è presente nel partecipato. Tale presenza dinamica determina l'ordine verticale delle cose, che è semplice, uno ed unificante: il molteplice invece viene dalla finitezza della creatura. Ma anche la creatura, se è immagine spirituale di Dio, se cioè è persona, tende a superare il molteplice che le vien dalla finitezza, con il valore dell'unità radicale, della spiritualità che le viene da Dio.

In altri termini la legge eterna è soprattutto e prima di tutto fondazione di verità-valore, di finalità verticale; è fondazione della carità, della carità cristiana, poiché l'ontologia dello spirito di fatto è quella che Dio Padre ha fondato nel Mistero del Cristo, e che è inesprimibile con le categorie filosofiche umane. Questa legge eterna che supera il particolarismo cosmologico, è grazia per cui si entra nel ritmo dell'essere del Cristo, qualunque sia la condizione di membri nel suo corpo mistico. Ed è legge che supera non solo il particolarismo delle cause e delle leggi dell'ordine orizzontale, ma redime e valorizza anche la defettibilità, sia essa particolare come di creatura, sia individuale come di Tizio o di Caio in questa o in quella situazione. Solo in questa dimensione verticale il male trova una spiegazione; altrimenti esso sarebbe uno « scandalum » insuperabile, che farebbe crollare non solo la vita morale, ma anche tutta la realtà cosmica. Non vi sarebbe soluzione all'enigma della storia, anzi all'enigma dell'essere, che si rivela nell'esistere ma per superarlo verso l'Essere!

La concezione che fa della legge eterna soltanto l'archetipo e la « summa in nuce » di tutte le leggi particolari, introduce l'antropomorfismo in teologia (l'eterna insidia di fare Dio ad immagine dell'uomo!) e suppone che l'ontologia sia quella modale delle essenze molteplici. Sicché violarle nella loro ragione particolare sarebbe violare il valore ontologico di ogni realtà, e quindi la legge eterna che fonda tale realtà.

Ma l'ontologia è quella dell'essere come partecipazione intensiva dell'essere di Dio; ontologia che nell'ordine soprannaturale, lo ripetiamo, è partecipazione dell'essere del Cristo diventato nostro capo, nostro spirito, nostra « caritas ». Egli diventa così la nostra legge: cioè grazia e libertà. E questa legge eterna del Verbo di Dio solo strumentalmente si esprime ed esige le leggi particolari.

E si comprende come e perché la legge eterna è violata solo quando la nostra azione particolare, singolare, si pone come negazione della carità; cosa questa che si verifica solo quando la nostra intenzione diventa sleale verso Dio. E' una verità questa che ogni cristiano, anzi ogni semplice uomo sa; ma appunto per questo essa è rivelatrice del vero valore della legge fondamentale dell'ordine morale; perché *ogni uomo* deve saper vivere in Dio e sapere se egli vive o non vive in Dio. La fondazione della verità morale deve esser intuitiva per tutti, anche per gli analfabeti!

La degradazione concettuale della legge eterna, fatta ad immagine delle leggi umane, ci sembra che dipenda non soltanto dalla ontologia del molteplice, che è propria dello stoicismo quando essa si pone come etica, ma per ragioni opposte tale degradazione dipende anche dal giuridismo che nominalisticamente atomizza la vita morale, e rende *positiva* la legge eterna, la rende formalmente pluralistica.

Di fronte ad una legge eterna così concepita s. Alfonso reagisce e guarda con simpatia ad alcuni «plures doctores» che affermano esser la legge eterna non «propriamente legge, ma ragione di tutte le leggi» (n. 40). Cosa quest'ultima verissima, se si vuol negare alla legge eterna il carattere particolaristico e diciamo pure giuridistico delle leggi umane; ma non vera se si vuol dire che essa non è legge che obblighi. Però anche questo concetto di obbligazione qui è improprio, e si dovrebbe parlare di fondazione dei valori morali nel loro ordine verticale: ma questa è fondazione che dà origine alla persona, alla libertà, alla autodeterminazione e solo strumentalmente ai modi di agire particolari ed alle loro leggi. La fondazione ontologica della persona non dovrebbe confondersi con la obbligazione particolaristica delle leggi: questa era l'intuizione di s. Alfonso.

Comunque la sua insoddisfazionee di fronte al concetto antropomorfistico della legge eterna prova che egli sentiva che la legge della persona e della libertà non era riducibile alle leggi particolari concepite essenzialisticamente o giuridisticamente.

E' stato detto che un'ora di metafisica avrebbe fatto mutare concezione morale a s. Alfonso. Questa ora di metafisica non sembra che sia stata fatta ancora, se si eccettui qualche tomista contemporaneo, per es. Cornelio Fabro, in un campo più fondamentale; e pensiamo che se il tomismo del Settecento l'avesse fatta, in essa s. Alfonso avrebbe trovato massima conferma e piena chiarificazione del suo pensiero morale.

Ma verso questa chiarificazione, benché lentamente, egli venne per altra via; seguendo cioè s. Tommaso, quando questi parla della conformità con la volontà di Dio, considerata nel suo oggetto più che nella sua ragione di legge.

Dopo la lettura del Patuzzi nel 1759, il problema della conformità con la volontà di Dio in rapporto alla dialettica delle probabilità in sede di coscienza diventò più vivo. Egli infatti aveva letto nell'erudito tomista che «l'argomento ricavato dall'obbligazione che ha l'uomo di conformare le sue operazioni colla volontà e legge di Dio è un argomento... che di fatto atterra dai fondamenti il sistema de' probabilisti » [26].

In tutte le sue opere di spiritualità s. Alfonso veniva affermando che il cardine di ogni vita spirituale è la conformità alla volontà di Dio portata fino alla perfetta uniformità. Col suo probabilismo moderato distruggeva forse con la sinistra quel che edificava con la destra?

Nelle Note al Patuzzi del 1759 così egli scrive:

« Operando secondo l'opinione benigna... non si opererebbe contro la divina volontà? No, si risponde; in tal caso non si offende la legge, né si opera contro la divina volontà. Non si offende la legge, perché allora si opera contro una legge che per esser dubbia non obbliga... Né si opera contro la divina volontà.

E come mai può dirsi che allora noi siam tenuti di uniformarci alla divina volontà, quando non sappiamo se Dio vuole o non vuole che ci asteniamo da quell'azione?

Insegna s. Tommaso che in que' casi dove non sappiamo quel che vuole Dio, noi non siamo obbligati a conformarci alla divina volontà, per non esserci allora quella bastantemente nota: « Quicumque vult aliquid sub quacumque ratione boni, habet rationem conformem voluntati divinae quantum ad rationem voliti; sed in particulari (nota) nescimus quid velit Deus, et quantum ad hoc non tenemur conformare voluntatem nostram divinae voluntati (I-II, 19, 10 ad 1) (p. 19-20).

Nel testo di s. Tommaso s. Alfonso sottolinea dunque la necessità che la volontà di Dio a cui dobbiamo conformarci è la volontà notificata e conosciuta con certezza. Certamente il testo di s. Tommaso è molto più ricco; ma egli si limita a sottolineare quel che interessa immediatamente la sua discussione con gli avversari; i quali asserivano che si violava la volontà divina anche quando la legge divina era dubbia per la presenza di due opinioni opposte probabili, cioè equiprobabili.

Nel 1760, nel paragrafo sulla coscienza probabile, da noi esaminato sopra al n. 9, ripete quanto ha scritto nelle Note del 1759.

Ma dal luglio 1760 al luglio 1761 egli approfondisce questo

---

[26] PATUZZI G.V., op. cit., P. II, c. I, & 2, n. 14, p. 127.

punto e nell'opuscolo che qui esaminiamo si ha uno sviluppo fondamentale per la dialettica delle probabilità in sede di coscienza.

Esamina, più a lungo e con più frequenti citazioni di s. Tommaso, il rapporto tra legge eterna e libertà, sempre dal punto di vista che abbiamo segnalato (nn. 38-42); quindi passa alla conformità con la volontà di Dio considerata nel suo oggetto (n. 43).

La controversia lo porta a sottolineare anche qui che la conformità esige la conoscenza certa di quel che Dio vuole. Ma questa volta distingue con s. Tommaso tra cose volute da Dio in particolare (volitum materiale) e ragione o valore che Dio vuole nelle cose particolari (volitum formale), che è costituito dalla ragione o valore di « bonum commune » assunto come fine.

Ora la conformità che fa retta la nostra scelta morale è la conformità per cui *intendiamo* anche noi il «volitum boni communis», cioè, come dichiara s. Tommaso, il «bonum totius» che è la gloria di Dio.

Anche s. Alfonso altrove dirà che ogni nostro atto per essere buono deve essere informato dall'intenizone virtuale della gloria di Dio. Però la necessità logica della controversia lo porta ad insistere sulla ragione formale per cui la scelta morale, anche se erra sulla « veritas rei », non erra nella « veritas honestatis actionis » quando questa è conforme alla volontà di Dio « in volito boni communis ». Perciò egli afferma che si è in sintonia col « volitum boni communis » voluto da Dio, sempre che l'intenzione abbia per oggetto un bene in quanto onesto. E poiché è onesto tutto ciò che è dalla natura né è da Dio particolarmente vietato, e d'altronde la libera autodeterminazione è dono di Dio naturale, egli conclude che ogni libera scelta di bene, inteso come onesto, è sempre conforme alla volontà di Dio.

Ecco il ragionamento del santo, che noi abbiamo cercato di render più evidente:

Replicant: Nihil nobis licet, nisi a voluntate Dei permittatur, proinde, ut licite operemur, prius a nobis agnoscendum est illud voluntati divinae esse conforme.
Respondetur: Debet quidem homo se conformare voluntati divinae, sed cuinam voluntati? Voluntati, dicimus, cognitae et manifestatae. Ita docet D. Thomas (I-II, 19, 10) qui sic ait: « Voluntas igitur

humana tenetur conformari divinae voluntati formaliter, sed non materialiter »...

Explicat illud *formaliter,* idest *in volito boni communis.* Seu quod in omni actione intendamus bonum honestum, prout cuique honestum est uti libertate sibi donata a Deo; omne enim quod est iuxta ordinem naturalem, neque a Deo prohibetur, honestum est (n. 43).

Il commento continua dopo questa premessa, per dimostrare come la volontà di Dio, se nella determinazione particolare non è conosciuta, non obbliga e non incide sulla conformità che costituisce la onestà della scelta morale. Ma a noi interessa il testo riportato perché è appunto con esso che sostanzialmente egli ha raggiunto il punto fondamentale della dialettica delle probabilità, in quanto determina il principio di valore di ogni scelta morale, e quindi il principio formale per cui la scelta si pone come *conclusione morale* nella dialettica delle probabilità. Tale principio è la conformità con la volontà di Dio in quanto stabilisce l'ordine verticale, che deve costituire la rettitudine formale dell'intenzione retta e leale, anche se il particolarismo dell'ordine orizzontale pluralistico non è conservato.

Del resto il principio di valore assunto come principio formale della dialettica delle probabilità, era stato affermato dal santo nel principio di flessibilità nel 1757; e questo ritorna e chiude anche il suo lavoro del 1761 (n. 62).

11) BREVE DISSERTAZIONE DELL'USO MODERATO DELL'OPINIONE PROBABILE - 1762.

L'opuscolo esaminato di sopra al n. 10, benché composto nel 1761, veniva stampato nel 1763. Nel frattempo sul finire del 1762 veniva pubblicata la dissertazione che ora esaminiamo, per i tipi di Giuseppe Di Domenico di Napoli.

E' un opuscolo in 24° (14,5 × 9). Le pagine sono 96. Ma abbiamo osservato qualche copia che tra la pagina 2 e la 3 ha quattro pagine non numerate, evidentemente aggiunte dopo il febbraio 1763, con le approvazioni dei revisori, di cui l'ultima è del 21 febbraio 1763.

Questa volta il santo, consacrato vescovo nel giugno 1762, poteva difendere meglio la sua Congregazione, nel caso che fos-

20.

306

se stata attaccata politicamente dai suoi avversari per causa
della sua dottrina sul probabilismo, e perciò l'opuscolo porta ora
il suo nome e la qualifica di vescovo di Sant'Agata de' Goti. Ma
poté anche pensare che, non difendendo più l'opinione meno probabile, le eventuali polemiche sarebbero state meno accese.

Per la storia del pensiero alfonsiano notiamo che qui è citato per la prima volta Eusebio Amort dalla sua «Theologia
Eclectica Moralis et Scholastica» pubblicata nel 1752 ad Aug-
sburg. Egli è equiprobabilista e s. Alfonso gli dirà il 23 aprile
1765 che ha composto la sua dissertazione del 1762 «iuxta tua
documenta»[27]. Poiché la pubblicazione del 1761, da noi studiata
nel paragrafo precedente, è stata considerata come del 1763, anno
di stampa, si è pensato che l'evoluzione di s. Alfonso in senso
equiprobabilistico dipenda molto dallo Amort.

Ma tale evoluzione è già nelle Note al Patuzzi del 1759, dove
non vi è nessun accenno ad Amort, il quale continua ad esser as-
sente nelle pubblicazioni alfonsiane del 1760 e del 1761; data la
sua importanza per Alfonso, egli sarebbe stato certamente citato
se questi lo avesse letto prima del 1762.

Da quanto veniamo dicendo dovrebbe quindi apparir chiaro
che l'equiprobabilismo alfonsiano è la espressione del suo personale,
costante pensiero, che ha trovato la sua terminologia leggendo
il Patuzzi e ponendosi in antitesi etica con lui per l'antitesi ontologica che era a base dei loro pensieri teologici. Del resto vedremo
che l'equiprobabilismo dello Amort è molto distante da quello
di s. Alfonso.

Bisogna però riconoscere che questi, nel comporre la dissertazione del 1762, pur assorbendo e migliorando le Note del 1759,
ha tenuto conto dello Amort. Così per es. mentre in queste Note
accenna alla condanna del probabilismo da parte dell'Assemblea
del Clero Gallicano del 1700 che il Patuzzi opponeva ai probabilisti[28], e la risolve con l'osservazione generica che «vi son tanti
altri vescovi e teologi che l'approvano, e ciò non era necessario
che lo scrivessero e ne facessero sinodi» (p. 42), nella Dissertazione si ferma più a lungo su quest'Assemblea e cita lo Amort
in proprio favore (pp. 52-55).

[27] S. ALFONSO, *Lettere* III, n. 151, p. 246.
[28] PATUZZI G.V., *op. cit.*, p. II, c. 5, n. 2, pp. 246-247.

La dottrina esposta nella dissertazione è sempre antiprobabiliorista, benché rinnovi più chiaramente le sue dichiarazioni equiprobabiliste.

Quanto all'antiprobabiliorismo egli insiste sempre sulla dottrina di base:

« Diciamo che quando l'opinione men tuta è egualmente probabile, può lecitamente seguirsi, perché allora la legge è dubbia, e perciò non obbliga, per ragion del principio certo... che la legge dubbia non può indurre un obbligo certo » (p. 5).

Ritorna la sua dottrina sulla promulgazione della legge in genere, della legge eterna. Con lo Amort afferma che finché « l'opinione per la legge non apparisce evidentemente e notabilmente più probabile, è moralmente certo che non v'è legge che obbliga » (p. 19); con s. Agostino ripete che « a noi è lecita ogni azione, purché non siamo *convinti* e moralmente certi ch'ella sia contra la fede o contra i buoni costumi » (p. 24).

Quanto alla legge eterna afferma che essa deve esser promulgata; afferma che la libertà è anteriore alla legge. Per la conformità con la volontà di Dio è ripetuto quanto detto nell'opuscolo precedente (pp. 40-43). Ritorna la distinzione fondamentale della verità oggettiva della cosa e della verità dell'onestà dell'azione: la prima da determinare con giudizio diretto, la seconda con giudizio riflesso, che egli dice anche concomitante, ((pp. 53-58), usando un termine dello Amort [29]. Finalmente il santo tratta molto a lungo del principio *in dubiis pars tutior est sequenda* (pp. 58-80), che è l'achille del probabiliorismo, perché emana dalla loro ontologia puramente essenzialistica formale.

Veniamo ora all'equiprobabilismo. E' bene considerare sinotticamente le sue posizioni dal 1759:

[29] AMORT E., *Theologia Eclectica Moralis et Scholastica* t. I, Augustae Vindelicorum et Wirceburgi 1752, Tr. de Actibus humanis, disp. 2, quaestiunculae prolegomenae et synopticae 4, quaeritur 10, p. 87; Quaestio disp. II, Notandum 3, p. 102 et passim (non è possibile dare altri luoghi, perché Amort moltiplica sottodivisioni e serie di paginatura nello stesso tomo, e diventa assai complicato). In seguito citeremo nel testo la pagina della Disputatio De Conscientia, che abbiamo citato qui per lungo come era possibile farlo.

308

1759   1760   1761   1762

Il nostro sistema non è di potersi seguire l'opinione meno probabile in concorso della probabiliore, ma di poter seguire la opinione benigna, quando è egualmente probabile alla rigida; poiché, come accordano tutti gli antiprobabilisti, secondo dice lo stesso P. Patuzzi, quando è poca la preponderanza tra la una e l'altra opinione, sicché tenue e dubbioso sia l'eccesso, allora ben può dirsi egualmente probabile, poiché *parum pro nihilo reputatur;* mentre all'incontro, allorché la preponderanza è grande, l'opinione contraria resta tenuamente o almeno dubbiamente probabile.

(Note al Patuzzi del 1759, pp. 35-36).

Diciamo esser lecito il servirsi dell'opinione gravemente probabile a favor della libertà, sempre ch'ella non è già meno probabile, ma è o più probabile o almeno egualmente probabile che la contraria a favor della legge. E qui bisogna avvertire, che quando le due opinioni opposte sono ambedue gravemente probabili e fondate, sempre sono egualmente o quasi egualmente probabili; il che importa lo stesso, mentre secondo dicono i medesimi antiprobabilisti, quando è poca la preponderanza tra l'una e l'altra opinione, sì che molto tenue e dubbioso è l'eccesso, allora ambedue le opinioni si reputano egualmente probabili, giusta l'assioma che *parum pro nihilo reputatur.* Altrimenti poi sarebbe quando la preponderanza d'una opinione fosse notabile, perché allora l'opinione contraria resta o improbabile o pure tenuamente o sia dubbiamente probabile.

(Della coscienza probabile - 1760, p. 18, n. 32).

Dicimus non licere uti opinione minus probabili et minus tuta adversus probabiliorem (cioè: quasi probabilissimam) pro lege; tunc enim qui illa utitur, non videtur satis tute et prudenter operari. Licere autem dicimus sequi opinionem pro libertate, si opinio illa innititur adeo gravi fundamento, ut vere probabilis iudicetur (*e quindi: aequiprobabilis ac opposita*).

(De Conscientia probabili, p. 8, n. 32).

Diciamo che non è lecito di seguitare la opinione meno probabile, quando l'opinione che sta per la legge è notabilmente e certamente più probabile; perché allora l'opinione più tuta non è già dubbia (intendendo con dubbio stretto, siccome si dirà nella seconda questione), ma è moralmente o quasi moralmente certa, avendo per sé un fondamento certo d'esser vera; dove all'incontro l'opinione meno tuta, e molto meno probabile, non ha tal fondamento certo di esser vera.

Ond'è che allora questa rimane tenuemente, o almeno dubbiamente probabile a confronto della opinione più tuta; e perciò non è prudenza, ma imprudenza grave il volerla seguire. Poiché quando apparisce all'intelletto con certezza che la verità sta molto più per la legge che per la libertà, allora non può la volontà prudentemente e senza colpa abbracciare la parte men tuta; perché in tal caso l'uomo non oprerebbe per giudizio proprio, o sia propria credulità, ma per uno sforzo che colla sua volontà farebbe all'intelletto in rimuoversi dalla parte che gli apparisce molto più verosimile, ed appigliandosi alla

parte che non solo
non gli apparisce ve-
ra, ma che neppure
ha fondamento certo
di poter esser vera.
E qui fa quello che
dice l'apostolo: Om-
ne quod non est ex
fide peccatum est.
Rom. 14, 23.
(Breve Dissert. 1762,
pp. 3-4).

Il testo del 1759 dà il carattere qualitativo dell'equiprobabilismo solo con l'ultima nota dove si afferma che non si è nella
probabilità e quindi nella equiprobabilità quando l'opinione per
la libertà cade nel campo della infraprobabilità morale. Di conseguenza l'opinione per la legge entra nel campo della certezza morale larga; ma questo non è detto esplicitamente. Però tutto l'opuscolo è per provare che quando vi son due equiprobabili, allora
non si ha la certezza necessaria perché la legge obblighi.

Del resto il testo del 1759 ha per contesto la pagina del Patuzzi, che noi abbiamo già letta; ed abbiamo visto che l'equiprobabilismo legalista dell'erudito tomista è qualitativo e non
quantitativo, in quanto esso è l'alternativa del suo probabiliorismo qualitativo: o forte certezza morale per la libertà, o altrimenti equiprobabilità sempre favorevole alla legge.

S. Alfonso in antitesi afferma: o forte certezza morale per
la legge o altrimenti equiprobabilità sempre favorevole alla libera autodeterminazione.

Il testo del 1760 ripete quello del 1759, ma lo integra col
canone veramente fondamentale che definisce la equiprobabilità
qualitativa non più dall'esterno per i limiti della infraprobabilità da un lato e quindi necessariamente per i limiti della certezza dall'altro, ma dall'interno per il costitutivo formale della
equiprobabilità che non è nell'eguaglianza dei gradi logici di probabilità ma nella simultanea gravità e fondatezza della probabilità: « Quando le due opinioni opposte sono ambedue gravemente
probabili e fondate, sempre sono egualmente o quasi egualmente
probabili ». Caratteristica dunque della probabilità comparativa
è la *equiprobabilità;* due opinioni se non sono equiprobabili non

sono neppure probabili, ma una di esse è infraprobabile e l'altra è certa moralmente.

Il testo del 1761 è ancora più semplice e perfetto, se si legge secondo la nuova definizione della « probabilior » identificata con la « quasi probabilissima », che il Patuzzi identifica apertamente con la certezza morale larga, e se si tien conto che la probabile solida è quella che in comparazione con l'opposta è equiprobabile. Donde la semplicità del testo per cui o si è nella probabilità ed allora l'iniziativa è alla libertà, o si è fuori della probabilità nella certezza della « probabilior » favorevole alla legge ed allora bisogna stare alla legge.

Il testo del 1762 nella prima parte ripete le formule precedenti; nell'altra introduce il principio del « verisimilius sequendum ». Esamineremo l'una e l'altra parte.

La prima parte ripete e perfeziona le formule precedenti. In essa infatti si dà la terminologia completa della « probabilior », poiché è detta non solo *notabilmente* ma anche *certamente* più probabile; e se ne dà la ragione formale: rendere la legge almeno quasi certa moralmente, eliminando il dubbio stretto che poteva esser determinato nel soggetto dalla equiprobabilità.

Il concetto di « certezza morale larga », quale è la « quasi certezza morale », s. Alfonso l'aveva in qualche modo più volte adombrato; tuttavia nel 1759 nelle Note al Patuzzi noi troviamo questa espressione: « La nostra sentenza se non fosse moralmente certa, almeno è probabilissima, che possa seguirsi l'opinione *aeque* probabile » (p. 44). Dunque si può dare un'opinione probabilissima che non determini una certezza morale larga!

Evidentemente egli nel 1759 considera ancora come certezza morale soltanto quella che esclude ogni timore di errare: la certezza dimostrativa. Eppure nel Patuzzi aveva trovato una concezione di certezza morale larga che non esclude del tutto il timore anche in un uomo prudente; timore cioè non di scrupoloso, ma che tuttavia non impedisce la fermezza del giudizio; e questa certezza morale larga, « certitudo probabilis » Patuzzi l'attribuisce alla opinione che è appunto « notabilmente e certamente più probabile » ; che è inferiore alla probabilissima.

Credo però che il santo abbia voluto meditare prima di accettare dal Patuzzi il concetto di certezza morale larga, che finalmente compare in questa dissertazione del 1762 come espressione che determina lo « status quaestionis ». Infatti era proprio per tale concetto che il Patuzzi diventava quasi tuziorista mitigato [30]; sicché il santo, per l'antitesi, poteva rischiare di cadere in un probabilismo aperto al lassismo. Ed era proprio questo timore che lo aveva fatto esitare quanto alla liceità della « minus probabilis » conosciuta come tale.

Ma elevando ora il limite della infraprobabilità morale dalla tenue probabilità alla « certamente e notabilmente meno probabile », egli era sicuro di non accentuare troppo la certezza morale larga richiesta dalla legge per obbligare e chiudeva quindi la via ad un probabilismo troppo spinto. Così egli poteva « fissare » il suo sistema morale [31].

Nella formula del 1762 al concetto di certezza morale larga è assimilato il concetto di « dubbio largo », che egli prende da Amort.

Poiché dal primo concetto dipende l'estensione e l'originalità dell'equiprobabilismo alfonsiano, e poiché anche Amort difende una concezione equiprobabilista, è necessario porre a confronto l'uno e l'altro autore. Sembra infatti ad alcuni esser verità storica criticamente acquisita che l'equiprobabilismo alfonsiano dipenda da quello dello Amort; tanto più che lo stesso Alfonso chiama quest'ultimo: « magister meus » [32].

Amort a principio del suo « De conscientia » dà queste due definizioni:

Conscientia certa est dictamen rationis de conformitate vel oppositione propriarum actionum ad legem Dei, sine prudenti formidine oppositi. E contra conscientia dubia est dictamen de conformitate

---

[30] S. ALFONSO, *Lettere* III, n. 168, p. 275; n. 217, p. 344.

[31] S. ALFONSO, *Dichiarazione del sistema che tiene l'autore intorno alla regola delle azioni morali*, e si risponde ad alcune nuove opposizioni che gli vengono fatte, in: *Traduzione dei salmi*, Napoli 1774, n. 49.

[32] S. ALFONSO, *Lettere* III, n. 151, p. 246.

vel oppositione propriarum actionum ad legem Dei, cum prudenti formidine oppositi (p. 76a).

Come si vede Amort definisce la certezza o dubbio in rapporto alla conformità o meno dell'atto con la legge; ma allora non si vede come la « formido » si possa avere anche quando il giudizio è favorevole alla legge. Né è facilmente concepibile il dubbio come « dictamen conscientiae ». Sul dubbio egli dà queste altre definizioni:

> Conscientia stricte dubia est dictamen suspensivum omnis iudicii in unam contradictionis partem circa conformitatem vel oppositionem propriarum actionum ad legem Dei.
> Conscientia autem late dubia est dictamen rationis, quo homo iudicat probabilius dari conformitatem vel oppositionem propriarum actionum ad legem, attamen cum prudenti formidine oppositi.

Dunque nella definizione della coscienza strettamente dubbia non si trova il concetto di « formido » che pure è stato dato nella definizione generica: questo non può giovare alla chiarezza.

E bisogna inoltre chiedersi se nel caso di dubbio stretto si abbia « dictamen suspensivum » o se sia meglio dire con s. Tommaso che non si ha neppure la semplice inclinazione verso una parte (De Verit. 14, 1).

Ma per comprender bene i concetti di certezza e di dubbio in Amort bisogna fermarsi sul suo pensiero intorno alla deliberazione morale.

Egli afferma che la distinzione tra giudizio speculativo e giudizio pratico per sedici secoli non è stata udita nella Chiesa (p. 86b); sicché il giudizio che dirige la scelta morale è uno solo, e di conseguenza la verità è una sola: la verità oggettiva della legge o della non legge.

D'altronde egli con tutti gli altri teologi ammette che l'ultimo giudizio che determina la scelta deve esser assolutamente certo, senza alcun timore di poter errare (pp. 102-103).

Come si raggiunge tale certezza sulla verità oggettiva della legge o della non legge?

La questione non si pone nel caso che la verità oggettiva sia evidente, perché tutti ammettono che in tal caso il giudizio diretto su tale verità determina immediatamente il giudizio pratico della scelta morale (p. 85b).

Ben altro è il caso quando la verità oggettiva ha evidenza imperfetta ed i motivi non sono dimostrativi ma soltanto probabili.

Amort considera lo stato di probabilità della verità come « dubietas » : « Omnis probabilitas est intrisece vera mentis dubietas » (p. 103b). E come già ci ha detto, questa « dubietas » può esser larga o stretta : è larga se la conformità o l'opposizione con la legge è notevolmente più probabile dell'opposta opinione ; ed aggiunge che tale probabiliorità non deve poter esser messa in dubbio (p. 112b) e tuttavia è accompagnata da timore prudente dell'opinione opposta, che resta « certo, vere, theologice, comparative probabilis » (p. 112b). Si ha invece « dubietas stretta, se la probabilità della legge e quella della non legge sono eguali. Come dunque si viene alla certezza morale assoluta quando si è nel dubbio? Amort pensa che tutta la verità oggettiva possa esser colta « per nudam simplicem apprehensionem, seu conceptum mentis intuitivum concomitantem », senza bisogno di giudizio riflesso sul primo giudizio diretto (p. 102a-b).

Nel caso del dubbio largo, la legge, quando si presenta notevolmente più probabile della non legge « notabiliter probabilior non ipsa », alla intuizione concomitante rivela simultaneamente il suo valore di legge sufficientemente promulgata e quindi obligante. Sicché un solo giudizio dà la verità oggettiva integrale. Questo è possibile per il lume di ragione innato e « presentissimo » ad ogni nostra azione da porre (p. 102b). Sicché insieme col giudizio diretto che presenta la legge come notevolmente più probabile della non legge, si dà l'intuizione di un giudizio generale che afferma « dari legem universalem reflexam sequendi legem credibiliorem non ipsa » (p. 147a).

Nel caso del dubbio stretto invece il giudizio diretto della equiprobabilità della legge e della non legge genera il dubbio ; ma questo si può togliere in forza del principio generale intuitivo per cui la Provvidenza divina fa in modo che a chi è ben disposto la legge appaia sempre « credibilior non ipsa ». In forza di tale principio generale il dubbio si trasforma automaticamente in questo altro giudizio speculativo: « probabilius non datur lex directa » (p. 161a).

Questo ultimo giudizio dà la certezza morale assoluta sulla nostra scelta in forza di questa altra *reflexio*: « concurrente aequali probabilitate inter mille casus vix una vel altera vice reipsa datur existentia legis; legum enim character proprius est, quod debeant et soleant reddi credibiliores non ipsis » (p. 163b).

Questa è la concezione della deliberazione morale secondo Amort. Alla base vi è un accentuato oggettivismo della verità morale sia come valore, sia come manifestazione adeguata di sé al soggetto.

Come valore: la legge ha valore quasi sacramentale per la gloria di Dio: così si spiega come da un lato egli avvicini la natura della promulgazione della legge morale alla rivelazione della vera religione (pp. 87a, 85b), alle leggi in materia di sacramenti, di medicina, di giustizia (pp. 122a, 147b); dall'altro neghi il valore del possesso della libertà, perché questa è un diritto concesso per contratto gratuito da parte di Dio, il quale nella lite tra sua legge e libertà è « actor », sicché la libertà non può prevalere sul diritto del « princeps » (p. 148a), e se anche l'uomo « vincit in possessorio » bisogna riconoscere che sempre « Deus vincit in petitorio » (p. 147a).

Oggettivismo accentuato della verità come manifestazione adeguata alla intelligenza. Per questo Amort ricorre alla Provvidenza divina che non fa mancare la sua luce a chi è ben disposto; sicché le leggi che sono veramente leggi, sempre si presentano con la caratteristica di leggi evidentemente più probabili; e quindi la ignoranza vincibile è molto più frequente. E si spiega infine il ricorso di Amort all'intuizione concomitante, al « lumen rationis omnibus hominibus inditum, et omnibus humanis actionibus praesentissimum » (p. 102b). Evidentemente Descartes è in qualche modo presente, forse per la mediazione di Malebranche.

Ma oltre questo oggettivismo ed intuizionismo che caratterizza l'equiprobabilismo di Amort, vi sono altre concezioni di fondo che bisogna porre in evidenza perché anche per esse egli non può convenire con l'equiprobabilismo di S. Alfonso non così contorto, ma più morale perché semplice.

*
* *

1) La certezza è una sola: quella che non ammette timore di errore. E' vero che egli parla anche di certezza larga; ma questa è distinta dalla certezza morale stretta non per l'elemento soggettivo del timore, ma per l'elemento oggettivo causa del timore; causa che non essendo avvertita, non genera il timore. Sicché soggettivamente anche questa ignoranza larga si riduce alla ignoranza stretta, come lo stesso Amort afferma (p. 103a, cfr pp. 101b-102a).

Ma poiché Amort ci ha detto che la legge, quando si presenta equiprobabile con la non-legge, realmente non esiste, perché la Provvidenza divina fa che, quando la legge veramente esiste, sempre si presenti come « credibilior non ipsa »; e poiché egli ha detto anche che l'uomo quando è ben disposto sempre intuisce la vera legge, sicché solo in un caso su mille si può errare; da tutto questo bisogna dedurre che se oggettivamente vi è motivo di temere di errare e tuttavia non si avverte tale motivo, ciò dipende da ignoranza quasi sempre vincibile.

E si comprende allora perché Amort non ammetta certezza morale che sia veramente certezza e si accompagni a timore di errare; si sarebbe allora in caso di ignoranza vincibile. Con tale timore non si avrebbe prudenza, la quale è poi definita: « Motus animi voluntarius ab intrinseco, agente et cognoscente singula, in quibus est actus » (p. 103b). Prudenza questa che è in armonia con la dottrina magari di Concina, ma non con quella di s. Tommaso.

Da tutto questo appare chiaro che egli è coerente quando afferma che il timore si ha solo con la probabilità e concepisce la probabilità essenzialmente come « dubietas ». Tra certezza larga e dubbio largo vi è quindi differenza specifica nel vocabolario di Amort; e bisogna allora riconoscere che s. Alfonso è stato molto benigno nell'interpretarlo secondo il proprio vocabolario, sicché ha creduto di poterlo chiamare « magister meus ».

2) Caratterizzando la probabilità come « dubietas » [da non confondere con la « dubitatio » di s. Tommaso che non impedisce l'assenso immediato (De Verit. 1, 14; II-II, 1, 4) e si può compor-

re con la certezza probabile], ed affermando che la certezza morale è una sola ed è sempre intorno alla verità oggettiva conosciuta con giudizio diretto e con intuizione concomitante, Amort è obbligato a dare ai suoi principi riflessi contenuto oggettivo, che prescinda dal soggetto.

Difatto abbiamo visto come egli ricorra al « lumen inditum », alla intuizione che è essenzialmente ordinata alla evidenza dell'oggetto, alla promulgazione come caratteristica della legge che la Provvidenza presenta sempre come « probabilior non ipsa » a chi è « rite ad lumina divina dispositus » (p. 161a), così come oggettivamente Dio dispone le cose per rendere la sua religione « credibilior non ipsa » (85b), a chi è moralmente ben disposto.

Sicché la intuizione concomitante ed i principi generali evidenti emananti dalla stessa natura della legge che al giudizio diretto si presenta o come equiprobabile o come « notabiliter probabilior », non fanno altro che porre in evidenza piena la verità oggettiva; e così il giudizio diretto incerto (per dubbio sia stretto che largo) si trasforma in giudizio certo assolutamente.

Del dubbio soggettivamente preso e quindi delle sue incidenze sulla libertà e sugli altri valori personali Amort non tiene nessun conto nel determinare il valore dei suoi principi riflessi. E qui è la differenza più profonda con s. Alfonso, anche se materialmente in qualche affermazione convengano, come quando l'uno e l'altro rigettano alcuni aspetti del probabilismo più spinto e del probabiliorismo più rigido.

3) Oltre la differenza sulla concezione della libertà, che per Amort l'uomo possiede *per contratto gratuito* da parte di Dio, mentre per s. Alfonso è dono di Dio, col quale l'uomo può onestamente ordinarsi a Dio stesso direttamente, senza la determinazione di leggi dubbie e quindi non obbliganti; è da sottolineare come Amort rigetti il principio che è fondamentale per l'equiprobabilismo alfonsiano: « Non decet imponi obligationem certam ob legem incertam »; « non sequitur effectus certus ob causam incertam » (p. 147b).

Amort lo rigetta perché il bene universale della gloria di Dio estrinseca, il bene del genere umano, il bene della Chiesa esigono che la legge dubbia obblighi; così come la legge, pur essendo incerta, obbliga quando sono in pericolo valori oggettivi di religione, di sacramenti, di giustizia, di diritti dei principi (p. 147b-148a). Egli dunque ha un concetto sacramentale dell'ordine orizzontale pluralistico in rapporto all'ordine intensivo e finalistico.

Il pensiero di s. Alfonso si muove su concezioni totalmente differenti. Egli si fonda sulla distinzione tra verità oggettiva e verità formalmente morale dell'azione come è giudicata dalla coscienza. E quindi distingue giudizio speculativo sulla verità oggettiva, che può esser soltanto probabile o può essere anche sospeso per equiprobabilità di ragioni opposte, e giudizio pratico che si può fondare su motivazioni estrinseche alla verità oggettiva, ma intrinseche alla verità pratica della prudenza.

Egli ammette oltre la certezza morale stretta che esclude ogni timore, la certezza morale larga che non esclude il timore di errare anche in un uomo non scrupoloso ma saggio. Però questo timore dipende non dalla probabilità *morale* dell'opposta, perché questa avendo fondamento non certo di poter esser vera, moralmente è infraprobabile, «minus probabilis»; il timore dipende dal tenue valore di probabilità *logica* che l'opposta opinione conserva. Finché s. Alfonso non è venuto a questa netta posizione qualitativa della probabilità, ha sempre esitato nel formulare il suo sistema; quando dopo la lettura e la lunga meditazione critica della pagina del Patuzzi ha finito per accettarla, rovesciandone però la funzione ontologica patuzziana, egli ha potuto «fissare» il suo sistema.

Amort invece riconosce l'opinione opposta alla «notabilier probabilior» come «vere, certe, theologice ed anche comparative probabilis»; e di conseguenza deve concepire la «notabiliter probabilior» non come certezza ma come «dubietas»: «omnis probabilitas est intrinsece vera mentis dubietas» (p. 103b).

*
* *

Questa differenza di concezione della «notabiliter probabilior» e quindi della certezza morale larga spiega il differente atteggiamento dei due di fronte al principio: «lex incerta non potest inducere obligationem certam».

Per Amort esso porterebbe anche alla esclusione della « notabiliter probabilior », poiché per lui questa è incerta, e di conseguenza sarebbe affermata la liceità della « notabiliter minus probabilis ». Per evitare tutto questo, egli nega tale principio in modo assoluto, ed allora non potrà fondarsi su di esso per giustificare poi la liceità della equiprobabile in favore della libertà.

Per s. Alfonso invece il principio non si applica alla « notabiliter probabilior » perché questa è certezza morale larga, che determina da sé direttamente la scelta morale, e non vi è quindi bisogno di principi riflessi. Il principio invece si applica bene nel caso di dubbio stretto che sorge dalla equiprobabilità.

E' quindi evidente che la probabilità pura in s. Alfonso è meno estesa di quella dell'Amort, ed è qualitativamente distinta dalla notevole e certa probabiliorità che appartiene al campo della certezza morale. Da ciò segue che i principi o le ragioni riflesse in s. Alfonso hanno minore campo di applicazione che nell'Amort. Sicché quest'ultimo che sembra molto vicino al probabiliorismo si avvicina al probabilismo, proprio nel punto donde sorge la debolezza che egli vuol combattere: l'estensione della « dubietas » a tutto il campo della probabilità, che si arresta solo di fronte alla certezza morale che non ammette timore di errore.

S. Alfonso invece che è sostanzialmente probabilista, recede da questo punto debole del probabilismo, in forza del concetto di s. Tommaso sulla certezza probabile. La presenza del Patuzzi è stata dialetticamente molto benefica e feconda sul probabilismo alfonsiano.

Data la minore estensione della probabilità pura e quindi della equiprobabilità, qualitativamente distinta dalla certezza morale larga, l'equiprobabilismo alfonsiano può esser più facilmente caratterizzato qualitativamente. Infatti per s. Alfonso la certezza morale è determinata, come vedremo, dal concetto di promulgazione della legge come applicazione alla persona morale, ed è quindi condizionata ad un elemento soggettivo: la convinzione, la coscienza che i valori fondamentali della persona sono impegnati.

Amort invece concepisce come certezza morale solo la certezza assoluta, e quindi estende la probabilità fino al limite della certezza assoluta. D'altronde egli ammette che stando anche nel campo della probabilità, si ha un'equiprobabile che non vincola alla legge, e si ha una più probabile che vincola alla legge. Sorge allora il problema spinoso: come determinare il confine tra equiprobabilità e probabiliorità? Evidentemente non vi è altro criterio che il grado di probabilità; cioè il più ed il meno di « dubietas », di verosimiglianza logica. Ed eccoci allora nell'equiprobabilismo *logicale*, quantitativo a cui s. Alfonso ha voluto reagire col suo equiprobabilismo qualitativo-morale.

Qui dunque appare chiaro che l'incontro tra Amort e s. Alfonso è soltanto materiale, periferico. E bisogna confessare che s. Alfonso è stato generoso nell'assumere la terminologia di dubbio stretto e largo, che non è per la chiarezza; a meno che il dubbio largo non si prenda come « dubitatio » nel senso di s. Tommaso: ma questa « dubitatio » tomista è un moto dell'anima, una « formido » e non ha nulla a che fare con il dubbio di Amort.

Quanto alla promulgazione i due autori ammettono dunque che finché si sta in equiprobabilità la legge non obbliga perché non è promulgata: in questo sono d'accordo; e s. Alfonso lo sottolinea nella dissertazione del 1762, benché interpreti il testo dell'Amort grammaticalmente e dottrinalmente in modo da piegarlo al suo pensiero (pp. 19-21).

Ma per il santo la legge non promulgata non obbliga, non solo perché l'uomo è certamente libero e quindi la legge incerta non può imporre un obbligo certo, cosa che Amort non ammette; ma anche perché concepisce la promulgazione come applicazione; sicché anche se la legge esistesse, non essendo applicata *alla persona* per mezzo della cognizione che naturalmente affiora e si pone come coscienza certa della legge, essa non obbligherebbe.

Amort invece concepisce la promulgazione come caratteristica totalmente oggettiva della legge, determinata da una particolare assistenza di Dio, il quale farebbe in modo che a chi rettamente si dispone, la legge si manifesti come « notabiliter probabilior non ipsa ». Ed abbiamo visto come egli organizzi la facoltà conoscitiva dell'uomo in modo che per via di intuizione e di lume naturale, « presentissimo ad ogni azione da deliberare e determinare », l'uomo colga come « notabiliter probabilior » la legge che Dio presenta come « notabiliter probabilior ».

Abbiamo visto anche che nel caso di equiprobabilità, quando l'uomo soggettivamente è nel dubbio, anche oggettivamente, secondo Amort, la legge non esiste, perché se esistesse si presenterebbe come « notabiliter probabilior ». Solo in uno o due casi su mille si potrebbe errare stimando come semplicemente equiprobabile una legge che oggettivamente Dio presenta e promulga come « notabiliter probabilior ».

Ma allora non si spiega come Dio permetta quest'uno o due casi di errore su mille; tanto più che Amort dà un carattere direi sacramentale alla legge, sicché violando la legge si viola la gloria di Dio. Ed inoltre posta questa possibilità di errore, non si vede come l'intuizione concomitante possa trasformare la equiprobabile in certezza assoluta, che escluda cioè ogni timore di errore.

Che se poi si nega, e bisogna senz'altro negare, questa specie di illuminazione divina e di intuizionismo, la possibilità di errore cresce; ed allora o bisogna andare verso le posizioni tuzioriste e giansenizzanti, che attribuiscono ad ignoranza vincibile ogni errore contro la legge naturale, o bisogna negare la necessità della certezza assoluta di non errare, quando si conclude la deliberazione morale col giudizio ultimo pratico, « iudicium de honestate actionis », come sogliono dire i moralisti. Ma il teologo cattolico deve escludere l'una e l'altra alternativa.

Se invece si accetta il concetto tomista ed alfonsiano di promulgazione della legge *alla persona morale* per mezzo della coscienza certa, allora nessuna scelta morale può sbagliare intorno alla legge, quando questa si promulga come certa, almeno con certezza morale larga neppure in un solo caso su mille.

Così la vita morale è salva nella sua saldezza, pur ammettendo la possibilità di errore materiale; o meglio, come acutamente nota spesso il santo, pur ammettendo la possibilità di quello che sarebbe materia di errore, ma che nel caso in nessun modo è errore (cfr Dissertatio... 1755, n. 23).

Alla base della differenza tra l'equiprobabilismo alfonsiano e quello di Amort sta la differenza di concezione della vita mora-

le: Amort è oggettivista-pluralista, sicché l'uomo è immerso nel-
l'ordine del molteplice, e la sua vita morale sta nell'armonizzare
con tutte le altre cause particolari, in modo che l'ordine cosmico
e la gloria di Dio esterna sia oggettivamente conservata. Si pensa che solo così anche la gloria formale di Dio, quale *autore* e
causa efficiente di questo ordine, sia conservata.

Per s. Alfonso la gloria di Dio, come fine supremo, si pone
nell'intenzione retta della persona morale che usa dell'ordine cosmico come di strumento fallibile e non sacramentale rispetto
alla gloria di Dio formale.

Da ciò nel santo il rispetto dei valori della persona, quindi
della libertà della coscienza, dell'intenzione retta; e la presenza
di questi valori nel concetto di promulgazione, di certezza morale, di dialettica delle probabilità, di prudenza: sono valori ontolo-
gici che caratterizzano la persona come immagine di Dio. Sicché
anche il suo è oggettivismo: ma oggettivismo dell'essere, e del-
l'essere in Cristo e secondariamente oggettivismo essenzialistico, formale e pluralistico.

*
* *

Abbiamo notato sopra a p. 310 che la Dissertazione del 1762
nel formulare l'equiprobabilismo alfonsiano, là dove si distacca
dai testi precedenti da noi dati sinotticamente a p. 308, introduce
il principio del *verisimilius sequendum*.

Credo che in questo abbia influito anche Amort; benché si
debba notare della differenza anche su questo punto. Poiché tale
principio ha una grande importanza nella dialettica delle probabilità, e nell'espressione del pensiero alfonsiano dopo il 1764 sarà
sempre più presente, è necessario fermarci su di esso.

Amort pone in primo piano il valore della verità oggettiva
della legge o della non legge, e considera come determinante nella scelta morale il giudizio intorno a tale verità, che è poi nella
sua dottrina l'unico giudizio. Posto ciò, necessariamente deve considerare come principio fondamentale nella dialettica delle probabilità il principio: *verisimilius sequendum est!*

E di fatti il terzo dei cinque paragrafi della sua « Disputatio
de Conscientia » è dedicato alla « quaestio »: An intellectus possit

21.

iudicare verum quod probabilius aut aeque probabiliter est falsum » (pp. 106-112).

Naturalmente egli nega che l'intelletto possa giudicare vero ciò che appare probabilmente falso. Questo perché l'intelletto giudica che una cosa sia vera o falsa solo in forza della « ratio veri » (p. 107); sicché non è prudenza fermar l'attenzione solo sui motivi di verosimiglianza e non considerare i motivi opposti, a meno che questi in situazione siano invalidi (p. 107b). E la stessa *ratio boni* che muove la volontà al consenso non può influire sulla *ratio veri* che muove l'intelletto all'assenso, poiché quest'ultima precede sempre e determina la *ratio boni* (p. 111). Dunque la *ratio veri* deve dominare la scelta, cioè: *verisimilius sequendum est.*

Tutto questo è vero, purché si determini bene la natura della verità morale. Bisognava perciò esaminare la natura del « verum morale practicum » oggetto della prudenza, che è più ricco del « verum morale theoreticum » puramente oggettivo. Questo Amort non poteva farlo, perché egli riconosce come verità morale soltanto la verità oggettiva conosciuta col giudizio diretto, e di conseguenza nega la distinzione tra giudizio speculativo e giudizio pratico, e della prudenza parla *notionaliter* ripetendo quel che si suol dire ma non approfondendo ciò che s. Tommaso aveva insegnato.

La lettura della « Theologia eclectica moralis et scholastica » dello Amort forse determinò in s. Alfonso una maggiore attenzione al principio del « verisimilius sequendum »; sicché nell'enunziare il suo equiprobabilismo qualitativo afferma che la volontà non può forzare l'intelletto a metter da parte ciò che apparisce molto più verosimile ed aderire alla parte opposta.

Tuttavia pur notandosi in lui un'evoluzione dal 1749 al 1755, la sua adesione al principio del « verisimilius sequendum » non dipende dall'Amort.

Nella dissertazione del 1749, dove egli più che insegnare espone il probabilismo semplice, vede nella verosimiglianza non tanto la evidenza imperfetta della verità, quanto la non evidenza di verità e quindi la possibilità di errore: « eodem tempore quo opinio probabilior apparet verisimiliter vera, apparet etiam verisimiliter falsa ,et opinio opposita apparet simul probabiliter vera» (p. 14). In questo caso, poiché nel 1749 pensava che l'intelletto è determinato solo dalla verità conosciuta con certezza, la volontà potrebbe determinare l'assenso dell'intelletto ad una delle due parti, purché sia veramente probabile (p. 13).

Se si pensi che nel 1749 la certezza per il santo era soltanto la certezza morale che esclude ogni timore, si può comprendere come questa dottrina poteva essere aperta al probabilismo più spinto e pericoloso; e si spiegano così le forti agitazioni interne del santo, che erano giustificate e quindi non erano scrupoli di personalità inferma, come infelicemente è stato detto.

Nel 1755 diventa più personale nel suo probabilismo moderato e non solo rigetta il principio *qui probabiliter agit prudenter agit*, inteso della probabilità oggettiva e staccata dalla persona che giudica, ma assume il principio del « verisimilius sequendum » in modo più perfetto di quello che leggerà poi nel 1762 nello Amort.

Egli infatti ammette la differenza tra le « veritas rei » e la « veritas honestatis actionis », tra giudizio speculativo e giudizio pratico, e di conseguenza il principio « verisimilius est sequendum » acquista valore differente secondo che emani dalla « veritas rei » o dalla « veritas honestatis actionis ».

Credo che sia meglio leggere direttamente la pagina del santo:

Semper distinguere oportet, in quantum pertinet ad operandum, duas veritates: unam rei speculativam, alteram honestatis actionis practicam: *rei*, nempe si vere adsit lex prohibens vel non; *honestatis actionis*, an scilicet operatio iuxta opinionem minus probabilem sit vel ne licita.
Unde dicimus quod non quia probabilius sit aliquid a lege vetari, ideo non liceat uti opinione libertati favente; quamvis enim propter aliquod argumentum videatur probabilius veritatem rei stare pro lege, tamen potest esse probabilius veritatem honestatis stare pro libertate, propter alia motiva quae directe honestatem probent: nimirum quia lex dubia non obligat; quia lex non videtur tunc satis intimata: quia alioquin non posset haberi uniformis observantia legis; quia deturbaretur ordo subiectionis; quia lex Dei evaderet intolerabilis; et alia quae mox infra singulatim exponemus..
Nihil igitur obstat paritas adducta staterae quae longe differt ab hominis mente. Nam in statera quodcumque onus modice maius

materiae non solum inclinat, sed necessario totam lancem sibi unice trahit; sed in mente humana maior apparentia veritatis rei non necessario sibi unice trahit assensum intellectus. Licet enim ad illam intellectus inclinetur, non tamen unice trahitur ad illi assentiendum; cum ex altera parte ratio gravis ipsum urgeat ad credendum quod veritas etiam pro se stare possit.

In opinionibus utrinque probabilibus homo necessario suspendere debet iudicium de veritate rei, utpote incerta, ita ut, stante huiusmodi suspensione, utique peccaret amplectendo opinionem libertati faventem etiam probabiliorem (*si noti questo che il santo afferma prima di leggere Amort*), quia operaretur in dubio, nisi per alia argumenta aliud formaret sibi iudicium moraliter certum de licito usu illius opinionis.

Hinc etiam dato quod sicut maius pondus trahit sibi lancem, sic maior probabilitas ad se trahat assensum, quid inde? *et nos dicimus quod si quaeritur de veritate rei in illud sit inclinandum quod probabilius videtur; si vero quaeritur de honestate actionis non sequitur nisi quod probabilius, imo certum moraliter apparet.*

Sicque semper id quod ad veritatem proprius accedere videtur amplectimur (nn. 15-16). (La sottolineatura è nostra).

Il « verisimilius sequendum » è qui affermato, ma come principio della verità di prudenza e non come principio della verità logica. Anzi siamo nella definizione della stessa prudenza, la quale vuole che in situazione si agisca rettamente, cioè secondo verità.

Ma la verità della prudenza è la « veritas moralis practica », come insegna s. Tommaso (I-II, 57, 5 ad 3); è la « veritas honestatis actionis », come insegna s. Alfonso. Essa può coincidere con la « veritas rei », ma può anche non coincidere. Sicché il principio « verisimilius sequendum est » riferito alla sola « veritas rei » deve essere assunto ed integrato dal principio del « verisimilius sequendum » secondo la verità propria della prudenza. Questa è la dottrina di s. Alfonso nel testo citato. In seguito egli dirà che la « notabiliter minus probabilis » non può essere assunta dalla prudenza come « veritas honestatis actionis », e quindi essa è fuori dell'uno e l'altro principio del « verisimilius sequendum »; ma il principio resterà intatto e valido, perché egli risolverà sempre la « veritas rei » nella « veritas honestatis actionis ».

Amort, invece, che inclina all'oggettivismo essenzialistico e pluralistico, necessariamente risolve la « veritas honestatis » nella « veritas rei »; trasforma perciò la prudenza di s. Tommaso nella prudenza di Scoto o di Concina, ed induce il logicismo in morale.

Nella dissertazione del 1762 ritorna il principio del « verisimilius sequendum », ma per s. Alfonso il campo della sua applicazione è mutato.

Con tutti egli ammette che quando la verità oggettiva è certa, la prudenza deve dirigere la verità della scelta morale secondo la verità oggettiva: giudizio speculativo e giudizio pratico, « veritas rei » e « veritas honestatis actionis » coincidono.

Ma mentre nel 1755 per lui la certezza della legge doveva nascere da evidenza: esigeva infatti la certezza morale stretta per la promulgazione; nel 1762 basta la certezza morale larga, e questa nasce da verosimiglianza oggettiva.

Si deve allora concludere che nel 1762 egli propone il principio « verisimilius sequendum » inteso in senso assoluto?

Certamente. Ed è per questo che egli lo pone nell'enunziazione del suo equiprobabilismo.

Ha dunque mutato sistema dal 1755 al 1762? Vi è chi lo afferma. A noi non sembra così.

Tutto dipende dalla natura della verosimiglianza che il santo esige, perché si abbia la certezza morale larga necessaria per la promulgazione della legge. Infatti il valore del principio dipende dalla natura della verosimiglianza.

Se si afferma che questa si ha non appena ci si trova di fronte ad una probabiliorità anche di un solo grado logico, e se per certezza morale larga si intende l'adesione solo intellettuale ad un dato verosimile, poiché l'intelletto logicamente aderisce a quel che gli si presenta con chiara probabiliorità, cioè con verosimiglianza logica, bisogna allora affermare che nel principio del « verisimilius sequendum » il valore morale è misurato dal suo valore logico. Di conseguenza un solo grado di probabiliorità logica, se questa è in favore dell'opinione che sta per la legge, rende la legge certa moralmente e *quindi* promulgata ed obbligante.

Se questo è il valore che s. Alfonso dà al suddetto principio, si deve allora affermare che egli si stacca quasi del tutto dal probabilismo moderato che ha insegnato fino all'ottobre del 1758, quando al camaldolese Dom Roberto ha detto con tanta sicurezza : « E' lecito, più che lecito seguire l'opinione probabile, fondata probabile, in « concursu probabilioris ex parte praecepti se tenentis ».

E bisogna allora concludere che ogni volta che egli caratterizza nella sua « Theologia Moralis » un'opinione per la legge come « probabilior », questa, in forza del suddetto principio interpretato secondo il suo tenore logico anche in morale, diventa secondo lui legge promulgata. Ma è chiaro che allora egli avrebbe dovuto rivedere tutte le regole della sua « Theologia Moralis », per qualificarle come probabili in base a questo nuovo e più rigido concetto della probabilità come valore logico.

Infatti se fosse vera questa nuova caratterizzazione logica, la « probabilior » alfonsiana del 1762 non solo si staccherebbe dalla « probabilior-probabilissima » stabilita col Patuzzi nel 1761, ma anche da quella stabilita in antecedenza secondo la quale la « probabilior » per sé non priva di probabilità grave l'opposta: « Opinio probabilis est quae gravi fundamento nititur, vel intrinseco rationis vel extrinseco auctoritatis, quod valet ad se trahere assensum viri prudentis, etsi cum formidine opposti. - Probabilior est quae nititur fundamento graviori sed etiam cum prudenti formidine opposti, ita ut contraria etiam probabilis censeatur » [33].

Se dunque s. Alfonso nel 1762 considerasse come certezza morale larga la « probabilior » logica, poiché d'altronde egli considera l'opinione opposta alla certezza morale larga come dubbiamente probabile e quindi senza fondamento certo, è chiaro che alla nuova « probabilior » del 1762 si opporrebbe un'opinione dubbiamente probabile, che per il santo moralmente è infraprobabile. Di conseguenza egli avrebbe dovuto togliere la vecchia definizione e darne una nuova. Invece né ha tolto la vecchia definizione, né ha riveduto la classificazione delle regole della sua « Theologia Moralis » secondo il nuovo concetto di probabilità che gli si vorrebbe attribuire.

Bisognerebbe inoltre ammettere in lui un continuo mutar di sistemi morali. Infatti dopo di aver mutato il probabiliorismo appreso sui libri da giovane col probabilismo sperimentato pasto-

---

[33] S. ALPHONSUS, *Theologia Moralis*, t. I, Romae 1905, l. I, tr. I, c. 3, n. 40, p. 21.

ralmente vero, nel 1759-1761 avrebbe aderito ad un equiprobabilismo vicino al probabilismo; nel 1762 col principio del « verisimilius sequendum » interpretato secondo il valore logico, sarebbe passato ad un equiprobabilismo limitato fortemente da esigenze del probabiliorismo. Questa continua trasmigrazione con-
tinuerebbe poi negli anni seguenti con l'accentuazione sempre più
forte del logicismo e dell'oggettivismo probabilioristico, tanto più
che le pressioni politiche, dopo il 1767, lo obbligheranno a formule più elastiche.

Non diciamo che la dignità intellettuale del santo, ma la semplice meditazione critica dei documenti che ci restano sul suo
pensiero ci persuade che egli non mutò, ma soltanto perfezionò
col tempo l'espressione del suo probabilismo moderato dalla prudenza. Ciò vale anche per la storia dal 1767 al 1777, ma di questa
non ci occupiamo qui.

Del resto il contesto storico-critico dell'evoluzione alfonsiana
dal 1759 al 1763 è dato dalla meditazione del santo sul « Trattato
della Regola delle azioni umane » del Patuzzi. Su tale contesto,
finora ignorato, bisogna quindi riconsiderare questa evoluzione.

Ora il Patuzzi ci ha detto risolutamente che la probabiliorità
logica non va confusa con la probabiliorità morale, dove il *parum
pro nihilo reputatur;* perché quest'ultima è specificata non dal
più e meno logico, ma dalla certezza di non violare moralmente
le leggi stabilite da Dio, e cioè di non offendere Dio e mettere
quindi in grave pericolo la persona moralmente. Non si tratta
dunque di affermazione o negazione logica di semplice intelletto,
ma di coscienza di violare o non violare la gloria di Dio violando
o non violando le leggi morali. Si tratta dunque di un valore
ontologico-morale e non di un valore soltanto *logicale.*

Dare fondazione ontologica alla morale è cosa ottima nel metodo. E s. Alfonso l'accetta appunto nel metodo; ma nel valore
egli si oppone al Patuzzi, perché all'ontologia essenzialistica e
pluralistica egli oppone una concezione che suppone l'ontologia
dell'essere intensivo partecipato, che, lo abbiamo già detto, nel-
l'ordine soprannaturale è l'essere del Cristo in noi.

Di conseguenza il soggetto della vita morale è per lui la persona libera, come immagine di Dio. Sicché le leggi *particolari*

esprimono un valore derivato e strumentale di fronte al valore base: cioè la persona che con la sua libera carità cristiana approfondisce il suo essere in Dio; e la coscienza le rivela questo approfondimento, se la persona vive nel Cristo col ritmo del Cristo, e non col minimismo giuridistico.

Se è così il santo conserva il metodo ottimo del Patuzzi che edifica una morale su di un'ontologia; ma la certezza che dà *valore* e tenore alla probabiliorità morale è data non dalla sovranità delle leggi, ma dalla esigenza ontica ed etica di non limitare nella persona morale la caratteristica per cui è immagine di Dio: cioè la libera autodeterminazione, la spontanea scelta dei valori derivati e dei mezzi nel tendere per amore al «Finis finium», secondo il ritmo che vive ed opera nell'essere del Cristo in noi, situazione per situazione. Le leggi particolari sono così assorbite dalla carità e dalla prudenza nell'interno della coscienza, dove è l'incontro della persona con Dio.

Se dunque la libertà è *più morale* delle leggi particolari, bisogna che queste si pongano alla persona libera con certezza morale larga sì, ma forte; sicché non basta la semplice probabiliorità logica.

Dunque il contenuto del principio «verisimilius est sequendum» non è logico ma morale; è valore che emana non dalla dialettica formale del più e del meno evidente logico, ma dalla istanza di un valore ontologico-spirituale certo che non può esser vincolato da una legge particolare soltanto logicamente «probabilior»; a fortiori da una legge equiprobabile.

Per questo s. Alfonso dal 1755 in poi ha sviluppato tutte le sue dissertazioni e lavori sulla dialettica delle probabilità ponendo come base il principio che la legge particolare se non è certa non può obbligare, poiché la libertà è un valore, un dono di Dio, primordiale.

Del resto il principio del «verisimilius sequendum» stabilito nel testo del 1762 se ponesse come criterio della probabiliorità morale il valore logico, poiché il «verisimilius» logico si ha anche con un solo grado di probabiliorità, il santo non dovrebbe esigere un «verisimilius» intensivo, ma solo una differenza certa di gradi di probabilità. Egli invece parla di opinione favorevole alla legge «*molto* più verosimile» e di opinione opposta «che non solo non apparisce vera, ma che neppure ha fondamento certo di poter esser vera » (cfr sopra pp. 308-309).

Queste ultime parole sono da considerare, perché esse manifestano il costitutivo formale del « verisimilius » secondo s. Alfonso.

E' certo che uno o due gradi di maggior verosimiglianza logica, pur determinando l'adesione dell'intelletto, non privano la opinione opposta della sua probabilità. Così per es. s. Tommaso parlando della natura della luce accenna a cinque opinioni: una è assurda; un'altra è respinta; la terza ha la sua ragione, ma è respinta; la quarta è per lui « valde probabilis », e tuttavia egli dichiara di dover aderire alla quinta: « mihi consentiendum videtur » (II Sent. d. 13, 1, 3). Dunque pur *consentendo* ad una opinione, l'opposta può esser valutata dallo stesso soggetto come « valde probabilis ».

Qui invece s. Alfonso dichiara che l'opposta alla molto verosimile di cui parla non solo non appare verosimile, ma neppure ha fondamento certo di verosimiglianza. Ora nella prima parte di questo testo che analizziamo egli ha detto che se la opinione molto meno probabile non ha fondamento, ciò significa che l'opposta è « notabilmente e certamente » più probabile.

Questi ultimi due termini vanno considerati nel contesto critico-storico immediato: il contesto patuzziano; e qui essi hanno un valore preciso e decisivo: con essi il Patuzzi vuol affermare che la verosimiglianza logica non basta per la probabiliorità morale in favore della libertà contro la legge, e che la verosimiglianza valida moralmente deve esser tale da render vano il timore di violare la maestà della legge morale: deve esser una verosimiglianza così certa e notevole da render moralmente certa la non violazione della legge.

Dunque il principio: « verisimilius sequendum est » stabilito da s. Alfonso nel 1762 non significa altro che con la maggior verosimiglianza *morale* la legge è moralmente certa con certezza larga, ed allora deve esser seguita, perché in tal caso la libera autodeterminazione non solo è meno verosimile logicamente, ma moralmente scende tanto in basso che neppure presenta fondamento certo di poter essere moralmente verosimile. In altri termini tra verosimiglianza logica e verosimiglianza morale vi è distacco qualitativo, ed una qualsiasi ragione che ha valore logico non ha automaticamente valore morale.

Se si prende la prima nota che s. Alfonso ha scritto sulla dialettica delle probabilità nel commento al Busenbaum fin dal 1748, leggiamo questa dichiarazione per cui il santo dissente dal La Croix: « Ad formandum... certum iudicium reflexum requiri videtur ut probabilitatis fundamentum sit certum, non autem tantum probabile ideoque fallibile; alias fallibilitas ista constituit nos potius in dubietate, cum qua videmur imprudenter operari » [34].

Dunque già nel 1748 egli dissentiva dal probabilismo semplice che affermava potersi seguire un'opinione « probabiliter probabilis » e con ciò affermava che quando un'opinione non ha certo fondamento bisogna seguire la parte opposta, cioè: « verisimilius sequendum est »; ma il « verisimilius » morale.

Egli dunque non ha mai mutato sistema in tutto questo periodo che qui abbiamo esaminato.

Bisogna però riconoscere che i termin verità, verosimiglianza, certezza, dubbio son termini che per sé hanno un contenuto immediatamente logico, legato perciò alle leggi formali della logica, la quale ha qualche cosa del matematico. Sicché è naturale che nel parlare di valori morali la sottigliezza dell'esigenza logico-formale si insinui nella discussione e la logica tenti di affermarsi come ontologia e come morale. La lunga storia delle discussioni sulla dialettica delle probabilità in sede di coscienza ci sembra dipenda in gran parte da questa contaminazione della morale con il logicismo. E tuttavia la severità logica oltre la fondazione ontologica, è necessaria altrimenti della dottrina morale si fa una specie di aspirazione vaga che ha più dell'estetico che del morale. La morale si fonda sull'ontologia e l'ontologia ha un suo rigore logico. Soprattutto la morale fondata sull'ontologia dell'essere nel Cristo: Verità incarnata. Tutto sta che non si cada nel logicismo. Il merito di s. Alfonso è proprio nell'aver evitato il logi-

---

[34] BUSENBAUM H., *Medula theologiae Moralis* cum adnotationibus per R.P.D. Alphonsum De Ligorio, Neapoli 1748, l. I, tr. I, c. 2, dub. 2, col. 8.

cismo; ed anche il giuridismo, che è una forma di logicismo sviluppato su concetti giuridici.

*
* *

Abbiamo detto che s. Alfonso col Patuzzi caratterizza la certezza probabile, cioè la certezza morale larga con i termini *certe, notabiliter* aggiunti alla qualifica *probabilior*, e di conseguenza alla qualifica dell'opinione opposta *minus probabilis*.

Fermarci su questi termini potrà sembrare cedimento al logicismo, e non nascondiamo il disagio provato per molto tempo nel trovarci di fronte a questi termini, quasi che la vita morale così profonda e spirituale si possa significare con avverbi ed oggettivi comparativi e superlativi. Per questo a molti il nome *sistema* non piace, e si fa appello alla prudenza.

E tuttavia dobbiamo esprimerci; e questi sono i termini a nostra disposizione. Sta di fatto che le discussioni per secoli si son poste proprio per il diverso significato dato a questi termini. E la storia ci dice anche che ad un certo momento s. Alfonso, tra costrizioni politiche esterne, riuscì a mantenere la continuità di espressione del suo pensiero morale sulla dialettica delle probabilità proprio con questo solo termine: *certe*, cioè, *certe probabilior*. Occorre perciò considerare questo punto.

Nelle Note del 1759 egli parla solo di « opinione meno probabile in concorso della probabiliore ». Ma bisogna ricordare che egli pensa alla « probabilior » del Patuzzi, che è la « notabilmente e certamente più probabile ».

Nel « Della coscienza probabile » del 1760 egli parla di « preponderanza notabile »; ed esponendo il probabiliorismo del suo tempo parla di « più probabile che giunge ad esser moralmente certa o almeno probabilissima » (p. 21, n. 35).

Nel « *De conscientia probabili* » del 1761 insegna che la vera « probabilior » è « manifeste probabilior cum excessu notorio »; cita espressamente Patuzzi e Gonzalez che danno tale definizione ed identifica questa « probabilior » con la « probabilissima » (p. 8 nn. 29, 31). In una risposta ad una obiezione dell'Antoine dichiara che l'opinione della legge obbliga quando ha una « magna et certa praepoderantia », quando è « notabiliter probabilior licet non evidens », sicché la legge è resa « certa (sive quodam- modo certa) moraliter » (p. 12, n. 45).

Finalmente nel testo della Dissertazione del 1762 che qui esaminiamo egli chiama la « probabilior che determina la scelta morale: « opinione *notabilmente e certamente* più probabile », e l'opposta è detta « *molto* meno probabile ».

Come si vede l'espressione « *certamente* più probabile » caratterizza l'opinione necessaria perché la legge sia promulgata come certa alla persona che si trova in situazione e deve scegliere tra determinazione secondo la legge ed autodeterminazione.

Poiché non si deve confondere la certezza della probabiliorità con la certezza della legge, perché questa nasce da quella, si pone ora una questione che può sembrare sottile, ma che tuttavia è grave perché da essa dipende se l'equiprobabilismo alfonsiano è morale-qualitativo o è logico-quantitativo. Quando il santo dice: « certe probabilior », il termine *certe* cade sulla probabiliorità della opinione come stato opinativo del soggetto, o cade sulla probabiliorità della opinione come presenza della legge nel soggetto allo stato di legge che si promulga alla persona?

Se cade sull'opinione come opinione, tale certezza può esser data anche da un solo grado di probabiliorità; se invece cade sulla opinione come legge che si promulga *alla persona*, allora è chiaro che non è la semplice intelligenza che deve dire: sì, ma è tutta la persona morale che deve dire: sì; non si tratta di *opinabilità* semplice ma di *responsabilità*. Se è così non basta più un semplice grado di probabiliorità logica, ma occorre il chiaro e certo imporsi di un valore morale, di fronte al quale la libera persona morale deve dire: sì. Sicché la probabiliorità logica differisce per natura dalla probabiliorità morale, e la certezza dell'una e dell'altra si pongono con diversa intensità: per la prima basta un semplice grado di probabiliorità che non elimina la probabilità contraria: lo abbiamo visto nell'atteggiamento di s. Tommaso nella questione scientifica sulla natura della luce; per la probabiliorità morale si richiede una probabiliorità più intensa che riduca la probabilità opposta ad infraprobabilità morale.

Ora s. Alfonso prima di insistere sul *certe*, insiste sul *notabi-*

liter, sul *notorius excessus,* ed in seguito parlerà di *probabilior si-ne haesitatione*[35]. E soprattutto dichiara che alla certezza della probabiliorità risponde la caduta della certezza sul fondamento della probabilità contraria.

Proprio in questo abbiamo visto che sta una ragione di forte distinzione tra l'equiprobabilismo logico-quantitativo dello Amort e l'equiprobabilismo morale-qualitativo di s. Alfonso.

Dunque deve concludersi che il termine: *certe* nel qualificare la « probabilior » esprime non certezza per semplice chiarezza logica del più e del meno di probabilità, di opinabilità, ma certezza per intensità di notificaizone della legge; certezza che si pone non *all'intelletto ragionante* ma a tutta la *persona deliberante,* e diventa *convinzione* morale di dover osservare la legge, altrimenti il valore di persona nel Cristo è violato.

Nel 1769, dopo lunga disputa col redentorista Blasucci che sosteneva bastar un solo grado di probabiliorità perché l'opinione della legge sia veramente più probabile ed obblighi, Alfonso, *per chiudere la disputa,* scriverà: « Sì signore, basta che la sentenza sia più probabile di un grado; ma intendiamoci bene: questo grado ha da esser tale che mi faccia certo che la sentenza sia più probabile e *che mi faccia vedere moralmente o sia sufficientemente promulgata la legge;* (sottolineiamo noi); e con ciò non ne parliamo più di questa materia »[36].

Ma la prova decisiva che la « *certe* probabilior » va intesa non logicamente ma intensivamente come equivalente di « quasi-probabilissima », la troviamo sempre nel contesto critico-storico su cui si è sviluppato l'equiprobabilismo alfonsiano; cioè nella pagina del Patuzzi che noi abbiamo studiato a pp. 287-288 e più a pp. 294-296. E sappiamo d'altronde che proprio la pagina del Patuzzi da noi studiata è stata accettata da s. Alfonso nel «*De conscientia probabili*» del 1761, benché in funzione antitetica; e quivi identifica la « probabilior » con la « manifeste verisimilior », « notabiliter probabilior », anzi con la semplicemente « probabilior », e per-

[35] S. ALFONSO, *Theologia Moralis*[6], t. I, Romae 1767, l. I, tr. 2, c. 3, n. 55, p. 10.
[36] S. ALFONSO, *Lettere* III, n. 219, p. 351.

ciò considera la legge conosciuta con tale probabiliorità come « certa, sive quasi certa moraliter ».

Con ciò la dialettica delle probabilità non è più sistema complicato di calcolo quantitativo della probabilità, ma valutazione semplice, degna della prudenza come virtù della persona libera che viva nell'essere del Cristo: dopo avver considerato le motivazioni e le ragioni della scelta da fare, se si è *convinti* che la legge esiste, e si impone alla coscienza come unica via in cui si ponga l'amore verso Dio, bisogna stare alla legge ed eseguirla per amore, sentendo che la legge preserva la nostra libertà da uno slittamento verso la pseudolibertà; se tale *convinzione* non si pone, l'amore può seguire la via dell'autodeterminazione dove la libertà non ha timore di errare.

In fondo l'equiprobabilismo qualitativo-morale di s. Alfonso, eliminando la selva di opinioni probabili che pretendono porsi come leggi, restituisce l'iniziativa all'amore, che nella libertà è più puro, ed educa meglio la coscienza; la quale non è microfono interno delle leggi, ma « rivelatore » dell'incontro dell'anima con Dio.

*
* *

Ecco ora come egli chiude questa sua dissertazione:

Io per me confesso la verità, che quando cominciai a studiar la teologia morale, perché fui diretto da principio in tale studio da un maestro della rigida sentenza, impresi a difendere la medesima con molto calore. Ma in appresso, considerando meglio la questione, mi parve moralmente certa la sentenza che sta per l'opinione egualmente probabile, indotto dal medesimo principio qui provato, che la legge dubbia non può indurre un'obbligazione certa...
Ed inoltre confesso avanti a Dio che in quest'ultimi tempi, vedendo così agremente impugnata la nostra sentenza, (che prima per la serie di molti anni è stata senza dubbio comune appresso tutti); più e più volte ho cercato di esaminare di nuovo questo punto con più diligenza, deponendo ogni propensione e leggendo e rileggendo gli autori moderni, che mi son capitati alle mani, della rigida sentenza; apparecchiato ad abbandonar la mia, subito che l'avessi conosciuta non abbastanza certa... Ma quanto più ho esaminate le ragioni. tanto più elle mi sono apparse certe e sicure » (pp. 90-92).

Dunque il santo stesso ci dice che il suo è stato equiprobabilismo fin da quando si è staccato dal probabiliorismo; che egli fino al 1762 non ha mutato pensiero ma si è maggiormente confermato in esso; che il suo pensiero è quello che è stato comune « per la serie di molti anni ». Dunque il suo equiprobabilismo non è altro che il probabilismo moderato dalla prudenza; e lo chiama equiprobabilismo, perché tra il 1759 ed il 1762 ha potuto stabilire che la vera probabilità quando non è isolata deve essere equiprobabilità, altrimenti o è certezza morale larga o è infraprobabilità morale, senza fondamento certo, anche se logicamente può considerarsi ancora probabilità.

Il probabilismo che difende come probabilità morale la semplice probabilità logica e giuridica non è probabilismo moderato dalla prudenza: ma questo s. Alfonso non lo ha mai professato. Il suo è probabilismo aperto alla prudenza e quindi alla carità: perciò prevalse nell'Ottocento, ed è sempre valido.

12) DISSERTATIO DE USU OPINIONIS PROBABILIS - 1763.

Nel luglio 1763 s. Alfonso traduceva o faceva tradurre in latino la dissertazione del 1762 [37], la spediva al Remondini a Venezia nel'ottobre [38], perché fosse stampata nella imminente quinta edizione della « Theologia Moralis » in sostituzione della dissertazione antituziorista del 1757. Ma la quinta edizione veniva fuori nel 1763, e la versione latina della dissertazione giungeva a Venezia solo nel gennaio-febbraio 1764 [39], quando il santo non ancora sapeva che la quinta edizione era stata stampata; solo il 1º marzo 1764 riceveva notizia della ristampa senza la nuova dissertazione [40].

Questa veniva messa in appendice ad un'altra opera del santo: « Confessore diretto per le confessioni della gente di campagna ». Al riceverla nel giugno 1764 egli scriveva al Remondini: « Mi è dispiaciuto l'esserci stata posta anche la dissertazione latina;

---

[37] S. ALFONSO, *Lettere* III, n. 106, p. 174, n. 109, p. 181.

[38] S. ALFONSO, *Lettere* III, n. 114, p. 190.

[39] S. ALFONSO, *Lettere* III, n. 120, p. 198.

[40] S. ALFONSO, *Lettere* III, n. 122, p. 201.

perché la latina è inutile per quelli sacerdoti di poca vaglia per cui è fatto questo libro »[41].

Questa « Dissertatio » di 50 pagine (pp. 455-504), in 16° (cm. 17 × 9,5), pur essendo traduzione letterale della precedente, ha valore a sé in due punti che vanno segnalati.

Abbiamo già notato che nella dissertazione del 1762 l'autore ripete sulla conformità di ogni nostra scelta alla volontà di Dio quel che aveva già scritto nel « De conscientia probabili » del 1761: distinguendo con s. Tommaso tra cosa voluta da Dio in particolare (volitum materiale) e valore supremo che Dio vuole e vuole che noi vogliamo in ogni cosa particolare (volitum formale), affermava che la legge fondamentale della conformità di ogni nostra scelta con la volontà di Dio esige in noi l'intenzione della onestà in ogni bene particolare. Abbiamo aggiunto che altrove egli dichiara che questa ragione di onestà non è una ragione generica e formale soltanto, ma è un valore ontologico concreto: la gloria di Dio[42]. Sicché il principio di conformità con la volontà di Dio si pone per il santo come principio di carità, e così egli fonda la sua concezione morale sul principio supremo di valore assoluto, che è morale e religioso insieme.

Ebbene nella traduzione latina è proprio su questo punto che egli ritorna ed al testo italiano premette una distinzione che rende ancora più chiaro il suo pensiero.

Nel 1755 aveva distinto tra volontà di Dio o meglio legge eterna di Dio antecedente e legge eterna di Dio conseguente. Poi aveva lasciato cadere questa distinzione, sostituendola con la distinzione tra « volitum materiale » e « volitum formale ».

Uniformandosi a questa distinzione di s. Tommaso egli ora distingue nella volontà di Dio due atti volitivi: uno generale (voluntas generalis), l'altro particolare (voluntas particularis):

> *Generalis* dicitur illa qua in actionibus nostris ad rei honestatem intendimus, nimirum ut nihil agamus nisi quod nobis honestum et licitum videatur, sicut iam libertate qua a Deo donati sumus honestum et licitum est uti; voluntas *particularis* illa qua Dominus ve-

---

[41] S. Alfonso, *Lettere* III, n. 127, p. 210.

[42] S. Alphonsus, *Theologia Moralis*, t. II, Romae 1907 l. V. tr. De actibus humanis, n. 44, p. 703.

tando ne libertate nostra uteremur, nobis ostendit in particulari quid in peculiari nobis faciendum aut vitandum sit.

Hoc posito, dicimus quod usquedum voluntas Dei ignota est in aliquo particulari, satis est ut divinae voluntati generali conformemur, nempe ut operemur ex creduliate honeste operandi (p. 472, n. 16).

Qui dunque è un notevole progresso nel punto più fondamentale della dialettica delle probabilità morali in sede di coscienza. L'atto volitivo di Dio, cioè la legge eterna non è da considerare come semplice archetipo di tutte le leggi *particolari* che determinano l'ordine orizzontale dei fini e quindi dei mezzi a questi fini particolari; ordine molteplice che poi si moltiplica all'infinito nelle mutevolissime situazioni. Forma e valore unitario di tutte queste particolarizzazioni e conseguenti singolarizzazioni è la legge unitaria e suprema, che è legge di tutte le leggi e stabilisce il Valore di tutti i valori, il Fine di tutti i fini: *lex o voluntas generalis*, dice s. Alfonso. E con ciò egli raggiunge l'ontologia dell'essere come partecipazione dell'Essere impartecipato e sussistente, da cui ogni essere proviene ed a cui tende per dinamismo finalistico intimo. Dinamismo che si pone nella persona come voluta e cosciente e libera partecipazione nostra all'essere filiale ed all'amore sacerdotale del Cristo per il Padre, poiché l'essere del Cristo glorioso è nostro essere. Ed è significativo come s. Alfonso riporti la nostra libertà alla fonte di questa partecipazione dell'essere, alla volontà generale di Dio che dona. Da ciò la sua insistenza nel difendere la priorità della libertà sulle leggi, anche sulla legge eterna, se questa si intende come archetipo delle leggi particolari e delle situazioni singolari.

La particolarità infatti dipende dal modo di essere, dalla forma, dalla essenza intesa come quiddità che distingue e limita; mentre l'essenza come apertura della creatura al dinamismo intensivo dell'essere è libertà, è personalità; cioè ampiezza e tensione di amore verso Dio.

Dispiace che il santo nel discutere direttamente della legge eterna non abbia lì, in sede propria applicato questa distinzione di volontà generale che determina il valore assoluto dell'essere e volontà particolare che determina i valori strumentali del molteplice.

22.

Ma per far questo, bisognava svincolarsi dall'ontologia della forma e dalle insidie del logicismo che da tale ontologia nascono e si insinuano nelle nostre « scienze » e finiscono per inaridirle e spezzare la risoluzione della scienza in sapienza. In realtà « in actu exercito » s. Alfonso, come del resto ogni vero pensatore, doveva sentire l'urgenza di questa risoluzione superiore; ma per la scienza vera occorreva una risoluzione « in actu signato ». Purtroppo questo allora non si faceva neppure dai metafisici, che non sapevano concepire altra ontologia, se non quella della categoria della sostanza aristotelica, dove la « persona » è ridotta a semplice « substantia »; l'essere nella logica viene degradato allo stato di « accidens predicabile »; e questa degradazione domina anche l'ontologia. Di conseguenza tutti i valori entitativi che per sé sono intensivi verso il divino, son ridotti a ragioni quidditative, necessariamente particolarizzanti.

Così si viene all'affermazione che non ci si può conformare alla volontà di Dio, se non conformando anche materialmente ed inviolabilmente la nostra scelta morale alle leggi del molteplice. La gloria di Dio, che è il valore di ogni vita morale, la si fa dipendere « ex opere operato » dalla osservanza delle leggi dell'ordine orizzontale, che solo viene considerato come ordine oggettivo.

Sì, certamente, è ordine oggettivo; ma è l'ordine dei mezzi, non l'ordine verticale del « Finis finium », che è più oggettivo del primo e si pone nella spontaneità della persona libera e cosciente, quando questa è dominata dalla carità e si esprime in intenzione retta e leale verso Dio. E' un errore confondere l'oggettivismo dell'essere intensivo con l'oggettivismo quidditativo; ed analogamente è errore confondere il personalismo come soggettivismo individuale autonomo col personalismo come affermazione della persona quale immagine di Dio nell'agire morale.

S. Alfonso difende la coscienza e la libertà come valori della persona orientata a Dio per la carità; per questo contro gli oggettivisti rigidi ama esser mite e comprensivo; ma è altrettanto deciso contro il lassismo che dilata la libertà e la persona in modo da violare l'ascesa a spirale dell'ordine verticale verso Dio, in forza della carità nel Cristo.

L'altro punto da segnalare nella dissertazione latina che veniamo esaminando è dato da una nota che non è nell'originale in italiano (pp. 480-482).

Nel « De theologicis disciplinis » del Berti il santo aveva letto la confutazione del probabilismo, come se questo fosse fondato sul principio: « Qui probabiliter agit prudenter agit », e sulla dottrina che affermava essere lecito, in caso di due probabilità opposte, sospendere con la volontà il giudizio contrario alla libertà e fermarsi solo sul giudizio ad essa favorevole, per accettarlo e seguirlo.

S. Alfonso conferma il suo rifiuto del primo principio, e riprova anche il secondo, perché accettandolo ed applicandolo si avrebbe ignoranza non solo vincibile, ma anche affettata, con la quale la scelta morale sarebbe sempre colpevole.

Aggiunge poi una nota di carattere storico-critico: egli è convinto che molti rigettano il probabilismo o la sentenza « aeque probabilis », come egli dice promiscuamente, perché credono che essa si fondi su questi due principi, che per lui sono falsi. Ma lamenta che dagli avversari non sia considerato quello che per lui è il principio fondamentale: « Lex dubia certam obligationem inducere non potest » (p. 482, n. 24).

E' infine da segnalare il principio di flessibilità; con esso chiude bene questa dissertazione latina. Nell'originale, destinato ad esser opuscolo a sé, tale principio non aveva ragione di essere, perché esso fa parte del trattato sulla coscienza, come regola prossima delle scelte morali, e dice quindi rapporto a tutte le regole stabilite teoreticamente nella teologia casistica. La versione latina infatti era destinata a far parte del trattato della Coscienza nella quinta edizione della « Theologia Moralis », e doveva quindi esprimere questo principio, che è la regola fondamentale della prudenza nel far della verità di scienza una verità di coscienza.

13) DELLA COSCIENZA PROBABILE - 1763.

Abbiamo visto come s. Alfonso nel 1763 compose un compendio della sua « Theologia Moralis », più breve di quello stampato nel 1757. Il suo titolo è; « Confessore diretto per le confessioni della gente di campagna ».

Si potrebbe analizzarlo per sottolineare in esso il carattere non sommista ma teologico, pur essendo assai breve e destinato a «sacerdoti di poca vaglia».

Parlando della coscienza probabile, come dichiara il santo[43], ha compendiato quel che basta della Dissertazione del 1762. Vogliamo fermarci su questo estratto, pur essendo di sole 10 pagine (pp. 29-39) in 16° (cm. 17 × 9,5). Esso interessa per conoscere quali erano le ragioni che il santo considerava pastoralmente più evidenti nella «vexata quaestio».

L'enunziazione dell'equiprobabilismo risponde a quella della dissertazione del 1762, senza però accennare al principio del «verisimilius sequendum», ma solo alla necessità della certezza sul fondamento della probabilità, certezza che non si ha nel caso della opinione molto meno probabile.

La necessità della certezza morale della legge è provata sempre dalla natura della legge che presuppone nell'uomo la libertà: «l'uomo è in libertà, finché non vien legato dalla legge che gli si promulga»; ma essere «sciolto» dalla legge non significa esser «indipendente» da Dio; la legge che non gli è manifestata, secondo s. Alfonso, non è legge; almeno non è legge che obbliga» (pp. 34, 35 nn. 23, 24).

Delle obiezioni riporta soltanto quella che è tratta dal principio base del probabilismo: «In dubiis tutior via est eligenda»; e l'altra secondo la quale nel dubbio bisogna osservare la legge per non agire contro la volontà di Dio.

Quest'ultima è risolta con la distinzione tra volontà formale e volontà materiale, secondo il già noto testo di s. Tommaso: «voluntas igitur humana tenetur conformari divinae voluntati formaliter sed non materialiter» (I-II, 19, 10). Però nello spiegare il concetto di volontà formale non ricorre al principio di finalità suprema, ma al modo del nostro volere come è determinato dalla volontà di Dio; e questo modo è aver coscienza chiara di quel che Dio comanda o proibisce.

«Che s'intende per volontà formale? s'intende quella volontà colla quale Dio vuole che l'uomo voglia quel ch'esso Dio gli comanda. Sicché l'uomo non è tenuto a volere tutto quel che vuole Dio, come

---

[43] S. ALFONSO, *Lettere* III, n. 127, p. 210.

sta nella sua mente divina; ma solo quel che Dio vuole che voglia l'uomo, dopo che ciò gli è manifestato co' divini precetti (p. 38, n. 26) ».

Certo il bisogno di brevità e di facilità per i « sacerdoti di poca vaglia » ha consigliato il santo a lasciar da parte il principio di finalità, che è la vera ragione della conformità formale della nostra volontà con la volontà di Dio; sicché in questo testo la volontà formale è definita da un elemento conseguente: dal modo del nostro volere, perché possiamo tendere al fine voluto da Dio.

Non si può però negare che questo elemento conseguente è quello che interessava direttamente la soluzione della difficoltà che gli avversari ponevano al santo. Affermavano che violar una legge particolare, anche senza averne chiara coscienza, è porsi in contrasto con la volontà di Dio. Ed egli rispondeva che se Dio vuole che noi quel che vogliamo come sua volontà, lo vogliamo coscientemente, è chiaro che quando questa certezza e chiarezza manca, noi non discordiamo dalla volontà di Dio.

Dunque secondo s. Alfonso la volontà di Dio che non si pone nella persona come coscienza certa, non si pone neppure come volontà di Dio a cui dobbiamo conformarci.

Ci sembra che questo sia anche il concetto base di tutta la seconda parte della Somma di s. Tommaso, quando nel prologo afferma che l'uomo si conforma a Dio come sua immagine, quando agisce come persona: cioè se agisce con libera coscienza in ordine al fine ultimo (I-II, Prologus e 1, aa. 1-3).

Può quindi accettarsi come interpretazione estensiva valida quella che s. Alfonso fa del seguente testo tomista: « Etsi non teneatur homo velle quod Deus vult; semper tamen tenetur velle quod Deus vult eum velle, et homini praecipue innotescit per praecepta divina » (II-II 104, 4 ad 3).

S. Alfonso crede di dover porre l'accento su *innotescit*, per dedurne che quando i precetti non sono con certezza di coscienza promulgati alla persona, Dio non vuole che noi li vogliamo. Benché il punto di vista di s. Tommaso sia altro, la deduzione alfonsiana non è esclusa, e questo secondo il santo poteva bastare per le intelligenze di poca vaglia.

Comunque a noi interessa stabilire qui la dottrina alfonsiana che ha valore anche da sé sola; e bisogna notare che quel che egli afferma qui, lo ha già insegnato nella dissertazione del 1755 con queste categoriche parole: « Vult Deus homines teneri ad suas leges secundum quod sunt in eorum conscientia » (p. 29, n. 23).

Sicché la coscienza secondo s. Alfonso non è la presenza della legge particolare nell'interno della persona che si trovi in situazione e debba scegliere in conformità inviolabile di tale legge: legge che, solo se osservata oggettivamente, porterebbe sacramentalmente l'affermazione della gloria formale di Dio.

Piuttosto la coscienza è la presenza di Dio nella persona; presenza dinamica, paterna che chiama la persona ad agire come sua immagine, come suo figlio inserito nell'essere filiale e sacerdotale del Cristo. Vocazione a rivelare in sé Gesù come immagine del Padre; che è poi santificare il Nome di Dio; è fare la volontà del Padre, se questa volontà non è semplicemente emanazione di leggi da eseguire ma è Presenza di Dio che ordina ed opera per amore; e con Lui opera il Cristo fino al « giorno di Cristo ». Con l'intenzione retta e leale l'uomo si pone come persona in Dio per il Cristo; e la scelta morale in situazione non è altro che la incarnazione concreta di questa intenzione; è la *probatio amoris*.

Ma appunto perché la scelta morale concreta è *probatio amoris*, e l'amore vero non vive di esclamazioni ma di fatti, la libertà e la coscienza informate dalla carità e dalla prudenza, cioè dalla « mens » del Cristo, portano a scegliere: secondo la direzione segnata dalla legge particolare, se questa emerge con chiarezza; secondo la completa autodeterminazione, se la legge non si pone con certezza.

Non è vero che la via del rigore sia la via della carità, della santità. Ecco cosa scrive s. Alfonso, a proposito di un suo amico che lo « piangeva per dannato », perché non seguiva « la rigida sentenza »:

> Credonsi questi antiprobabilisti di zelare l'onore di Dio e non vogliono vedere che zelano la propria opinione e la propria stima con disprezzare i probabilisti, come se non possa farsi santo chi non seguita il lor rigore e non riduce le anime a disperarsi o pure a

rilasciarsi; poiché è facile rilasciarsi chi si vede troppo stretto dagli obblighi di coscienza [44].

La coscienza delle leggi è coscienza di uno dei mezzi per rispondere alla presenza di Dio che chiama la persona a più profonda partecipazione del suo essere paterno nel Cristo. Se il nostro modo di essere vincolato agli altri modi di essere condizio-
na in una data situazione il nostro essere come partecipazione
dell'essere di Dio nel Cristo, allora si ha la legge particolare. Ma
allora la coscienza, appunto perché è sensibile alla presenza di
Dio, è sensibile alla legge particolare, e questa è sentita in sintonia perfetta con la sua libertà, la quale non può non muoversi
nella carità. E nessuno è più sensibile alla inviolabilità delle leggi
particolari quanto chi immerge la propria libertà nella carità e la
coscienza nella prudenza.

Sicché tutta la verità morale non si esaurisce nel calcolo delle probabilità delle leggi particolari, secondo le loro ragioni particolari, quasi valori a sé. Se ci si fermasse a questo calcolo, la
vita morale sarebbe una tecnica spirituale. La verità morale è nella cosciente assimilazione della persona con Dio Padre per mezzo
del Cristo. E bisogna ricordare che *persona* è più che *natura*, anche nell'ordine naturale. Nell'ordine poi della grazia le categorie cristiane che formano la persona nel Cristo non sono riduci-
bili a classificazioni più o meno aristoteliche: la grazia per cui la
persona *partecipa* l'essere filiale e sacerdotale del Cristo non è solo
qualitas: è Cristo vivo in noi. Ed allora la sua legge non è soltanto norma estrinseca che si esegue; è principio interiore che si
esprime in vita cristiana autentica, se questa risponde alla vocazione interiore del Cristo nel *Kairòs;* cioè nell'attimo, nei mille attimi del nostro esistere che Dio, la volontà di Dio, vuol trasformare in essere; nell'essere del suo Figlio in noi, se noi gli
diciamo: sì. Ed è la coscienza, illuminata dalla prudenza ed ani-
mata dalla carità, che coglie la voce del Cristo nel *Kairòs*, nella
situazione.

Per tutto questo s. Alfonso ha difeso l'originalità della coscienza.

---

[44] S. ALFONSO, *Lettere* III, n. 159, p. 258.

SEAN O'RIORDAN

THE NATURE AND FUNCTION
OF PASTORAL PSYCHOLOGY

SUMMARIUM

1. Psychologia pastoralis, ut scientia *sui iuris,* est originis modernae in Ecclesia et adhuc « in fieri ». In hoc articulo agitur de *natura* et
functione psychologiae pastoralis theologice stabilienda.

2. Accurate distinguendum est inter psychologiam *extrinsece* « pastoralem » (e.g. medicinam psychologicam « pastoralem ») et psychologiam *intrinsece* seu *proprie* theologicam et pastoralem, in qua vita hominis psychodynamica consideratur directe sub « lumine divinae reve-
lationis ».

3. Ita proprie sumpta, psychologia pastoralis est pars intrinseca
theologiae pastoralis, illius nempe theologiae quae investigat et promovet
actionem salvificam Ecclesiae. Ecclesia habet suam propriam vitam et
actionem psychodynamicam ordinis supernaturalis: en objectum materiale adaequatum psychologiae pastoralis theologicae.

4. Regula proxima psychologiae pastoralis theologicae, sicut totius
theologiae, est Magisterium Ecclesiae. Eius fontes primarii sunt Scriptura et Traditio, in quibus continetur psychologia *revelata,* praesertim
in persona, vita et ministerio Verbi Incarnati.

5. Quid de integratione repertorum psychologiae dynamicae modernae in psychologiam pastoralem? Conservato semper primatu *theologiae*
in tali integratione efficienda, haec integratio est utique necessaria ad
plenam evolutionem psychologiae pastoralis.

6. Quomodo haec integratio facienda est? Proponitur methodus
integrationis secundum themata maiora seu « valentias » vitae humanae
psychodynamicae, quae sub diversis aspectibus communes sunt psychologiae dynamicae et theologiae pastorali. Hae valentiae sunt:

a) *Individualitas* seu tendentia hominis individui ad se ut talem
affirmandum in mundo;

b) *Socialitas* seu communio psychologica hominum in societate;

c) *Sexualitas,* quae est valentia masculina vel feminea in vita psychodynamica, tum individua tum sociali;

d) *Religio* seu relatio psychodynamica, tum individua tum socialis, hominis ad Numen.

7. Quid de integratione *technicarum* psychologiae dynamicae in psychologiam pastoralem? Distinguendum est:

a) Aliae technicae hujus generis, quantumvis utiles in ordine psychologico naturali, ad hunc ordinem *essentialiter* limitantur (e.g. psychoanalysis): hae ad ordinem supernaturalem psychologiae pastoralis transponi nequeunt.

b) Aliae autem nullatenus ad ordinem naturalem essentialiter limitantur (e.g. plures technicae psychologiae socialis). Hae, cum debita accomodatione, ad ordinem pastoralem et possunt et debent transponi, ut per eas psychologia pastoralis theologica magis « viva et efficax » reddatur, ad modum ipsius Verbi Dei, cuius est instrumentum ecclesiologicum.

I

Pastoral psychology as a science *sui iuris* is of modern origin. It has developed mainly from the impact of modern dynamic psychology in all its forms on theological and philosophical thought in the Church and on the concrete life of the Church herself. From 1874 onward, the year of publication of Wundt's *Grundzüge der physiologischen Psychologie,* which marked the beginning of the history of modern experimental psychology, and still more from 1900 onward, when Freud's *Traumdeutung* launched depth-psychology as a convulsive force into the main stream of modern thought and life, the Church has been increasingly compelled to work out afresh, both in theory and in practice, her own dynamic psychology of man. This psychology, as we shall have occasion to emphasise later, has always existed in the Church in a very real though not scientifically organised form (the very term 'psychology' dates only from Christian Wolff, 1679-1754). Now, however, a dynamic psychology of man, grounded in Revelation and inspired by Faith, is gradually taking shape within the Church as a true scientific discipline, stimulated by, though in its essential bases independent of, the natural science of dynamic psychology. So far this new branch of theological science is very much *in fieri.* Some solid foundations have been laid: much detailed work of great value has been done: there have also been some false starts and faulty or inadequate constructions: materials abound for further progress, development and integration. Furthermore the teaching authority of the Church has given clear directions as to the lines which the development of dynamic psychology as a theological science should and should not follow.[1] Thus, if we survey the general field of dynamic (or pastoral) psychology in the Church today, we see there outlines of a theological science rather than a definite structure and form. This is quite natural and inevitable, given the recent date of the beginnings of pastoral psychology. Indeed a similar picture confronts us when we examine the present position of dynamic psychology even as a natural science. There is a multiplicity of approaches, methods, schools, formulations.[2] Strictly experimental psychology with its laboratory methods: depth-psychology in its various forms (Freudian, neo-Freudian, Jungian, existentialist: the Adlerian form has pretty well dropped out of the picture): social psychology with its many subdivisions (the psychology of 'primary' and 'secondary' groups, educational psychology, industrial psychology, and so on): anthropological psychology, growing out of general anthropological research - all these and other types of psychology, generically classifiable as dynamic, contrast, combine and dispute the ground with each other in varying degrees of separation, cohesion and opposition. Here too we discern possibilities and tentative outlines of a unified science of dynamic psychology rather than a coherent existing science. In fact the general picture so far is even more fragmentary than in the case of pastoral psychology, where the underlying premises, being theological, are stable and assured, whereas dynamic psychology as a whole possesses no common body of premises. What is does possess and what gives it a certain initial unity in spite of all diversity of methods and conclusions is a common *preoccupation*.

---

[1] See F. ANGELINI, ed., *Pio XII: discorsi ai medici*, Rome 1959, indice analitico s.v. 'psichiatra', 'psichiatria', 'psicoanalisi', 'psicofarmacologia', 'psicologo', 'uomo'. All the pronouncements of Pius XII on modern dynamic psychology as well as on medico-moral matters generally are assembled in this volume.

[2] This is well brought out in the different contributions to M.B. ARNOLD and J.A. GASSON, ed., *The Human Person. An Approach to an Integral Theory of Personality*, New York 1954.

348

Dynamic psychology of every kind is concerned with the scientific analysis of the *functioning* of the human psyche, whether in its individual or in its social manifestations, and, adding a practical to a theoretical concern, seeks to put its findings at the service of humanity for the promotion of human welfare and happiness. It is this common preoccupation and concern, theoretical and practical, that constitutes the total field of dynamic psychology and that creates a mutual intelligibility between all workers in this field; and it is from this mutual intelligibility in turn that the lineaments of a unified science of dynamic psychology are beginning to emerge. Dynamic psychology will always and necessarily remain a multi-disciplinary and multi-dimensional science, drawing as it does (and must) on so many contributory sciences: neurophysiology and cybernetics; biochemistry, endocrinology and pharmacology; experimental and observational psychology; comparative psychology; depth-psychology and phenomenology. But the special concern, theoretical and practical, of dynamic psychology is gradually polarising psychological findings in all these and other related fields into the receiving-centre of its own specific field — a field of growing coherence and diminishing opposition between the multiple findings thus polarised.[3] A true and specific *science* of dynamic psychology is certainly *in fieri*, just as, in the realm of theology, a true and specific science of pastoral psychology is today *in fieri*.

Where so much is still inchoative, tentative and provisional, both in dynamic psychology in general and in pastoral psychology in particular, it might seem premature and rash to attempt to present an outline of pastoral psychology as a whole. The purpose of this article, however, is much less ambitious than that. It aims at analysing and clarifying the *foundations* (no more) of the

[3] For a survey of the gradual development of 'interdisciplinary' dynamic psychology in America and Europe cf. G. CRUCHON, *Psychologie dynamique et pastorale, Gregorianum* 61 (1960), 625-642. « Une psychologie dynamique, qui se voudrait complète, intégrera donc les apports des sciences de l'esprit et de la bio-neurologie. Elle complétera également les données psychanalytiques sur la genèse de la personalité par les travaux des psychologues sur les stades de la croissance de l'enfant et de l'adolescent, et qui ont été poursuivis, durant de nombreuses années, par Piaget et ses collaborateurs ou, aux Etats Unis, par le groupe de Gesell. Ignorer ces recherches serait se mettre des œillères » (p. 633).

science of pastoral psychology by examining the specific *nature* and *function* of this science. Enough solid work has now been done in the general field of pastoral psychology for this task to be a feasible one. If we can clearly grasp what pastoral psychology really *is*, what forms of it exist and how they are related to each other, and what pastoral psychology in its various forms is really trying to *do* in the service of the Church, then we shall be on sure ground for further advances. It will then (and only then) be possible to give its due theological status to pastoral psychology and to indicate the full range of the great possibilities of this science. Simultaneously we shall be in a better position to indicate the necessary limits of pastoral psychology and to see the pitfalls which it must avoid in the course of its theoretical development and practical application. Finally such an analysis and clarification of the nature and function of pastoral psychology will prepare the way for preliminary but still satisfactory syntheses of the science of pastoral psychology as a whole.

II

Modern dynamic psychology, as long as it keeps to its proper field — the scientific investigation of the functioning of the human psyche — is obviously a perfectly legitimate natural science. What has complicated relations between it and the Church is the philosophical presuppositions, expressed or implied, which pervade a great deal of dynamic theory and practice — presuppositions that in no way result from the science itself but which the science has been made to carry and express. These philosophical presuppositions, which, according to the degree of expression accorded them in any given dynamic system, either openly contradict or tacitly discount the Christian vision of man as a spiritual and responsible being, are basically two:

1° An open or implied *determinism*: human freedom and responsibility are illusions;

2° An open or implied *materialism*: all 'spirit' is strictly reducible to flesh and all religion is, at worst, a collective illusion or, at best, a useful subjective experience.

The hostility and suspicion which *any* programme of thought
and action (scientific or otherwise, psychological or otherwise)
carrying such presuppositions was bound to arouse among
Catholics have by this time been replaced by a more truly critical
attitude. The positive and constructive value of the assured
findings of dynamic psychology in its own proper sphere is now
widely appreciated in the Church. This attitude of critical
evaluation and appreciative utilisation in regard to the methods
and results of dynamic psychology (including depth-psychology,
which originally formed the main object of suspicion) has been
greatly stimulated by the gradual emergence within the dynamic
movement itself of a sounder philosophy of man than nineteenth-
century determinism and materialism, now grown extremely hard
and stale, can offer to the times we live in. European psychology
as a whole is now well on its way towards becoming, at the
noological level, a psychology of spirit and of freedom.[4] American
psychology, for all its great merits in the strictly psychological
field, particularly in the sphere of social psychology, is only now
beginning to get away from the *postulate* of determinism that
William James laid down for it in *The Principles of Psychology*
(1890).[5] As a result American Catholic writing on dynamic

---

[4] Cf. C. ODIER, *Les deux sources consciente et inconsciente de la vie morale,* 2 ed.,
Neuchâtel 1947; C. BAUDOUIN, *De l'instinct à l'esprit,* Paris 1950; and the existential
analysts, L. BINSWANGER, *Zur phänomenologischen Anthropologie,* Bern 1947; M.
BOSS, *Psychoanalyse und Daseinsanalytik,* Bern 1957; I.A. CARUSO, *Psychoanalyse und
Synthese der Existenz,* Wien 1952; *Bios Psyche Person,* Freiburg 1957; V. VON
GEBSATTEL, *Prolegomena einer medizinischen Anthropologie,* Berlin, 1954; V.E.
FRANKL, *Ärztliche Seelsorge,* Wien 1946.

[5] James writes with his usual honesty of determinism as a *postulate* of the
'science' of psychology. A psychologist has « a great motive in favour of determinism.
He wants to build a *Science;* and a Science is a system of fixed relations. Wherever
there are independent variables, there Science stops. So far, then, as our volitions
may be independent variables, a scientific psychology must ignore that fact, and
treat of them only so far as they are fixed functions... She thus abstracts from free-
will, without necessarily denying its existence. Practically, however, such abstraction
is not distinguished from rejection; and most actual psychologists have no hesitation
in denying that free-will exists » (see M. KNIGHT, *William James,* London 1950,
178-179). We see here an interesting psychological process taking place in the
psychologist himself. He « wants to build a *Science* » of psychology, but 'science'
(as he conceives it a priori) *must* be *exclusively* « a system of fixed relations ».
Free will is an independent variable, so 'science' must at least abstract from it.
Abstraction from free will is « practically » not distinguished from rejection: so

psychology is still, by reaction, strongly apologetic in character; intent on justifying the spirituality and freedom of man, it is often focused more on philosophical issues than on psychological processes as such.[6] Nevertheless it has to its credit a considerable body of positive and integrative work in the dynamic field, for example Curran's *Counseling in Catholic Life and Education*,[7] a major effort in synthesis between the virtue of counsel and modern techniques of counselling, which represent another important contribution by American psychology to the science and practice of dynamic psychology in general.[8]

Surveying, then, present-day Catholic attitudes to dynamic psychology as a whole, we may briefly enumerate them as follows:

1° An attitude of hostility (now much rarer than formerly and contrary to the official directives of the Church, as we shall have reason to note later) or indifference (still quite common in, for example, writers on ascetical and mystical theology who fail to utilise the extremely useful contributions that dynamic psycho-

« most actual psychologists have no hesitation in denying that free-will exists. » In other words, 'science' is *absolutised* — and so free will disappears. For a humanist criticism of the practical effects of the absolutisation of 'science' ('scientism') see W.H. WHYTE, *The Organization Man*, New York 1956. R. MAY, E. ANGEL and H.F. ELLENBERGER, ed., *Existence. A New Dimension in Psychiatry and Psychology*, New York 1958, represents a breakthrough of existential analysis into American psychology.

[6] This apologetic undercurrent runs through much of M.B. ARNOLD and J.A. GASSON, op. cit., even though all 19 contributions to the volume bear psychological, not apologetic, titles.

[7] C.A. CURRAN, *Conseling in Catholic Life and Education*, New York 1952.

[8] Curran follows substantially the 'non-directive' counselling method of C.R. ROGERS (*Counseling and Psychotherapy, Client-Centred Therapy*, New York, 1942, 1951, and many other books and articles listed in Curran's bibliography). On counselling techniques in general cf. F. BIESTECK, *The Principle of Client Self-Determination*, Washington 1951; *The Case-Work Relationship*, Chicago 1957; E. BORDIN, *Psychological Counseling*, New York 1955; C.E. ERICKSON, *The Counseling Interview*, New York 1950; A. GARRETT, *Interviewing. Its Principles and Methods*, New York 1942; M.E. HAHN and M.S. McLEAN, *Counseling Psychology*, New York 1955; S. HILTNER, *Pastoral Counseling*, New York 1949; M. McCORMICK, *Diagnostic Casework in Thomistic Patterns*, New York 1954; H. and P. PEPINSKI, *Counseling, Theory and Practice*, New York 1954. European psychology lags far behind American in the development of the theory and practice of conselling: cf., however, A. GODIN, *Les fonctions psychologiques dans la relation pastorale*, N.R.T. 80 (1958), 606-614: *L'accueil dans le dialogue pastoral*, N.R.T. 80 (1958), 934-943.

352

logy can make towards the understanding of the *natural* psychological factors involved in the living of the life of grace).

2° A receptive attitude to modern psychiatry as a valuable instrument in the sphere of pastoral care. Bless's *Manuel de psychiatrie pastorale,* well-known since the French translation of it first appeared in 1936,[9] is a typical example of the kind of psychological aid-book that now commands general respect and welcome from Catholics. Niedermeyer's *Seelenleiden und Seelenheilung*[10] and Dobbelstein's *Psychiatrie und Seelsorge*[11] are other works of this kind. Written by doctors and falling within the general category of « pastoral medicine », such works continue, in regard to psychological medicine, a tradition of medical-pastoral writing that had been already established in regard to medical-moral problems in general before the modern development of dynamic psychology.

The practical value of this kind of aid-book to the moral theologian and to the pastoral worker needs no stressing. It renders an indispensable service to both. We must, however, ask in what sense works of psychological medicine thus written to provide necessary information for theologians and pastoral workers deserve to be classified as 'pastoral' in character. They are not theological works. They are simply works of natural science composed for the instruction and benefit of theologians — a different thing. Knowing the problems with which the theologian and the pastoral worker have to cope in the moral field, the medical man contributes *his* share to the elucidation of these problems. In doing so he relates his science *extrinsically* to the domain of theology, but *intrinsically* the two sciences remain distinct. Theology is always a work of faith, of *fides quaerens intellectum,* whereas « pastoral medicine » is still essentially medicine, a work of reason, of *intellectus* — even when, as in this case, *intellectus* puts itself at the service of *fides.* For the same reason very good contributions to « pastoral

[9] H. BLESS, *Manuel de psychiatrie pastorale,* Paris 1936.

[10] A. NIEDERMEYER, *Handbuch der speziellen Pastoralmedizin,* Wien 1948-1956, vol. V, *Seelenleiden und Seelenheilung.*

[11] H. DOBBELSTEIN, *Psychiatrie und Seelsorge,* Freiburg 1952.

medicine» can come, and have in fact come, from medical men who are not Catholics at all. They respect the Church without sharing her faith and are quite willing to put their scientific knowledge and experience at her service — extrinsically.[12] Briefly, «pastoral medicine» of the psychological type is a useful and necessary *auxiliary* science in relation to theology, but, being itself non-theological in character, it is entitled to be called 'pastoral' only in a loose and extrinsic sense.

3° A third attitude, still more receptive to the findings of modern psychology, is that which invites and welcomes extended *parallel* work by theologians and psychologists in areas of common interest.[13] Theologians and psychologists deal with the same themes from their different points of view, each group taking account of the other's point of view but still pursuing its own point of view in the discussion. The result is a useful *juxtaposition* and *mutual confrontation* of theological and psychological views. Again contributions by dynamic psychologists to such discussions can only be called 'pastoral' in a broad sense; but so far as the theological contributors incorporate and integrate psychological data into the structure and dynamism of their theology, they construct a *theological* pastoral psychology, which is pastoral psychology in the strict sense, as we shall see later. Usually, however, this process of incorporation and integration on the part of the theological participants does not go very far: they are content to expound an already well-established and traditional theological psychology. This is an excellent theological and pastoral psychology as far as it goes, and it must be the foundation for all further construction in this line; but the actual work of further construction at the theological level is relatively small. The synthesis is not carried firmly forward to embrace and re-interpret theologically the whole body of material presented from their own field by the dynamic psychologists.[13bis] A further limitation to

---

12 Cf. the contributions by non-Catholic doctrors and psychiatrists to R.J.H. KENNEDY, ed., *Alcoholism. A Source Book for the Priest*, Indianapolis 1960.

13 Cf. the series *Études Carmélitaines*, Paris 1931-, and *Supplément de la Vie Spirituele*, Paris 1947-.

13bis Cf., however, the contributions of E.F. O'Doherty to E.F. O'DOHERTY and S.D. McGRATH, ed., *The Priest and Mental Health* (Dublin 1962).

354

the theological value of such confrontations of theological and
psychological views results from the fact that the psychological
material presented comes usually from the sphere of depth-
psychology, which is only one, though of course a very important
one, of the many forms of modern dynamic psychology.

4° A fourth approach from the theological side to dynamic
psychology is definitely incorporative in tendency.[14] Insights and
sometimes techniques of some form of dynamic psychology (again,
usually, depth-psychology) are taken and transposed into a strictly
theological and pastoral setting. This has been done especially
in connexion with the theory and practice of spiritual direction,[15]
though also in other spheres of pastoral care — pedagogy and
homiletics, for example.[16]

Of all forms of pastoral work spiritual direction is the one
that most invites development in dynamic terms. This results from
its own inherently dynamic nature at the spiritual level. Its
purpose is to liberate and stimulate the full dynamism of the life
of grace in the person directed, so that his whole personality in
its natural as well as supernatural capacities and energies is
involved in the process. Since dynamic psychology has so much
light to throw on the natural capacities and energies of man and
so, by transposition to the directly spiritual field, on his supernatural capacities and energies, it is entirely natural that spiritual
direction should develop its *intrinsic* resources by assimilating
elements from dynamic psychology into its own structure and
dynamism. As a matter of fact, throughout its history spiritual
direction has always presupposed and profited by appropriate
psychological knowledge of the natural order.

Certainly spiritual direction today can profit immensely
from the assimilation into it of appropriate dynamic insights and

---

[14] A general and widely used handbook of this kind is W. DEMAL, *Praktische
Pastoralpsychologie*, Wien 1949.

[15] E.g. J. MAC EVOY, « Direction spirituelle et psychologie », *Dict. Spir.*, s.v.
« Direction », 1143-1173.

[16] Cf. *Lumen Vitae*, Brussels 1946-; *Lumière et Vie*, Lyons 1951-. H. STENGER,
*Wissenschaft und Zeugnis. Die Ausbildung des katholischen Seelsorgeklerus in
psychologischer Sicht*, Salzburg 1961, applies the research and analytic methods of
dynamic psychology in detail to the study of the educational formation of future
pastors.

skills, and very good work has already been done in this direction. We may again recall in this context Curran's *Counseling in Catholic Life and Education,* with its assimilation of dynamic insights and skills from the psychology of counselling into the pursuit of « ultimate fulfilment... in Eternal Reality.» [17] True, Curran draws for his own purpose a definite line of distinction between « guidance » and « counsel »,[18] but we may ignore this distinction in our present context, for spiritual direction in its full scope includes both.

At the same time great discretion is required for the *appropriate* incorporation of dynamic elements into the theory and practice of spiritual direction — a discretion that is not always found in actual fact. The dangers to be avoided here are threefold:

1) The irruption into spiritual direction of a *determinist* outlook under the influence of more or less determinist forms of dynamic psychology;

2) The giving of *undue emphasis and prominence* to psychological factors of the natural order in the total psychological life of the Christian, so that in fact, though not in theory, the specific psychological power of grace is underplayed;

3) The confusion or mingling of the role of the spiritual director with that of the psychotherapist — which is in any case extremely bad psychology as well as bad pastoral practice, for it is not the least of the merits of dynamic psychology to have shown clearly the necessity of maintaining *unity of role* for him who would render some kind of *specialised* service to his fellow-man. The priestly role or function is an *integral* one and the psychotherapist's is a *different* integral one, and nothing but all-

---

[17] Op. cit., 161. In a preface to this work Cardinal Tisserant writes: « Even theology, guiding man with supernatural light and power and drawing as it does from the very fountainhead of Divine Wisdom, must yet borrow from the human sciences to aid and further its acceptance and effectiveness in leading men to the things of God. Consequently the Christian Apostle cannot be unmindful of science, especially of the psychological and sociological sciences. Herein lies the importance of studies such as Father Curran has made. The purpose of Father Curran's work is to help man conquer and control himself, to put the stamp of his reason on his own disordered actions with something of the same precision and integration that have enabled him to impress his reason on the material universe » (p. vii).

[18] Op. cit., 20-21.

round confusion can come from the attempt by the one person to combine different integral roles in his own personality and activity.[19]

The three pitfalls enumerated are different forms of the error of « psychologism » in spiritual direction. They result from the failure to maintain the primacy and integrative power of theology (and ultimately of grace) in this kind of pastoral work. Theology must « assume » psychology (as grace « assumes » nature) into itself — not the other way round.

5° A fifth approach to dynamic psychology is also integrative in intention but on a broader front. The findings of this psychology — usually, once more, in one or other of its multiple forms, not in its total range — are critically examined in the light of a sound philosophy of man and, where approved, are correlated with this philosophy. Nuttin's *La psychanalyse et la conception spiritualiste de l'homme* [20] does this for Freudian psychoanalysis and Hollenbach subjects Häfner's phenomenological psychology of guilt to a similar philosophical evaluation in a short but penetrating essay.[21] Such integrative evaluations remain, however, at the philosophical level and are not theology, though they lend themselves to theological utilisation.[22]

6° A sixth and final approach to dynamic psychology is integrative, broad and explicitly theological, though here once more the integrative effort is usually directed towards a particular form of dynamic psychology. White stands out here with his remarkable synthesis of Thomist theology and Jungian depth-psychology.[23] Perhaps no theologian so far, venturing into the

---

[19] Cf. the Monitum of the Holy Office regarding some theological and pastoral misapplications of psychoanalysis, July 15, 1961 (*A.A.S.* 53 [1961], 571).

[20] J. NUTTIN, *La psychanalyse et la conception spiritualiste de l'homme*, Louvain 1955. A pioneer in this field was R. DALBIEZ, *La méthode psychanalytique et la doctrine freudienne*, 2 vols., Paris 1936.

[21] H. HÄFNER, *Schulderleben und Gewissen. Beitrag zu einer personalen Tiefenpsychologie*, Stuttgart 1956. J.M. HOLLENBACH, *Schuld und Neurose*, an appendix to his German translation of A. SNOECK, *Biecht en psychoanalyse* (*Beichte und Psychoanalyse*, Frankfurt 1958).

[22] Cf. also G. CATTAUI DE MENASCE, *Saggi di analisi dell'atto morale*, Rome 1956.

[23] V. WHITE, *God and the Unconscious* (with a Foreword by C. G. Jung),

difficult ground of depth-psychology, has expounded so fully and lucidly as White the full depth and range of Thomist theology and psychology in relation to modern dynamic psychology or shown so clearly the capacity of Thomism to assimilate dynamic findings into its secure and hospitable synthesis. This part of White's work is of permanent and great value. His weakness lies in the other direction — that of dynamic psychology itself. Jung's depth-psychology, in spite of its world-embracing pretensions, is really quite limited in range (the social dimension of psychological life is particularly weak in it) and, in spite of its valuable contributions to the psychology of individual life, remains extremely vulnerable at essential points, as opponents of Jung from within and without the depth-psychology movement have often shown.[24] White was well aware of some of the limitations of Jung's psychology but his general attitude was one of acceptance. Thus he devoted his exceptional theological competence to the assimilation of a psychological system that was hardly worthy of it, thereby reducing the value and efficacy of his work as a whole.

Other Thomists, notably Plé[25] and Mailloux,[26] have traced the lines of a theological integration of Freudian depth-psychology, and Karl Stern, though he writes as a practising psychoanalyst, not as a theologian, achieves a striking and inspiring synthesis of faith and analytic experience in his widely read *The Third Revolution*.[27] But Stern is less than fair in his comments on the tendencies and methods of social, sociological and social-planning psychology. There is good and bad in every type of dynamic psychology, and Stern, who would be the first to demand that this distinction should be made in the assessment of Freudian

London 1953: *Soul and Psyche. An Enquiry into the Relationship of Psychiatry and Religion*, London 1960. A well-known German Catholic Jungian, but much less theological than White, is J. GOLDBRUNNER, *Heiligkeit und Gesundheit*, Freiburg 1946; *Personale Seelsorge*, 2 ed., Freiburg 1955.

[24] Cf. J.A.C. BROWN, *Freud and the Post-Freudians*, London 1961.

[25] A. PLÉ, *Saint Thomas d'Aquin et la psychologie des profondeurs*, Suppl. *Vie Spir.* 5 (1951), 402-434.

[26] N. MAILLOUX, *Déterminisme psychique, liberté, développement de la personnalité*, Suppl. *Vie Spir.* 6 (1952), 257-276.

[27] K. STERN, *The Third Revolution*, London 1955.

psychology, fails to make it himself when he comes to judge schools of psychology alien to his own. Yet they have the same right as has the Master, Freud (of whom Stern writes with such discernment), to have their strictly *psychological* work carefully distinguished from the crass philosophy of man that may be mixed up with it. *Any* presentation of dynamic psychology that mingles the psychology with total determinism and materialism is, as it stands, bad psychology; but isolate the psychology from the bad philosophy (as Stern does for Freud and does not do for types of psychology that arouse his distaste) and you may have quite a useful contribution to psychological science as a whole — in fact a *good* form of psychology (within its limits).

The above outline of contemporary Catholic attitudes to dynamic psychology makes no claim to completeness, but it will, I hope, suffice to show that the prevailing attitude today is one of judicious appreciation and receptivity. This is precisely the attitude commended by the Holy See in its various pronouncements on the subject. It insists on the maintenance of the primacy of sound theology and philosophy in any and every assimilative approach to the methods and conclusions of dynamic psychology; but once this necessary primacy is assured, the way is wide open to the incorporation of well-tested methods and assured conclusions from the domain of dynamic psychology into the theology and pastoral practice of the Church. Thus the Constitution *Sedes Sapientiae* prescribes as *necessary* the training of « future shepherds of the Lord's flock » in « ea de rebus *psychologicis* et paedagogicis, didacticis et catecheticis, socialibus et pastoralibus aliisque id genus eruditio, quae *harum disciplinarum hodierno progressui* respondeat.» [28] Elsewhere the spiritual director is reminded that he should be able to employ in his responsible work « all the means and aids that scientific progress furnishes today.» [29] We must also note the significant words that Pius XII addressed to the members of the Fifth International Congress of

---

[28] *A.A.S.* 48 (1956), 364.

[29] Letter of the then Secretary of Pius XII, Mons. dell'Acqua, to Cardinal Pizzardo on the occasion of a Congress of Italian Spiritual Directors held in Rome, September 4, 1956.

Psychotherapy and Clinical Psychology in 1953: « Soyez assurés que l'Eglise accompagne de sa chaude sympathie et de ses meilleurs souhaits vos recherches et votre pratique médicale. Vous travaillez sur un terrain très difficile. Mais votre activité peut enregistrer de précieux résultats pour la médicine, pour la connaissance de l'âme en général, *pour les dispositions religieuses de l'homme et leur épanouissement.* Que la Providence et la grâce divine éclairent votre route!» [30] « Valuable results » achieved in the domain of psychotherapy and clinical psychology « for the religious dispositions of man and their development» are obviously of direct concern to pastoral theology and its integrative power should extend to them, even though of course psychotherapy and psychology *as such*, being sciences of the natural order, have only an *auxiliary* function in relation to theology.

III

We have seen, side by side with their merits, the limitations and weaknesses of existing Catholic approaches to dynamic psychology. These limitations are chiefly two:

1° *Integrative* and *assimilative* theological work, whether in theory or in practice, is still hardly beyond its beginnings;

2° Even though the Holy See actively encourages an integrative and assimilative *theological* approach to modern psychology *as a whole,* in actual fact existing integrative efforts are generally directed towards *some one form* of modern psychology. This would not matter in the least if the theologian engaged in this integrative effort in regard to a particular form of dynamic psychology were clearly aware of the *limited* nature of his effort and of the necessarily limited value and validity of the results achieved. He should realise, and convey clearly in his work the realisation, that the *particular* dynamic psychology he is coping with is not by any means the *whole* of dynamic psychology and that his own effort in integration must be completed and balanced by other efforts of this kind in regard to other forms of dynamic

---

[30] F. ANGELINI, ed., op. cit., 241.

psychology, until the necessary groundwork has been done for the integration of dynamic psychology *as a whole* into theology — a task that will take a long time and require an immense amount of work by many theologians to accomplish. Such a realisation would greatly enhance the perspicacity of the theologian himself and make him cautious about absolutising his conclusions, and would in consequence add greatly to the final value of his work. But this realisation is often lacking in practice in such integrative work as has been done hitherto. The theologian writes as though the kind of dynamic psychology he is dealing with (Freudian or Jungian depth-psychology or whatever else it may be) were the last word in modern psychology, offering to the theologian a vast body of secure and absolute conclusions. This is, however, a very naive attitude — and precisely at the psychological level. It is due, not to theological self-assurance, but to lack of familiarity with the dynamic movement as a whole. The theologian who has an adequate working knowledge of dynamic psychology in general and who follows the conflicts of opinion that go on daily in that field will not let himself be gulled by any one school of psychology. He will not out-psychologise the psychologists themselves in his degree of conviction about methods and conclusions. The best dynamic psychologists today, whether or not they accept affiliation with any particular school, are careful (as becomes scientists) to formulate conclusions only in the light of and in proportion to *all* the dynamic evidence available. A similar caution imposes itself on the theologian (who is also a scientist, though in a different and higher order) in his approach to the task of integrating dynamic psychology into theology. His spirit should be one of critical and judicious discernment at every point.

IV

We are now in a better position to consider directly the fundamental question of the *nature* of pastoral psychology. Leaving aside the kind of « pastoral » psychology which stands in an extrinsic, auxiliary relation to theology, we direct our attention to that psychology which is *intrinsically theological* in character

— which is involved in and springs from *fides quaerens intellectum* in the total sphere of the dynamic psychology of man.

Faith seeks 'understanding' in this sphere as in all other spheres of reality, divine and human, in the light which is proper to itself — the light of the Word and Revelation of God. The 'understanding' so attained is theological psychology. When the 'understanding' has been organised into a systematic body of knowledge, we have a *science* of theological psychology. Furthermore, when we take this theological psychology, and the science embodying it, *ecclesiologically* — as elements in and functions of the dynamic life of the Church — we have *pastoral* psychology, and the *science* of pastoral psychology, in the strict sense.

Pastoral psychology does not exist, then, in a sphere apart — a 'psychological' sphere divorced from the general sphere of pastoral theology. It is *part* of pastoral theology — a constitutive, intrinsic part. Once this fact is grasped and its full consequences appreciated, the true nature and function of pastoral psychology stand out definitely and clearly. The science takes its real shape within the broader framework of pastoral theology; taken out of this framework it becomes an amorphous agglomeration of ideas and techniques.

Formerly pastoral theology itself was largely amorphous in character — a loose assemblage of practical directives bearing on the actual work of the pastoral ministry. It is one of the major achievements of theological thought in recent times that this conception of pastoral theology has been finally transcended and that a true *science* of pastoral theology has now taken shape.[31]

31 Cf. L. Bopp, *Zwischen Pastoraltheologie und Seelsorgswissenschaft. Eine Einführung in die pastoraltheologischen Grundsätze und seelsorgswissenschaftlichen Grundfragen*, München 1937; H. Rahner, *Eine Theologie der Verkündigung*, 2 ed., Freiburg 1939; F.X. Arnold, *Dienst am Glauben. Das vordringlichste Anliegen heutiger Seelsorge*, Freiburg 1943; *Grundsätzliches und Geschichtliches zur Theologie der Seelsorge. Das Prinzip des Gottmenschlichen*, Freiburg 1949; J.A. Jungmann, *Die Frohbotschaft und unsere Glaubensverkündigung*, Regensburg 1936; C. Noppel, *Aedificatio Corporis Christi. Aufriss der Pastoral*, Freiburg 1949; D. Barsotti, *Il mistero cristiano e la Parola di Dio*, Firenze 1954; O. Semmelroth, *Das geistliche Amt*, Frankfurt 1958; K. Rahner, *Das Dynamische in der Kirche*, 2 ed., Freiburg 1959; P.-A. Liégé, *Théologie de l'Eglise et problèmes actuels d'une pastorale missionarie*, Maison-Dieu 34 (1950), 5-19; *Pour une théologie pastorale catéchétique*, Rech. Sc. Phil. Theol. 39 (1955), 3-17; L. de Coninck, *Les orientations actuelles de la*

362

This has come about by firmly relating pastoral theology to its *total* material object — the communication in and through the Church of the life of grace to men in the actual conditions of their existence. Pastoral theology thus investigates speculatively and promotes practically the life-giving work and action of the Church in the concrete, here-and-now world of men and things. It is *dynamically* focused and concentrated as « the theological science of ecclesial action.» [32] Returning to the Scriptural metaphor from which pastoral theology derives its name, we may say that it is the theology of the 'shepherding' work of the Church — that work which here and now continues among men the work of the Good Shepherd Himself. « I am the good shepherd. A good shepherd lays down his life to save his sheep... I have come that they may have life and have it in abundance » (John 10, 11, 10). [33]

But men are *psychological* creatures. They live psychologically — loving, desiring, hoping, fearing, grieving, thinking, willing. Their concrete existence embodies a vast, complex, profound psychological life, individual and social. The life of grace has to be communicated to them in and through this psychological life of theirs. All the 'kerygmatic' spheres of pastoral action involve and work through psychological dynamisms. The Church summons men to faith and the life of faith, for it is through faith that we are justified and « have peace with God through our Lord Jesus Christ » (Rom. 5, 1): but faith is a psychological act too, at the level of spirit and grace — the response of man's spirit, touched and illuminated by the Spirit of God, to the Word of God which the Church proclaims. She summons men to sacramental action and life, to « proclaim the Lord's death until he comes » (1 Cor. 11, 26): but here again the psychology of the participant enters in. « Whoever eats this bread or drinks the chalice of the Lord unworthily will be held responsible for a sin against the body

---

théologie pastorale, N.R.T. 76 (1954), 134-142; R. SPIAZZI, *Notula de theologiae pastoralis natura et ratione*, Angelicum 34 (1957), 418-422.

[32] « La science théologique de l'Action ecclésiale »: P.-A. LIÉGÉ, Introduction to *Serviteurs de la foi* (translation of F.X. ARNOLD, *Dienst am Glauben*), Paris 1957, xv.

[33] All Scriptural quotations are from J.A. KLEIST and J.L. LILLY, *The New Testament. Rendered from the Original Greek*, Milwaukee 1956.

and blood of the Lord. A person should examine his conscience and after so doing he may eat of the bread and drink of the chalice, because he that eats and drinks without recognising the body, eats and drinks to his own condemnation » (1 Cor. 11, 27-29). Finally the Church summons men to live worthily in the everyday world of the faith which they hold and the sacraments in which they participate. « Conduct yourselves as children of light. The effects of the light are every kind of goodness and justice and truth » (Eph. 5, 8-9). It is a summons to a spiritual life — and that is psychologically effected also.

The Church does more than summon men to the true life: she actively communicates this life to them. Her pastoral action in every sphere operates at once ontologically and psychologically. She shares in her Master's knowledge of men. « I am the good shepherd; and I know mine and mine know me, as the Father knows me and I know the Father; and I lay down my life to save the sheep » (John 10, 14-15). « He was able to read men's character » (John 2, 25). The Church too 'reads men's character' — in order that she may communicate the life of grace to them in their actual, concrete selves and the actual, concrete conditions of their lives.

The Church's 'reading' of men's character is one aspect of pastoral psychology; the actual living of the life of grace by men is another aspect of it. The total dynamic-psychological life of the Church constitutes the total material object of the *science* of pastoral psychology.

From these considerations we must draw two important conclusions:

1° Pastoral psychology in the strict sense is essentially and necessarily *theological*, rooted and founded in the Word of God — that Word which « is living and effective and sharper than any two-edged sword. It penetrates to the division of soul and spirit, of joints and marrow, and discerns the thoughts and intentions of the heart » (Heb. 4, 12).

2° Pastoral theology is likewise necessarily *psychological*: otherwise it could not be true to its nature and function as « the theological science of ecclesial action » — this action being necessarily psychological as well as ontological.[34] The theological psychology of faith, hope and charity: of the indwelling and pneumatic action of the Holy Spirit in the Church and her members: of all the charisms, gifts, fruits and graces of the Spirit: of sacramental action and participation: of the whole moral life of the Church and her members in « every kind of goodness and justice and truth » — all this, the *supreme* form of dynamic-psychological life on earth, belongs *intrinsically* to the domain of pastoral theology. So too does the form of dynamic-psychological life which contradicts all this — the life of *sin* in every sphere, in its entire range and depth. The ultimate heights and depths of human psychological life, being of the order of grace and the denial of grace, being respectively ontological and psychological union with God and ontological and psychological separation from Him, lie outside the province of the natural science of dynamic psychology. They lie within the province of pastoral theology and, in their psychological aspect, constitute the proper field of that branch of pastoral theology which is theological dynamic psychology or pastoral psychology.

We can now also define more precisely the nature and function of the science of pastoral psychology:

1° Speculatively pastoral psychology investigates the concrete functioning of the total dynamic-psychological life of the Church so that it may reach an organised and systematic understanding of it.

2° Practically pastoral psychology functions as an instrument of the Church in developing the dynamic-psychological life of grace within herself and in communicating it ever more abundantly to men.

3° The total dynamic-psychological life of the Church constitutes the adequate material object of pastoral psychology. The psychology of the ascetico-mystical life at all levels: the psychology of preaching and catechetics: the psychology of the sacrament of

---

[34] Even modern pastoral theologians do not sufficiently realise and emphasise this point. 'Pastoral psychology', without distinction between its theological and non-theological forms, is still classified with the 'auxiliary sciences' of pastoral theology.

Penance and the other sacraments: the psychology of Christian moral life: the psychology of pastoral care and the apostolate, including the lay apostolate [35] — these and similar particular forms of theological or pneumatic psychology constitute partial aspects or division of pastoral psychology as a whole.

4° So far as natural psychological dynamisms enter constitutively and intrinsically into the life of grace and the life of sin, they belong to the province of pastoral psychology. So far as the natural science of these dynamisms, dynamic psychology, lends itself to integration and assimilation at the higher, theological level by the science of pastoral psychology, it becomes an intrinsic part of pastoral psychology, undifferentiated from it.

5° Natural psychological dynamisms as such do not belong to the province of pastoral psychology but to that of natural dynamic psychology in its various forms. Natural psychological illnesses as such belong to the domain of psychiatry (again in its various forms), not to that of spiritual direction or counsel. (But spiritual direction is concerned with the life of grace and the life of sin in psychologically ill persons as in all other persons and must be capable of taking account of the nature and effects of the illness in question in helping such persons at the spiritual level. Problems of grace and sin as such in the psychologically ill cannot be handed over to the psychiatrist, for they are not in the province of his science).

6° The general relations between pastoral psychology and natural dynamic psychology are exactly analogous to those between theology in general and philosophy. Pastoral psychology is not

---

[35] The lay apostolate is *part* of the Church's apostolate and therefore truly pastoral in character. « Der Laie ist einer, der mittels Tauf-und Firmmal an seinem natürlichen Weltort am Reiche Christi mitwirkt... Seine christliche Arbeit ist ein kirchliches Amt; denn die Kirche als solche hat einen Weltauftrag. Dadurch, dass der Laie als Christ in der Welt steht, steht er in der Kirche, erfüllt er den Auftrag der Kirche an der Welt » (V. SCHURR, *Konstruktive Seelsorge*, Freiburg 1962, 51-52). The total object of the apostolate in *all* its forms is « der Selbstvollzug der Kirche » (op. cit., 35), and pastoral theology is the theological science of this *Selbstvollzug*. But this *Selbstvollzug* is both ontological *and* psychological, as we have seen. Thus we are back again to the conclusion that a pastoral theology without a theological-pastoral psychology is a pastoral theology *manqué*.

just a higher form of natural dynamic psychology (this is the error of 'psychologism'). It is a science of a *transcendently* higher order, a *theological* science, which *uses* but never makes itself subservient to natural dynamic psychology. Every word that St. Thomas writes of *sacra doctrina* in relation to philosophy holds good likewise of pastoral in relation to natural dynamic psychology. « Sacra doctrina non supponit sua principia ab aliqua scientia humana, sed a scientia divina, a qua, sicut a summa sapientia, omnis nostra cognitio ordinatur » (I, q. 1, a. 6 ad 1). « Haec scientia accipere potest aliquid a philosophicis disciplinis, non quod ex necessitate eis indigeat, sed ad majorem manifestationem eorum quae in hac scientia traduntur. Non enim accipit sua principia ab aliis scientiis, sed *immediate a Deo per revelationem.* Et ideo *non accipit* ab aliis scientiis *tanquam a superioribus,* sed *utitur* eis tanquam *inferioribus et ancillis* » (I, q. 1, a. 5 ad 2).

V

Being of its nature a theological science, pastoral psychology, like all theology, finds its *regula proxima* in the teaching power and authority of the Church and its primary sources in Scripture and Tradition.

God has revealed Himself to man and simultaneously has revealed man to man himself. Scripture and the Tradition of the Church embody what God has revealed to us about Himself; but they also embody what God has revealed to us about man — and it is a very great revelation too. The summit and summing-up of all revelation is Jesus Christ our Lord who is both God and man. « And the Word became man and lived among us; and we have looked upon his glory — such a glory as befits the Father's only-begotten Son — full of grace and truth! » (John 1, 14). « Jesus, therefore, came out, wearing the crown of thorns and the purple cloak. 'Here is the man!' Pilate said to them » (John 19, 5). He was indeed *the* man, « born of a woman » (Gal. 4, 4) as a « first-born male child » (Luke 2, 23), living psychologically as all men do, rejoicing, weeping, fearing, loving, « not... incapable of sympathising with our weaknesses. He has experienced them all, just as we, yet without sinning » (Heb. 4, 15).

The basic sources, the *principia*, of pastoral psychology are all there in the written and unwritten Word of God and are presented to us, incarnate, in the Person, life and ministry of Christ. Biblical psychology *is* pastoral psychology in its purest, most direct and most inspiring form. Modern exegesis and modern Biblical theology, in their interpretative and co-ordinative work on the psychological aspects of the Divine Plan of Salvation as concretely, dynamically and historically developed in Scripture, offer materials of inestimable value to pastoral psychology. So far, however, the Scriptural source has been adequately utilised only in some limited departments of pastoral psychology, notably in connexion with the psychology of catechetics. True, both Freud and Jung made excursions into the Biblical field in search of materials for their respective systems of depth-psychology, but the results were, as might be expected, neither edifying nor scientific. Their mythological ruminations about the Bible are amusing to the exegete and worthless to the psychologist.[36] Suttie, an independent and original Freudian, wrote some penetrating pages on the psychological mastery of Christ in the Gospels in His dealing with the problems and cares of men, but the lack of Biblical and theological knowledge is glaringly evident here too.[37] White, being a theologian, relates his Thomist-Jungian synthesis to Scripture in an interesting and stimulating way, but he looks to Scripture rather for confirmation and illustration of his thesis than for its autonomous revelation of the dynamic psychology of man.[38] On the whole Biblical scholars and dynamic psychologists, including pastoral psychologists, have been working hitherto in separate compartments with quite inadequate facilities for inter-communi-

---

[36] Cf. V. WHITE's frank criticism, *Jung on Job*, Blackfriars 36 (1955), 52-60, a review of C.G. JUNG, *Answer to Job*, tr. R.F.C. Hull, London 1955. On Freud's strange theories about Moses (*Moses and Monotheism*, London 1939, makes him an Egyptian priest who taught the Jews monotheism and was later murdered by them) see the psychological analysis and criticism of G. Zilboorg (a Catholic Freudian), *Freud and Religion. A Restatement*, London 1958.

[37] Ian D. SUTTIE, *The Origins of Love and Hate*, London 1960.

[38] E.g. the chapter « The Dying God » in *God and the Unconscious*, 215 ff.

cation. A clear and widespread realisation of the authentic nature and function of pastoral psychology would quickly alter things for the better in this respect. Both sides would gain by it. Dynamic psychology would bring many exegetical and theological elements in Scripture into clearer relief for the benefit of Biblical scholars, and a working knowledge of the findings of Biblical scholarship would give a new theological depth and power to the efforts, speculative and practical, of pastoral psychologists.

Psychodynamic factors, individual and social, are not of merely accidental or secondary importance in the Biblical manifestation of the ways of God with man and of man with God: they have a central and determining force in the entire 'history of salvation'. Everywhere in the Old and New Testaments the Deeds of God are accomplished ontologically *and* psychologically — in and through the whole complex psychodynamic life of man. The Epistle to the Romans is an extended treatise on the psychodynamics of faith, the *locus proprius* of all salvation. « We hold that a man is sanctified by faith independently of the deeds prescribed by the Law. Is God the God of the Jews only, and not of the Gentiles too? Assuredly he is also the God of the Gentiles. Why, there is but one God who will sanctify the circumcised in consequence of their faith and the uncircumcised by their faith. Do we, therefore, by this faith abolish the Law? By no means. Rather we uphold the Law » (Rom. 3, 28-31).

In recounting the words and deeds of Christ both the Synoptic and the Johannine records continually indicate their psychological appropriateness to the concrete situations encountered by Him in His life and ministry; His empathetic power — to borrow a term of dynamic psychology — is everywhere stressed. Indeed psychological appropriateness entered as a determining factor into the literary composition of the Gospels themselves. The same sayings and actions of Christ are differently presented by different evangelists to meet different spiritual needs in the early Christian communities. In tracing the formative influence of early-Christian social psychology on the oral and written *presentation* of the Gospel material sound Biblical scholarship is directly developing a theme from the psychodynamic sphere.[39] Conversely dynamic psychology enables us to observe all Biblical-psychological themes at closer range. Thus a psychodynamic investigation of the words and deeds of Christ in their respective contexts would show the *different kinds* of psychologically appropriate speech and action He employs according as He is dealing with individual persons, with small coherent groups ('primary' groups, in the terminology of social psychology) such as the Twelve, or with large numbers of people such as the 'multitude'. He perceives exactly the kind and degree of psychological receptivity or unreceptivity that confronts His Person, His message and His work in each case and adjusts Himself precisely to the requirements of the situation. Indeed theme after theme of dynamic psychology could be illustrated and exemplified from the Gospels and from the New Testament as a whole — the psychology of individual life in its various aspects: the social psychology of family, neighbourhood, friendship and other 'primary' groups (the Church *began* as a 'primary' group of people « in all about one hundred and twenty » and Peter's address to them in Acts 1, 15-22 is psychologically adapted to just such an audience): the social psychology of 'secondary' or large-scale groups such as the « crowd of... devout men of every nation under heaven » (Acts 2, 5-11) to whom, after the descent of the Spirit at Pentecost, Peter delivered his « heart-piercing » (2, 37) kerygmatic address, crowd-dimensional in spirit and tone: « Men of Judea and *all you* who reside in Jerusalem... let *all Israel* know most assuredly that God has made him both Lord and Christ — this very Jesus whom *you have crucified* » (2, 14-36). All this is dynamic psychology (not the science of it but the living substance) transposed to and integrated with the realm of the presence and action of the Spirit.

---

[39] Cf. P. BENOIT, *Exégèse et théologie*, Paris 1961, « Réflexions sur la *Formgeschichtliche Methode* », 25-61. « Ayant mieux senti, dans le choix des souvenirs transmis sur Jésus, les motifs qui les firent conserver de préférence à bien d'autres disparus pour nous, nous aimerons à trouver dans nos évangiles *un reflet des croyances, des usages, des préoccupations de nos premiers frères chrétiens.*

Nous serons d'autant moins troublés des divergences de formes qui distinguent les évangiles que nous constaterons entre tous *un accord étonnant sur le fond, sur la personne de Jésus, sur son message et son œuvre de salut* » (p. 60: italics mine).

24.

Some of the techniques of modern psychology have, literally, been *revealed* by God at the theological and pastoral level.

Consider, for example, the 'interviewing skill' shown by Christ in His dialogue with Martha preceding the raising of Lazarus from the dead (John 11, 20-27). Martha comes to Him with a problem of grief — one of the abiding psychological problems of humanity: « Master, if you had been here, my brother would not have died. » But her grief is assuaged by her knowledge of Jesus' love for her and her sister and Lazarus (11, 5) and by her confidence in His power: « And even now I know that whatever you ask of God, God will grant you. » Both her grief and her hope concern Lazarus, her dead brother. Christ meets her psychologically at the intersecting-point of grief and hope within herself: « Your brother will rise again. » He is now in 'communication' with her and has at the same time prepared the way for the coming 'dynamic shift' in the dialogue by introducing the theme of the resurrection — a *new* theme but linked with the the existing and preoccupying theme of her thoughts and emotions, her dead brother (« your brother »). Martha makes a 'positive response' to the new theme thus introduced: her psychological awareness shifts from her *dead* brother to her brother who *will rise again*. « I know he will rise again at the resurrection on the last day. » Christ now effects a further psychological rearrangement of the themes of the dialogue so that He Himself and no longer Lazarus may constitute the focal point ol Martha's attention. « *I* am the resurrection and the life ; he who believes in me will live even if he dies ; and no one that lives and believes in me shall be dead for ever. Do you believe this? » It is a masterpiece of dialogal rearrangement. Martha is now confronted with a direct, personal, compelling appeal, an appeal to her 'theological' self above and beyond *all* preoccupation with her brother. She is expressly summoned to the act and life of total faith. She rises to the level of this summons and responds to it totally. « Yes, Master ; I firmly believe that you are the Messias, the Son of God, who was to come into the world. »

The stages, hardly perceptible to herself but intensely effective, of the 'dynamic shift' effected in Martha's thoughts and emotions by the theandric interviewing skill of Christ can be as clearly discerned in this dialogue as in any excerpt from the records of a trained psychological counsellor today. « My dead brother...my brother who will rise again...the resurrection on the last day...Jesus the Master here before me *is* the resurrection... belief in Him... *I do believe in Him* »: these were the psychodynamic stages of her ascent from grief to faith.

Another striking example of Christ's mastery of psychodynamic skills at the theological and pastoral level is afforded by His handling of the two disciples on the road to Emmaus. The sad pair, as they walked, « were conversing and putting this and that together » (Luke 24, 15), thereby increasing each other's sadness. (As Simmel, a sociologist but also an acute psychologist, showed, a shared specific experience reaches its greatest intensity in the social setting of the 'pair' relationship.) [40] Christ, unrecognised but accepted as a companion on the journey, breaks in on this closed circle of unhappiness by His very presence and by His natural but tension-releasing opening question: « What is it you are so earnestly discussing on your walk? » It is exactly the kind of question that the modern counsellor uses to get a person in distress talking, a question that invites without forcing confidences. Christ's question, meeting « the need to talk to someone » [40bis] in the disciples, produces the desired effect: Cleopas, though in the form of a counter-question, comes out with the subject of the pair's conversation « Are you the only visitor to Jerusalem that does not know what happened there these days? » Christ knows very well what Cleopas means but, like a skilled counsellor, invites development of this self-involving remark from the pair themselves: so he returns with the decisive question, « Well, what? » It loosens the tongues and hearts of the disciples. They tell Him « all about Jesus of Nazareth » and, more important in the present

---

[40] G. SIMMEL, *Soziologie*, ed. 2, München 1922, 59 f.

[40bis] Curran, op. cit., c. 3, « The Need to Talk to Someone », 53 ff. « As we studied the exact content of interviews, it became clearer why direction and advice are often not enough. A person who is deeply involved in personal problems may be in such a state of mind that any further pressure is like the straw that breaks the camel's back... The first thing such a person needs is an opportunity to unburden himself. To do this, he must be able to go to someone in whom he has confidence and whom he feels will understand and appreciate the weight of his problems and the degree of his weakness » (p. 53).

context, about *their own* disappointed hopes (« for our part we had hoped he might be the man destined to redeem Israel »). Christ, who had avoided all frontal attack on the psychological attitude of the grief-stricken Martha, *does* use this technique, and in a startling way, to shake the disciples out of their despondency. « O how dull you are! How slow to understand when it comes to believing anything the prophets have said! » The seemingly ignorant fellow-wayfarer has suddenly begun to speak like a master in Israel. As he enlarges on his theme, « beginning with Moses and going right through the prophets », a 'dynamic shift' takes place in the hearts of the disciples, though it was only afterwards that they became aware of it: « Were not our inmost hearts on fire as he spoke to us by the way, explaining to us the Scriptures? » The three reach Emmaus and the stranger « gave the impression of intending to go on. » It is another of the 'shock' techniques of dynamic psychology. Having helped someone up to a certain point, the counsellor proposes to withdraw his help and let the other person fend for himself: but he, quite spontaneously and with greater awareness now of the direction in which the 'healing dialogue' has been leading him, asks to be helped further in the same direction. Such a request represents a decisive personal choice of the new direction in life. The two disciples « used gentle force » to dissuade their stimulating companion from leaving them: « Please, be our guest; the day is fast declining, and it is close to evening. » So « he went in to be their guest. » All is ready now for the consummation of the 'healing dialogue' which the stranger on the way had initiated with the sad pair at his first meeting with them and which he has sustained with them stage by stage till now. The setting is perfect — a friendly meal in common: the time too is appropriate — evening, when spiritual perceptiveness is heightened. The stranger now at last reveals his identity, and does so not by a 'shock' declaration but by a subtle implication of who he is: he *does* something that will *evoke* recognition of him in the disciples. Here again we note a contrast between Christ's final method with Martha and His final one with the disciples. Having *evoked* a 'dynamic shift' in Martha's thoughts and emotions away from the death and towards the resurrection of her brother, He finally 'shocks' her into faith in

Himself who *is* the resurrection with the compelling question:
« Do you believe this? » In the case of the disciples He *evokes*
from them the revelation of their troubles by His opening questions (24, 17. 19), then 'shocks' them out of their despondency
(24, 25-27), and finally *evokes* in them recognition of whom they
have been dealing with all the while by performing the rite of the
Breaking of Bread (24, 30). « At last their eyes were opened, and
they recognised him; but he vanished from their sight » (24, 31).

These few examples will suffice to indicate the 'depth of the
riches' of dynamic and pastoral psychology that are revealed to us
in the Bible. Biblical psychology is, throughout, *theodynamic*
psychology, the psychology of the profoundest dimension of human
existence — the dimension of grace, of divine life communicated
to man. This does not mean, however, that it restricts itself to
those areas of human psychological life that directly and, as it
were, visibly reach up to receive the *lucis radium* of the Spirit —
the supreme psychological areas of faith, hope and charity, of
prayer and worship and sacramental action, of communion with
and obedience to the Church. Certalnly these are all major themes
of Biblical psychology. But human life has a vast multiplicity and
complexity of other areas of psychological action and experience,
extending all the way down from the summits of the *pneuma*
along the slopes of the *psyche* to the humblest depths of the
soma[41], and the Word of God in Scripture shows us the whole
of this life being taken up by grace into the domain and power
of the Spirit. It is *humanity* that has been redeemed in the entire
range and depth of its existence, individual and social, ontological
and psychological. The grace of the Spirit, communicated to humanity through Christ and through « his body, which is the Church »
(Col. 1, 24), penetrates all the way down from *pneuma* to *psyche*,
from *psyche* to *soma*, and fans all the way out from person to
community in ever-widening circles, and then, reversing, penetrates all the way back again from community to person, from
soma to *psyche* from *psyche* to *pneuma*. Thus the psychological
power of the life of grace and the psychological 'coverage' of

---

[41] The words are used here in the Pauline sense (1 Cor 15, 44-45), which lends
itself to dynamic-psychological utilisation.

Christological and ecclesial action embrace the whole field of man's psychological life — always, however, with full respect and consideration for all the natural structures and inherent dynamics of that life. Grace does not interfere with, mutilate or suppress any natural dimension of psychological life. The impulse of self-affirmation and self-realisation in the individual man: the social impulses of man: his sexual impulses: his religious impulses — grace safeguards them all, each in its own proper sphere of existence and operation. Grace presupposes the *whole* natural personal life of man: but it adds to all constituent and existing dimensions of natural personal life a *new* dimension of *new* life in which all is purified and transformed. The « old self » (Rom 6, 6) is transformed into a child of God and in that transformation the entire psychological life assumes a new structure, function and significance.

Accordingly, as a theological science, pastoral psychology must — true to its Biblical foundations — investigate the whole psychological life of man 'in Christ' and the whole psychological life of the 'old' self also, for ecclesial action cannot save man from his 'old' self and bestow on him the gift of his 'new' and true self unless it is based on a adequate understanding of *all* the psychological structures and processes involved in both the 'old' and the 'new' self and in the crucial passage from the one to the other. Thus, besides its own specific, pneumatic themes, pastoral psychology deals with *all* psychological themes of human life, individual and social, so far as these are receptive of or contrary to the life of the Spirit. It brings its own theodynamic light to bear on the whole field of natural dynamic psychology, integrates into its own structure and functioning all elements in the general sphere of the *science* of dynamic psychology that it finds assimilable, and, respecting the autonomy of this science in its own field, welcomes the help which it can give in that field as an *auxiliary* science in relation to pastoral psychology and to pastoral theology in general. All this emerges clearly when the science of pastoral psychology is set firmly on a Biblical basis.

VI

The pastoral psychology of the Fathers and the pastoral practice of the Church of that age in the psychological sphere reflect above all the influence of Scripture: but personal experience of human life and psychological knowledge drawn from the literature of antiquity counted for a great deal also. St. Augustine is, of course, the most consciously psychological of the Fathers: but even his psychology, introspective and intense at both the noological and the emotional level, is always theological and theodynamic in character, so that his *Confessions*, the record of his own inner wrestling with grace, takes the form of a sustained dialogue with God in faith. « Fecisti nos ad te, et inquietum est cor nostrum donec requiescat in te » : the most famous sentence in all Patrology is practically a programme of the subject-matter of pastoral psychology.

Furthermore, pastoral psychology begins to assume a systematic, scientific form in the Fathers through the influence of Greek (particularly Stoic and Neoplatonic) and Roman moral philosophy, which occupied itself so largely with the analysis and practical rectification, in rational terms, of the psychological life of man. The way had in any case been prepared for the assimilation of Hellenistic categories of psychological thought into the Christian psychology of man by the Alexandrian Book of Wisdom (c. 50 B.C.), which makes Wisdom (in the religious, Hebraic sense) the teacher of « temperance and prudence, justice and courage » (the Hellenistic quaternion of 'cardinal' virtues: Sap. 8, 7) From the Fathers, especially from St. Ambrose, this quaternion passed into the moral-psychological thought of the Middle Ages: it dominates the Scholastic theology of emotional and noological life in subordination to the directly theological life of faith, hope, charity and the gifts and fruits of the Spirit (cf. I-II and II-II throughout).[42]

Other living currents of pastoral-psychological thought and

---

[42] Cf. J. ENDRES, *Menschliche Grundhaltungen. Ein Ordnungsbild der Tugenden*, Salzburg 1958, 248 ff.

376

practice in the Church which furnish invaluable material for the
construction of an adequate science of pastoral psychology are
the liturgies of East and West and the whole ascetico-mystical
tradition of the Church from its Patristic and monastic beginnings
down to our own day. In all these fields, Patrological, liturgical
and ascetico-mystical, modern research and analysis offer results
of direct interest and utility to pastoral psychology as a theological
science, while in turn (as in the case of Biblical scholarship)
Patrological, liturgical and ascetico-mystical science itself has
much to learn from the investigation of these fields by theologically
competent dynamic psychologists. Here again, however, the existing
degree of inter-communication between pastoral psychologists and
workers in the neighbouring fields is inadequate, though some
measure of interior enrichment of pastoral psychology by
assimilation from these fields has been attained.

VII

The foregoing analysis of the true nature and function of
pastoral psychology has already indicated the way in which
this science must approach the science that corresponds to it at
the natural level, modern dynamic psychology. A solidly but
broadly and flexibly based Thomist psychology of man in his
whole existence, supernatural and natural, can, as White has
shown, assimilate fully the sound findings of dynamic psychology
where these bear directly on the spiritual and moral spheres of
human life. But the actual realisation of this work of assimilation
calls for a similarly solid but broad and flexible approach to the
whole of modern psychology and should not pin its hopes on any
particular and exclusive cultivation of a given body of findings,
theories and techniques within the dynamic movement as a whole
(a mistake White did not avoid in his predilection for Jungian
psychology). Such a broad, non-partisan approach by pastoral
psychologists to the general field of dynamic psychology will be
at once truly theological and truly critical. It will be a truly
scientific pastoral approach, which is what the science of pastoral
psychology needs for its due and necessary intrinsic enrichment

from dynamic sources. This is, moreover and especially, the approach indicated in all the pronouncements of the Holy See on the subject of our present consideration.

We have seen that pastoral psychology is a constitutive and intrinsic part of pastoral theology: it is in fact the psychological aspect of pastoral theology. Thus the question, « How should pastoral psychology go about assimilating the established data of dynamic psychology into its own theological structure and practice? » comes back to the question, « How should pastoral *theology* go about this work of assimilation? » It is theology, not psychology as such, that governs the whole process.

Various lines of theological assimilation could be proposed. Here I will merely indicate a line which concentrates on the four constitutive themes or 'valences' of the psychodynamic life of man as they emerge from modern psychological investigation as a whole.

Considered in his actual, concrete, dynamic life — a life at once somatic, affective and noological lived in the world of his experience — man presents himself as a being characterised by *individuality, sociability, sexuality* and *religious awareness* ('religion' in its broadest sense).

1° *Individuality.* This is the dynamic theme or 'valence' of the individual person's assertion and realisation of himself in the world — his « search for glory.» It is obviously an entirely normal impulse, however abnormal the outlet it may seek in a particular case, and, transposed to the level of grace, becomes the pursuit of holiness of life — of self-fulfilment in God. « Let him that takes pride, take pride in the Lord » (1 Cor. 1, 31). St. Augustine shows himself in the *Confessions* as a man hungry for 'glory', always in pursuit of it but never finding it to the real satisfaction of his desire until he seeks and finds it at the divine level of 'praise'. « Laudare te vult homo, aliqua portio creaturae tuae. Tu excitas ut laudare te delectet, quia fecisti nos ad te... » [43]

What, however, are 'normal' and what 'abnormal' forms of individuality in the concrete reality of human existence? In a great deal of modern psychological writing relativist standards

---

[43] CSEL 33, 1: ML 32, 661.

378

of 'normality' are adopted, both as regards individuality and as regards the other valences of the concrete life of man. Thus Eysenck writes: « Ultimately, it would seem that the natural meaning of the term 'normal' can be reduced to the statistical; we regard as 'natural' that which occurs so frequently in our society as to be practically universal.» [44] This is the kind of 'psychology' that rightly arouses deep distrust in Catholics; but it is not in fact psychology at all. It is the amateur philosophising of a psychologist projected as an alien element into his strictly psychological work. The problem need not detain us further here. As pastoral theologians we have *theological* criteria of 'normality' and 'abnormality' founded on the word not of man but of God, and they are the determining constants of our utilisation of psychological data in the sphere of pastoral psychology.

2° *Sociability*. This is the dynamic theme of human inter-communion, of man's life in society. The psychology of sociability, or social psychology, is an extremely complex branch of dynamic psychology, and the best modern work on it has been done in America, beginning with the publication of Cooley's *Social Organisation* in 1909.[45] Cooley drew a clear distinction between « secondary » or large-scale social groups, whose members are only indirectly related to each other (e.g. the people of a city or nation or particular social class), and « primary » groups, which are « characterised by intimate face-to-face association and co-opera-tion » [46] (e.g. the natural 'face-to-face' groups of a family, a neighbourhood, a circle of friends, and such artificial 'face-to-face' groups as a class of pupils in school or a number of people associating and co-operating intimately in some common task of an industrial, religious or other kind, for the sake of which they have come together). Secondary groups have a large-scale psy-chosocial life, varying in its structure and operation with the nature and extent of the group in question (for example, the psychosocial life of a nation, of Europe, of 'the masses', of the

---

44 H.J. EYSENCK, *Uses and Abuses of Psychology*, London 1953, 181. The ethical, philosophical and theological extrapolations of psychologists are not mentioned among the « abuses » of psychology, though they are its worst abuses.

45 C.S. COOLEY, *Social Organisation*, New York 1909.

46 Op. cit., 23.

Church), and such groups as such are influenced by correspondingly large-scale psychological techniques ('mass propaganda' in the case of 'the masses', for instance). Primary groups, however, have quite a different kind of psychosocial life, again varying with the nature and size of the group in question, from a kinship group or a group of factory workers, which may be quite considerable in number while still preserving « intimate face-to-face association and co-operation,» down to the smallest and often most intense of all social groups, the 'pair' (e.g. two very close friends, husband and wife, mother and child).[47] Primary groups are, as Cooley pointed out, « primary in several senses, but chiefly in that they are *fundamental in forming the social nature and ideals of the individual*. The result of intimate association ... is a certain fusion of individualities in a common whole, so that *one's very self, for many purposes at least, is the common life and purpose of the group*.»[48] Clearly, influencing the inner life of a primary group is a very different matter from influencing that of a secondary group. Clearly too, individual persons within a primary group can only with difficulty be influenced in a sense contrary to the convictions and feelings of the group as a whole, and the more cohesive the group the greater the difficulty in influencing individuals away from its hold. As Kurt Lewin says: « It is easier to change the ideology and social practice of a small group handled together than of single individuals.» [48bis]

The phenomena of the psychodynamic life of primary groups have been investigated in great detail by American social psychologists, though very good work in this field has also been done elsewhere,[49] and appropriate psychodynamic techniques for in-

[47] For a psychological study of the mother-child 'pair' in relation to the personality development of the child see JOHN BOWLBY, *Maternal Care and Mental Health*, London 1951, a report prepared under the auspices of the World Health Organisation: *Child Care and the Growth of Love*, London, 1953, a summary of the complete study.

[48] Loc. cit.: italics mine.

[48bis] Quoted in T.M. NEWCOMB and E.L. HARTLEY, ed.,*Readings in Social Psychology*, 2 ed., New York 1952, 466.

[49] One conclusion from these investigations is of direct interest to moral and pastoral theology. They have completely overthrown the idea that moral standards are 'imposed' on man constrictively by social 'pressures'. Social living is not primarily a 'pressure' on man but an expression of his nature, and social living necessarily

fluencing such groups and individual persons within them are being evolved. One of these techniques is the initiation of discussion by the group of its own problems, leading on to a joint decision by the group as to what should be done about the problem discussed.[50] Surprising changes in group-attitudes have been induced by this « unfreezing » technique, as Lewin calls it.[51]

Pastoral psychological practice in the Church is now coping vigorously with large-scale psychodynamic problems of human life and utilising large-scale psychodynamic techniques both to meet these problems and to further the pastoral mission of the Church in general.[52] The Church's psychological presentation of herself to men in their 'secondary' forms of social organisation at the spiritual level is being adapted to the needs of the times (e.g. at the level of the parish, the diocese, the socio-religious region, the

---

involves standards. « When group standards are thought of as something apart from the interaction of the group members, we tend to think of them as somehow 'imposed' upon them. This gives rise to the notion that man is naturally unsocial, and that law-givers or moralists must come along and rescue him from his nasty brutish ways. This is nonsense... The having of standards springs out of social intercourse; it is not imposed from outside upon it. » Accordingly, the moral teacher « does not teach in a vacuum. He can assume the idea of obligation as already there in the minds of his audience; what he sets out to do is to modify the content of the standards that have emerged out of the very nature of persistent living together » (W.J.H. SPROTT, *Human Groups*, London 1958, 14-15). Sprott's work is perhaps the best existing summary of modern social psychology, especially in the primary-group field. Other standard works are K. YOUNG, *Handbook of Social Psychology*, London, 1946; G. HOMANS, *The Human Group*, London 1951; D. CARTWRIGHT and A.F. ZANDER, ed., *Group Dynamics*, London 1955.

[50] Cf. K. LEWIN, *Group Decision and Social Change*, in NEWCOMB and HARTLEY, op. cit., 459: *Field Theory and Social Psychology*, London 1952.

[51] Thus, during World War II, American housewives were induced to change the established patterns of food consumption in their homes by means of this technique; *lectures* on the subject designed to persuade them *ab extra* of the desirability of these changes had relatively little effect (cf. SPROTT, op. cit., 157). The present writer has seen a similar technique used with success at the pastoral level among groups as diverse as university students and working-class housewives in regard to religious and moral problems arising in their lives. The value of this « unfreezing » technique is that it *evokes* a readjustment of attitudes and action from *within* the group, so that new and better ways of living are made incomparably easier for single individuals. Moreover, a changed *group* of people in a given environment can act much more effectively towards changing the environment than could even the same number of people acting individually.

[52] Cf. V. SCHURR, *Seelsorge*, in *einer neuen Welt*, 2 ed., Salzburg 1957: *Cura d'anime in un mondo nuovo*, Editioni Paoline 1960: *Das Wort Gottes und seine Verkündigung heute. Zur Theologie der Massenmedien*, Nürnberg 1962.

nation, the international community, the universal Church). This
is the contemporary Church's 'macropsychological' action. To this
sphere belongs also, in its psychological aspect, the summoning
of the Second Ecumenical Council of the Vatican.

Good progress is being made also in the pastoral-psychological
care of primary groups ('micropsychological' action) — in the
family apostolate, for instance,[53] and in the successful organisation
of Catholic Action groups.[54] The history of Catholic Action bears
out fully the conclusions of American social psychology regarding
the necessity of special techniques for the development or really
live and active group-formations at primary, 'face-to-face' level.
Merely lecturing to such groups does little good; indeed it eventually kills them. What the group needs for its interior consoli-
dation and its efficiency in action is skilful direction in discussing
its work and problems *for itself* and in reaching a satisfactory
joint decision on courses of action to be taken. Dynamic psychology
can teach a great deal more to pastoral psychology about such
matters, and it can further point to areas of primary-group life
that call for new forms of pastoral-psychological action. Thus
sociologists, secular and religious, have often harped on the 'mass-
life' of the modern big city, as though in such an atmosphere
individual life, family life and other forms of intimate social
life had little or no independent standing. Socio-psychological
research, penetrating more deeply to the springs of human life
and action than sociology as such,[55] has shown the erroneousness

---

[53] Cf. SCHURR, *Seelsorge...*, 136-157; B. HÄRING, *Ehe in dieser Zeit*, Salzburg
1960.

[54] The 'see, judge, act' technique of the JOC is a perfect example of 'group
decision' (or 'joint committal', as Sprott calls it, op. cit., 157).

[55] The difference between sociology and social psychology must be clarified.
Sociology is essentially a *fact-finding* or 'registering' science, whether in the profane
or in the religious sphere ('religious sociology'): cf. B. HÄRING, *Macht und Ohnmacht
der Religion. Religionssoziologie als Anruf*, Salzburg 1956; Conor K. WARD, *Priests
and People. A Study in the Sociology of Religion*, Liverpool 1961. It registers also the
facts of the psychological life of the group, secondary or primary, under consideration. Social psychology, on the other hand, seeks to penetrate into the *inter-
personal psychological processes* from which given *facts* of social-psychological life
develop. The two sciences are distinct, though complementary. However, even to
discover and register psychological *facts* the sociologist needs « a fine psychological
touch » (*ein feines psychologisches Gespür*: HÄRING, op. cit., 409) and so needs to be
something of a social psychologist as well.

382

of this conception. The big city is not merely a melting-pot of humanity, functioning macropsychologically; it also contains a very large number of specific *neighbourhoods*, each having its own « intimate, face-to-face » social life, each acting as a fundamental force in « forming the social nature and ideals » of families and individuals within the neighbourhood community. It is the newcomer to the city who tends to lose himself in its macropsychological life. Having no human roots in any of its neighbourhoods he experiences the whole place as a Babylon of industry, commerce and entertainment. The born city-dweller, on the other hand, has intimate human ties there — ties of family, kinship, neighbourhood, friendship — and lives much more on the *parts* of the city that mean something to him humanly and personally than on the city as a whole.[56] It is seldom that the born citizen knows the whole city well; such information is the privilege of the settler. But the settler's children will not inherit this privilege; instead they will have the better privilege of possessing human roots in the city. All this, as expounded in detail by modern social psychology, needs to be much better integrated into pastoral theory and practice than is the case at present.

3° *Sexuality*. This is the third of the constitutive themes or valences of human psychodynamic life. Both popular and theological usage have commonly identified the sexual element in life

---

[56] For a vivid description of the intimate social life of working-class people in an English industrial city see Richard HOGGART, *The Uses of Literacy*, London 1957. « My fullest experience is of those who live in the miles of smoking and huddled working-class houses of Leeds... A great deal has been written about the effect on the working-classes of the modern 'mass means of communication'. But if we listen to working-class people at work and at home we are likely to be struck first, not so much by the evidence of fifty years of popular papers and cinema, as by the slight effect these things have had upon the common speech, by the degree to which working-people still draw, in speech and in the assumptions to which speech is a guide, on oral and local tradition. That tradition is no doubt weakening, but if we are to understand the present situation of the working-classes we must not pronounce it dead when it still has remarkable life » (pp. 8, 15). Hoggart's book contains a useful bibliography on the sociology and social psychology of the English working-classes (pp. 315-319). On the intimate socio-psychological life of a social-planned community (Park Forest, Illinois) see WHYTE, op. cit., c. 25, « The Web of Friendship ».

with the genital or 'venereal' element. This is certainly too
restricted a definition. It is entirely reasonable to describe as
sexual, in the psychological sense, specifically masculine or feminine
ways of thinking, feeling, speaking, acting, since these do in
fact come about through the sexual differentiation of human
beings.[56bis] In this sense the life of grace too undergoes sexualisation
according as it is lived concretely and dynamically by a man or
a woman. Scripture and the practical tradition of the Church take
full account of this. Grace is one, but manly and womanly ways
of assimilating it into and expressing it in personal life are
different, though complementary. « Wives, be submissive to your
husbands, so that, if there are some husbands who refuse to obey
the message, they may be won over without the message by the
conduct of their wives, when they observe your chaste conduct
inspired by reverence. Let not yours be the outward adornment
of an artistic coiffure, or of wearing gold jewelry or putting on
dresses; rather let it be the inner self, hidden in the depths of the
heart, that is adorned with the incorruptible adornment of
gentleness and tranquillity of mind. This is very precious in the
sight of God ... Similarly, you husbands, under the guidance of
wisdom lead the common life with your wives, the weaker sex,
and honour them as joint heirs of the blessings the Christian life
imparts, so that nothing may diminish the efficacy of your prayers »
(1 Pet. 3, 1-7).[57]

[56bis] This is the anthropological sense of 'sexual'. Cf. A. MITTERER, *Was ist
die Frau?* in K. RUDOLF, ed., *Um die Seele der Frau*, Wien 1954, 19-33. « Körper-
baulich und morphologisch ist sie der Mensch, dem die bekannten primären und
sekundären Geschlechtsmerkmale der Frau zukommen... Man könnte auch vom
tertiären und quartären Geschlechtscharakter reden. Damit wäre nichts anderes
gesagt, als dass die Weiblichkeit den ganzen Körper vom Scheitel bis zur Sohle und
vom Knochengerüst bis in die Fingerspitzen bestimmt... Mit diesem normalen
Körperbau und Leibesleben der Frau ist ein entsprechender Seelenbau und ein
korrespondierendes Seelenleben verbunden... es besteht kein Zweifel darüber, dass
Seelenbau und Seelenleben der Frau so eigenartig ist wie Körperbau und Leben des
Leibes. Es ist ein Ganzes wie jenes, und zwar ein Ganzes, das mit jenem Ganzen
im engsten Zusammenhang steht. Dabei darf man freilich ebensowenig wie beim
Mann vergessen, dass ihr Seelenleben eine bestimmte Abwandlung menschlichen
Seelenlebens überhaupt ist, wie ihr körperliches Leben eine bestimmte Abwandlung
des menschlichen Lebens darstellt » (pp. 30-31).

[57] Cf. A.-M. HENRY, *Théologie de la féminité, Lumière et Vie* (n. 43, « Conception chrétienne de la femme ») 8 (1959), 100-128.

At the other extreme Freud so enlarged the concept of sexuality as to make it include all forms of human *eros* or psychological desire.[57bis] Semantically this has caused endless confusion and scientifically it is quite unjustified. Sexuality, in psychology as in biology, should have a specific, not a generic, meaning and the obvious way to take it psychologically is to take it as the affective or emotional correlative of physical sex in the biological order. It is the masculine or feminine factor or valence in psychodynamic life. Once this is clearly grasped, there is no difficulty at all in integrating the sound conclusions of the dynamic psychology of sexuality into the pastoral psychology of chastity, marriage, virginity, priestly and religious training, and many other related subjects, to the great advantage of the pastoral mission of the Church. An authentic pastoral psychology of sexuality promotes the assumption of this as of the other valences of psychodynamic life into the dimension of the Spirit and its transformation by the gift of supernatural life. Thus sexuality as a psychodynamic constant in all human life and in every vocation of Christian life (each vocation involving its own particular form of sexuality) is accepted and offered with the body itself « as a sacrifice, living, holy, pleasing to God — such as is the worship of mind and soul » (Rom. 12, 1).

4° *Religion.* In this fourth and last theme of psychodynamic life there is question, not of particular religious convictions as such, but of man's underlying awareness and need of « 'numen' and the 'numinous' » [58] in his life — of his 'desire of God', whatever form it may take. It can take true and genuine forms; it can also take perverse and idolatrous ones (cf. the contemporary idol of 'science').[59] Dynamic psychology is uncovering more and more the

---

[57bis] Cf. L. ANCONA, *Le pansexualisme de Freud: une grossière erreur à corriger*, Suppl. *Vie Spir.* 14 (1961), 99-106, translated from *Archivio di psicologia, neurologia e psichiatria* (Milano) 21 (1960), fasc. I, with the appended comment of A. Plé, 107-110.

[58] The terms are those popularised by R. OTTO, *Das Heilige*, originally published in 1917. Otto's Kantian philosophy of religion does not take from the considerable value of his work as a study in the phenomenology of religion.

[59] G. Marcel speaks of the « inverted theodicy » of the absolutisation of technics in the contemporary world (*Das Sakrale im technischen Weltalter, Rheinischer Merkur*, 4. Mai 1962, 7-8).

religious valence that — in whatever form and under whatever name — enters as a formative and integrative factor into all human existence, social and individual; it is bearing witness to the *constancy* and *normality* of religion in the psychodynamic life of man. Jung,[60] neo-Freudians such as Stern[61] and Zilboorg,[62] and existential analysts like Caruso[63] and Frankl[64] have all contributed to this psychological reappraisal of religion. The results of such investigations offer abundant material to the pastoral psychologist for theological assessment and incorporation into the science of pastoral psychology. He has now at his command a greater wealth of evidence on the psychological prolegomena to faith than ever before — prolegomena which, when faith is attained, are in turn assumed into the psychodynamics of the *life* of faith, both in its individual and in its social aspects.

The theological approach to the findings of dynamic psychology indicated above is only one of the possible approaches; but it has the advantage of simplicity and practicability. The four dynamic themes of individuality, sociability, sexuality and religion are also, transposed to the level of supernatural life, themes of the Divine Plan of Salvation and of ecclesial action and therefore themes of pastoral theology, which is the science of this action. Through them the pastoral psychologist can find his way in the multi-dimensional field of dynamic psychology and borrow from it freely though always critically where it provides grist for his mill.

VIII

Dynamic psychology is a practical as well as a theoretical science: it seeks to evolve techniques by which its findings can be

---

60 « Wo immer der Geist Gottes aus der menschlichen Berechnung ausscheidet, tritt eine unbewusste Ersatzbildung auf » (C.G. JUNG, *Der Geist der Psychologie*, *Eranos Jahrbuch*, 1946, 400); also JUNG, *Seelenprobleme der Gegenwart*, Zürich 1931; *Die Beziehung der Psychotherapie zur Seelsorge*, Zürich 1948.

61 Op. cit.

62 Op. cit.

63 Op. cit.: also *Sur la possibilité des influences positives de la psychanalyse sur la vie religieuse*, Suppl. Vie Spir. 11 (1958), 6-20.

64 Op. cit.

25.

386

used for the betterment of the actual psychological life of men.
Reference has been made to some of these techniques in the
foregoing pages — interviewing and counselling techniques
(pp. 370-73) and techniques for the handling of social groups,
secondary and primary (pp. 378-82). Here I should like to stress the
fact that in his borrowing of techniques from dynamic psychology,
just as in his borrowing of its theoretical findings, the pastoral
psychologist must remain true to his own science, which is essentially *theological* and *pastoral* in character. This will enable
him to take and transpose into his own field all psychodynamic
techniques which are truly transposable into this field and will
at the same time ensure that he will not try to adopt techniques
which intrinsically resist this process of transposition, however
useful they may be when wisely employed at the level of natural
life where they properly and necessarily belong. A clear example
of a non-transposable technique is psychoanalysis, which *by
definition* is concerned with *natural* processes of the psyche,
especially those of the unconscious. On the other hand interviewing
and counselling techniques, though originally evolved at the natural
level of psychological life, are in no way intrinsically bound
to this level and can be readily transposed (with the necessary
modifications) to dialogal forms of pastoral care, such as spiritual
direction (cf. the Scriptural examples analysed above, pp. 370-73).[65]
In a word, the *end* of pastoral-psychological work, namely the
communication in and through the Church of the life of grace
to men in the actual psychological conditions of their existence,
determines the whole structure and dynamic functioning of this
work and the choice of *means* to be employed in it. The means
must be means of *grace,* since the end is grace, and psychodynamic

[65] Here again the relationship between pastoral psychology and dynamic
psychology exemplifies the relationship established by St. Thomas between theology
and human reason. Replying to the objection that if theology « argumentatur ex ratione », this « non congruit ejus fini: quia secundum Gregorium 'fides non habet
meritum, ubi humana ratio praebet experimentum' », he replies: « *Utitur* tamen sacra
doctrina etiam ratione humana: non quidem ad probandum fidem, quia per hoc tol-
leretur meritum fidei, sed ad manifestandum aliqua alia quae traduntur in hac
doctrina. Cum enim gratia non tollat naturam, sed perficiat, oportet quod naturalis
ratio subserviat fidei, sicut et naturalis inclinatio voluntatis obsequitur caritati.
Unde et Apostolus dicit: 'in captivitatem redigentes omnes intellectum in obsequium
Christi' » (I, q. 1, a. 8 ad 2).

techniques become means of grace only so far as they can be, and actually have been, transposed into and adapted to the exigencies of the 'new' and final dimension of human existence, the dimension of faith, of grace, of the Spirit. But so far as this work of transposition *can* be done (and, as we have seen, it can be done on a very considerable scale indeed), it *needs* to be done and *should* be done for the « building up of the body of Christ » (Eph. 4, 12) in our times. We live in an age of intense psychological consciousness and demandingness. Men who look to the Church for help in coping with their psychological problems should not look to her in vain. They have a right to receive from her the spiritual help that she alone can give and to receive it in forms psychologically suited to their concrete, existential needs, for otherwise the help which the Church offers cannot come home to them in their actual lives as a spiritual force, an expression and application of the Word of God « living and effective and sharper than any two-edged sword » (Heb. 4, 12). It is the task of pastoral psychology, as a form and aspect of pastoral theology, to produce from its store today « new things and old » (Matt. 13, 52) in the service of the Word of God, so that men « may have life and have it in abundance » (John 10, 10). Thus it will be fitted to meet men, as Christ met Martha and the disciples on the road to Emmaus, at the intersecting-point of their distress and hope and to lead them forward to light and life — to firm faith and to the Breaking of Bread.

AUGUSTINE REGAN

THE WORD OF GOD AND THE MINISTRY OF PREACHING

SUMMARIUM

Theologia praedicationis christianae unitatem quamdam habet cum theologia ipsius Verbi Divini quatenus a Patre procedit et mittitur in hunc mundum (i, ii, iii). Hoc Verbum mysteriose apud Ecclesiam residens (iv) indesinenter Se manifestat Traditione viva, quae depositum primitus a Christo et Apostolis oretenus traditum et libris inspiratis postea consignatum conservat, interpretatur, et eodem semper sensu evolvit (v).

Inde praedicatio apparet tanquam medium ordinarium et per se necessarium quo Verbum hominibus communicatur et aptissime tanquam « ministerium Verbi » (*Act. Ap.* 20; 24) describitur (vi). Ob eandam rationem est ministerium seu instrumentum quoddam fidei vivae secundum illud Apostoli - *fides ex auditu* (*Rom.* 14; 17 (vii). Sic praedicationi Verbi respondet connaturaliter in audiente fides viva tanquam responsio personalis ipsi Christo (viii).

Sequitur momentum quod in praedicatione habet *kerygma* seu nuntium salutis in Christo Verbo Incarnato in fine saeculorum consummandae (ix). Omnes ergo praedicationis species indolem kerygmaticam habere debent: ita tamen ut praedicatio missionaria sive apud paganos sive apud christianos kerygmatica sit quasi ex integro et exclusive, catechetica et homiletica ipsum kerygma explicent ad illudque constanter redeant (x).

Indoli kerygmaticae omnis praedicationis respondere debet in omni praedicante cognitio fontium, scil. ipsius Sacrae Scripturae, doctrinae Magisterii, Patrum, theologorum, et sensus Liturgiae, non tantum studio sed etiam oratione et meditatione acquisita (xi). Omnis ergo theologia veri nominis aspectum habet kerygmaticum quatenus non tantum studio acquiritur sed secundum vitam charitatis sic vitaliter assimilari exigit ut verbis aptis et popularibus, fidelibus communicari possit (xii).

Hinc in actione praedicantis Verbum Dei in se fecundissimum mirifico modo verbo humano sese coniungit, illud quodammodo elevans sicut virtus instrumentalis sacramentum elevat ut fiat instrumentum gratiae. Per missionem canonicam, fidelitatem cum Evangelio, fidem et caritatem praedicator Christo coniungitur, ita ut qualitates eius naturales Verbo Divino communicando inserviant (xiii).

Ergo praedicationi quaedam « sacramentalitas » iure merito tribui potest quatenus est realitas quaedam sensibilis at potestate supernaturali imbuta qua, positis ponendis, infallibiliter cum gratia connectatur. Inter praedicationem tamen et sacramentum conservari oportet discrimen essentiale: per hoc tantum confertur directe et immediate ipsa gratia, dum praedicatio videtur pertingere ad exigentiam quamdam gratiae praeprimis actualis (xiv).

Concluditur praedicationem intime ad ipsum mysterium Christi pertinere non tantum inquantum ipsum proclamat sed etiam inquantum per illam indesinenter aedificatur Corpus Christi « in virum perfectum, in mensuram aetatis plenitudinis Christi » (*Eph.* 4; 13) (xv).

i. *Theology of the Word of God.*

The Word of God can be considered in three stages: in the most Holy Trinity or in the Bosom of the Father, where « the Word was with God, and the Word was God » (Jn 1, 1), as become flesh in the man Jesus Christ — « and the Word was made flesh and dwelt amongst us » (ib 14) — and as dwelling in His Body, the Church, — « I am with you all days, unto the consummation of the world » (Mtt 28, 20; cf. Col 3, 16).

The last consideration is the one which is most directly pastoral, but the power and efficacy of the word of truth as delivered by the Church to men will not be fully understood unless it is seen as a visible and temporal prolongation of the Uncreated Word eternally generated in the mind of the Father, and become Incarnate in the fullness of time for « us men and for our salvation ». Before considering, therefore, the Word of God in the Church as a sacred and living deposit, and a source of light and holiness with all that it implies of the function and nature of Christian preaching, it is in order to make a few brief remarks on the Word in Eternity and the Word in the fullness of time.

ii. *The Word in Eternity.*

According to the classic Trinitarian theology, elaborated by St. Augustine and St. Thomas, the Son of God is by virtue of

His very generation the Divine Word, the perfect expression of divine truth — « the flashing forth of His glory, and the very expression of His being » (Heb 1, 3) cf. Nicene Creed — « lumen de lumine », and Brev. Hymn — « splendor paternae gloriae, de luce lucem proferens, lux lucis et fons luminis » (Fer 2ᵃ ad laudes).

Thus the primal communication of divine truth is the eternal speaking of God within Himself, a speaking so perfect that this Spoken Word is Itself a living person, communicating with God the Father in the indivisible unity of divine life and receiving from Him the fullness of divine truth (see ST. THOMAS in Ev. Ioannis cap. 1 lect. 1).

Moreover, since divine truth is not only a light that illumines but also a fire that ignites, Father and Son, locked in the unity of life and truth with an act of love that embraces the full depths of their common Divinity, produce the Holy Spirit: so that the primitive Word of truth is not only a living person, but one who breathes out love — « Filius est Verbum, non qualecumque, sed spirans Amorem: unde dicit Augustinus, in 9 de Trin. (cap. 10); « Verbum quod insinuare intendimus, est cum amore notitia » (S. Theol. 1 q. 43 a. 5 ad 2).

As truth communicated within the depths of the mystery of the Godhead is a living person, so is the love communicated by the Word of truth along with the Father. Hence the mystery of the Holy Trinity reaches its culmination in the Subsisting Love, Who is the Holy Spirit. Consequently that Word Who, in the fullness of time, has been sent into the world by the Father is, in His own name and in that of the Father, able to impart to all who receive Him the Divine Spirit of love. Thus, as the complement and completion of the Visible Mission of the Son at the Incarnation, we have the Visible Mission of the Holy Ghost at Pentecost — just as Son and Holy Ghost are sent invisibly into the hearts of all who believe with living faith (cf. In Sent. 1 D, 17, a. 2, n. 3; S. Theol. 1, q. 43).

iii. *The Word in the fullness of time.*

The Divine Word is the exemplar of creation or of all created things. « All things were made through Him, and without Him

392

was made nothing that hath been made» (Jn 1, 3): «He...
sustaineth all things by God's word of power» (Heb 1, 3): «by
Whom also He created the ages» (ib 2). The Father creates
through the Word. Hence to the Word made Flesh is aptly assigned
the work of re-creation or redemption (see S. Theol. 3, q. 3, a. 8).

We can visualise the Incarnation as the union of human
nature, and hence of all mankind, with the Uncreated Word of
Truth, sent visibly into the world as the culmination of divine
revelation, the resplendent pinnacle in the entire history of the
healing word of salvation. «God, having spoken of old to the
fathers in the prophets... in these last days hath spoken to us
in One Who is Son» (Heb 1, 1-2).[1]

Resplendently St. Paul outlines the wisdom and knowledge
of the Incarnate Word: «the image of the unseen God» (Col 1,
15): «in whom lie hidden all the treasures of wisdom and
knowledge» (ib 2, 3). Likewise St. John speaks of Him as «full
of grace and *truth*» (1, 14), as revealing to us that God in Whose
bosom He dwells (ib 18). Since theology and the magisterium (H.
Office 5 June 1918 Denz. n. 2183) teach that Christ as man enjoyed
the Beatific Vision, we may see in the above references the
indubitable truth that the human mind of Christ was saturated
with the living truth of God, contemplating it as expressed
ineffably in that Word, with which Humanity was and is in-
separably united.

United to the Sacred Humanity in the unity of His personal
being, and as the object of His human knowledge, the Divine
Word cannot cease to be in Christ the *Verbum spirans amorem*.
The Holy Spirit, therefore, dwells ever in His soul inflaming His
Heart and Will with intense and all absorbing love of that Divine
Word of Truth, which is Himself. Consequently the Redeemer
is that Supreme Teacher Who is Himself the truth He imparts,
and Who breathes into His disciples the Uncreated Love springing
from the Uncreated Word of Truth, as from its source.[2]

Seen in this perspective, the teaching of the Word Incarnate

[1] Cf. SPICQ, *Epître aux Hébreux*, (Paris, 1953) v. 2 p. 2-5 for a full commentary.

[2] For Christ at teacher cf. A. REGAN, C.SS.R., in *Sursum Corda* (1956) p. 21-31:
121-128: 173-180: 236-243: 443-450.

appears in its true nature much more clearly. What Christ teaches He has not learnt from books: His familiarity with the Old Testament is not that of « a devout scholar or submissive disciple » but of « the Lord and Master Who has come to fulfill it ».[3]

His human words are the outer garments in which He clothes His inner thoughts which, in their turn, channel into so many living streams and put into a mould suited to human minds and hearts that Eternal Word of truth, contemplated face to face, which is Himself. Here we have the explanation of the wondrous power of His preaching. « I speak that which I have seen with the Father » (Jn 8, 38). His authority to impart the Holy Spirit fills everything He says with spirit and life. « The words which I have spoken to you are spirit and life » (ib 6, 63).

Accordingly the visible mission of the Divine Word has its counterpart in His invisible mission to souls and in that of the Holy Spirit. Where, by the grace of the Holy Spirit, His spoken word is accepted with living faith it becomes as a seed sown in good soil, bearing fruit in much patience (Lk 8, 15). Only those born of the Spirit can receive this word (Jn 2, 28), and the only obstacle to receiving it is to refuse to be a child of God. « For this cause ye hear not, because ye are not of God » (Jn 8, 47). « For who among men knoweth what passeth in a man save the spirit of man within him? Even so the things of God none hath come to know save the Spirit of God » (1 Cor 2, 11).

In a word, the teaching of Christ is so utterly supernatural in its origin and essence, that it pieces itself into the mystery of the Holy Trinity. Christ being the Word of God, to receive His teaching is to receive the Father, and to live in the depths of the intra-Trinitarian life of God Himself. « He that heareth my word, and *believeth Him that sent me*, hath everlasting life, and cometh not into judgment: but he hath passed out of death into life » (Jn 5, 24).[4]

---

[3] K. ADAM, *The Christ of Faith* (New York, 1951), p. 289. « The source of Jesus' teaching is not in what He has learned, but in His own soul » (ib.).

[4] S. AUGUSTINE comments illuminatingly: « Verbum ergo Filii audiat, ut Patri credat... Credit autem ei *qui misit me*, quia cum illi credit, verbo eius credit; cum autem verbo eius credit, mihi credit, quia Verbum Patris ego sum » (Tr. in 10. 19. n. 7. *Corp. Christ.* ser. lat. v. 36. p. 191).

iv. *The Word of Truth in the Church.*

We should, therefore, never separate the word of God, whatever its shape or form, from the Uncreated Word in the Bosom of the Father, Who has become Incarnate, been crucified and made known to men.[5] Wherever it is imparted, we are in communication with the « great mystery of piety: which was manifested in the flesh, justified in spirit, seen by angels, was preached among the nations, believed in the world, taken up in glory » (1 Tim 3, 16).

If, therefore, the Church is the ark of salvation, the one authentic dispensatrix of the word of truth, the continuation of Christ with her all days even to the consummation of the world, it can only be because the Uncreated Word dwells mysteriously within her, because He has sent and continues to send upon her and into her very depths that Spirit of Truth, of which He is the living principle. « Yet many things have I to say to you; but ye cannot bear them now. But when He shall have come, the Spirit of truth, He shall guide you to the whole truth: for He shall not speak of Himself: but whatsoever things He heareth He shall speak, and the things that are to come He shall declare to you » (Jn 16, 12-14).

Enclosed in the mystery of the Hypostatic Union is the ineffable communication, through the Beatific Vision, of the Divine Word to the human mind of Christ and the invisible mission of the Holy Spirit, sanctifying the Sacred Humanity through and through. The Church is the living Body of Christ because she communicates by living faith and charity in the same Word of Truth and Spirit of Love that illumine and spiritualise her divine Head. By faith Christ dwells corporatively in the hearts of the faithful, who rooted and founded in charity, know the charity of Christ surpassing knowledge, and are filled unto all the fullness of God (Eph 3, 17-19).

---

[5] « Descendit ergo gratia Dei ad nos per Verbum incarnatum, per Verbum crucifixum, et per Verbum inspiratum ». S. BONAVENTURE - *De Donis Spiritus Sancti. Opera Omnia.* Quaracchi. T. 5. p. 498 col. 1. cf. Z. ALSZEGHY, *Die Theologie des Wortes Gottes bei den mittleralterichen Theologen, Gregorianum.* (1958). p. 694; EILERS, *Gottes Wort. Eine Theologie der Predigt nach Bonaventura.* (Freiburg, 1941).

This intimate indwelling of the Word in the Church implies, of course, more than interior faith in her members, and more than an external profession of their common or corporative belief. Because this faith is corporate, it is something dependent on and transmitted by external authority, to wit, the external authority of the hierarchy or living *magisterium*. As the grace of the Holy Spirit conserves living faith in the hearts of Christians, so does the guidance of the same Holy Spirit preserve intact and keep immune from error the teaching of the Hierarchy, whose authority is the proximate rule of faith. There is a perfect correspondence between the corporate faith of the Church and its authentic proposition, between the Word in the hearts of the faithful and the Word as proposed by its official custodians, between the Church's *infallibilitas in credendo* and her *infallibilitas in docendo*. In short, the Gospel transmitted orally by Christ Himself and the Apostles to the primitive Church to be engrafted into the souls of believers as a principle of new life, continues to be transmitted to succeeding generations by the authentic successors of the Apostles, and continues to be engrafted as the very Word of life into the souls of its hearers.

The presence of the Divine Word in the Church is one and the same thing as its presence in Tradition, which has been well defined as the consciousness on the part of the Church of the Word of God within her together with the power of expressing and formulating it, according to her progressive understanding and penetration of its objective content.[6]

What concerns us here, as of prime pastoral importance, is that this continual presence of the Word of God is inconceivable without the exercise of the preaching office. According to divine institution — « preach the Gospel » — this preaching of the Word of God by the pastors of the Church is the normal way whereby believers are confirmed and instructed in their faith, and unbelievers come to know what the Church teaches and what God has revealed. The true function of preaching will be seen

---

[6] LIÉGÉ, O.P. in *Initiation Théologique* (Paris, 1952). v. 1, p. 21. Eng. trans. *Theology Library* (Chicago, 1954) v. 1. p. 6ss.

more clearly by considering the relation between the Word of God as consigned to the Sacred Scriptures and as preached in the Church.

v. *Written and spoken Word of God.*

The Council of Trent has thus stated the Catholic position on Tradition and Scripture. Christ Himself has orally promulgated the Gospel, and commanded that it be preached by His Apostles to every creature (Mc 16, 15; Mtt 28, 19 ss) as the source of all salutary truth and morality (*tanquam fontem omnis et salutaris veritatis et morum disciplinae*). This Gospel is contained both in the writings and unwritten traditions, which the Apostles received orally from Christ or which they handed on under the dictation of the Holy Ghost, and which have come down to us (sess. iv. Denz. 783).

Clearly Tradition preceded the writing of the New Testament, for the primitive way in which the Gospel was handed down from Christ and the Apostles was by word of mouth: nor did the appearance of the books of the New Testament dispense with teaching by word of mouth as the normal means of communicating the Word of God, for the mandate of Christ holds till the end of time. Apostolic Tradition has given us the inspired books themselves, for it is apostolic authority that has guaranteed and approved them, and the same authority, continued in the Church, which has conserved them and continues to transmit them to succeeding generations. Along with the Scriptures, Tradition — in the active teaching of the Church and the preaching of pastors — channels for us the Word of God, independently of Scripture, but in a way that gives life to the written Word, interpreting it, applying it, developing its hidden content.

We are, however, in no way bound to hold that the Scriptures contain only part of the revealed deposit. Indeed recent theological opinion tends to the view that the entire revealed deposit is in the Bible, not all of it explicitly or clearly but, at least, implicitly and obscurely, so as to need the living voice of the *magisterium* for its clear and full interpretation and its authoritative proposition. This view, held today by Geiselman, Liégé, Dubarle, Dillenschneider and others, was propounded by Moehler and Newmann in the nineteenth century. The latter expressed it thus: « The whole Catholic faith may be proved from Scripture, though... it is not to be found on the surface of it, nor in such sense that it may be gained from Scripture without the aid of Tradition ».[7]

This concept fits in admirably with the fact that the Gospel is not primarily a series of propositions, but rather a message concerning an event, which is the heart of all Christian revelation, a central truth giving organic unity to the entire body of evangelical truth. This being so, it is hardly conceivable that the Apostles, or their immediate disciples, would have omitted anything essential in their writings, the inspired permanent record of their teaching, or that the Holy Spirit would not have inspired them to consign to such writings the whole of the message they had to deliver (see DUBARLE in *Initiation Théol.* 1, p. 80-82: Theology Lib. 1, p. 64-66). « Scripture and Tradition are two emanations from the same life-giving source. Scripture, like other written expressions as compared to oral expressions and to the rest of life, represents a firmer form of thought, one better armed against inexactitudes of detail, but also a more precarious means of communication which can only take a true meaning when related to the living environment from which it sprang, and to the Holy Spirit from which both it and the Church derive their authority. Scripture and Tradition mutually condition and surpass each other. They are not two interchangeable formulations of the same message but two means whose collaboration is indispensable if we are to be assured of the gift of God in its fullness » (Dubarle 1. cit. p. 66-67).

This concept appears to rejoin that of the Fathers and St. Thomas, for whom Sacred Scripture is the final court of appeal.[8] For them Scripture is something interpreted by the living voice

---

[7] *Dev. of C. Doctrine* (London, 1914), ch. 7. p. 4. n. 4. cf. *Theology Digest* Spring 1958), p. 67-72 (G. DEJAIFVE, S.J.), and p. 73-78 (J. GEISELMANN).

[8] Arguing that if man had not sinned, the Word would not have become Incarnate, St. Thomas reasons from the basis that our only way of knowing supernatural truths, whose existence depend solely on the Will of God, is the Sacred Scripture: « ea quae ex sola Dei voluntate proveniunt, supra omne debitum creaturae, in *nobis innotescere non possunt nisi quatenus in sacra Scriptura traduntur* ». S. Theol. 3. q. 1. a. 3.

of Tradition, something delivered to us by the Church and never
to be thought of apart from the living Word of truth transmitted
by the Church's authority.[9]

The closely knit unity of Scripture and Tradition as containing, each in its wholeness, the revealed Word of God has received
further light in a thesis recently proposed by Fr. K. Rahner,
S.J.[10], according to which the Scriptures must be regarded as a
constitutive part of the primitive Church or the Church in *fieri*,
containing the authentic and complete record of the revealed
deposit. This record, as the apostolic preaching which it faithfully
recounts, is the norm of the Church's teaching (i.e. the Church
already constituted or *in facto esse*) till the end of the world.
The same Church, which under the special action of God, gave
us the Holy Scripture and guaranteed it with her infallible
authority as being in continuity with primitive Tradition or
apostolic preaching, continues to teach and authentically interprets
the message crystallised in the New Testament. The contemporary
Magisterium continually harks back to the primitive apostolic
teaching, so that her authority is, in a sense, subject to Scripture
as it is to Tradition: the formula — Scripture-Tradition — must
always remain the norm of apostolic teaching.[11]

At all events, the Church, in that pastoral capacity she has
received from the Divine Shepherd, communicates divine truth
to men, feeding them on the healthy and life-giving pastures
of sound doctrine, because she contains within herself the living
Word, delivered by the Apostles and contemplated lovingly in the
depths of her corporate interior life. The most important office
of any pastor or priest engaged in the active ministry is, by his
preaching and instruction, to give this living word to all subject
to his ministrations. He will fulfill this office in proportion as he

---

[9] « Omnibus articulis fidei inhaeret fides... propter veritatem primam nobis
in Scripturis secundum doctrinam Ecclesiae intellectis sane » (S. THOMAS 2ᵃ. 2ᵃᵉ. q. 5
a. 3 ad 2 cf. J. VAN DER PLOEG, O.P. - *The Place of Scripture in the Theology of S.
Thomas, The Thomist* [1957], p. 398-422, G. GEENAN, *The Place of Tradition in the
Theology of S. Thomas.* ib. [1952], p. 110-135, LIÉGÉ, l. cit. p. 12-13).

[10] *Über die Schriftinspiration. Quaestiones Disputatae*, (Freiburg im B. 1958).

[11] For a brief exposition and interesting development of this theory see
Verbum Domini (1958). p. 356-365.

himself shares the collective consciousness of the Church of the intimate presence of the Word of truth within her: and he can hardly have that consciousness unless he has a long familiarity with the inspired text of Holy Scripture, born of frequent mediation on its very words. It is for him not only to lead his people to read and ponder over the words of Scripture, but to make them live by his teaching and preaching, as they live for the faithful in general by the teaching of the infallible Church.[12]

vi. *Preaching as the ministry of the Word.*

The office of preaching is, therefore, indispensably necessary if the faithful are to know the living Word of truth committed to the Church whether orally or by writing. Thus, according to the Council of Trent, preaching the Gospel is the principal duty of the bishops, — *quia vero Christianae reipublicae non minus necessaria est praedicatio evangelii quam lectio, et hoc est praecipuum episcoporum munus.*[13]

In itself the preaching or teaching of the Church's individual pastors, even as the infallible teaching of the universal *magisterium,* is a human word, because it is not inspired. However, thought it is not the Word of God as are Scripture or Tradition (i.e. the oral teaching of Christ and the Apostles), it is a true and authentic channel and vehicle of the Word of God. All properly authorised preaching or teaching (i.e. where there is a canonical mission) is the Church's official testimony or witness to the Divine Word within her: it is the normal way in which the contents of revelation are proposed to the faithful, or are imparted to unbelievers.

Thus preaching must be completely at the service of the living Word that is always in the Church and is aptly described as the « ministry of the word » (Acts 6, 4). It is a ministry demanding total dedication on the part of the preacher. « But I hold not my life of any account, that it should be fear unto me, if only I may accomplish my course, and the ministry which I have received

---

[12] Cf. C. DAVIS, *The Living Word,* in *Worship* Oct. (1958), p. 518-531.
[13] Sessio v. De Ref. c. l. cf. Sessio xxiv. De Ref., c. iv.

400

from the Lord Jesus, to testify the gospel of the grace of God » (Acts 20, 24).

The ministerial or instrumental character of preaching is required by the mediatoriship of the Church: as the Body and Spouse of Christ, she has no authority but what comes from Him, no interests except His, she proposes nothing but what He has revealed. In proportion as we forget the divine element in the Church and concentrate on what is human, we distort her true nature and lose the true vision of the Kingdom of God. Thus we arrive at an externalism or institutionalism, in which she is no longer the living organ of the Holy Spirit, no longer a Body animated by the indwelling Spirit of Pentecost.

Similar results follow when either preacher or his hearers forget that preaching is an exercise of the mediatorship of the Church, a proclamation by the Church of the Word within her, a communication not of human wisdom but of the Wisdom of the Cross and Resurrection. « We preach Christ crucified... to those who are called the power of God and the wisdom of God » (1 Cor 1, 24-25). When this all important aspect is forgotten, preaching becomes a human word no longer conveying the power of the divine, persuasive words of human wisdom devoid of the breath of the Spirit (ib. 2, 4).

Every authorised preacher speaks with divine authority (cf. can. 1328 requiring a mission from a lawful superior), but he abuses that authority when he preaches anything else than the Word of which he is supposed to be a witness. He must expound this Word in contemporary language, adapt it to present needs, communicate it to men and women of the twentieth century, but always as the mouthpiece of Christ and His Church.[14]

Whatever natural or acquired qualities the preacher may have must be employed merely in his instrumental or ministerial capacity as an ambassador of Christ, so that God appears to speak through him (2 Cor 5, 20). Effective delivery, eloquent language, imposing presence must not be so employed that hearers are rather fascinated by the personality of the preacher than

---

[14] On this aspect see ARNOLD, *Glaubensverkündigung und Glaubensgemeinschaft*, (Düsseldorf, 1955), p. 26-33.

drawn to Christ. They should absorb the Divine Word and not the mere human word, through which it is conveyed, and only in so far as the Divine Word is really communicated, whatever the external results may be, is the preaching really successful.[15]

The words of St. Alphonsus are always pertinent. « He who wishes to preach, not for the purpose of acquiring praise, but of gaining souls to God, should not seek to hear others say: Oh, what beautiful thoughts! What a splendid speaker! What a great man! But he should desire to see all going away with their heads bowed down, weeping over their sins, resolved to change their lives, and to give themselves to God... All must be done simply and without show or art, in order to reap not applause, but fruit ».[16]

Being the vehicle of God's Word, preaching partakes of its sacredness and, therefore, to divert the preaching function to any other purpose is a true profanation partaking of the nature of sacrilege. P. Desurmont has pointed out that this profanation is a true plague, having all the elements of a real pestilence — it takes control, it spreads, it kills the word of God, it kills souls, it kills spiritually the preacher himself.[17]

vii. *Preaching as the ministry of living faith.*

In the classic text of Rom. 10, we are told of the connection between the Word of God, Christian preaching and living faith. « How then are they to believe in Him in Whom they have not believed? And how are they to believe in Him Whom they have not heard? And how are they to hear without a preacher?...

---

[15] Cf. Hitz, *L'Annonce Missionaire de l'évangile* (Paris, 1955), p. 12-68.

[16] *Selva* part 2. *ins.* 4. 1. *Ed.* Grimm, (New York, 1889), p. 269-270: see also his *Letter to a Religious on the Manner of Preaching* at the beginning of *On Preaching the Word of God* (New York, 1890), p. 17-62.

[17] *La Charité Sacerdotale*, Antony (1899), 2. p. 11-12. Desurmont's ideas are reproduced by Fr. Garrigou-Lagrange in his *De Unione Sacerdotis cum Christo Sacerdote et Victima*, (Turin, 1948), p. 98-103. An outstanding document from the *Magisterium* on apostolic preaching is the Encyclical of Benedict XV *Humani Genesis* (June 15, 1957, AAS 9, p. 305-317), on which there is a commentary by G. Yelle, p.s.s., *La Prédication*. In it he notes the comparative ineffectiveness of modern preaching as compared to that of the Apostles, proposing as the remedy that it be recalled

402

Therefore faith is by hearing, and hearing is through the word
of Christ» (14, 17). So momentous and indispensable is the
office of the Apostles (and their successors) as heralds of the good
news of salvation, and generators of living faith, that the consequence of not accepting their message is the terrible one of
eternal damnation (Mc 16, 16).

As faith came to the world through the preaching of the
Apostles, by the preaching of their successors must faith continue.
Not only is preaching the normal means of spreading faith to
pagan countries and extending it to unbelievers. It is also the
normal means of sustaining, nourishing and increasing the faith
of believers.[18]

The New Testament aptly uses the term «witness» to
describe the role of the evangelical preacher. Immediately before
His Ascension Our Lord said to the Apostles: «ye shall be my
witnesses in Jerusalem, and in all Judea and Samaria, and unto
the end of the earth» (Acts 1, 8) (cf. 1 Tim 2, 7; 2 Pet 1, 19;
1 Jn 1, 1-2). Thus St. Paul says, in describing his apostolate,
«He (God) manifested His Word in due season by the preaching
which was entrusted to me, according to the command of our
Saviour God» (Tit 1, 3). The apostolic office of witnessing the
truth of God or His revealed Word is continued in the Church,
which announces, applies, develops the revealed deposit, adding

to the norm laid down by Christ and the Church. He assigns a threefold cause to
the decline of preaching — lack of a preaching vocation in some who undertake the
office of preacher, lack of right aim and intention, lack of the proper manner of
preaching (p. 306-307). This papal directive is worthy of careful study and consideration.

Besides the works already referred to, especially for the practical side DE-
SURMONT p. 1-90, for preaching as the ministry of the Word one can consult A.
DONDERS, *Effective Preaching*, in *The Pastoral Care of Souls* (ed. by W. MEYER,
O.F.M.) p. 199-207, D. BARSOTTI, *La Parole de Dieu dans le mystère Chrétien* (Paris
1954), p. 196-205, A. ROCK, O.P., *Unless They be Sent* (Iowa, U.S.A. 1953), p. 28-59,
Le Prêtre ministre de la Parole (Congres National de Montpellier 1954), F.X. AR-
NOLD, *Dienst am Glauben* (Herder, Freiburg, 1948), *Seelsorge aus der Mitte der
Heilsgeschichte* (Herder, Freiburg, 1956).

[18] «Quapropter, quoniam, Dei nutu, iisdem causis quibus procreatae sunt, res
conservantur patet praedicationem christianae sapientiae ad continuandum aeternae
salutis opus divinitus adhiberi» (*Humani Generis* l. cit. p. 306). As S. Alphonsus
says, «The faith has been propagated by preaching, and by the same means God
wishes it to be preserved» (*Selva*, p. 265).

nothing to it and subtracting nothing from it. Without it the deposit, however faithfully or even integrally recorded in the Bible, would be a dead thing, something left to ossify without living contact with subsequent generations.[19]

What gives this living contact is living faith, through which the Divine Word is not merely proclaimed or listened to with external respect, but through which it enters into the mind of the devout listener, becoming within him as the very witness provided by the Word of Truth Himself in regard to His designs for human salvation. « If we receive the witness of men, the witness of God is greater; for this is the witness of God, even the witness He hath borne concerning His Son. He that believeth in the Son of God hath the witness within him » (1 Jn 9-10).

The authority of the Church or that of the Christian preacher, is not the formal object or motive of the act of faith, even in part. Nevertheless authentic preaching, being an authentic witnessing to the witness God has given of Himself, revealing Himself in His own Word, can be said to contain embedded and, as it were, mystically present within itself this uncreated witness or revelation of God, somewhat as a sacrament contains within its material elements the uncreated Power of God to sanctify souls. The Word communicated by preaching, and received in faith, becomes an intrinsic principle or source of life. « Of His own free will hath He begotten us through the word of truth, that we might be, as it were, the first fruits of his own creatures » (James 1, 18). Knowing the truth of God is, therefore, a principle of new life. « This is everlasting life, that they know Thee, the only true God, and Him Whom Thou hast sent, Jesus Christ » (Jn 17, 3; cf. Tit 1, 1; Eph 1, 17; 1 Cor 1, 5; Jn 1, 12 ss, 1; Jn 2, 3 ss, 20 ss, 4, 15; Acts 15, 7). The Word preached by the Church is infinitely more than a historical account of the saving work of Christ: it is the very power of salvation, as it were, this saving work present in its efficacy — ὁ λόγος τῆς σωτηρίας

---

19 For an evaluation of the Catholic and Protestant attitudes in regard to the Word of God, see BOUYER, *The Spirit and Forms of Protestantism*, (Westminster, U.S.A., 1956), ch. 10, especially p. 200-206, DE BROGLIE, S.J. in a note appended to the same work, p. 230-234, and D. BARSOTTI, *La Parole de Dieu dans le Mystère Chrétienne*, (Paris, 1954), p. 187-215.

(Acts 13, 26; cf. ib. 14, 3; 20, 32; Ph 2, 16; 2 Cor 5, 19; 1 Cor 4, 15. See ARNOLD, *Dienst am Glauben* p. 16).

From the very earliest times the Christian preacher, as a witness of the life-giving Word of God, whose testimony imparts it to his hearers, has been credited with a spiritual paternity. « In Christ Jesus I begot you through the Gospel » (1 Cor 4, 15). Originally, in fact, a martyr (meaning « witness ») was not one who testified to the truth of revelation by shedding his blood (as it came to mean), but one who testified to its truth by his apostolic office as preacher (thus, according to Arnold (p. 17), the word is used by Polycarp).

viii. *Living faith as the response to the Word of God.*

Consequently, under the action of grace, the response aroused by preaching the Word of God is that of a living faith — one, that is, which not merely assents nominally or with an act of the intellect only, but with the whole person so that one becomes truly a new creature, receiving a life dedicated entirely to the glory of God in Christ. This the Council of Trent emphasised, echoing the teaching of all Tradition, and describing faith as the beginning, foundation and root of all justification — *humanae salutis initium, fundamentum et radix omnis justificationis* (Denz. 801).

While it is absolutely necessary to conceive the act of faith as supernatural assent to an *objective* body of truths on the authority of God revealing, and thus avoid the *subjectivism* inherent in Protestant theories of justification, the subjective side of faith, as authoritatively described by Trent, is of prime importance. When it is forgotten or insufficiently emphasised, there is forgotten, too, or inadequately stressed that there is no justification unless, with faith informed or enlivened by charity, a man assents to the redemptive power of the grace of Christ, without which there is no turning to Him with the totality of one's being. It is a profound dogmatic and moral truth, revealed by the Apostle, that « the just man liveth by faith » (Rom 1, 17; cf. Heb 10, 38; 3, 11).

This subjective side of faith, which makes it a personal

encounter of the soul with God in Christ, is vividly stressed by the Council in the very context where the Lutheran concept as blind confidence in the merits of Christ, practically devoid of objective content, is condemned. One can never ponder sufficiently or properly realise the pastoral import of the words with which the same Council describes the passage of the sinner from his state of sin to justification. « They (sinners) are disposed to righteousness, being roused and supported by divine grace, conceiving « faith by hearing », and are freely turned to God: believing the truth of what He has revealed and promised, and before all else the justification of the ungodly through His grace, by « the redemption that is in Christ Jesus.[20]

The century long discussions and controversies on the nature of the act of faith,[21] have resulted in a much more widespread and realistic acceptance of the Thomist thesis of its absolute supernaturality; and hence of its intrinsic independence from the rational arguments establishing the fact of revelation (motives of credibility). Thus it more clearly appears as a direct response to God's Word, present in the preaching of His Church, a response that can never be the result of rational argument. The only « proof » that is of direct interest to the Christian preacher or teacher is the testimony of God's Word, which he must never rationalise but only proclaim and expound (see below x: *the presentation of the Christian message*).

Likewise, more stress is being laid on the affective side of faith, as an assent of the mind, indeed, but one whose connatural complement and completion is an effective movement of the will towards God as the Last Supernatural End, as S. Thomas stresses.[22] Informed by charity, it becomes the true beginning of

---

[20] « Disponuntur autem, ad ipsam iustitiam, dum excitati divina gratia et adiuti, "fidem ex auditu" concipientes, libere moventur in Deum, credentes, vera esse, quae divinitus revelata et promissa sunt, atque illud in primis, a Deo iustificari impium per gratiam eius, "per redemptionem, quae est in Christo Iesu" » (Rom. 3: 24) (Sessio. 6. cap. 6. Denz. 798).

[21] Cf. the most erudite account given by R. AUBERT in his large volume entitled *Le Problème de l'Acte de Foi*, (Louvain, 1950).

[22] « Ex caritate..., quae format fidem, habet anima quod infallibilliter voluntas ordinetur in bonum finem » (S. Theol. 2ª. 2ªᵉ. q. 4). Thus, as the Angelic Doctor adds,

406

eternal life, effectively orientated towards the divine good to be
seen in the full light of vision and enjoyed in the fullness of
charity (2^a. 2^{ae}, q. 11, aa. 1, 3).

Two points about faith emerge from the above, of great
pastoral importance for the preacher. One it that, important as is
the objective content of faith (material object), the most important
thing about it is that we assent to the voice and testimony of God
and Christ. This is stressed by St. Thomas: Since one who
believes believes what is said by some person, the principal
factor and, as it were, the purpose of any kind of belief is the
one to whose word assent is given... Hence one who truly has the
Christian faith assents to Christ in whatever concerns his teaching ».[23]

The second is that when it is fully itself, that is, properly a
virtue from its information by charity, it takes the believer into
a new world, which is the very world of God, a world whose
meaning is only fully realized in the Beatific Vision. The man of
faith, therefore, lives in a world above the senses, above reason,
a world which has its own realities in no way subject to human
judgments or human values. As St. Paul puts it — « the Spirit
exploreth all things, even the deep things of God » (1 Cor 2, 10),
and hence the spiritual man scrutinizes everything without being
himself subject to any human scrutiny (ib. 15).[24]

Because faith, supernatural in its essence and the door to

---

only *fides formata* is a virtue: *fides informis* is not a *virtus simpliciter*, any more
than temperance would be without prudence: « quia etsi habeat perfectionem debitam actus fidei informis ex parte intellectus, non tamen habet perfectionem debitam
ex parte voluntatis: sicut etiam si temperantia esset in concupiscibili, et prudentia
non esset in rationali, temperantia non esset virtus,... quia ad actum temperantiae
requiritur et actus rationis, et actus concupiscibilis: sicut ad actum fidei requiritur
actus voluntatis, et actus intellectus ».

[23] « Quia vero quicumque credit, alicuius dicto assentit, principale videtur esse
et quasi finis, in unaquaque credulitate ille cuius dicto assentitur... Sic igitur qui
recte fidem christianam habet, sua voluntate assentit Christo in his quae ad eius
doctrinam pertinent » (ib. q. 11, a. 1).

[24] Cf. AUBERT, p. 782-788: also the excellent pages of VONIER on faith « as a
real, psychological contact which, if once established, may lead man into the in-
nermost glories of the Christian life ». *A Key to the Doctrine of the Holy Eucharist*
(Burns Oates, London, 1925), p. 1-9.

that life whose fullness is in the Beatific Vision, is the connatural response to the Word of God proclaimed by the Christian preacher, a consideration of it throws a powerful light on the nature and function of Christian preaching. This is seen to be none other than the authentic announcement of salvation in Christ, the proclamation of that joyful event of the Death and Resurrection of Christ which is the source of life for fallen man.

While preaching must be integral, omitting nothing essential to the revealed message or necessary and useful for the spiritual good of the faithful, it should not be a more or less disjointed presentation of so many propositions, whose only connection is that they are all guaranteed by divine authority. Still less is it a presentation of abstract truths, so rationalized as to have largely lost contact with their supernatural origin to become no more than « a Christian philosophy of life ». True preaching must present the contents of faith illuminated from within by the light of the Holy Trinity, brought into this world by the Word Incarnate, and streaming out from the great salutary event of Redemption. The preacher should so proclaim every Christian truth that his hearers, accepting it, will be in direct, inner contact with the Incarnate Word of Truth, Who gave of Himself even to the shedding of His Blood that they might have everlasting life. « For God so loved the world as to give His only begotten Son, that whosoever believeth in Him may not perish, but may have everlasting life » (Jn 3, 16; cf. ARNOLD l. cit. p. 11-14).

ix. *The Christian « kerygma ».*

Recent authors, especially A. Retif and after him P. Hitz, have brought out the *kerygmatic* character of the preaching of the Apostles.[25] The *kerygma* means a heralding of good news, and in this case the good news of salvation in Christ. Our Lord's commission to the Apostles, as recorded by St. Mark — κηρύξατε τὸ εὐαγγέλιον (16, 15) — means literally « herald the good news ».

Simple as is this message, it is vital and profound: Redemp-

---

[25] See RÉTIF, *Foi au Christ et mission* (Paris, 1953), HITZ, *L'Annonce Missionaire* p. 68-136, where he discusses the kerygma of the Apostles as the pattern or type of missionary preaching.

tion in Christ being the accomplishment of the eternal salvific Will of God through the Incarnation, Passion and Resurrection of His Son. It is something in which man is called to communicate, dying to sin to rise gloriously with Christ by grace in this life, and by the complete glorification of soul and body hereafter. The *kerygma* is, therefore, a challenge to renounce sin and return to Christ: it emphasises then the need for conversion, and it is not complete unless it includes the terrible threat of the wrath to come, hell or eternal damnation, for those who reject the challenge (cf. Mc ib. 16).[26]

Since there has been an inclination to doubt or question the validity or, at least, the fundamental importance of this kerygmatic concept of Apostolic preaching, it is worthy of note that the *magisterium* expressly accepts and affirms it. Benedict XV calls preachers *heralds* of Jesus Christ through whom He announces to men what they must believe and do for salvation — « suorum voce praeconum qui, quae ad salutem credenda faciendaque essent, hominum universitati denuntiarent » (Humani Generis l. cit. p. 20). Pius XII begins his encyclical (2 June, 1951) on the sacred missions with the words — *Evangelii praecones* — calling the missionaries « heralds of good news » (AAS 43 [1951] p. 498). More recently the same Pope used the term « kerygmatic » in connection with the study of catechetics, when enumerating the various disciplines to be taught at the Pontifical Pastoral Institute in Rome (AAS 50 [1958] p. 463).

x. *Presentation of the Christian message.*

Broadly speaking, the funcion of the preacher falls into two categories — to generate the word of faith in human hearts, and to conserve and nourish it. This gives us two main types of Christian preaching — missionary and catechetical or instructional. A third type blends features of these two, so as not to be fully distinct from either. This is the homily, or sermon properly so called. As we shall note, Christian preaching is to be distinguished from apologetical conferences, or lectures in defence

---

[26] For the subject matter of the kerygma see HITZ p. 75-88.

of particular teachings of the Church, as well as from theological expositions of dogmatic or moral character.[27]

(a) *Missionary preaching*: The primitive type of missionary preaching is that to unbelievers, whether Jews or pagans. Its purpose, therefore, is to generate Christian faith, and so its emphasis is, more than in other types of preaching, on the *kerygma* — the great message of salvation in the Risen Christ. Hence it is kerygmatic preaching properly so called.[28]

The authors quoted above (Rétif and Hitz), who have been followed by Dunas, O.P.,[29] insist on an important analogy between foreign mission preaching and home mission preaching, so that for them, all mission preaching is or should be *kerygmatic* in the full sense. In both cases the aim is conversion to Christ. While foreign missions aim at the conversion of pagan regions, home missions aim rather at the conversion of Christians — nominal Christians who have lost the faith, non-practising Christians (with dead faith), Christians who practise only spasmodically or who, in spite of external observance, live in mortal sin or fall into it from time to time, even good practising Christians who can be converted to a more fervent life.[30]

---

[27] A certain amount of confusion has been engendered by the divergent shades of meaning attributed by various authors to the terms *kerygma* and *catechesis*. This is due mainly to the undeveloped state of the theology of preaching which is still wrestling with exegetical difficulties in determining their exact significance in the Apostolic writings and trying to discover a fixed terminology that is yet flexible enough to meet the varying pastoral pre-occupations. Cf. D. GRASSO, *Evangelizzazione, Catechesi. Omilia. Per una terminologia della predicazione*, in *Gregorianum* (1961), p. 242-267. In the present state of the question it seems sufficiently satisfactory, with Fr. Grasso, to regard the term *preaching* (praedicatio) as generic and applicable, therefore, to missionary or kerygmatic preaching, catechesis and the homily. (l. cit. p. 261-267). While in the first type the *kerygma* dominates so as almost to arrogate the field to itself, in the other two it is not only a point of departure but a constantly recurring theme permeating their content and moulding their structure («Non solo il kerigma è il punto di partenza delle altre forme di predicazione, perché queste ne costituiscono uno sviluppo e approfondimento, ma è anche il punto continuo di riferimento. Il kerigma cioè impone a queste forme esigenze dalle quali non possono prescindere ». GRASSO, *Il Kerigma e la Predicazione*, in *Gregorianum* [1960], p. 441).

[28] Fr. Grasso suggests *evangelisation* as the most appropriate term (*Gregorianum* [1961], p. 263-264).

[29] In *Parole et Mission* (1958), 3. p. 342-366.

[30] This view of parochial missions seems completely in line with that of ST.

410

Whatever the case, mission preaching aims to bring to its hearers a living faith or a faith that is more living. In consequence it must proclaim for the first time or hark back to the *kerygma* — the message of salvation to be acquired by accepting Christ in the power of His Death and Resurrection, with the necessary dying to sin, a death that one must undergo if he is to escape the dreadful death of eternal damnation. Therefore mission preaching must resound through and through with the eternal themes of God's redemptive love in Christ, judgement, hell and a glorious resurrection. This preaching is not to individual men only, it is also to nations and society, seeking to establish everywhere the Kingdom of Christ, and to extend His sway over all ranks of society, permeating society itself with the Christian leaven.

Of mission preaching various points must be noted.

1. Its power is in the proclamation of the Word of salvation, and so its value is in the sincere communication of the Apostolic kerygma from a heart that is attuned to the Eternal Word of truth, become Incarnate and abiding in His Body, the Church; conscious of His presence in the illuminating grace of the Holy Spirit. Such preaching is the only authentic and external channel of faith, above all reason and rational argument.

2. This does not exclude, of course, all reasoning or rational argument from missionary preaching. Its judicious use is sometimes necessary, and can be very effective, but such use must be incidental or by may of illustration, and so woven into the discourse that it does not impede the light of the supernatural which should illuminate it from within. Above all, no truth of faith or specifically Christian obligation should be presented as though it were merely a conclusion of reason.

3. Faith, though essentially supernatural, must have the rational basis of the motives of credibility. Hence the utility of a certain amount of rational argument in the mission sermon. However, a discourse directed solely or mainly to proving the rational basis of the Christian religion is not a mission sermon,

ALPHONSUS in his « Letter to a Bishop on Missions » reproduced in his *Preaching the Word of God*. Ed. Grimm (New York, 1890), p. 73-89.

however excellent it might be as an apologetic conference or lecture. This is simply because missionary preaching is, from its intrinsic nature, the vehicle of faith, whose assent to revealed truth is solely on the authority of the Word of God whose power and efficacy are present in all authentic and true preaching.[31]

4. As Père Gardeil has pointed out, where simple, unlettered people are faithful to the natural law the grace of God which, by a certain necessity accompanies evangelical preaching, will so illumine their minds that, to a large extent, the ordinary motives of credibility will be supplied. Since, in fact, their observance of the natural law is the result of grace and argues that they are already disposed to the Last Supernatural End, they have a certain « connaturality » to the truths of faith. They accept them while accepting at the same time their intrinsic harmony with the deepest aspirations of human nature, this harmony being one of the recognised arguments for the fact of their revelation.[32]

Even where the faith is weak, dormant or dead, the most effective way of strenghthening, arousing or revivifying it is to proclaim the Gospel message of salvation in Christ. Where this message in announced in its vital force and integrity, and in such a way that all its elements and practical consequences for Christian living are seen as related to its inner core of the good tidings of Redemption, misunderstandings and misconceptions about the faith, which so often accompany carelessness or indifference are dispelled in the light of faith itself, and dispelled in such a way that motives of credibility, vague and insecure in the minds of the listeners, are fortified to give a sounder and more rational basis to belief. Thus parochial mission preaching should adhere to a line of approach that is predominantly kerygmatic.

5. The missionary announcement of the Gospel must be *integral*, i.e. nothing must be omitted necessary for contemporary

---

[31] When it is stressed that apologetic conferences are not mission sermons, the utility or even the necessity of apologetics in the work of conversion is not denied. Not only pagans and non-Catholics but even careless Catholics, whose Catholicity is little more than nominal, might well need to be prepared for the reception of the good news of salvation by an intelligent conviction of the rational basis of Christianity (cf. GRASSO, *Gregorianum* [1960], p. 433-435).

[32] *Credibilité et Apologétique*, (Paris, 1928), p. 126-160.

man to reach salvation, nothing suppressed which is necessary for the glorification of Christ, the Redeemer, in the modern world.

It must, therefore, take account of the development of the primitive deposit, while recapturing or preserving the spirit of the preaching of the Apostles. For example, modern times have witnessed a phenomenal growth in devotion to the Mother of God, together with an extraordinary development of doctrine concerning Her role in human salvation. Consequently, modern missionary preaching must endeavour to bring out the richness of the *kerygma* by stressing the role of Mary in Redemption. For this it is necessary that sermons about Her should be devotional, indeed, but also full of doctrinal content.

Likewise it will be remembered that neither the glory of Christ nor human salvation is served by omitting or passing lightly over points of doctrine or moral that are unpleasant to modern ears or seem out of date in the mental and moral climate of the present century. Thus missionary preaching must speak of unpleasant as well as of pleasant things — hell and eternal damnation as well as heaven; self-denial and the acceptance of the Cross as well as the dignity of grace; the evil of abusing marriage as well as the sublimity of the married state. In nothing, however, must it move away from the word of salvation, delivered to us by the Divine Word Incarnate, crucified to rise again and reign eternally in the glory of the Father, to come at the end of the world to consummate His Kingdom and judge all men.

6. Though missionary preaching should never be merely on a social or political level, or even a formal presentation of the Church's social teaching, the missionary must have a lively sense of the contemporary social and political world, at least in everything that has an impact on the Gospel message. If he does not know the problems of those he addresses, it is scarcely possible for him to proclaim the Gospel in such a way that it appears as the ultimate solution of all human misery and unhappiness, even though the solution it brings is always on a super-political or super-social plane.

7. As has just been implied, consciousness of the power of the Gospel to heal the ills of society by healing the ills of man,

where they are deepest, and by fulfilling his profoundest aspirations, should never lead the preacher to descend to any level below the entirely supernatural one of Gospel realities. The object of preaching is to give men Christ. To achieve this the Gospel preacher must know men in their concrete conditions, and he must know Christ: but once it is achieved the power of the Gospel to remedy the ills of society will exert itself. It would be a betrayal of the Gospel message to proclaim it as a panacea.[33]

8. Fidelity to the primitive *kerygma* demands that it be clothed in contemporary language and adapted, without losing any of its essential content, to contemporary attitudes and habits of mind. On the one hand, the Gospel message has a vastness that no human mind can ever comprehend: on the other, it needs to be re-expressed simply, tellingly, effectively, so that men of every age, condition, and place will assimilate its content and assume its pattern of thought.

9. Preaching the Gospel, though it can of itself and often does produce many of the dispositions necessary to receive it, requires in many cases a great deal of preliminary work which will remove obstacles to its acceptance. Thus there must be visitation, sometimes, in impoverished regions, social services, talks on apologetical or social questions, but it would be a fatal mistake to postpone the great work of preaching till all this is done.[34] In general, the two should proceed simultaneously, and, in what concerns social betterment of the masses or contacting men in their environment, the co-operation of the laity is essential. In some cases it may be possible to give the Gospel only to selected groups, who will spread it to others, acting as a leaven in the society in which they move.[35]

(b)   *Catechetical or instructional preaching*: It is not sufficient for men to accept the good news of salvation in Christ. They must

[33] Cf. the remarks of CARDINAL NEWMAN on the faulty tendency in Protestant preaching to preach conversion rather than Christ Who is ready to pardon - « the true preaching of the Gospel is to preach Christ » *Lectures on Justification* (London, 1891), p. 325.

[34] Cf. SUENENS, *The Gospel to Every Creature* (Mercier Press, Cork), ch. 2.

[35] Cf. HITZ, *L'Annonce Missionaire* p. 255-258.

be grounded in its implications, and so more formal and systematic instruction is necessary either before or after Baptism. This aims at conserving the faith already received, and at nourishing and developing it. Thus Christian preaching, besides its missionary or kerygmatic phase, has a further phase which is catechetical and the natural complement and completion of the kerygma (hence the aptness of the mission (morning) instructions along with the mission (evening) preaching).[36]

The indispensable place, function and nature of catechetical instruction has been clearly indicated by St. Pius X in his encyclical *Acerbo Nimis* « On the Teaching of Christian Doctrine ».[37] Repeating the injunction of Trent and of Benedict XIV in the constitution *Etsi Minime*, that the pastor besides preaching on the Gospel must teach the rudiments of faith and the divine law to those who need such instruction, he insists that the Gospel homily cannot take the place of catechetical instruction, for the former « is addressed to those who should already have received knowledge of the elements of the faith ».[38]

Apostolic writings make it evident that some such systematic instruction was given to converts,[39] and was termed *catechesis*[40]: *catechism* (as distinct from *catechesis*) was instruction given after Baptism,[41] but came gradually to have its modern meaning of a book containing, especially, elementary instruction in the truths of faith.[42] More ordinarily the term *catechesis* indicated instruction given by way of question and answer, the question arising out of the previous answer and vice versa. For practical purposes

---

[36] For the importance attached by S. Alfonsus to the morning instruction in the parochial mission scheme see the various texts collected and commented upon by Fr. P.A. MAZZONI in his doctoral dissertation - *Le Missioni Popolari nel Pensiero di Sant'Alfonso Maria Liguori*, (Padua, 1961), p. 40-51.

[37] 15 April, 1905, AAS 37 (1904-5) p. 613-625.

[38] See COLLINS S.S., *Teaching Religion* (Milwaukee, 1953), p. 380. He gives in full an English version of the Encyclical as well as one of the Decree *Provide Sane Concilio* of 1935 and of the allocution of Pius XII Oct. 14, 1950; see p. 376-396. GASPARRI gives the text of *Acerbo Nimis* in his *Fontes* v. 3. (Rome, 1925), p. 647-655.

[39] See for example Gal. 6: 6; 1 Cor. 14: 19; Acts 18: 25.

[40] Cf. G. BAREILLE in *Dictionnaire de Théol.Cath.* 2. 2. c. 1877-8.

[41] MANGENOT, ib. col. 1895.

[42] Ibid.

we use the term *catechesis* or catechetical instruction, teaching, or preaching, to indicate a systematised body of truths, dogmatic and moral, purporting to amplify, illustrate and apply the primitive apostolic preaching or kerygma. Primarily the term applies to the more elementary instruction in connection with Baptism: we can, however, extend it not only to instruction on moral obligations (*parenesis*) but also to more advanced religious instruction (*didascalie*).[43]

It is obvious that catechesis has an essential relation to the kerygma which it is meant to explain and amplify. Therefore it should retain a kerygmatic character and orientation.

Such an orientation is seen in the tendency of the classic catechisms to expound the dogmatic part of Christian teaching by explaining the *Apostles' Creed*. Historically this is accounted for by the fact that, as recent research seems to show, before a convert was baptized he had to profess faith in Jesus Christ, the Redeemer, as an essential condition for its fruitful reception.[44] Since, according to Our Lord's injunction, the sacrament was administered in the name of the Three Divine Persons, a profession of faith in the Holy Trinity was also required. From these two professions of faith, Christological and Trinitarian, was evolved the Apostles' Creed.[45]

The Creed, in fact, is a masterly statement of God's redemptive love, manifested in the Incarnation, Death and Resurrection of His Son, and in the vitalising Descent of the Holy Ghost on the Church. In it we profess our faith in the Divine Persons precisely as They manifest Themselves in the history of God's dealings with the human race and of human salvation — the Father, as the Creator, the Son, as the Redeemer, and the Holy Ghost, as the Sanctifier. Moreover this Trinitarian and Christological profession of faith explicitly professes belief in the return to God in the Resurrection of the just and life eternal (cf. S. Thomas, 2ª. 2ᵃᵉ. q. 1, a. 8).

---

[43] For these terms see HITZ, l. cit. p. 72.

[44] Cf. CREHAN, S.J., *Early Christian Baptism and the Creed* (London, 1950), p. 7-35.

[45] Ibid. p. 131-144: note how these professions of faith, together with the Creed are preserved in the modern ceremonies of Baptism.

Hence the great catechists of the Patristic epoch have made the Creed the basis of their catechetical writings, which serve as an admirable guide to century old tradition in the matter of imparting systematic instruction in the rudiments of the faith. From St. Cyril of Jerusalem we have some twenty-three *catecheses*, fourteen of them being on articles of the Creed.[46] St. Augustine's *De Catechizandis Rudibus*[47] is a priceless work on the methods and art of catechizing, written in response to a request from a friend called Deogratias, a deacon. It contains in the second part two models of instruction in Christian doctrine.[48] In these instructions the kerygmatic note is very evident: the Redemptive Incarnation is the central point, proposed in an historical context, and everything is seen to move towards the final consummation on the Last Day. According to Christopher[49] Augustine's work is the basis of all subsequent works on catechetics, so sound are the pedagogical and psychological principles on which it is based.

A fully systematized moral catechesis did not have a distinct place in that of the Fathers, though much moral doctrine, especially concerning the theological virtues and conversion, is inculcated in their exposition of the Creed or Christian kerygma, and their writings are full of moral exhortations, to say nothing of treatises on particular points.[50] However, speaking of the Descent of the Holy Ghost in his model instruction in *De Catechizandis Rudibus*, St. Augustine opened the way for the subsequent practice, general if not universal in modern catechisms, of expounding the bulk of moral teaching according to the decalogue. He pointed out that the indwelling of the Holy Spirit makes the observance of the law, not only not burdensome, but something full of joy — *non solum sine onere, sed etiam cum iucunditate legem possunt implere*, and adds that His law was given to the Jews in the precepts of the decalogue, which are reduced to the fundamental command-

---

[46] PG. 19, c. 351-703.

[47] PL. 40, 309-348. There is an English version in ACW n. 2 with annotations, by Rev. Jos. CHRISTOPHER, entitled *The First Catechetical Instruction* (London, 1946).

[48] Ch. 16-25: 26-27.

[49] L. cit. p. 8.

[50] For example St. GREGORY OF NYSSA - *De Virginitate* (PG, 46, 318-345); S. AMBROSIUS, *De Officiis Ministrorum* (PL, 12, 25-187).

ments of love of God and love of our neighbour (ch. 23, n. 41: see Christopher l.cit., p. 5).

The counter Reformation brought forth the great catechisms of St. Peter Canisius and St. Robert Bellarmine, and the *Catechism of the Council of Trent,* often called the *Roman Catechism.* This latter is the standard catechism of the Catholic Church, as is clear from the intention of the Council in ordering its composition as a manual for the guidance of parish priests in instructing their flocks (Sessio De Ref. iv c. 7), as well as from papal directives that it be used as basis for adult catechetical teaching.[51]

This famous catechism is strongly kerygmatic in tone and arrangement, proceeding as it does, first to explain the articles of the Apostles' Creed with a wealth of Scriptural illustration and quotation and in such a way as to bring out the central character of the mystery of the Incarnation and the life-giving power of the Resurrection: then going on to speak of the Sacraments as sources of life in Christ, deriving their efficacy from His Passion which they commemorate in such a way as to impart grace and point to future glory, at the same time uniting the faithful who use them in the bonds of a common religious profession in the unity of faith and charity: having placed us firmly in a Christological perspective, the norms of Christian living are then explained according to the decalogue, with emphasis on the cardinal point that they can be observed faithfully only by that fervent love, poured out into our hearts by the Holy Spirit, in answer to our prayers: finally, the Godward direction in and through Christ of the life of grace is brought out once more by a section on prayer, expounding the petitions of the Our Father as the perfect example of prayer in Christ.[52]

Adherents of the modern catechetical and liturgical movements have criticised many modern catechisms and catechetical methods as being insufficiently evangelical and kerygmatic, out of full

---

[51] Thus S. Pius X, *Acerbo Nimis* 15 April 1905, which injunction is repeated in the decree - *Provido Sane Concilio* - Jan. 12 1935 - under Pius XI.

[52] A most readable translation of the whole work has been made by J. McHugh, O.P., and C. Callan, O.P. (reprinted in 1945).

harmony with apostolic and ecclesiastical tradition. According to those complainants, such manuals of instruction may be and usually are excellent in their clear, accurate presentation of individual points of dogmatic or moral teaching, but do not present them in the full light of the Christian *kerygma* which would show them to be so many facets in the great message of life and salvation in the Risen Christ. Thus each truth or moral obligation is isolated from its background, or is presented negatively and defensively. One result of all this is that faith does not fully appear as a living adherence to the Word of God in Christ, and so is not sufficiently emphasised as « the beginning, foundation and root of all justification ».[53]

In line with the above criticism, it has been alleged that the moral part of much catechetical instruction is too much like merely « baptized » ethics: though love of God is mentioned as the great commandment and the motive of all our obligations, the latter are not properly presented as norms of Christian living or as guides to living in Christ: they are not seen to flow with a certain connaturality from our membership of the Mystical Body. The critics require more than a passing mention of or occasional allusion to the fact that love of God and our neighbour are the whole law; they wish to see this fully treated and each particular obligation presented in its relation to supernatural love.

Maybe such criticism sometimes exaggerates. Certainly great teachers and catechists of all ages have been alive to its necessity, often more so than appears at first glance.[54] Nevertheless, full fidelity to the norm laid down by the Church in making the

---

[53] Thus, for example, ARNOLD in his various works, vg. *Dienst am Glauben* p. 26 ss, p. 53-79; similar criticism has been made by F. SHEED in his lecture, *Are We Really Teaching Religion?*, though his approach is not so explicitly and fully kerygmatic.

[54] See for example the advice of ST. ALPHONSUS to the catechist of Christian morality — « the love of God must be made the object of frequent exhortations... For this purpose a short time must be given each day to mental prayer, and to make continual acts of love for Jesus Christ » — *Preaching the Word of God: Counsel to the Catechist* n. 4. See also his *Practical Introduction to the Decalogue*. 1. (on original sin, the fall of Adam and Redemption through Christ), and the lengthy place given to the necessity of faith in Our Lord in his instruction on the first commandment — *Instruction to the People* (in *Preaching* etc.) ch. 1, 1.

Catechism of the Council of Trent the standard or basis is sometimes lacking: there is too desiccated a presentation of the matter, the teaching lacks life and unction because it has come partially loose from its Scriptural moorings, and moral obligations are given too much as if they were merely conclusions of natural ethics. Those defects are not remedied, except very imperfectly, merely by the insertion of sections on grace and the Mystical Body.

It is certainly for the Christian teacher a matter of obligation to compare our catechisms and catechetical methods with the standards laid down by the Holy See, and to keep our popular teaching in line with the guidance of the *magisterium* and the vitalising return it has encouraged to Christian sources — always, of course, subjecting our personal judgment of what is required in the matter of change and improvement to that of episcopal authority.

The recent appearance of a new *Catholic Catechism*[55] sponsored by the German bishops may well introduce a new epoch, and the work itself, even where it is not adopted, deserves serious study as a venture in a more kerygmatic presentation of the Christian catechesis.[56] It returns largely to the method of presentation of the *Catechism of the Council of Trent*, the mystery of the Holy Trinity and Redemption (part 1) and the Church and the Sacraments (part 2) being explained in the context of the Apostles' Creed: part 3 is « of life according to the commandments », emphasis being laid at the beginning and all through on the fundamental commandment of charity: part 4 treats of the last things or the final triumph of the Kingdom of God and the transformation of the visible world.[57]

---

[55] Translated into English (Herder, New York, 1947).

[56] See FR. JUNGMAN'S account and evaluation of it reproduced in *The Furrow* (1956), p. 345-354.

[57] Further suggestive ideas are found in HOFINGER, *The Art of Teaching Christian Doctrine* (Notre Dame, Indiana, U.S.A. 1957), LEAN, *What is Education?*, (Dublin, 1943), chs. 7 and 8 (he gives his ideas on a Christological and Christocentric catechism on p. 162 ss). LIÉGÉ, *Pour une catechèse vraiment chrétienne*, in *Supplément de la Vie Spirituelle* (1957). 3. p. 271-290 (he thus formulates his approach - «the Word of God to Which we adhere by faith in Jesus Christ in His fullness »), Jos. COLLINS, S.S., *Teaching Religion* (he discusses a living Christocentric presentation

(c)   *The homily (sermon or preaching in the strict sense)*: That bread of life which is the Word of God is not only to be proffered to the non believer, and broken up for children and the uninstructed: along with the Holy Eucharist and the other sacraments, it is the property of the people of God, and the visible sign of their communal faith in Christ. It has, therefore, an indispensable place in Christian worship. The pastor or priest who, as the sacrificer in the New Law, draws the Christian people into the unity of the Christian sacrifice is, in that very fact, charged with the office of communicating to them the mystery of truth or the Word of life. The pastoral character of this office is well brought out in can. 1344 — « diebus dominicis ceterisque per annum festis de praecepto *proprium cuiusque parochi officium* est, consueta homilia, praesertim intra Missam in qua maior soleat esse populi frequentia, verbum Deo populo muntiare » (1: par. 2 of the same canon goes on to say that the parish priest cannot habitually leave this office to somebody else, unless for a grave reason approved by the Ordinary).

The connection of the sermon with public worship, and hence the pastoral character of the liturgy, is indicated, as well as in the above cited canon, by can. 1345 recommending (*optandum*) that at all public Masses on days of precept, in churches and public oratories, there be a brief explanation of the Gospel or of some part of Christian teaching.[58]

That in the mind of the Church there is a distinction between the typical Sunday sermon or homily and catechetical instruction is also obvious. Benedict XIV distinguishes with the Council of Trent[59] two duties of pastors — to preach to the people, and to instruct the young and ignorant in the elements of the divine law and faith.[60] Commenting further on this distinction St. Pius X

---

p. 346-371). A recent (1958) manual for the instruction of adults along kerygmatic lines is the excellent *Life in Christ* by Frs. J. KILGALLEN and G. WEBER (Chicago, 1958).

[58] The Ordinary can make this of obligation even in churches of exempt religious (ibid).

[59] Sessio. V. c. 2, *de ref.*; Sessio. XXIII, c. 8; Sessio. XIV, c. 4 et 7, de ref.

[60] *Etsi minime* - GASPARRI, *Codicis Juris Canonici, Fontes* v. 7 (Rome, 1924), n. 324-5, p. 716.

says that the homily is as bread given to grown — ups, while the catechetical instruction is as milk given to new born infants.[61]

It emerges, therefore, that the sermon or homily, which is preaching in the proper sense, is an explanation of the Gospel given to those who already believe and have received a grounding in Christian doctrine. Its purpose is to remind them of what they believe, but with the more immediate view of applying and illustrating it, and of drawing from it suitable exhortations for the practice of virtue and the leading of a Christian life. Thus it is *kerygmatic* in so far as it recalls to mind the Christian message, *catechetical* in so far as it explains any points of doctrine having a bearing on the exhortatory aim of the preacher, or necessary for the special lesson to be learnt (for example, as suggested by Gospel reading of that day), *exhortatory* in so far as it must give the listeners an incentive to put that lesson into practice. As the Uncreated Word Himself, Whose reflection it is in the living word of faith, the sermon must breathe love — but love that springs spontaneously from doctrine livingly presented.

The homily is, and has been from the beginning, an indispensable instrument of the *magisterium* in keeping the mystery of Christ before the minds of the faithful, deepening it as a living reality in their minds, and implementing it in their lives. To proclaim this mystery within the Church itself to the initiated belongs exclusively to the priest as pastor or in some pastoral capacity — because he alone breaks to the people the sacramental bread of the Holy Euchaist from which the breaking of the bread of truth is in intimate dependence. As P. Roguet, O.P., puts it, « the pastor is the "dispenser of the mysteries of God" in a twofold sense; he announces the mysteries while he celebrates them.» Thence he derives this definition of preaching in the proper sense — « a proclamation made in the Church by a priest who has received a mission, but made in such a way as to be intimately bound up with the mystery of Christian worship ».[62]

---

[61] *Acerbo nimis* GASPARRI v. 3 (1925), 666. 12. p. 651.

[62] *Les Sources de la Predication* in *Le Prêtre Ministre de la Parole*, (Paris, 1955), p. 98. Thus in the ordinarion rite the preaching function of the priesthood clearly appears as part of its liturgical and sacramental nature - « sacerdotem oportet offerre, benedicere, praeesse, *praedicare*, et baptizare ». *Pontificale Romanum.*

422

There is every reason to think that this beautiful and suggestive blending of sacramental and liturgical worship with the preaching of the Word of God to the faithful, such as is above all exemplified in the public Mass on Sunday, is according to the express will of Our Lord. « When He Himself offered this unbloody sacrifice for the first time..., the decisive words « this is My Body... This is the chalice of My Blood » were framed in a rich setting of teachings, encouragements, consolations, exhortations ».[63] There is no doubt that such also was the practice of the Apostles (see for example Acts 20, 7-12), and we can take it that the epistles of St. Paul and those of the other Apostles, written as they were to believing Christians, contain the substance of the discourses they were accustomed to pronounce, whenever the faithful gathered around them for divine worship.[64]

The last words penned by the great Apostle of the Gentiles were to his beloved Timothy, and they not only insist on the obligation of the evangelical worker to preach incessantly, but also lay down the lines such preaching should follow. « I abjure thee before God and Christ Jesus Who is to judge living and dead, by His appearing and by His kingdom: preach the word, be urgent in season and out of season, reprove, rebuke, exhort, with all long suffering and instruction » (2 Tim 4, 1-2).

In obedience to a divine injunction, and according to a usage that is traditional and apostolic, there has grown up in the Church that magnificent collection of patristic homilies, of Origin, S. John Chrysostom, S. Augustine, S. Gregory the Great, and so many others, which breathe the spirit of the Word of God, embedded in public worship and which are the standard and classical models of pulpit eloquence, whose power is not in the captivating words of human wisdom, but in the Spirit (cf. 1 Cor 1, 4).[65]

---

[63] A. BEA, S.J., in *Worship* Nov. (1956) p. 635.

[64] To preaching in the full and proper sense pertain not only the homily, which is most appropriately delivered during the public Mass on Sunday, but all sermons delivered primarily with a view to edification rather than conversion: vg. at the regular evening devotions, on special occasions, at novenas, parish of enclosed retreats, especially to priests or religious - « among the mature it is wisdom that we speak... the wisdom of God embodied in a mystery » (1 Cor. 2: 6, 7).

[65] See ST. ALPHONSUS', *Letter to a Religious on the Manner of Preaching* (l. cit.) St. Alphonsus', *Sunday Sermons*, called by CARDINAL NEWMAN « plain practical, awful

Points on preaching from the allocution of Sept. 14, 1956 *(AAS v. 48 p. 699-711)*: this was delivered by Pius XII to the sixth national Congress on new pastoral methods. It seems primarily to refer to preaching properly so called, though much of it applies to preaching of any type. Quotations are from the translation (by Fr. H.B. Loughnan, S.P.) in *Sursum Corda* Nov. 1957, p. 577-592, 596).

a. *Preaching must reflect the personal self-dedication of Christ to spreading the Word of God*: this self-dedication is manifested in His sureness and mental security of the value of His message, in His indefatigable devotion to the souls of those to whom He preached, and in indifference to popular approval or disapproval. Such characteristics stamp His preaching with its unique character. « And may God grant... the priest to share with Christ the dispositions of soul which were obvious in His own preaching of the Word » (p. 581).

b. *Preaching must have the very contents of the preaching of Christ*. He so preached the need of man's return to God, and of a life devoted to the interests of God, as to bind man to God not only « with reverential fear in the presence of His Divine Majesty », but also « with absolute trust and the supremest love of a child ». This He did by making men's hearts crave for union with Himself, so that He is the centre of all preaching. The Christian preacher must be able to say: « we preach Christ crucified » (1 Cor 1, 23), « we preach Jesus Christ and not ourselves » (2 Cor 4, 5) (p. 582).

c. *Preaching themes are those given to us in the Gospel*

---

preaching upon the great truths of salvation » (*Apologia* p. 184 ed. Everyman), are, allowing for the fact that since his time so much has been done to recover a more living and unified presentation of the Gospel message, models of the popular, evangelical approach that should characterise the homily or sermon on the Gospel. The sermons of Cardinal Newman, for example his *Parochial and Plain Sermons*, breathe a supernatural and Scriptural atmosphere difficult to parallel outside the patristic homilies (cf. Fr. M. WILLAM, *John Henry Newman, der grosse Kerygmatiker* in *Theologie und Glaube* [1957] p. 365-374).

In a series of volumes being published currently Dr. M. TOAL is making available for priests typical patristic homilies, as sources for modern preaching - *Patristic Homilies on the Gospels* (vol. 2 goes to the first Sunday after the Ascension) (Cork, 1955, 1958).

itself. Besides the central Gospel message concerning His own mission, together with those things which promise or guarantee our future resurrection and life eternal, such as the Holy Eucharist, Christ preached, and following His example the pastor must preach, on the duties of a Christian. « Absolute priority is given to the duty of praying. (Then come others) — the duty of being humble in one's own self-appreciation and outward conduct: of crushing one's pride and arrogance: the duty of sacrificing and denying the urge of self-will, — of controlling one's passions, — of carrying one's cross and following the Crucified: the duty of pressing forwards towards perfection: the great commandment to love one's fellow, a duty which is second only to that first and greatest precept of loving God: the duty of submission to the Church and its God-given authority: of observing the sanctity of marriage: the fact and doctrine that virginity is a higher state than marriage: the doctrine that God judges and gives his deserts to every man for his every deed: that God's Mercy is inexhaustible in willingness to cancel both the guilt and the penalty of sin right up to the time of death.» (582-3).

d. *Preaching must be contemporary.* Both from the point of the modern world and from that of the living *magisterium*, the preacher must show himself in touch with the present century.

From the first point of view, « the findings of modern science, of art or of modern technique may have a bearing on a man's attitude to the purpose for which life has been given him; on his morals; on his practice of his religion. Where this is the case, then a pastoral priest can and ought to be scientifically equipped for dealing with this influence. For example, (he should know) whether a scientific theory or practice arising out of it, is acceptable from the religious or moral aspect. What may and what may not be admitted? Has it any bearing on religion or conduct? (p. 588).

From the second point of view, « the necessity is now the same, and even greater for the « modernizing » (we would use the word « adapting ») of pastoral work in its relation to the preaching of the Church (the *magisterium ecclesiasticum*), just as it is for a modernizing of this same pastoral work, in relation to the science of modern times » (ibid.).

e. *The contemporary character of preaching is assured by the preacher making and maintaining contact with the living magisterium.* « The Church has for her arms the weapons that Christ has given her, — the « Truth of Christ » and the Holy Spirit. Thus armed she has her hand on the pulse of the times, and the faithful should have theirs on the pulse of the Church if their standards of judgment are to be sound. Given this they will have the right guiding principles for correctly diagnosing the evils of their own age and foreseeing the eternal results of the remedies they now propound » (p. 588-89).

Knowledge on the part of preachers of the Church's official attitude on the religious and moral aspects of modern problems will help modern science to remain within proper bounds, that is on its proper territory, maintaining thus its « independence... from outside control, so long as it does not encroach on the territory of religion or morals, and does not deny that the purpose of human life is a supernatural one.» (p. 588).

Furthermore, such fidelity to the magisterium is necessary to avoid anything in the pulpit that is tainted by modern aberration on matters of faith and morals, and to make full use of the advances in modern research in exegesis and Christian origins, and to place them at the disposal of the spiritual life of the faithful.

Thus the Holy Father warned against the « new theology », which under the pretext of « adapting itself to the modern age, and making it easy and natural for the Catholic scientist to be a Catholic, was in reality « reconstructing (the orthodox position), — suppressing here and changing there: ...softening down the rigid changelessness of metaphysical principles: making our precise dogmatic definitions more pliable: revising the meaning and extent of the supernatural and its inner structure... remodelling and making more compatible with modern thought and outlook the doctrine of Redemption and the nature and effects of sin... A similar movement started in the field of exegesis. Here... they were for adopting the principles and findings of the profane

426

sciences... Amongst those movements needing to be carefully and critically watched » is also the « New Morality »... This system of « new » thought dominates the minds of quite a number of people..., and its dangerous elements escape notice » (p. 588-89).

Concluding with the wish that his hearers will be, as it were, « the yeast of salvation for all the modern world » (p. 596), the Pope stated that they will be so « in the measure in which under the guidance of our Holy Mother the Church, you are permeated with the vigour of the Eternal Word » (ibid).[66]

xi. *Sources of Preaching.*

What these sources are is already sufficiently clear from the nature of the case, and is confirmed by what Pius XII has said of the need of preaching as Christ preached, and of preaching in such a way that the message of Christ is brought home to the world of the twentieth century. Therefore, if the Scriptures are to be the basis of all preaching, it must not be forgotten that the words of Holy Scripture live and have their effectiveness in the heart and mind of the Church. Accordingly, the mind of the preacher must be filled with knowledge of the sacred pages, his heart inflamed with the love of the supernal truth they convey, and that same mind and heart must be attuned to the mind and heart of Holy Church, as she communicates to and interprets for modern man the unchanging Word that is incarnate within her. His fundamental sources are, then, Sacred Scripture and the mind of Holy Church, whence he draws himself of the fullness of the mystery of Christ, and whence he communicates it to others.

The Encyclical — *Divino afflante Spiritus* [67] — says : « Priests, therefore, who are responsible for the eternal salvation of the faithful, having themselves perused the sacred pages with diligent study and assimilated them with prayer and meditation, should earnestly pass on the sublime riches of God's word in sermons, homilies and exhortations. They should confirm christian teaching

---

[66] For a masterly presentation of the kerygmatic content and structure or form of Christian preaching one should consult the book of Fr. V. Schurr, C.SS.R., *Wie Heute Predigen?*, (Stuttgart, 1949).

[67] Sept. 3. 1943. AAS 35 (1943) p. 297 ss.

by quotations from the Sacred Books, illustrate it with examples
from sacred history, especially from the Gospel of Christ Our
Lord, and — avoiding attentively merely personal and far-fetched
accommodations that are an abuse and not the proper use of the
divine word — propose it so eloquently and with such compelling
clarity, that the faithful will be moved and inflamed not only to
conform their lives to the Sacred Scriptures but also to conceive
for them a profound veneration.» [68]

If they are to follow the above direction, preachers must have
considerably more than a mere material knowledge of individual
texts or even the whole Bible. They must know from the inside,
so to say, the mind of the inspired writers and still more strive
to know the mind of the Holy Spirit Who inspired them. They
must see everything as related to, and expressing the Christian
kerygma. Then only will they really be able to proclaim that
kerygma itself in all their sermons and expositions, which is a
very different thing from merely being able to draw on it for
the text they need for the individual theme they are handling.
The Scriptures, taken in their wholeness, give a living synthesis
of sacred doctrine, expressed in the historical framework of
God's dealings with mankind. They move from the types and
figures of the Old Testament to the realities of the New: and the
very realities of the New Testament look for their further
consummation in the final state of the Kingdom of God. In the
New Testament itself there is a movement of development, even
at times within the same gospel or epistle, as, under the guidance
and light of the Holy Spirit, the human writer sees more and
more deeply into the mystery of salvation in Christ.

This all amounts to saying that the preacher must strive to

[68] « Sacerdotes igitur, quibus aeternae salutis fidelium procuratio commissa
est, postquam sacras paginas diligenti studio ipsi perquisierunt, suasque precando
meditandoque effecerint, supernas divini verbi opes sermonibus, homiliis, exhortatio-
nibus sedulo promant; iidemque christianam doctrinam sententiis ex Sacris Libris
haustis confirment, praeclaris exemplis e sacra historia, ac nominatim e Christi
Domini Evangelio illustrent, atque haec omnia — accommodationibus illis, privato
arbitrio inductis et ex rebus longe alienis expetitis, quae quidem divini sermonis
non usus sed abusus est, studiose diligenterque vitatis — adeo eloquenter, adeo
dilucide clareque proponant, ut fideles non solum ad vitam recte conformandam
moveantur et incendantur, sed summam etiam animo concipiant Scripturae Sacrae
venerationem » (l. cit., p. 320-321).

assimilate the biblical theology of the sacred writers, so that he can unfold the word of salvation to others as God has unfolded it to man.[69]

However, let it be repeated once again, Sacred Scripture has its life as a living voice only when it comes to us from the very heart and mind of Holy Church, transmitting its contents from age to age, expressing them and re-asserting them in precise formulations that reflect the mentality of succeeding generations, applying them to solve the moral problems that arise with the course of time. Accordingly the Bible cannot be really and fully effective as a source of preaching outside the context of the teaching authority of the Church, and outside the framework of the sacramental ministry and devotional life of the faithful.

This means, of course, that the preacher must know the pronouncements of the *magisterium,* not only that he may say nothing in any way out of harmony with the living voice that ceaselessly proclaims revealed truth, but also that he might draw on it for the right understanding and interpretation of the sacred pages of Scripture, together with the correct application of their teaching to contemporary conditions. On the other hand, it does not mean that the language of the pulpit has to be the formal, technically precise language of dogmatic definitions or the carefully weighed expressions of official pronouncements on matters of doctrine or morals. If the preacher seeks only to reproduce or translate literally the words and phrases of the official documents of the Church, he will achieve accuracy and precision, but his

---

[69] In the modern concept, the work of the biblical theologian is not the employment of Scriptural texts to prove various dogmas of faith, which is a function of positive or polemical theology, but rather « the effort of the mind to scrutinize and co-ordinate the body of truths contained in the (written) Word of God » BRAUN, O.P., in *Rev. Thom.* (1953) p. 221. See also SPICQ, O.P., in *Rev. des Sciences théol. et phil.* (1958) p. 209-219 and *Theology Digest* (1959). 1. p. 29-40, LYONNET, S.J., in *Verbum Domini* (1956) p. 142-153, McKENZIE, S.J., in *Proceedings of Tenth Theological Convention of America* (New York, 1958), p. 48-72. The immortal classics of Christian preaching so assimilate the substance of the revealed message that their authors are seen to think, as it were within the minds of the inspired writers, giving us a supremely individualistic and personal exposition of revealed truth firmly and unalterably rooted in the sacred pages. Thus the sermons of ST. AUGUSTINE, *Enarrationes in Psalmos, Tractatus in Ioannem etc.,* and Cardinal Newman.

voice will be no more than a mechanical echoe of that of the magisterium, not the living communication of the substance of its teaching in concrete and intelligible words, capable of enlightening the minds and warming the hearts of the ordinary people (St. Augustine puts it, the Christian orator must aim at persuading his audience by endeavouring to instruct it, to please it, and to sway it — « ut doceat, ut delectet, ut flectat » (*De Doctrina Christiana* l. 4, ch. 17). The language of the pulpit is, therefore, the living, concrete language of everyday life.

The people who heard the preaching of Christ and the Apostles heard them speak in popular images and examples, illustrating their doctrine with events of everyday life and with stories drawn from their own daily cares and occupations; for example, the parables of the sower sowing his seed, the wise and foolish virgins, the housewife with the three leavens of meal, and so many others. Embedded in such simple, homely tales was the great and sublime story of God's redemptive Love for mankind — a story enshrined immortally in the New Testament, which tells of the Conception, Birth, Death and Resurrection of Jesus Christ, and of the Sending of the Holy Spirit on the Church.

God, indeed, has revealed Himself in those salvific events which are the mysteries of our salvation: it is by knowing events in that significance apprehended by faith that God wills the faithful to know Himself, and that is why they have lived on in the Church in her sacramental life and corporate worship. That is why the Liturgy, first of all, and then the interior life of the people of God manifested in their outward devotion and piety are the living expression of the *mystery of Christ,* that from which the preacher must learn to communicate that mystery more and more to his hearers. In this way most of all, guaranteed in its essential fullness, the Word of God lives on in the Church, making contact with that same Word enshrined in Sacred Scripture, while the unity of the faithful humbly submitting to the guidance of the *magisterium* proclaims that « a great prophet hath arisen among us and God hath visited His people » (Lk 7, 16).

The message of the New Testament prolonged in the sacred Liturgy becomes the essential object of Christian preaching, so that along with Scripture the Liturgy becomes a main source of preaching itself, in such a way, indeed, that they are one adequate source rather than two: for in both places we are confronted with the same Incarnate Word of God sanctifying His people.[70] When the preacher expounds the mystery of Christ as accomplished in Christ Himself he draws mainly on the Scriptures; when he expounds that same mystery communicated to and accomplished in His members he draws also on the Liturgy.

The Liturgical cycle is consequently an immediate source for the living presentation of Christian truth, and should be with the New Testament the principal inspiration not only of the Sunday homily, but also of the missionary proclamation of the *kerygma*, for as the first disciples were converted by personal contact with the Word in His visible Humanity, the modern unbeliever must be converted by contact with Him in His visible Body. God with us and amongst us, in being the object of all preaching, is, at the same time, the magnet drawing all men to Himself (Jn 12, 32).[71]

To return to the Sunday homily, it can, by following the liturgical cycle, keep ever fresh and present in the minds of the faithful the good news of salvation, drawing therefrom the necessary practical lessons for the Christian life, by adapting itself to the season of the Church's year. Advent is the time to lay special stress on the Second Coming of Christ, which is then being prepared for and is, by a certain anticipation, already present. This Coming is the completion and fulfillment of the First Coming, which, as the beginning of the whole work of Redemption to be consummated at the end of ages, the Church re-lives from Christmas to the Epiphany. The Coming of Christ would mean nothing for our salvation if there were no Passion, Death and Resurrection, prepared for in the penitential days of Lent and celebrated during Holy Week and from Easter to Pentecost, when the Descent of the Holy Ghost makes us living

---

[70] Cf. ROGUET in *Le Prêtre Ministre de la Parole*, p. 97-114.

[71] In their brochure - *Missions Paroissales et Liturgie* (Bruges, 1957) - Frs. E. KRETZ and P. HITZ, make interesting suggestions for a liturgical presentation of parochial mission themes, while FR. HOFINGER and others have stressed the value of the Liturgy in the conversion of infidels. Cf. *Worship -the Life of the Missions,* (Notre Dame, Indiana, 1958).

members of the Body of Christ. In the filial docility given us in the Divine Spirit we submit our minds and hearts to the illuminating and heart warming Word of Christ, full of so many suggestive exhortations and lessons in the gospels and epistles for the Sundays from after Pentecost till Advent.

The ceaselessly repeated celebration of the same mysteries, year after year, is not a matter of wearying routine, but has an unalterable freshness from the mystical presence of the mysteries themselves in their ever fruitful reality. These mysteries can never grow old because they are rooted in the Eternal Person of the Word Incarnate, and perpetually call on the faithful to lay aside more and more effectively the old man of sin and put on the new man in justice and holiness of truth. The vitalizing lessons they proclaim can always be related to the circumstances of time and place, always be invoked to provide solutions for the basic problem of the Christian man to live completely in Christ, a problem that diversifies itself according to the characteristic dangers, ideas and currents of particular societies or environments.[72]

Particular feasts are Holy Church's way of giving us concrete lessons, in terms of flesh and blood, in Christian doctrine and morality. Those, for example, of Our Blessed Lady portray her as a model of purity, humility, show her in the actual fulfillment of her mission as Mother of men and co-Redemptress, as the source of love of Christ, confidence in His mercy and hope of a glorious resurrection (the Assumption). To assimilate the lessons of her feasts is to assimilate the Christian life itself, and to bring it into the daily living of our own lives according to our chosen state. The recently established feast of St. Joseph the Worker is Church's way of teaching the dignity of human labour and the importance of the vocation of the ordinary man or woman who, though toiling at tasks unnoticed by the majority of their fellows, are, in that, like the Holy Family at Nazareth whose Members

---

72 Cf. ROGUET, l. cit. p. 108 and the striking passage in *Mediator Dei* (20 Nov. 1947), describing the liturgical year not as a cold and lifeless representation of the past, but as Christ Himself continuing to be present in His Church, communicating His mysteries to men as the source of divine life and outstanding models of Christian virtues (AAS 39 [1947], p. 580).

were as the members of other families, condemned to live in poverty and obscurity.

Such feasts and the feasts of the saints in general are a bridge between the liturgy and the devout interior life of the ordinary faithful Catholic. The saints are those who have led this interior life to perfection, this life which is the heritage of everybody. In their heroic virtue we see the power to sanctify of the Word of God, of the liturgy and the sacraments. They have known Christ, the power of His Resurrection, the fellowship of His Sufferings, and having become one with Him in His Death, have attained to the resurrection from the dead (Phi 3, 10-11).

Thus, if the preacher should draw on the Word of God as fruitful in the lives of the saints, he should draw on it too as fruitful in the lives of the living faithful — to show the power of the Holy Mass and the sacraments, prayer, devotion to the Mother of God, the Holy Rosary. In short, the Word of God can be made an ever more fruitful thing by exhibiting it as already wonderfully fruitful in that Church in which it dwells, as in the Body of the Word Incarnate.

To sum up, the sources of Christian preaching are those things that contain the living Word of truth — the Sacred Scriptures, the magisterium, the Liturgy, the writings of the Fathers, saints and doctors, the lives of the faithful. The great stream of Christian preaching, from apostolic times till our own, witnesses to the vitality and inexhaustible riches of the Divine Word communicated to men.

xii. *Preaching and Theology.*

Some grounding in theology, here taken to mean the systematized presentation of the body of revealed truth as it has been thought out under the guidance of the magisterium throughout the centuries, is an obvious necessity for every preacher. First such a grounding is the only guarantee that he will avoid error and achieve in his statements a nicely balanced presentation of truth, avoiding false emphasis, on the one hand, and a soft-pedalling of fundamental and important truths on the other. He will say what he has to say without understatement or exaggeration.

Furthermore, without some theology he will hardly succeed in basing *all* his sermons on solid doctrine. A sermon is a very different thing from a theological lecture, but every sermon, however practical and simple its immediate aim, must be *doctrinal* in the sense that is must contain within itself the spark that illumines while it enkindles, the true reflection of the *Verbum spirans amorem*. This doctrinal basis may not necessarily be more than a single well worded sentence which falls from the mind and heart of the preacher into the minds and hearts of his listeners, to tell and convince them why they must practise a certain devotion, avoid a certain sin, cultivate a certain virtue. Thus a sermon or sermonette on Our Lady must never sound like a wild promise of the wonderful things Mary will do for her clients, or a mere effervescence of sentiment towards her: it must contain the doctrinal nucleus of whatever promises are made, or sentiments expressed about her. Only doctrine received in living faith can be a seed from which grows the plant of living and solid devotion.

As already implied, preaching of its nature is or should be some kind of presentation of *biblical theology* (see Roguet, p. 104), but it is not a presentation of theology itself, though it can well be one of its fruits (see below). While biblical theology has in common with other branches of theological science that it is systematized, such systematization as it has is within the popular, concrete categories of thought characteristic of the inspired writers. That is why biblical theology is of itself « preachable » and need undergo only accidental alterations whether delivered in the pulpit or the classroom.

Scholastic theology, on the other hand, employs the precise terminology and rigorous categories of thought of the schoolmen, a terminology and way of thinking strange to the man in the street, and so it is not in its essence apt for immediate use in the pulpit.

Scholastic theology, nevertheless, has been and must continue

28.

434

to be held in honour in the Catholic Church.[73] Moreover, that it can and should be of service to the preacher is clear from its essential continuity with biblical theology. Like the latter, it works essentially or at least principally within the revealed deposit, reducing it to its fundamental principles and showing how they give it cohesion and unity in all its parts.[74] Accordingly it has the same subject matter as biblical theology, so that these two branches of the one indivisible science proceed hand in hand, the biblical theologian and exegete being a better tradesman in his own chosen field if he is properly formed in scholastic theology and the scholastic theologian having a deeper and clearer insight into the object of his science if he is a skilled exegete.[75]

Theology, therefore, even of the most rigorous scholastic mould, must keep in constant contact with the written Word of God, commencing therewith as with its source and returning thereto for a fuller understanding of it as its final achievement. Where this is lost sight of, we have a theology devitalised and lacking the supernatural unction so necessary for a full and *affective* understanding of the Word of God, a theology, therefore, that can be of little service to the preacher. When this is observed, we have a theology of the utmost service to the preacher, not only because it preserve the accuracy of his doctrine but also because, if it is not « preachable » in its technical and rigorous formulations, it is eminently so in its effulgence and irradiation, its full flowering, as it were, in the soul of the preacher whose preaching should be the overflow of his own contemplation, supernatural, indeed, but also theological.[76]

One cannot, then, admit the existence of a kerygmatic theology, distinct from and independent of theological science.[77]

---

[73] See, above all, the recent Encyclical *Humani Generis* of August 2, 1950. (AAS 42 [1950] p. 561-578).

[74] Thus, as recent studies of writers like Congar, Gagnebet, Labourdette, Chenu have shown, it is not primarily concerned with deducing new conclusions not in the deposit of faith.

[75] Cf. McKenzie, l. cit. especially p. 53-55.

[76] Cf. St. Thomas, 2ª. 2ae. q. 188 a 6, and the words of the First Vatican Council: « ac ratio quidem, fide illustrata, cum sedulo pie et sobrie quaerit, aliquam Deo dante mysteriorum intelligentiam eamque fructuosissimam assequitur » (Denz. 1796).

[77] Cf. Schmaus, *Katholische Dogmatik*, (Munich, 1947) i. p. 49-52, Parente,

Other things being equal, the preacher well formed in scholastic theology will, if he can leave behind him the atmosphere of the classroom or the text book, and re-express his thought in the popular language in which God Himself has given us His revelation, proclaim and expound the revealed message more effectively. The one who has eloquence or popularity of approach, but lacks precision and depth of understanding, is in danger of giving a presentation that remains superficial and, though they may not know why, unsatisfying to his hearers.

xiii. *Efficacy of preaching.*

Not even in the administration of the sacraments, perhaps, is there such a complete and perfect blending of the divine and the human as in the ministry of the Word. Human preaching is the divinely appointed means of communicating to man the revealed Word of God. This is conveyed, as it were, embedded in human speech. Bossuet has put is strikingly: « Evangelical preachers do not mount the pulpit to entertain their hearers with trivialities. They do so in the spirit with which they go to the altar, for they are going to celebrate a mystery analogous to that of the Eucharist. The Body of Jesus Christ is not more truly present in the adorable Sacrament than is His Truth in evangelical preaching ».[78]

Hence the efficacy of preaching depends, first and fundamentally, on the intrinsic power of the Word of God, and then on the degree of its presence in the human words of the preacher.

1. *Power of the Word of God in itself*: The power of the Word of God, whether written down under the inspiration of the Holy Ghost or delivered to the Church by word of mouth of Christ and the Apostles, is derived from the Word in the Holy

---

Teologia, p. 127-130, CORDOVANI, in *Angelicum* (1940) p. 13-146, HITZ, C.SS.R., in *Theology Digest* (1958) l. p. 3-7 — this is the digest of an article called *Théologie et Catéchèse* — in *N. Rev. Théologique* (1955) p. 897-923.

[78] *Sermon sur la Parole de Dieu* quoted by A. ZECH, - *Bible et Prédication*, in *La Bible et le Prêtre* (Louvain, 1951), p. 179-180.

Trinity, which is a Word breathing out love — *Verbum spirans amorem.* This Word is given to men that it might take possession of them in mind, heart and soul, that, in some measure, it might be in them what it is in God Himself. Accordingly wherever it is authentically present or proclaimed, of necessity grace accompanies, it, for without grace its purpose in being so present or proclaimed cannot be realised.

In the order of grace, the text of Isaias is beautifully fulfilled — that what comes from the mouth of God does not return to Him empty. That creative Word in whose eternal speaking the world was made (Gen 1, 3; Ps. 32, 6; Io 1, 3) and the universe is sustatned (Heb 1, 3) is the fertile seed sown by the Son of Man in the soil of human souls, yielding fruit a hundred, sixty or thirty fold (Mtt 13, 8, 23).

The connatural effect of the Word of God is living faith, generated for the first time, or nourished and increased. « He Who sent me is true, and the things I have heard from Him, those I speak in the world » (Jo 8, 26). The human words expressive of the One Word of God have no power but from it, and it is the Word Incarnate Who still speaks in the depths of souls — « one is your Master, Christ » (Mtt 23, 10).

This does not amount to saying that either Sacred Scripture or the official teaching of the Church is, like a sacrament, an efficient instrument of grace itself in the proper sense. Because, however, their contents cannot be observed or understood without light from God, one who prayerfully and attentively heeds their message will receive such light. Thus, of its nature, the Word of God is a source of grace, because grace is essential for the production of the effect it is designed to achieve. One who studies and meditates upon the words in Which God reveals His truth is like the Blessed Virgin who « stored up all those things in her heart » (Lk 2, 51), or Mary, the sister of Lazarus, who « seated herself at the Lord's feet and was listening to His word » (ib. 10, 39). His soul is precisely the good soil of the parable of the sower, producing fruit from the seed of the Word a hundred, sixty or thirty fold.

Part of the effect of the Word of God in giving us living faith is a purifying self-knowledge, for to reveal God to man is also to reveal man to himself. « For living is the Word of God, and energizing, and keener than any two edged sword, and penetrating even to the division of the soul and spirit, of joints and marrow, and a judge of the thoughts and opinions of the heart » (Heb 4, 12). Receiving the Word of God man is overcome, as it were annihilated by its tremendous power. In its light and by the force of its irrestible truth, he sees his impotence and moral imperfection, contrasting them with the immense majesty and holiness of God, before Whom « no creature is hidden », but « everything is revealed and laid bare » (ib. 13).

Through His Word, dissipating with its shattering light the darkness of his mind and purging with its fire his sensuality and pride, God, indeed, begets us (Jam 18). So perfect is this begetting in the Word of truth that it trasnforms our whole lives, giving a divine quality to our thoughts, words and actions. It is an « implanted word which is able to save our souls », so that we become « doers of the word and not hearers only » (ib. 21, 22). Inserted into the heart of man, the Word becomes an immanent principle of life, « the perfect law of liberty » (v. 25), keeping us « unspotted from this world » (27). [79]

2. *The Word of God is human speech*: The Word of God is, therefore, related to the human word of the preacher somewhat as the sanctifying power of the sacrament — *virtus instrumentalis* — is related to its matter and form. As these contain and give visible embodiment to the inflow of Christ's Humanity, so does the sermon contain the creative and cleansing power of the Word of God, and so it is a divinely ordained occasion for the giving of grace, illumining the mind with supernatural truth and inspiring the will and strengthening it to put the Gospel message into practice.

That preaching might be in reality a vehicle for the Word of God and the grace that goes with it, certain conditions are necessary.

(a)   *The primary condition* is that the preacher truly represent the Church. God's Word does not live in the pages of a book,

---

[79] Cf. D. BARSOTTI, *La Parole de Dieu dans le Mystère Chrétienne*, especially p. 59-68, 306-352.

438

even though it is inspired. It has been committed to the Church. Only the Church can authentically interpret it, transmitting it from age to age, and only the collective faith of the universal Church adequately reflects its meaning and context.

That the preacher authentically represent the Church, he needs a *canonical mission* from a legitimate ecclesiastical superior (can. 1328). Where this is lacking, as in the preaching of heretical sects, there can be a certain amount of material fidelity to the Word of God, and this fidelity can be the occasion of light and grace. Even in such a case there is some kind of dependence on the one true Church, without which there would be no Bible: moreover, in their interpretation of the Bible, in so far as it is reliable, heretical or schismatical religions depend, in spite of themselves, on the living Catholic tradition, elements of which they have preserved, but the absence of a canonical mission means that such preaching has no guarantee of effectiveness, and that, as history shows, it tends to depart more and more from authentical Christianity, and cannot produce the abundant fruits of holy living evident in the lives of Catholic saints. However, that degree of fidelity to the Word of God sometimes preserved outside the Church can be compared to a sacrament validly administered by a minister who has no external communion with the true Church of which it is the rightful property. In the one case and the other, grace can or will be given according to the dispositions of the hearer or subject, but there can never be the full fruit, possible only in the properly receptive soil of the Church of Christ.

(b)   Even where there is a canonical mission, preaching can never be fully effective unless it has a complete and positive conformity with the Word of God. *Fidelity to the Gospel* is, therefore, another and important condition of fruitful preaching. In administering the sacraments, the minister, besides having his jurisdiction from the Church, must intend to do what the Church does, and must use valid matter and form. This proper intention, and use of valid matter and form are comparable to the intention of the duly authorised preacher to communicate the message of Christ and his use of words and phrases that really express that message, and express it in a way apt to convey it to his hearers.

A mission to preach does not, of itself, mean that the words of the preacher are going to be accompanied by light and grace. Preaching, which lacks preparation or is redolent of a merely secular eloquence alien to the spirit of the Gospel, is not animated by the presence of the Word of God and cannot be of direct benefit to its hearers — though they may merit by putting up with it. « My discourse and my preaching were not set forth », says St. Paul, « in captivating words of human wisdom, but with the plain evidence of the Spirit of power, that your faith might not rest on the wisdom of men, but on the power of God » (1 Cor 2, 4-5).

(c)   That the words of the preacher be really the reflection of the Word of God, study and human understanding of the message are necessary, but there is no need to repeat here what has already been said (for example under xi: *preaching and theology*). More necessary still is a *living faith*, whereby his mind is illumined with the inner light of his message, at it were, by the Divine Word Himself, and his will fired with love for its truth. He must be full of love and knowledge of all God has revealed, but especially of the particular truth which is to be the theme of his discourse.

In other words, it is not sufficient that the preacher represent the Church in a merely external and juridical way on account of his canonical mission. He is an effective witness to the collective living faith of the Church when that faith resides also in his heart and soul. Lacking this, his mind and will are not attuned to his words, which means there is an essential defect in his ministry of the Word.

This is in line with the Thomistic concept which derives the dignity of preaching from the fact that it is one of those works which proceed from the fullness of contemplation.[80]

Accordingly it seems a valid conclusion, and it is one admitted by the Angelic Doctor, that one who preaches in the state of

---

[80] 2ª. 2ᵃᵉ q. 188 a. 6. cf. A. ROCK, *Unless They be Sent*, p. 24 ss.

440

mortal sin is guilty of further sin (at least venial) because he lacks living faith, which means that his inner dispositions do not conform to his external utterances, inducing a certain falseness into the proclamation of the Word of God « quia ore confitetur se nosse Deum, factis autem negat » (In Sent. 4D 19 q. 2 a. 2 q. 2 ad 4).[81]

That this living faith extend itself more effectively to the particular theme of his discourse, this theme should be the subject of an immediate preparation in the way of prayerful reflection on its meaning and implications, especially as viewed in its relationship with the Gospel message of salvation.

(d)   *Charity* is a necessity for fruitful preaching not only because it is included in living faith, but also because the task of ministering the Word of God is — *ex fine operis* — supereminently a work of charity to one's neighbour. It must be given, therefore, to the faithful from a heart on fire with zeal for the salvation of souls. To preach from vain glory is not only a species of sacrilege or profanation of something holy: it is an offence against fraternal charity or against the obligations of a pastor towards his flock — « If I speak with the tongues of men and of angels, but have not charity, I am become as a sounding brass or a clanging cymbal » (1 Cor 13, 1).

Only truly supernatural charity for the soul of his neighbour can put the preacher in contact with his audience in such a way that his words strike from and in their hearts, the fire of divine love.

(e)   Finally, at the service of the all holy ministry of the Word must be placed in their entirety any natural or acquired qualities the preacher possesses — vg. delivery, natural sympathy, understanding of contemporary and human problems, appropriateness of language and illustration.

If the preacher is an instrument for the communication of divine truth so that his words can have their essential efficacy

---

[81] See also ST. ALPHONSUS, *Theologia Moralis*, lib. 6. n. 37 (Ed. Gaudé, Rome, 1909), p. 32 where he states it as the more common view that to exercise any sacred function as a *minister ex officio* in the state of mortal sin is venially sinful. St. Thomas seems to hold it is seriously so - ib. 24. q. l. a. 3 sol. 5 et ad 4.

only from the presence within him of a certain divine power, his natural qualities pertain to that dispositive action proper to every instrument and necessary for it to operate for the production of the effect of the principal cause. Such qualities, if not allowed to predominate so as to obscure the essentially supernatural role of the minister of the Word, allow the message he wishes to convey to penetrate more easily and more smoothly (see below xiv).[82]

xiv. The « sacramentality » of preaching.

Weaving together various threads of thought indicated in the above sections, preaching is seen to have a remarkable analogy with the grace-giving sacraments, so much so that, in an improper sense, indeed, but one that is still very suggestive, we can speak about its *sacramentality*. Like the sacraments properly so called preaching is a sensible reality full of divine power, and an instrument in the hands of God to produce an effect proper to Himself: like the sacraments, again, it has an infallible connection with the conferring of grace, given its authentic character and due dispositions on the part of the hearers, though there is an essential difference in the explanation of this connection. Each of these points deserves a brief investigation, and will throw valuable light on the function of preaching as an implement at the disposal of the pastor in bringing souls to Christ.

(a)   *Preaching as a divine instrument*: It is of the essence of an instrument that, while exercising its proper activity, it is so moved or employed by a superior agent that, by some power communicated to it from the latter, is produces an effect which is proper, not to itself, but to this higher cause.

The preacher must exert human labour and use human words, and the efficacy of these human factors is enhanced in proportion to his living faith: but the efficacy proper to preaching as such is instrumental, for the human factors, even though already enhanced by faith, need to be elevated and informed by a superior light and fire proper to the Word of God, the very

---

[82] See also DESURMONT p. 13-17, GARRIGOU - LAGRANGE, p. 107-109.

442

light and fire that emanate from God revealing. Without this elevation the words of the preacher, however eloquent and sincere, could not authentically propose supernatural truth, capable when assented to, of firing the will with supernatural charity.

Two things ensure the necessary elevation of the preacher's words to a divine level. First and fundamentally his *canonical mission,* and secondly *fidelity to the Gospel message.* Because of what he proposes to the belief of his hearers (revealed truth) and of the authority with which he proposes it (as one who prolongs the revelation of it as the ambassador of God revealing), the preacher imprisons, as it were, in his own words the power of God's Word communicating itself to men.[83]

The wonderful process whereby divine truth reaches the ordinary man through the word of the preacher, a process that has its origin in God and passes through the prophets and Apostles, is thus described by St. Thomas: « The things of faith surpass human reason: hence unless God reveals them they do not come within the ambit of human consideration. However, to some men they have been revealed immediately by God through the preachers of the faith whom He sends, according to what is said in the Epistle to the Romans (10, 15). « How shall they preach unless they be sent ».[84]

In what precisely consists this elevation by God Himself of the words of the preacher is manifested, if we consider him as a master of divine truth. Like every teacher, it is the work of the preacher to illuminate the minds of his disciples: this he does, not by infusing new light into their minds, but by aiding and confirming the light they already have. In the natural order, the master so proposes his teaching that it becomes clear in the light of natural reason, and by resolving itself to principles

---

[83] On the power of the Word of God see above, xiii n. 1, and A. BEA, in *Worship* Nov. (1956) p. 637-641, who aptly quotes from PIUS XII, *Divino Afflante Spiritu* AAS 35 (1943) p. 312.

[84] « Ea quae sunt fidei excedunt rationem humanam: unde non cadunt in contemplatione hominis nisi Deo revelante. Sed quibusdam quidem revelantur immediate a Deo, sicut sunt revelata Apostolis et prophetis: quibusdam autem proponuntur a Deo mittente fidei praedicatores, secundum illud Rom. (10, 15). - Quomodo praedicabunt nisi mittantur » (2ª. 2ᵃᵉ. q. 6. a. 1. cf. DE VER, q. 18. a. 3).

already known. Thus, while he teaches externally, God, the Author of reason, teaches, as it were, internally (De Ver. q. 18, a. 1).

Truths of faith require also the assent of the mind, but to their external proposition by the master there corresponds no natural light, but rather the supernatural light of faith. To propose them authentically is to create an exigency for this internal supernatural light. In the creation of this exigency for a light beyond the light of reason seems to consist the instrumental power, divinely communicated, of all authentic preaching. It is to be noted, too, that since the faith which corresponds to preaching is living faith, it produces also the exigency for grace that fires or inspires the will. It is the task of the master not only to illuminate the minds of his hearers, but also, by thus illuminating them, to move their wills to the practice of virtue (De Ver. q. 22, aa. 8-9).

(b) *Preaching as a source of grace*: Because it is not, properly speaking, a sacrament, preaching has no efficient instrumental causality, in any but an improper sense, in the actual production of grace. Also, that grace which it immediately demands is actual grace- that is, illuminations of the mind and movements of the will directly imparted by God to receive with living faith the message of the preacher. These graces, if corresponded with, dispose to faith itself or to an increase of faith: so that, given proper dispositions in the hearers, authentic preaching will, through an infallible sequence of events directed by the Providence of God, lead to the infusion or increase of sanctifying grace. The parallel with the sacraments holds to the extent that, like them, it has, on the condition of right dispositions, an infallible connection with grace, though the manner of this connection greatly differs. The sacraments are true efficient causes of grace, preaching calls for grace, and, immediately, actual grace only. Hence while a sacrament produces its effect immediately (infusing sanctifying grace at once into the soul of a rightly disposed recipient), preaching may not lead to sanctifying grace for some time, as one follows the lights and inspirations received till they culminate in the light and warmth of living faith.

St. Thomas aptly illustrates the connection between preaching and the life that comes from faith by comparing the action of the preacher to that of parents in human generation. They do not produce the soul that gives life to the child, but they dispose by their generative action the matter of the body for the infusion of the soul as the principle of life. From the preacher comes the Word of God, a true *semen spirituale,* which disposes its hearer to faith, the principle of supernatural life.[85]

By way of further amplification of the sacramentality of preaching, there are here appended further points or heads of thought, each of which deserves considerable expansion.

1. The above elaboration of the « sacramentality » of preaching is a summary of the teaching of St. Thomas, and is expounded at greater length by recent authors.[86] While admitting the analogy between the sacraments and preaching of the Word, St. Thomas stresses more sharply than other medieval authors the important difference between their modes of causality, because he was the first to teach the true causality of the sacraments in respect to grace itself.[87]

---

[85] *Expositio in Epist. ad Titum. Prol.* cf. the words of St. Paul, cited by the Angelic Doctor - « In Christ Jesus I begot you through the gospel » (1 Cor. 4: 15).

[86] Vg. A. ROCK, in *Unless They be Sent* p. 129 ff, ALSZEGHY, *Die Theologie des Wortes Gottes,* in *Gregorianum* (1958) p. 697-705.

[87] Cf. ALSZEGHY, p. 703, FLICK, *La predicazione e la grazia,* in *La Civiltà Cattolica* (1960). 1. p. 487-495. Recent writers on the theology of preaching have lamented the tendency to separate the Sacraments on the one hand, and the proclamation of the Word of God on the other. As a consequence, the former only are seen as means of grace and the truly kerygmatic character of the sacramental ministry is overlooked.

In reality, because of the fact that in both ministries there is exercised the power of the divine Word, there is an intimate and necessary connection, even a certain identity, between them. In Biblical parlance such is the power of God's Word that it is one with God Himself, able not only to testify to truth but also to produce it: « it shall not return to me void, but it shall do whatsoever I please, and shall prosper in the things for which I sent it » (Is. 55, 11). Thus *dabar* (word) signifies not merely the written or spoken word, but also some event (cf. Gen. 22, 1; 24, 66).

Hence the Word of God in authentic Christian preaching not only testifies to the Mystery of Christ, but also begets the light needed to accept and understand it. It is the same Word that reaches its climax in the form of a Christian sacrament, where not ceasing to testify and produce light, it at the same time causes the very reality of the Mystery. Of this we have the supreme example in the celebration of the Holy Eucharist, where there is shown forth « the death of the Lord, until

2. Besides the fact that the nature and purpose of preaching are clearly taught in the New Testament (vg. Rom 10, 15; Mtt 28, 20 etc.), many texts could be quoted as a foundation for the statement that authentic preaching is accompanied by interior grace — vg. (Lydia) « whose heart the Lord opened, that she might give heed to what was being said by Paul » (Acts 16, 14), which grace can be thwarted by bad dispositions. — « If I speak the truth, why do ye not believe me? He that is of God heareth the words of God. For this cause ye hear not, because ye are not of God » (Jn 8, 46-47 cf. Jn 18, 37).

3. St. Augustine has beautifully expounded this doctrine by describing Christ Our Lord as the Teacher or Master who teaches and enlightens from within — « de universis autem quae intelligimus, non loquentem qui personat foris, sed intus ipsi menti praesidentem consulimus veritatem, verbis fortasse ut consulamus admoniti, Ille autem qui consulitur, docet, qui in interiore homine habitare dictus est Christus, id est, incommutabilis Dei Virtus atque sempiterna sapientia » — i.e. if we would understand we must apply ourselves not to the one whose words are heard with the ear, but to Christ, Truth itself residing in the heart, though we do so guided by the words of a visible teacher.[88] This Augustinian concept is the one elaborated by St. Thomas (vg. in De Ver., q. 11), and applied to preaching.

4. As a sacrament can be valid and fruitful even though

He comes » (1 Cor. 11, 26), not only in the testifying words but also in the reality of Christ's Body and Blood that they produce.

Thus is explained why the proclamation of the Mystery in the full and proper sense is a function of the same sacrament of Orders that imparts the power to celebrate it, so that the previsions of Canon Law (cc. 1328, 1342) in regard to the exercise of the preaching office are more than merely disciplinary (cf. F. HAENSLI, Verkündigung Heute Aus Lebendigen Theologischen Einsichten, in Fragen der Theologie Haute, Einziedeln, (1958), p. 463-477, F.X. ARNOLD, Wort des Heiles, in Theologischen Quartalschrift (1957), p. 1-17, SCHILLEBEECKX, Parole et Sacrament dans l'Église, in Lumière et Vie (1960), p. 25-45. C. DAVIS, The Theology of Preaching, in The Clergy Review (1958), p. 524-547. Note also the remarks of Pope John XXIII on the « blook and chalice » as signifying the two tasks of the Catholic presthood AAS 50 (1958) p. 916-918.

[88] De Magistro cap. 11 n. 38 (PL 32, 1216) (trans. by J. COLLERAN, C.SS.R., ACW 9, (London, 1950), p. 177).

446

the minister be in mortal sin, so can the preaching of somebody who lacks the state of grace have a certain fruitfulness, for he can still have a canonical mission and a certain fidelity in his words to the Gospel message. However, much more than in the administration of the sacraments the fruitfulness of the Word of God depends on the living faith of the minister. This is because his instrumental action has a more intimate connection with his psychological state. To deliver any message in such a way that it takes possession of the mind of the one to whom it is delivered, a psychological contact with its recipient is necessary. Without living faith this contact is greatly lessened, because the mind of the preacher is out of tune with his words, and hence, *of itself,* his preaching is less effective. In other words, he is less disposed to present a supernatural message.

5. Nevertheless, because natural powers are also necessary for the dispositive action proper to the preacher, a less holy preacher may deliver a more fruitful sermon, because these powers give him better contact with his audience and hence provide a better foundation for the action of supernatural forces. Nevertheless, very great holiness in a preacher can and does supply the lack of natural eloquence, (cf. 1 Cor 2, 4).

6. Obviously, only Almighty God knows exactly how fruitful any particular sermon actually is, and how much of its fruit is due to the preacher rather than to other humanly imponderable forces — vg. the prayers of interior souls, the Mercy of God giving grace altogether beyond the exigency of the sermon. Also the seed sown now by a good sermon may not completely fructify for years, and then only in a way known to God. The preacher should aim not so much at producing immediate and visible conversions, as at fidelity to the divine message made accessible in human and contemporary language.[89]

7. What has been said of the efficacy and « sacramentality » of preaching holds pre-eminently of the preaching of the righly ordained priest, whose sacramental character gives him a special

[89] Cf. HITZ, *L'Annonce Missionaire* p. 13-68.

aptitude to receive a canonical mission, especially if he is a pastor of souls (cf. S. Thomas 3. q. 67, a. 1, ad 1; In Sent. 4 D. 5, q. 2, a. 1; q. 2 ad 2). However, there is no reason why it would not extend to all types of religious instruction, i.e. instruction which aims at informing lives with Christian virtues, therefore that given by catechists, lay or religious, or parents to their children. For all such can be claimed a canonical mission or its equivalent, when they teach with proper authority. Likewise, it can applied to religious and spiritual books, published with the authority of the pastors of the Church. In these various ways, the Church fulfills her mission.[90]

xv. *Preaching and the mystery of Christ.*

The above fundamental considerations on the nature and scope of Christian preaching can be seen in clearer synthesis, and at the same time their role and necessity better understood, if we re-capitulate them in the light thrown by the central mystery of salvation in Christ, that is to say, the divine plan hidden from eternity in the mind of God, but revealed in the fullness of time, and moving towards its final accomplishment at the consummation of ages, as men and nations are drawn into living membership of Christ (cf. Col 1, 22-28; Eph 1, 10, etc.).

It is already clear that this mystery is the central or primary object of Christian preaching,[91] whether missionary (kerygmatic), catechetical or homiletic, but it must be preached in such a way that the whole of revealed truth is given to the people.[92]

---

[90] For practical points on effective preaching - *Living Parish Week* (Manly 1958) p. 83-100 (Msg. TIERNAN and Fr. T. DUNPHY, C.SS.R.), T. LISKE, *Effective Preaching*, SHARPE, *Next Sunday's Sermon, Our Preaching*, T.R. MURPHY, *A Priest must Preach* (Milwaukee, U.S.A. 1945) *Preaching, A Symposium* (various lay contributors - Mercier Press Cork, 1953), MAYENBERG - BROSSART, *Homiletic and Catechetic Studies* (very full and exhaustive), SCHURR, *Wie Predigen Heute?*, J. RIES, *Krisis und Erneuerung der Predigt*, (Frankfurt am Main, 1961).

[91] See above p. 42 ss. and the papal allocution there cited.

[92] i.e. in the general trend and direction of, at least, instructional and homiletic preaching. See the allocution of JOHN XXIII to Lenten preachers — 12 Feb. 1959 (transl. in *The Furrow* May [1959] p. 265). Can. 1347. 1. states — « In sacris concionibus exponenda in primis sunt quae fideles credere et facere ad salutem oportet »,

No less clearly, preaching or the ministry of the Word in the Church pertains to the mystery of salvation in Christ as an indispensable part of its actual accomplishment. By it the Word Incarnate continues to be among men as the source of light and truth, even as He promised when sending His Apostles (Mtt 28, 20). Just as He revealed Himself in His own human words when on earth, which were the outer form and expression of the Word Eternal, His own Person, so does He continue to reveal Himself in the words of His ministers, whose preaching is the authentic ministry of that faith which assents to revealed truth only on the immediate testimony of the Uncreated Word of God, thus bringing men face to face with the mystery of their redemption in that Christ Who is its source and purpose.

It follows that the valid preaching of the Word of God is an essential property and note (as pertaining to her sanctity) of the one true Church, and can never be substantially lacking within her. She would be essentially failing in her mission were she ever to cease proclaiming in a way accessible to all men the message of the Gospel, and she will not cease to do so till the mystery she preaches is eventually accomplished. « And Himself gave some as apostles, some as prophets, some as evangelists, some as shepherds and teachers, for the perfecting of the saints in the work of the ministry, unto the building up of the body of Christ, till we all attain to the unity of the faith and of the full knowledge of the Son of God, to the perfect man, to the full measure of the stature of Christ » (Eph 4, 11-13).

The converse of this absolute necessity of valid preaching for the one true Church is that to hear the preaching of the Church and accept it is necessary for salvation with a necessity of means (*in re* or *in voto*), and on this necessity is based the positive precepts of ecclesiastical law which oblige pastors to preach, and ensure that preaching of the Word of God will be attended by the faithful.[93]

---

and ib. 2: « Divini verbi praedicatores... evangelicum ministerium... exerceant... Christum crucifixum praedicantes ».

[93] Lib. 2 tit. 29 of the CIC deals with preaching the Word of God. It begins by recalling the office of the bishop to preach the faith in his territory and instisting that he must preach the Gospel himself, unless he is validly excused, and that, besides

Thus under the vigilant care of Holy Church the mystery of preaching will continue, until that day when Christ, the Word Incarnate and Glorified, comes to enlighten the hidden things of darkness and make manifest the secrets of human hearts. Then shall the things of faith recede — the sacraments, human preaching of the Word, even the inspired pages of Scripture, and we shall see everything in the clear light of the Word Who was from the beginning, the source of that refracted light that comes to us about divine things here below, the gushing fountain of truth, from which we have been sprinkled with tiny drops in this valley of exile.[94]

---

parish priests, he must employ other suitable persons in the discharge of this office. (Can. 1327).

Caput I (can. 1329-1336) gives detailed instructions on the gravity of the obligation of catechizing, especially as it binds pastors, and lays down norms for the guidance of the parish priest in fulfilling it (can. 1330-1333). Obligations of parents in this matter are stressed (c. 1335 - which imposes like obligations on all *in loco parentum*, as well as on sponsors (*patrini*) and those with familial authority (*heri*). Ordinaries are reminded that it is for them to regulate everything pertaining to the Christian instruction of their people (c. 1336).

Caput II (cc. 1337-1348) deals with sermons; states the obligation of the Ordinary to be sure of the suitability, of the moral probity and doctrinal soundness of those they authorise to preach, and that of the parish priest *personally* (unless excused for a reason known to the Ordinary) to preach a Sunday or feastday homily (on feasts of precept) at that Mass which is most attended (can. 1340-1344). The faithful are to be admonished to patronise frequently the preaching of sermons (can. 1348).

Caput III (can. 1349-1351) deals with mission preaching, imposing on the Ordinary the obligation to see that missions are had regularly - *saltem decimo quoque anno* (can. 1349. 1).

[94] Cf. St. Augustine, Tr. in Io. 35. 9; *Corp.Christ.* ser. lat. v. 36 p. 322-323. For an excellent survey of the theology of preaching see Alszeghy and M. Flick, *Il Problema Teologico della Predicazione*, in *Gregorianum* (1959) p. 670-744.

I regret that the above article was written before I had access to the recent volume, *La Parole de Dieu en Jésus Christ*, Cahiers de l'actualité religieuse, 15 (Casterman, 1961).

Finito di stampare nell'agosto 1963
coi tipi dello Stab Tip. " Grafica ,,
di Salvi & C.
Perugia